標準言語聴覚障害学

高次脳機能障害学 第3版

シリーズ監修

藤田郁代 国際医療福祉大学大学院教授・医療福祉学研究科言語聴覚分野

編集

阿部晶子 国際医療福祉大学教授・保健医療学部言語聴覚学科

吉村貴子 京都先端科学大学教授・健康医療学部言語聴覚学科

執筆〔執筆順〕

阿部晶子 国際医療福祉大学教授・保健医療学部言語聴覚学科

橋本律夫 国際医療福祉大学教授・医学部脳神経内科

吉村貴子 京都先端科学大学教授・健康医療学部言語聴覚学科

平山和美 山形県立保健医療大学教授・作業療法学科

能登谷晶子 福井医療大学客員教授・保健医療学部リハビリテーション学科言語聴覚学専攻

中村　淳 前鹿教湯病院言語療法科・技師長

菅原光晴 清伸会ふじの温泉病院リハビリテーション課

前田眞治 国際医療福祉大学大学院教授・リハビリテーション学分野

中川賀嗣 北海道医療大学教授・リハビリテーション科学部言語聴覚療法学科

大槻美佳 北海道大学大学院准教授・保健科学研究院

原田浩美 東京工科大学教授・医療保健学部リハビリテーション学科言語聴覚学専攻

大沢愛子 国立長寿医療研究センターリハビリテーション科・医長

植田　恵 帝京平成大学教授・健康メディカル学部言語聴覚学科

内田信也 国際医療福祉大学教授・成田保健医療学部言語聴覚学科

坂本佳代 川口市立医療センターリハビリテーション科

藤田郁代 国際医療福祉大学大学院教授・医療福祉学研究科言語聴覚分野

太田信子 川崎医療福祉大学准教授・リハビリテーション学部言語聴覚療法学科

飯干紀代子 志學館大学教授・人間関係学部心理臨床学科

小森規代 国際医療福祉大学講師・保健医療学部言語聴覚学科

医学書院

標準言語聴覚障害学
高次脳機能障害学

発　　行　2009年 3月15日　第1版第1刷
　　　　　2013年12月15日　第1版第6刷
　　　　　2015年 3月 1日　第2版第1刷
　　　　　2020年 1月15日　第2版第6刷
　　　　　2021年 1月15日　第3版第1刷©
　　　　　2023年12月15日　第3版第4刷

シリーズ監修　藤田郁代
編　　集　阿部晶子・吉村貴子
発 行 者　株式会社　医学書院
　　　　　代表取締役　金原　俊
　　　　　〒113-8719　東京都文京区本郷1-28-23
　　　　　電話 03-3817-5600(社内案内)
組　　版　ビーコム
印刷・製本　三報社印刷

ISBN978-4-260-04306-9

刊行のことば

ことばによるコミュニケーションは，人間の進化の証しであり，他者と共存し社会を構成して生きる私たちの生活の基盤をなしている．人間にとってかけがえのないこのような機能が何らかの原因によって支障をきたした人々に対し，機能の回復と獲得，能力向上，社会参加を専門的に支援する職種として言語聴覚士が誕生し，その学問分野が言語聴覚障害学(言語病理学・聴能学)としてかたちをなすようになってからまだ100年に満たない．米国では1925年にASHA(American Speech-Language-Hearing Association：米国言語聴覚協会)が発足し，専門職の養成が大学・大学院で行われるようになった．一方，わが国で言語聴覚障害がある者に専門的に対応する職種がみられるようになったのは1960年代であり，それが言語聴覚士として国家資格になったのは1997年である．

言語聴覚障害学は，コミュニケーション科学と障害学を含み，健常なコミュニケーション過程を究明し，その発達と変化，各種障害の病態と障害像，原因と発現メカニズム，評価法および訓練・指導法などの解明を目指す学問領域である．言語聴覚障害の種類は多彩であり，失語症，言語発達障害，聴覚障害，発声障害，構音障害，口蓋裂言語，脳性麻痺言語，吃音などが含まれる．また，摂食・嚥下障害や高次脳機能障害は発声発語機能や言語機能に密接に関係し，言語聴覚士はこのような障害にも専門的に対応する．

言語聴覚士の養成教育がわが国で本格化してから10年余りであるが，この間，養成校が急増し，教育の質の充実が大きな課題となってきた．この課題に取り組む方法のひとつは，教育において標準となりうる良質のテキストを作成することである．本シリーズはこのような意図のもとに企画され，各種障害領域の臨床と研究に第一線で取り組んでこられた多数の専門家の理解と協力を得て刊行された．

本シリーズは，すべての障害領域を網羅し，言語聴覚障害学全体をカバーするよう構成されている．具体的には，言語聴覚障害学概論，失語症学，高次脳機能障害学，聴覚障害学，言語発達障害学，発声発語障害学，摂食・嚥下障害学の7巻からなる．[注1)]執筆に際しては，基本概念から最先端の理論・技法までを体系化し，初学者にもよくわかるように解説することを心がけた．また，言語聴覚臨床の核となる，評価・診断から治療に至るプロセス，および治療に関する理論と技法については特にていねいに解説し，具体的にイメージできるよう多数の事例を提示した．

本書の読者は，言語聴覚士を志す学生，関連分野の学生，臨床家，研究者を想定している．また，新しい知識を得たいと願っている言語聴覚士にも，本書は役立つことと思われる．

本シリーズでは，最新の理論・技術を「Topics」で紹介し，専門用語を説明するため「Side Memo」を設けるなどの工夫をしている．また，章ごとに知識を整理する手がかりとして「Key Point」が設けてあるので，利用されたい．[注2)]

本分野は日進月歩の勢いで進んでおり，10年後にどのような地平が拓かれているか楽しみである．本シリーズが言語聴覚障害学の過去，現在を，未来につなげることに寄与できれば，幸いである．

最後に，ご執筆いただいた方々に心から感謝申しあげたい．併せて，刊行に関してご尽力いただいた医学書院編集部に深謝申しあげる．

2009年3月

シリーズ監修

藤田郁代

〔注1〕現在は『地域言語聴覚療法学』『言語聴覚療法 評価・診断学』が加わり，全9巻となっている．
(2020年12月)

〔注2〕本シリーズでは全体の構成を見直した結果，「Topics」「Side Memo」欄を「Note」欄に統一，また章末の「Key Point」を廃止し新たに言語聴覚士養成教育ガイドラインに沿った「学修の到達目標」を章頭に設けることとした．
(2020年10月)

第3版の序

高次脳機能障害は，脳損傷に起因する言語，行為，認知，記憶，注意，判断，遂行機能，社会的認知，行動などの高次の精神活動の障害である．高次脳機能障害は，障害の種類や程度が同じでも，患者の生活様式や障害のとらえ方によって，対応すべき問題が異なることが多く，個別性が高い．高次脳機能障害のリハビリテーションは，それぞれの病態を正しく評価・診断し，質の高い生活を目指すための訓練や各種の支援を行うことが求められる．

本書は，2009年に初版が刊行された標準言語聴覚障害学シリーズ『高次脳機能障害学』の第3版である．2015年に改訂された第2版の刊行から6年が経過し，このたび第3版として大幅な改訂を行った．第3版の刊行にあたっては，言語聴覚士を目指す学生がテキストとして使用できるよう，2018年に日本言語聴覚士協会によって作成された「言語聴覚士養成教育ガイドライン」に基づいて，高次脳機能障害に関する基本的知識，重要な理論・技術を網羅することを目指した．さらに，初学者だけでなく，新しい知識を得たいと考える臨床家や研究者のために，最新の研究から得られた知見も学ぶことができるようにした．

第3版では，第1章に「高次脳機能障害のリハビリテーションにおける言語聴覚士の役割」の節を設け，高次脳機能そのものの障害，活動制限，参加制約に働きかけることと併せて，高次脳機能障害によって起こるコミュニケーション障害に対するアプローチの必要性を述べた．また，新たに，「認知コミュニケーション障害」の章(第13章)を設け，脳外傷や認知症，筋萎縮性側索硬化症，パーキンソン病などにおける各種症状がコミュニケーションに与える影響について詳しく解説した．その他，今回の改訂では，理論から臨床への応用を念頭におき，事例を適宜示した．

初版，第2版と同様，第3版の執筆者も高次脳機能障害のリハビリテーションの第一人者の先生方である．医師，作業療法士の先生方が，言語聴覚士の先生方とともに，研究や臨床の裏づけをもつ貴重な内容をご執筆くださった．本書が高次脳機能障害のリハビリテーションの発展に貢献することを願っている．

最後に，ご執筆いただいた先生方に，心からの御礼を申し上げる．また，医学書院編集部の方々には，多大なるご支援，ご協力をいただいた．ここに深謝申しあげる．

2020 年 9 月

編集
阿部晶子
吉村貴子

初版の序

高次脳機能障害は，運動麻痺や感覚・知覚障害によらない言語，動作，認知，記憶などの障害であり，脳病変によって生じる．失語症も高次脳機能障害のひとつであるが，失語症は本シリーズでは別に1冊をなしているので，本書では失語症を除く障害を取り上げている．

高次脳機能障害には，失認，視空間障害，失行，記憶障害，前頭葉症状など多様な障害があり，いずれもが患者の日常生活に多大な影響を及ぼす．ところが，高次脳機能障害は「目に見えない障害」であるため家族や周囲の方々に理解されにくく，専門的対応が遅れてしまうことが多い．言語聴覚士はわが国で早期から高次脳機能障害に専門的に対応し，臨床のみならず研究に取り組んできた職種のひとつである．

高次脳機能障害の臨床の第一歩は，それぞれの障害を評価・診断し，障害構造と発現メカニズムについて検討することである．本書では，高次脳機能障害の病態と発現メカニズムおよび評価・診断法にかなりのページを割り当て，基本概念から最先端の理論・技法までくわしく解説した．また，障害像と評価・診断・治療のプロセスがイメージしやすいように，各障害について事例を豊富に提示しわかりやすく解説した．

治療とリハビリテーションについては，現在，さまざまな観点からのアプローチが試みられているが，まだ仮説の段階にあり，今後，科学的検証を必要とするものが少なくない．本書では，基本概念と理論的枠組みをていねいに解説し，各種の治療理論と技法については現在の臨床で用いられている主要なものを取り上げた．これらの中には，適用や効果について科学的検証が急がれるものも含まれているが，いずれも最前線の臨床現場で創出されたものであり，今後の臨床および研究の手がかりを十分に与えてくれるであろう．

本書は，言語聴覚士を志す学生のテキストとなることを念頭において著されており，内容は基本的知識から最先端の情報までを含んでいる．本書は初学者のほか，専門分野の新しい知識を得たいと願っている言語聴覚士，関連職種，近接領域の学生や研究者にも役立つことと思われる．

執筆者は，高次脳機能障害に関する研究や臨床に第一線で取り組んでこられた医師，言語聴覚士，近接領域の研究者であり，本書にはこれらの方々の長期にわたる臨床経験に裏打ちされた深い洞察と臨床上のヒントが随所に散りばめられている．本書をお読みになれば，高次脳機能障害の臨床と研究，特に治療とリハビリテーションの地平が広がりつつあることを実感していただけるであろう．

最後に，貴重な事例を提示してご執筆いただいた方々に心から感謝申し上げたい．同時に，刊行に関し，ご尽力いただいた医学書院編集部に深謝申しあげる．

2009 年 3 月

編集
藤田郁代
関　啓子

目 次

第7章 行為・動作の障害

Note 一覧

第1章

総論

学修の到達目標

- 日常の人の行動に多くの高次脳機能が関与することを説明できる.
- 高次脳機能障害の定義を説明できる.
- 高次脳機能障害になる原因疾患を列挙して説明できる.
- 高次脳機能障害の主要症状の概要を説明できる.
- 高次脳機能障害を修飾し，影響を与える背景症状(意識障害，見当識障害，注意機能の低下，感情・情動・気分の障害，意欲・発動性の低下)を説明できる.
- 高次脳機能障害に対して言語聴覚士が行うリハビリテーションの流れを説明できる.

高次脳機能障害とは

A 日常生活・社会生活を支える高次脳機能

高次脳機能とは，言語，行為，認知，記憶，注意，遂行機能などの高次の精神活動を指す．私たちの日常および社会生活における活動は高次脳機能に支えられている．たとえば，夕食の支度をするには，メニューを考え，必要な食材を調達し，料理の手順や時間を考えて作業をすることが必要である(遂行機能)．食材を調達する買い物の過程では，お店で店員とやりとりすることが必要である(言語機能)．また，メニューを考える際には，冷蔵庫に何が入っており，何が入っていないかを思い出す必要がある(記憶機能)．また，料理をする過程では，食材の形態を視覚的に認知し(視覚認知)，包丁などの道具を正しく使用しなくてはならない(行為)．さらに，食材を切りながら，お湯を沸かすなど2つのことに同時に注意を払うことも必要である(注意機能)．これらの機能のどれか1つでも欠けると，私たちは安全で豊かな生活を送ることが難しくなる．

B 高次脳機能障害とは

1 高次脳機能障害の定義

高次脳機能障害とは，脳が損傷を受けたために，言語，行為，認知，記憶，注意，遂行機能，社会的行動などの高次の精神活動が障害された状態をいう．高次脳機能障害は，学術的には，失語，失行，失認，記憶障害，注意障害，遂行機能障害，社会的行動障害などを含む高次の精神活動の障害の総称である．高次脳機能障害は神経心理学的症状ともいわれる．神経心理学は，言語，行為，認知などの心理過程を，脳機能との関連から明らかにしようとする学際的な学問領域である[1]．高次脳機能障害学と神経心理学は，研究者ごとに多少の解釈の違いはあるものの，ほぼ同義と考えられている[1,2]．

2 高次脳機能障害の障害認定

失語症は，古くから身体障害者福祉法において「音声機能・言語機能又はそしゃく機能の障害」の1つとして規定されており，患者は身体障害者手帳を取得することで医療・福祉サービスを受けることができた．しかし，身体障害者福祉法の枠組みのなかでは，身体に運動麻痺などがなく，記憶障害，注意障害，遂行機能(実行機能)障害，社会的行動障害のために日常・社会生活が困難な患者が医療・福祉サービスを受けることはできなかった．そこで，厚生労働省は，2001～2005年に高次脳機能障害支援モデル事業を実施し，**高次脳機能障害診断基準**を作成した．この高次脳機能障害診断基準では，記憶障害，注意障害，遂行機能障害，社会的行動障害を高次脳機能障害と定義している[3,4]．患者は，高次脳機能障害と認定されれば，「器質性精神障害」として，精神障害者保健福祉手帳を取得することができる．

C 高次脳機能障害の主要症状と背景症状

1 主要症状

高次脳機能障害の主要なものを表1-1に示し

表 1-1 高次脳機能障害の主要なもの

種類	概要
失語	一度習得された言語機能が障害された病態.「聴く」,「話す」,「読む」,「書く」のすべてが障害される.
失行	麻痺，失調，感覚障害がないにもかかわらず，習熟した行為・動作を意図的に行うことができない病態.
失認	視覚，聴覚，触覚などの感覚障害がないにもかかわらず，対象が何であるかを認知できない病態.
半側空間無視	大脳半球の損傷側と反対側にある刺激を発見して反応したり，その方向を向いたりすることが障害される病態.
地誌的見当識障害	熟知した場所で道に迷う病態.
注意障害	刺激に意識を向け続ける，複数の刺激のなかから特定の対象を選択して注意を向ける，注意を向ける対象を切り替える，複数の対象に同時に注意を向けることなどが障害された病態.
記憶障害	知的機能，注意機能および言語機能が正常であるにもかかわらず，事実や出来事についての情報の獲得や，以前に蓄えられた情報を想起することが障害された病態.
遂行機能障害	目的をもった一連の活動を有効に成し遂げるために必要な機能(①目標の設定，②行為の計画，③計画の実行，④効果的な行動を含む機能を含む)が障害された病態.
行動と情緒の障害	行動や情緒の制御が障害された病態．発動性の低下，脱抑制，易怒性，無感動などを含む.

た．それぞれの詳細は，本シリーズの失語症学および本書の2章以降の解説を参照されたい．

図 1-1 は，日本高次脳機能障害学会が全国の医療機関を対象に行った「高次脳機能障害全国実態調査報告」[5]の結果をもとに，障害ごとの原因疾患の割合をグラフで表したものである．この調査報告によれば，失語，失行，失認の原因は，脳梗塞・脳出血が82.9〜83.0%を占め，脳外傷は3.5〜3.8%，変性疾患は1.2〜1.4%程度である．これに対し，記憶障害，注意・遂行機能障害，行動と情緒の障害は，脳梗塞・脳出血の割合が最も高いものの42.4〜67.7%で，脳外傷が11.5〜21.3%を占めることが特徴である．

脳梗塞・脳出血では，損傷部位に対応した症状が出現する．一方，脳外傷や低酸素脳症などの場合には，脳損傷の影響が脳の広範囲に及ぶために，記憶障害，注意障害，遂行機能障害，社会行動障害など複数の症状が出現する．身体機能の障害が軽微であっても，日常生活や社会生活への適応困難を示すことが多い．

2 背景症状

a 意識障害

意識障害は，高次脳機能検査の成績に影響を及ぼす．高次脳機能障害であると判断するためには，検査成績の低下が意識障害によるものではないことが前提となる．意識障害には，覚醒度の障害と意識内容の障害がある．

1）覚醒度の障害

わが国では Japan Coma Scale(JCS)[6]が最もよく用いられる(表 1-2)．JCSは，覚醒の状態を3群に大分類し，さらにそのなかを3段階に小分類して，全体を9段階に分けて数字で表す尺度である．3-3-9度方式とも呼ばれる．Ⅰ群(1桁：1，2，3)は刺激しないでも覚醒している状態，Ⅱ群(2桁：10，20，30)は刺激すると覚醒するが，刺激なしでは覚醒を維持できない状態，Ⅲ群(3桁：100，200，300)は刺激を与えても覚醒しない状態を表す．意識清明を0で表現すると意識レベルは10段階に分けられる[7]．JCSの表記は，たとえば

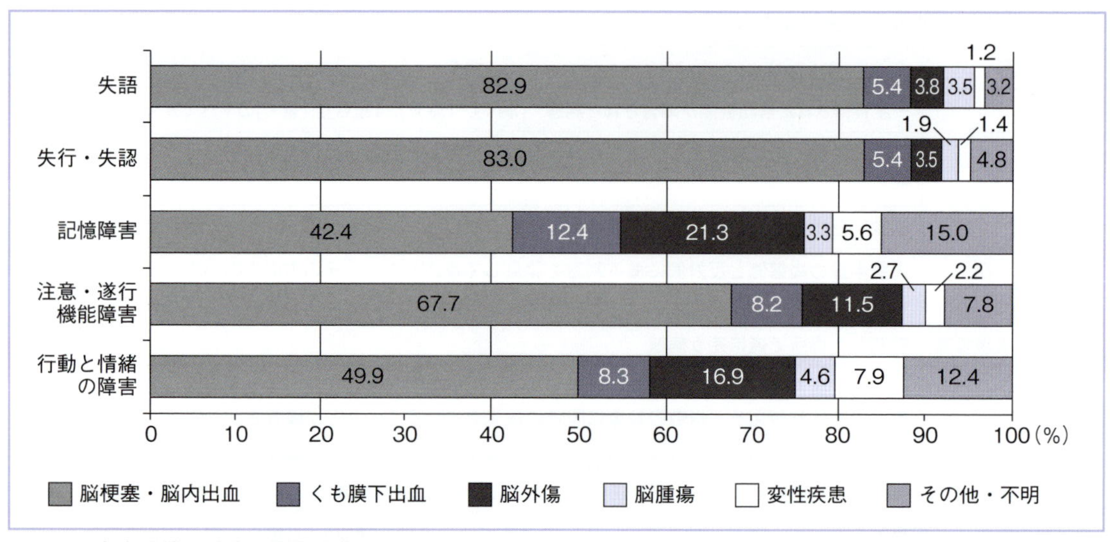

図 1-1　高次脳機能障害の原因疾患

〔日本高次脳機能障害学会高次脳機能障害全国実態調査委員会：高次脳機能障害全国実態調査報告．高次脳機能研究 36：28, 2016 をもとに作成〕

表 1-2　Japan Coma Scale (JCS)

Ⅲ．刺激をしても覚醒しない状態(3 桁の点数で表現)(deep coma, coma, semicoma)
300. 痛み刺激にまったく反応しない
200. 痛み刺激で少し手足を動かしたり顔をしかめる
100. 痛み刺激に対し，払いのけるような動作をする
Ⅱ．刺激すると覚醒する状態(2 桁の点数で表現)(stupor, lethargy, hypersomnia, somnolence, drowsiness)
30. 痛み刺激を加えつつ呼びかけを繰り返すとかろうじて開眼する
20. 大きな声または体を揺さぶることにより開眼する
10. 普通の呼びかけで容易に開眼する
Ⅰ．刺激しないでも覚醒している状態(1 桁の点数で表現)(delirium, confusion, senselessness)
3. 自分の名前，生年月日が言えない
2. 見当識障害がある
1. 意識清明とは言えない

注)R：Restlessness(不穏)，I：Incontinence(失禁)，A：Apallic state または Akinetic mutism
たとえば　30R または　30　不穏とか，20I または　20　失禁として表す．
〔太田富雄，他：急性期意識障害の新しい grading とその表現法．(いわゆる 3-3-9 度方式)．脳卒中の外科研究会講演集 3：61-68, 1975〕

刺激なしでは覚醒を維持できないが，普通の呼びかけで容易に開眼する状態であれば，「Ⅱ1」あるいは「10」と表現する．JCS では，軽度の意識障害は質問に対する言語的反応をもとに評価される．たとえば「JCS Ⅰ-2」のレベルは，刺激なしに覚醒可能であるが，日付や場所がはっきりしない状態である．失語症がある場合には，患者の非言語的反応もよく観察して，言語的反応の困難さを見当識障害と誤って判断しないようにする必要がある．

Glasgow Coma Scale (GCS)[8]は，世界的に用いられている評価法である(表 1-3)．この尺度では，意識を 3 つの要素に分け，開眼(E)，言語での応答(V)，運動での反応(M)によって判断す

表 1-3　Glasgow Coma Scale（GCS）

1. 開眼（eye opening：E）	E
自発的に開眼	4
呼びかけにより開眼	3
痛み刺激により開眼	2
なし	1
2. 最良言語反応（best verbal response：V）	**V**
見当識あり	5
混乱した会話	4
不適当な発語	3
理解不明の音声	2
なし	1
3. 最良運動反応（best motor response：M）	**M**
命令に応じて可	6
疼痛部へ	5
逃避反応として	4
異常な屈曲運動	3
伸展反応（除脳姿勢）	2
なし	1

〔Teasdale G, et al：Assessment of coma and impaired consciousness. A practical scale. Lancet 2：81-84, 1974〕

る．開眼を 4 段階（E1～E4），言語反応を 5 段階（V1～V5），運動反応を 6 段階（M1～M6）で評価する．GCS のスコアは，各要素（E，V，M）の合計点として算出する．

2）意識内容の障害

せん妄は意識レベルの軽度低下を基盤として生じる意識変容状態で，失見当識，記憶錯誤，人物誤認，幻視，妄想，情緒不安定，興奮など多彩な症状を伴う[9]．意識の混濁に，精神・身体の興奮性が加わった状態である[7]．せん妄は脳血管障害などによって出現するが，高齢者では脱水，発熱などでも出現する．急性発症し，症状の変動が大きいことが特徴である．認知症の診断においては，せん妄との鑑別が重要である[10]．せん妄は意識レベルの低下する夜間に現れやすく，特に夜間に限局してみられるものを夜間せん妄という[9]．

b　見当識障害（失見当識）

時間，場所，人物（自己）の認識が代表的な見当識である．見当識障害は，時間，場所，人物（自己）の認識が障害された病態で，時間と場所が特に障害されやすい．

見当識は，意識，思考，記憶を基盤とする[2]．このため，見当識障害は意識障害，記憶障害に伴って出現するほか，思考能力などの低下によっても出現する．

c　注意機能の低下

注意障害は，主要症状（前頭葉の損傷で出現する症状）として行動の制御にかかわるほか，背景症状としてほかの高次脳機能の基礎をなす．

すべての高次脳機能に，直接的，間接的に影響を及ぼすのは，注意の強度（覚度と持続性注意）で，注意の水準を一定以上に保ち，それを維持する機能である．たとえば，覚度と持続性注意が低下すると，すべての検査成績が低下する．

d　感情・情動・気分の障害

脳損傷によって感情・情動・気分のコントロールが障害されることがある．抑うつ状態とは，抑うつ気分（気分が沈む）がみられる状態を指し，脳の器質的病変そのものによって生じる場合と，機能や能力低下に対する反応として生じる場合（反応性うつ状態）がある．

脳損傷後に情動失禁（感情失禁）がみられることも知られている．情動失禁は，外界刺激に対して容易に泣いたり笑ったりして，抑制がきかない状態である．情動失禁は，何らかのきっかけ・理由があって出現し，感情を伴う．

e　発動性・意欲・自発性の障害

脳損傷は，発動性の障害，意欲の障害，自発性の障害といわれる病態を引き起こすことが少なくない．発動性の欠乏とは，あらゆる心的・身体的活動を可能にする駆動力が欠乏した状態を指す．これに対し，意欲の低下は，何もする気がしないといった心理的側面の問題を指す．自発性の低下は，発動性の欠乏，意欲の低下を含む病態である[11]．自発性の低下（意欲の低下，発動性の欠乏）は，さまざまなレベルで高次脳機能障害に影響するとともに，リハビリテーションや社会復帰の阻害要因となる．

引用文献

1）大東祥孝：高次脳機能障害を研究するにはどのような方法がありますか．神経心理学，認知神経心理学，臨床神経心理学などの用語がありますが，それぞれどのように異なるのですか．河村満（編著）：高次脳機能障害Q & A基礎編．pp6-9，新興医学出版社，2011
2）鹿島晴雄：神経心理学とは．岩田誠，鹿島晴雄（編）：言語聴覚士のための基礎知識—臨床神経学・高次脳機能障害学．pp178-183，医学書院，2006
3）中島八十一：高次脳機能障害／びまん性軸索損傷—高次脳機能障害支援モデル事業．臨床精神医学 35：121-130，2006
4）中島八十一：高次脳機能障害支援モデル事業について．高次脳機能研究 26：263-273，2006
5）日本高次脳機能障害学会高次脳機能障害全国実態調査委員会：高次脳機能障害全国実態調査報告．高次脳機能研究 36：24-34，2016
6）太田富雄，和賀志郎，半田隆：急性期意識障害の新しい grading とその表現法．（いわゆる 3-3-9 度方式）．脳卒中の外科研究会講演集 3：61-68，1975
7）平山惠造：神経症候学（改訂第2版）Ⅰ．pp10-12，文光堂，2006
8）Teasdale G，Jennett B：Assessment of coma and impaired consciousness：A practical scale. Lancet 2：81-84, 1974
9）前田貴記：注意障害．神経心理症状の特徴と鑑別診断．岩田誠，鹿島晴雄（編著）：言語聴覚士のための基礎知識．臨床神経学・高次脳機能障害学．pp236-239，医学書院，2006
10）石合純夫：認知症，せん妄，外傷性脳損傷による高次脳機能障害．高次脳機能障害学第2版．pp237-274，医歯薬出版，2012
11）大東祥孝：意欲・発動性とその障害について．日本高次脳機能障害学会 Brain Function Test 委員会（委員長：岩田誠）（編）：標準注意検査法・標準意欲評価法．pp121-128，新興医学出版社，2006

2 脳と高次機能

A 脳という「形」，生ける脳の「活動」，立ち現れる「こころ」

「こころの在処（ありか）は脳である」というのはおそらく正しい．しかし，脳の形態をいくら観察してもこころはみえてこない．脳は物質であり形をもつ．こころは脳により生み出された機能・現象であり，形をもたない．これらの間には大きな溝がある．山鳥によれば，「われわれはこの二者の間にある相関関係を想定するだけであり，それ以上のことを知ることはできない」わけである．

脳の形・構造は観察可能な対象で，客観的な観察とその記述が可能である．一方，生きている脳は神経細胞を発火させてその活動を持続しているが，脳の形から脳活動そのものを予測することは不可能である．脳波検査や機能的脳画像により脳活動の一部は客観的に観察可能であるが，脳という場で生起され時空間的に変化する脳活動すべてを観察・記録することは，技術的に不可能である．さらに，「こころ」は脳活動の結果生じた主観的現象であり，客観の対象となりえない．観察者は対象者に現れた行動・行為や対象者の自省・内観表出から，対象者の「こころ」の状態を推測するにとどまる．「脳の形」「脳の活動」「こころ」との関係について図1-2に示した．

「こころ」と関連が深いと考えられる脳機能は高次脳機能と呼ばれる．「こころ」または「高次脳機能」と「脳の形」あるいは「脳の活動」との関係をできるだけ分析的にとらえていこうとする学問が神経心理学である．

何らかの要因（例：脳出血，脳梗塞，脳腫瘍，脳外傷，アルツハイマー病など）で脳に変化が生じたときに，「こころ」がどのように変化するかを観察し，病巣との関係を考察する．そのような経験を重ねることにより，ある部位の脳損傷がいかな

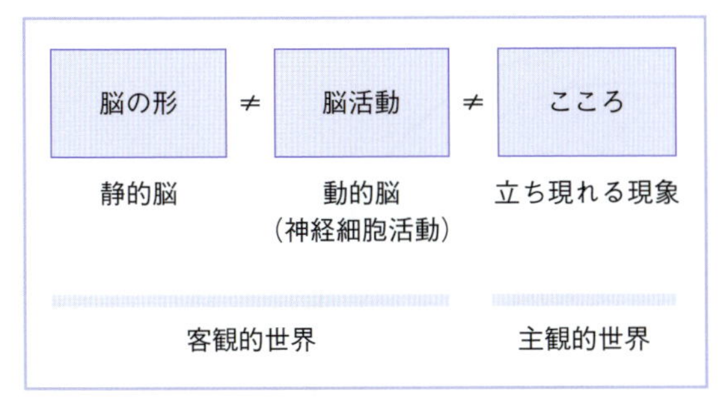

図 1-2 「脳の形」,「脳活動」,「こころ」の関係
「脳の形」,「脳活動」は客観的な観察と表記が可能である．一方，「こころ」はこれらの客観的世界とは異なり主観的世界である．

る「こころ」の変化を起こしうるかについて洞察することが可能となる．そのような知識は，不幸にして脳に損傷を負ってしまった患者の「こころ」を理解し，「こころ」の障害に対して有効な治療を探る際に有用となるであろう．また最近では，機能的磁気共鳴画像法 functional magnetic resonance imaging(fMRI)や positron emission tomography (PET)などを用いることにより，ある認知課題を遂行中の脳活動を画像化することが可能となってきた．このような技術は，正常脳の働きとそれを支える解剖学的な脳領域との相関を考えるうえで重要なヒントを与えてくれるであろう．

したがって，まず神経心理学の基礎知識として脳の形・構造を知る必要がある．次に，高次脳機能を評価する際に有用な画像診断について述べる．最後に，今までに先人の慧眼(けいがん)により発見され，蓄積されてきた高次脳機能についての原則や神経心理学的な考え方について解説する．これらを知ったうえで患者と向き合うわけである．

B 脳の形—機能を支える構造

1 脳の概観

中枢神経系は脳 brain と脊髄 spinal cord に分かれる．脳は**大脳 cerebrum**，**脳幹 brain stem**，**小脳 cerebellum** の3つに区分される(図 1-3)．

大脳は神経細胞の集まりである**灰白質 grey matter** と神経線維の集まりである**白質 white matter** からなる．大脳表面は神経細胞が層をなして広がり，皮質灰白質 cortical grey matter と呼ばれる．大脳の深部にも深部灰白質 deep grey matter と呼ばれる神経細胞の集まりがあり，大脳基底核 basal ganglia と，間脳 mesencephalon と呼ばれる構造物を形成している．大脳基底核は，線条体 striatum(線条体は内包 internal capsule により尾状核 caudate nucleus と被殻 putamen に分けられる)，淡蒼球 pallidum，黒質 substantia nigra，赤核 red nucleus の総称である．大脳基底核は大脳の運動皮質と線維連絡をもち，さらにそれぞれが線維連絡をもちながら運動制御に重要な働きをしている(図 1-4)．

間脳は，視床 thalamus，視床上部 epithalamus，視床下核 subthalamus，視床下部 hypothalamus からなる．

視床には，脊髄・脳幹経由で皮膚表在感覚(温・痛・触覚)と深部感覚(位置感覚，運動感覚)，味覚・聴覚・視神経を介して視覚，さらに小脳と大脳基底核から運動制御にかかわる情報が入力される．視床はこれらの情報を中継したのち，大脳皮質に伝える役目をしている．また，意識レベルの維持に関係する上行性網様体賦活系 ascending reticular activating system からの入力を受け，大脳皮質の活動レベルの調節を行っている．一方，大脳皮質からも入力を得て，大脳各部を連合する働きも行っている．

視床上部は概日リズムと結びついた内分泌機能を有する．視床下核は大脳基底核との関連が深く，運動制御に関連する(視床下核を大脳基底核に分類する学者もいる)．視床下部は自律神経系の上位中枢であり，これにつながる下垂体とともに神経内分泌系を構成する．

脳幹は，中脳 midbrain，橋 pons，延髄 medulla からなる．脊髄から大脳への上行性投射線維

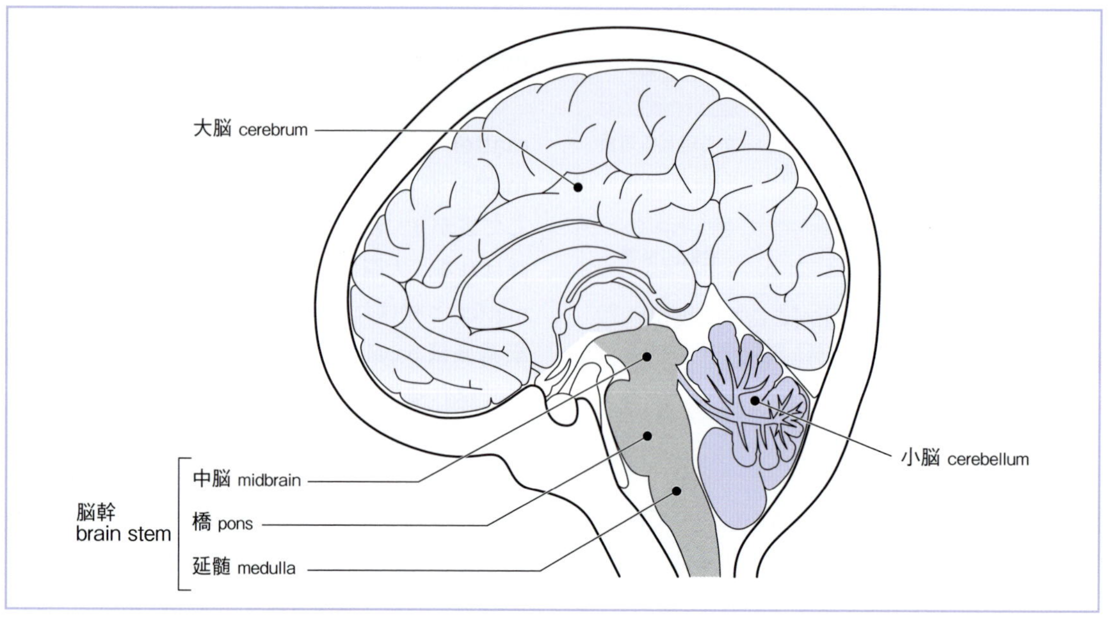

図1-3　脳の区分

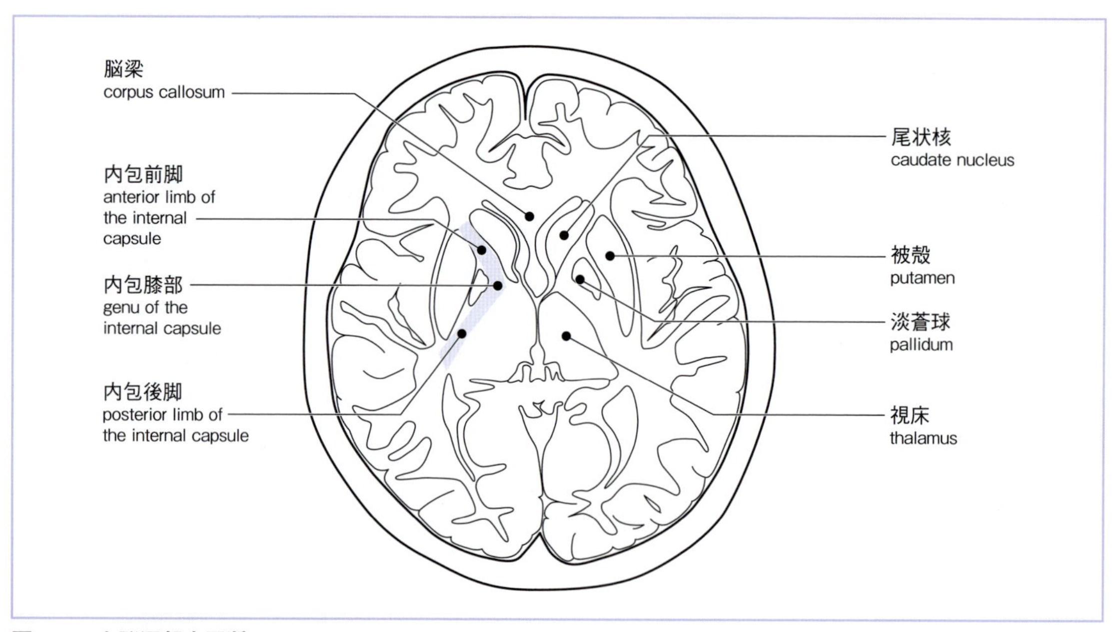

図1-4　大脳深部水平断

ascending projection fibersと大脳から，脳幹・脊髄への下行性投射線維 descending projection fibersが通過する．上行性投射線維の代表的なものは皮膚表在感覚と深部感覚線維で，それぞれ主として脊髄視床路 spinothalamic tract，後索−内側毛帯経路 dorsal column-medial lemniscus pathwayを上行する．下行性投射線維の代表的なものは脊髄まで下行する皮質脊髄路 corticospinal tract（別名：錐体路 pyramidal tract）と脳幹の運動神経核まで下行する皮質球路 corticobulbar tractがある．また脳幹にはⅢ〜Ⅻまでの脳神経（動眼，滑車，三叉，外転，顔面，内耳，舌咽，迷走，副，舌下）の核が存在する．さらに脳幹の背側には脳幹網様体が存在し，意識の維持・覚醒と睡眠サイクルの調節，運動・知覚系への調節，呼吸・循環中枢としての働きを行っている．

小脳は，脊髄，運動皮質のほか平衡感覚と関係する前庭神経核との間に強固な入出力関係があり，姿勢と運動の制御や体の平衡を保つ働きをしている．

2 大脳

高次脳機能の主役は大脳である．少し詳しくみてみよう．

a 神経細胞

大脳の神経細胞は約1,000億あるとされている．神経細胞 neuron は機能的・形態的に4つの部位，すなわち細胞体 soma，樹状突起 dendrite，軸索突起 axon，神経終末 nerve ending に分けられる．細胞体と樹状突起には多数の神経細胞の神経終末が近接し，シナプスを介して情報伝達が行われる（図1-5）．1つの神経細胞には1,000〜10万のシナプス結合が存在するといわれている．

神経細胞終末からは神経伝達物質 neurotransmitter が放出され，樹状突起や細胞体側の細胞膜，すなわちシナプス後膜 postsynaptic membraneに興奮性シナプス後電位 excitatory postsynaptic potential（EPSP，別名：脱分極性電位），または抑制性シナプス後電位 inhibitory postsynaptic potential（IPSP，別名：過分極性電位）を発生する．後電位が興奮性か抑制性かは神経伝達物質の種類による．大脳での代表的な興奮性神経伝達物質はグルタミン酸であり，抑制性のそれはγ-アミノ酪酸 GABA である．シナプス後電位はその大きさが段階的に変わる反応なのでアナログ信号といえる．神経細胞は時間的・空間的広がりをもって入ってくるこのアナログ信号を活動電位 action potential という形で出力する．シナプス後電位が累積して，ある閾値以上にならないと活動電位は発生しないので，活動電位は全か無の法則 all-or-none's law に従うデジタル信号といえる．

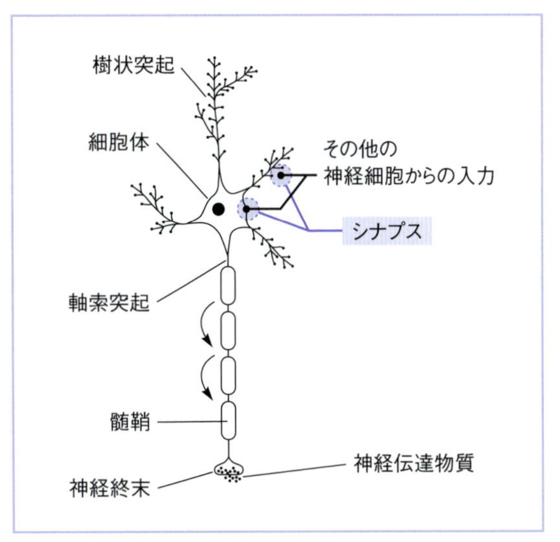

図1-5　神経細胞の構造

神経細胞には細胞体，樹状突起，軸索突起，神経終末の4つの部位がある．軸索突起は髄鞘細胞（中枢神経系では乏突起グリア細胞）による絶縁質の膜で覆われている．髄鞘により活動電位は跳躍伝導で伝えられることになり，その伝達速度が速くなっている．
〔Kolb B, et al：Fundamentals of Human Neuropsychology（4th ed）. p66, W.H. Freeman, 1996 より一部改変〕

大脳は神経細胞のほか，神経膠細胞 neuroglia からなる．神経膠細胞数は神経細胞の5〜10倍の数だけ存在するといわれる．神経膠細胞には乏突起グリア細胞 oligodendroglia，星状グリア細胞 astroglia，小グリア細胞 microglia がある．乏突起グリア細胞は神経細胞の軸索のまわりに絶縁質の膜，髄鞘 myelin sheath を形成する．星状グリア細胞は，血管壁と神経細胞をつなぎ，血管から神経細胞へ栄養物質などの受け渡しを行っている．小グリア細胞は変性・細胞死した神経細胞を片づける役割をしている．

b 大脳皮質の層構造，コラム構造

大脳の表面には**溝 sulcus** と半球状に膨らんだ**脳回 gyrus** がある．これらのしわを伸ばして平

坦にしたとすると，左右半球を合わせて，表面積は約 2,000 cm^2 になる．表面から深さ 1.5〜4 mm にわたって神経細胞が密集した層があり，大脳皮質と呼ばれる．大脳皮質のなかで発生学的に新しい領域は特に新皮質 neocortex と呼ばれる．

大脳新皮質では，さまざまな種類の神経細胞が脳表面に対して平行に層をなして並び，**6層構造**をなしている．表面から順に分子層，外顆粒層，外錐体細胞層，内顆粒層，内錐体細胞層，多形細胞層と名づけられている．あるいはそれぞれ単にⅠ〜Ⅵ層と呼ぶ．機能的にはⅠ〜Ⅲ層までは皮質表層，Ⅳ層は皮質中間層，Ⅴ・Ⅵ層は皮質深層と分けられる．

皮質間の線維連絡に注目すると，Ⅳ層の神経細胞はほかの領域からの入力を受け，表層と深層の神経細胞に受け渡すのが専門である．表層と深層からはほかの領域への出力線維が出ている．領域Aの表層と深層から領域Bの第Ⅳ層に入力があった場合，領域Bは領域Aよりも，より高次の情報処理をしていると考えられている．このような神経結合は前向性 feed forward 結合と呼ばれ，ボトムアップ bottom-up 形式の情報処理に関係していると考えられる．また領域Bから領域Aに戻る神経結合は，領域Bの深層と表層から出力し，領域Aの深層と表層に入力する．このような神経結合は，逆向性 feedback 結合と呼ばれ，トップダウン top-down 形式の情報処理に関係していると考えられる（図 1-6）．このような前向性結合と逆向性結合を繰り返すことにより，脳の機能的ネットワークは形成されていると考えられる．

生理学的な脳機能単位として，大脳皮質には脳の内部に向けて，神経細胞が柱状に並んだ**コラム column** と呼ばれる構造が存在する．1つのコラムには刺激反応性という点でほぼ同様の性質をもつ約1万の神経細胞が集まり，これが脳における情報処理の最小単位となっている．たとえば，視覚野には10° の傾きをもつ線分に反応するコラムや，20° の傾きをもつ線分に反応するコラムがある．このようなコラムの大きさは脳表ではおよそ直径 0.2〜0.5 mm である．コラムの基本機能は，処理 processing と配給 distribution である．入力情報に，そのコラムでの神経細胞群の活動情報を付与してコラムの出力とするのが処理である．出力はただ1つのコラムに向かうわけではない．いくつかの線維連絡のあるコラムに処理情報を伝える．これを配給と呼ぶ．

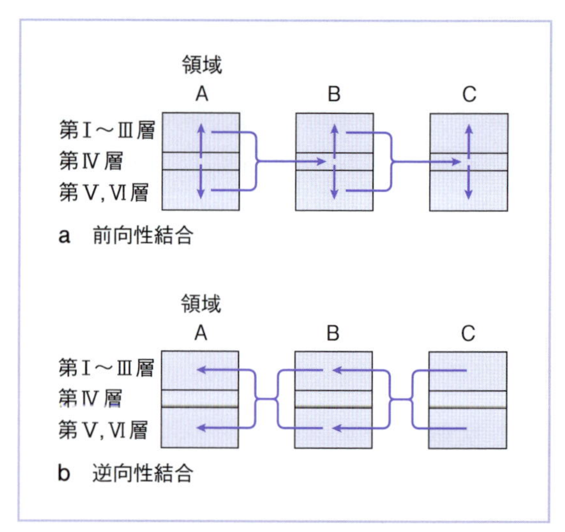

図 1-6　前向性結合と逆向性結合

a：大脳皮質は6層構造をもつが，Ⅰ〜Ⅲ層までを皮質表層，Ⅳ層を皮質中間層，Ⅴ・Ⅵ層を皮質深層と呼ぶ．A領域の表層と深層の神経細胞から発してB領域のⅣ層に終わる線維結合がある場合，B領域はA領域よりも，より高次の情報処理をしていると考えられる．このような神経結合は前向性結合と呼ばれ，ボトムアップ形式の情報処理の神経基盤と考えられている．

b：より高次の領域から低次の領域への線維結合は高次領域の表層と深層から発して，低次領域の表層と深層に終わる．このような神経結合は逆向性結合と呼ばれ，トップダウン形式の情報処理の神経基盤と考えられている．

〔酒井邦嘉：心にいどむ認知脳科学─記憶と意識の統一論．p108，岩波書店，1997 より〕

思考実験として脳内神経細胞活動と認知機能の関係を考えてみよう．大脳皮質の神経細胞数を1,000億とすると，ある時間的一点における脳神経細胞の取りうる活動パターンは $2^{1{,}000\text{億}} = (2^4)^{250\text{億}} >> 10^{250\text{億}}$ となる．

神経細胞の興奮はミリ秒単位で変化するが，ある認知機能が200ミリ秒で成立したとしたときには，この間の神経細胞活動の時間変化も認知成立

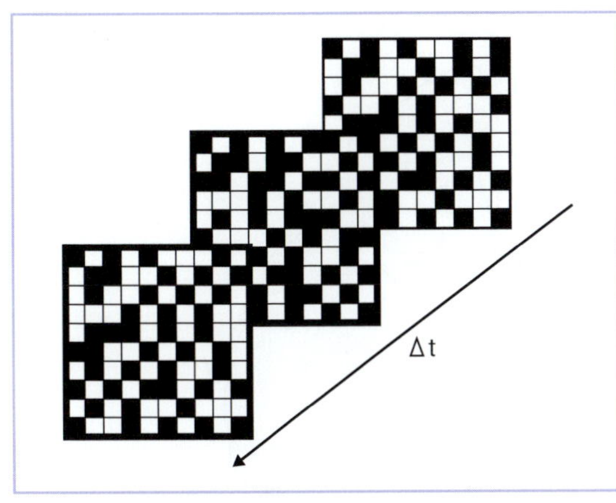

図 1-7 認知機能と関連して時空間的に変化する神経細胞活動の模式図

桝目の1つひとつは大脳皮質の神経細胞を表し，桝目の白黒はそれぞれその神経細胞の興奮と非興奮を示している．ある一定数の神経細胞がある認知機能に関与すると仮定する．どの神経細胞が興奮するか，またそれらがどのように時間変化するかという時空間的にダイナミックな神経細胞の活動変化によって認知機能は支えられていると考えられる．

に関係すると考えられる(図 1-7)．

時空間的に変化する神経細胞の活動パターンの総体が認知機能の本体であるとすると，とりうる興奮パターンの場合の数は前述のように莫大な数になる．実際は，ある感覚様式情報など特定の情報処理に関与する神経細胞はある程度固定化されている可能性が高いので，単純な場合分けの計算は成立しないだろう．また，ある神経細胞の活動と，その神経細胞と線維連絡のある神経細胞の活動は相関し，おのおのが独立に活動するわけではない．しかしそれらを勘案しても，脳は複雑系であるということがよくわかると思う．

われわれは種々の情報を神経細胞の活動パターンに変換して脳内に取り込んでいると考えられる．この変換のことを**符号化 coding** と呼び，符号化により脳内に表現された情報を**表象 representation** と呼ぶ．森羅万象変化する外界情報を表象化することができるのは，「複雑系である外界と対座しうるだけ，脳が複雑系であるから」ということができる．

C 大脳皮質の機能的領域

大脳皮質は，発生学，解剖学，生理学，また主としてサルを用いた実験的な部分脳切除による行動変化の観察などから4つの機能的領域 functional zones of the cerebral cortex に区分される．すなわち，①**辺縁野**，②**傍辺縁野**，③**一次感覚・運動野**，④**連合野**である．これらのうち，辺縁野と傍辺縁野は合わせて**辺縁系 limbic system** と呼ばれる．一次感覚・運動野と連合野は発生学的に新しい皮質であり，前述の新皮質 neocortex と呼ばれる領域にあたる．大脳皮質の機能的領域について，図 1-8 に示す．

1）辺縁野

前脳基底部 basal forebrain，海馬体 hippocampal formation，扁桃体 amygdala，梨状葉 piriform cortex(海馬傍回前部)を合わせて辺縁野 limbic area と呼ぶ．

前脳基底部は，中隔野 septal region，マイネルト核 nucleus basalis of Meynert，ブローカ対角帯核 nucleus of the diagonal band of Broca からなる．これらの構造物は大脳腹内側の表面に接し，大脳皮質との移行部に存在する．構造的には，皮質(神経細胞が並んで層状構造をなす)と核(層状構造が明らかでない)の両者の特徴をもち，類皮質 corticoid と呼ばれる．

扁桃体・梨状葉は発生学的に最も古い皮質と考えられており，古皮質 archicortex と呼ばれる．海馬はそれよりもやや新しい皮質であり，旧皮質 paleocortex と呼ばれる．

2）傍辺縁野

眼窩前頭皮質 orbitofrontal cortex，島葉 insula，側頭極 temporal pole，海馬傍回 parahippocampal gyrus，帯状回皮質 cingulate cortex の5領域は合わせて傍辺縁野 paralimbic area と呼ばれる．

これらの領域は辺縁野と新皮質の移行帯に存在

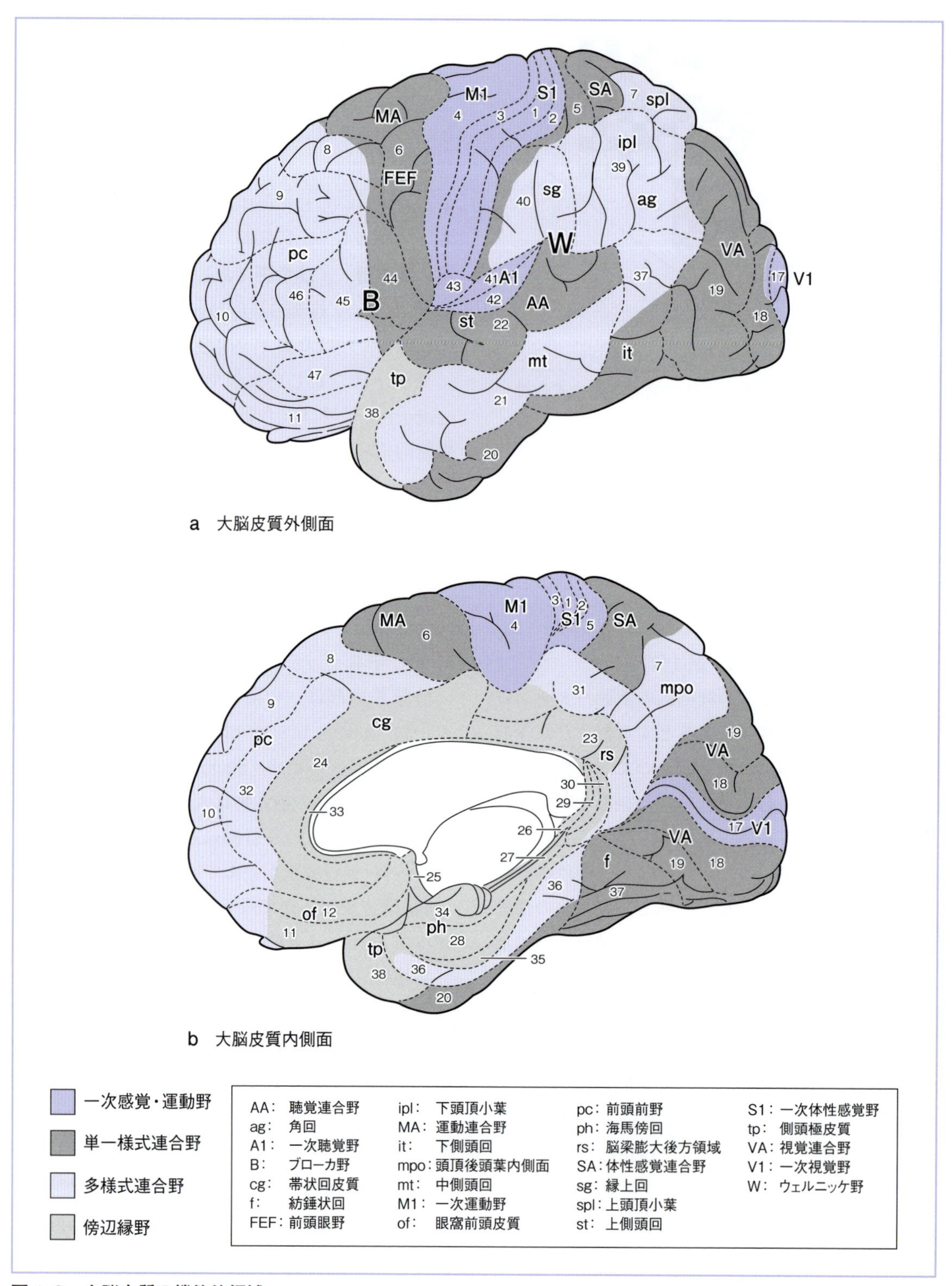

図 1-8　大脳皮質の機能的領域

大脳皮質はその機能により大きく，辺縁野，傍辺縁野，一次感覚・運動野，単一様式連合野，多様式連合野，に分けられる．辺縁野は大脳皮質に覆われているため，大脳表面からは観察されない．数字はブロードマン Brodmann の脳地図による番号を示す．
〔Mesulam M-M：Principles of Behavioral and Cognitive Neurology(2nd ed)．p12，Oxford University Press，2000 より一部改変〕

し，辺縁野からの移行部では辺縁野と類似の皮質構造をもち，新皮質への移行部では新皮質類似の皮質構造をもつ．辺縁野の梨状葉・扁桃体は眼窩前頭皮質-島葉-側頭極と機能的関連が深く，一方，海馬体は海馬傍回-帯状回と機能的な結びつきが強い．

3）一次感覚・運動野

一次感覚野 primary sensory area には，①一次体性感覚野，②一次視覚野，③一次聴覚野，④一次味覚野，⑤一次嗅覚野がある．それぞれの感覚入力が最初に到達する皮質部位である．一方，⑥一次運動野からは直接に延髄，脊髄の運動神経核に連絡する線維が出る．一次感覚・運動野の損傷と症状の間には点対応的な関係があり，同じ部位に損傷をもつ患者間で症状の差はあまりみられない．

①**一次体性感覚野** primary somatosensory area：中心溝 central sulcus 後方の脳回，すなわち中心後回 postcentral gyrus に存在する．対側半身の皮膚知覚(温痛覚，触覚)，深部感覚(位置覚)に関与する．一次体性感覚野には体部位局在 somatotopic organization がある．手指・唇・舌など，感覚が鋭敏な部位を司る皮質は相対的に広い領域を占める．

②**一次視覚野** primary visual area：後頭葉の鳥距溝 calcarine fissure を挟んでその上下に存在する．右半球の視覚野は左半側視野情報を，左半球のそれは右半側視野情報を処理する．鳥距溝上・下の一次視覚野皮質は，それぞれの下・上方視野に対応する．視野空間と網膜，一次視覚野の領域との間には点対応があり，網膜部位局在 retinotopic organization がある．

③**一次聴覚野** primary auditory area：上側頭回からシルヴィウス裂深部の横側頭回に存在する．聴覚伝導路は交叉性のものと非交叉性のものがあるため，一側の一次聴覚野は両耳からの聴覚信号を受ける．一次聴覚野では後方から前方に向かって低音から高音に応じる領域が順に並んでおり，周波数局在 tonotopic organization がある．

④**一次味覚野** primary gustatory area：頭頂弁蓋部と，これに隣接する島周囲の領域に存在する．

⑤**一次嗅覚野** primary olfactory area：梨状葉前皮質と扁桃体周囲の領域に存在する．

⑥**一次運動野** primary motor area：中心溝前方の脳回，すなわち中心前回 precentral gyrus に存在する．ここには延髄の運動神経核や脊髄の α 運動神経に直接連絡して，運動指令を出す神経細胞が集合している．一次運動野からの軸索はその多くが交叉して反対側の延髄運動神経核や脊髄の α 運動神経につながっている．そのため，一側の一次運動野の損傷は反対側の体の運動麻痺をきたす．一次運動野にも一次体性感覚野と同様に体部位局在がある．

4）連合野

大脳新皮質のなかで，一次感覚・運動野を除いたすべての部分が，**連合野 association area** と呼ばれる領域である．連合野は進化とともに発達してきた領域で，ヒトの大脳皮質のなかで最も広い領域を占める．線維の髄鞘化 myelination が一次感覚・運動野に比較して遅いことが知られている．連合野は皮質間連合線維を主に受け，大脳皮質の6層構造が最も顕著にみられる領域である．

連合野には，単一様式連合野と多様式連合野の2種類がある．**単一様式連合野 unimodal association area** は一次感覚野に隣接した部位に存在し，隣接する一次感覚野が処理する感覚様式の高次処理野と考えられる．単一様式連合野の特徴としては，①この領域にある神経細胞を興奮させるのは1種類の感覚刺激に限られている，②隣接する一次感覚野，並列関係にある同じ感覚情報を処理する単一様式連合野，の両方から入力がある，③この領域が損傷された場合はそこが処理する感覚様式の検査にのみ異常を呈する，の3つがあげられる．一次運動野に接して前方に運動前野 premo-

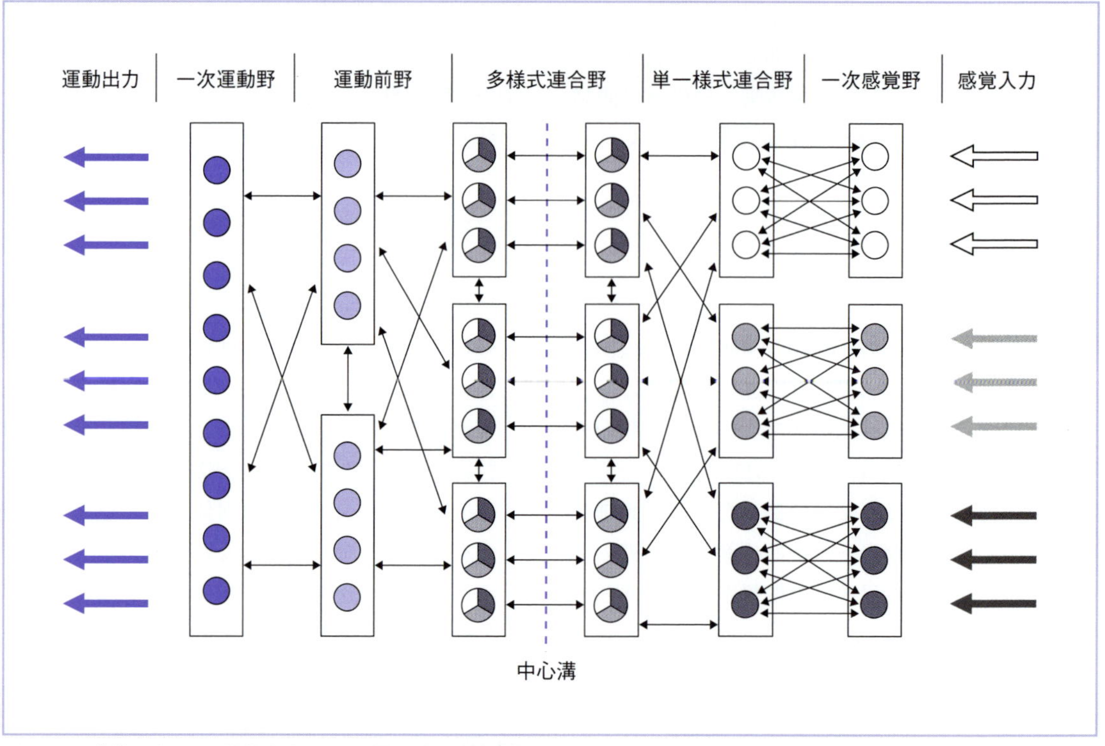

図 1-9 感覚入力から運動出力までに関与する脳領域

感覚入力は一次感覚野から単一様式連合野を経て後方多様式連合野で処理される．この情報は前方多様式連合野（前頭前野）に送られ，運動前野を経て一次運動野に運動命令信号として送られる．両方向の矢印は各領域が双方向性に連絡していることを示す．

tor area が存在する．運動前野は運動という様式に関連した高次処理野という意味で単一様式連合野に分類される．

多様式連合野 multimodal association area は単一様式連合野をさらに連合する領域にあたる．多様式連合野の特徴は，①多種の感覚刺激に対して反応する神経細胞（例：触覚・視覚・聴覚刺激のいずれにも反応する神経細胞）が集合している領域である，②隣接する多種の単一様式連合野，そのほかの多様式連合野，の両方から入力がある，③この領域の損傷による症状は多種の感覚様式にまたがっており，単一の感覚様式の検査異常にとどまらない，の3つがあげられる．多様式連合野は多種の感覚情報を統合し，認知，記憶，学習，判断などの高次脳機能が営まれる領域である．ヒトにおける多様式連合野は，前頭前野 prefrontal cortex，後部頭頂葉 posterior parietal cortex，側頭葉外側面 lateral temporal cortex，海馬傍回 parahippocampal gyrus の4つの領域があげられる（図 1-8 参照）．また，脳を「感覚入力に応じて反応・行動するまでに介在する情報処理系」としてとらえた場合の脳機能模式図を図 1-9 に示す．

ところで，前述のように一次感覚・運動野の損傷による症状は，損傷されている部位がほぼ同一である場合，その個人間差は少ない．一方，連合野の損傷による症状は，たとえほぼ同じ部位が損傷されているとしても個人間差が大きい．このことは，情報の入口（一次感覚野）と出口（一次運動野）については機能解剖学的な個人間差は少ないが，その間に存在する高次の情報処理領域は生得的なものに加えて学習や経験による可塑性 plasticity が大きく，機能解剖学的な個人間差が大きいことを示唆する．

d 大脳の機能的階層—身体内と身体外環境の情報処理

視床下部は生体のホメオスタシスに深く関係しており，体液バランス調節，自律神経系のコントロール，ホルモンバランス，性周期などを調節する．さらに，性欲・怒り・恐れ・空腹・渇きなど本能的行動に伴う生体反応(脈拍，体温，呼吸回数，発汗など)を制御している．辺縁野は視床下部との線維連絡が密で，機能的関連も深い．すなわち，辺縁野は主として生体の内部環境の影響を受けて駆動され，内部環境を保ち，自己と種の保存を目的として働く領域といえる．

もう一方の極は，一次感覚・運動野である．これらの領域は身体外部環境と脳の接点になる．一次感覚野は，身体外部環境の情報を脳内に取り込む際の入口にあたり，一次運動野は運動により主体が外部環境に働きかける際の出口にあたる．

辺縁野と一次感覚・運動野の中間領域として，傍辺縁野，多様式連合野，単一様式連合野が存在し，身体内部と身体外部環境をつなぐ働きをしている．これらの領域は体の欲求が外部環境において実現可能かどうか，身体内部と外部環境の両方を比較計算し，最も効率的な手段や方策を創造する領域であるといえる．傍辺縁野から多様式連合野への情報は知覚・認知に情動を付加し，また内的な動機に誘発された運動発現に関係する．一方，単一様式連合野から多様式連合野で処理される情報は，外部環境の知覚・認知を介する外的な手がかりによって外部環境へ働きかける際の，運動の企画・プログラムに関係している．私たちの知覚・認知・行動は身体内部と身体外部環境の両方による二重支配を受けているといえる．

脳の情報処理機構として，辺縁野，傍辺縁野，連合野，一次感覚・運動野は，この順で身体内部から身体外部環境情報の処理系として階層構造をとっている(図 1-10)．

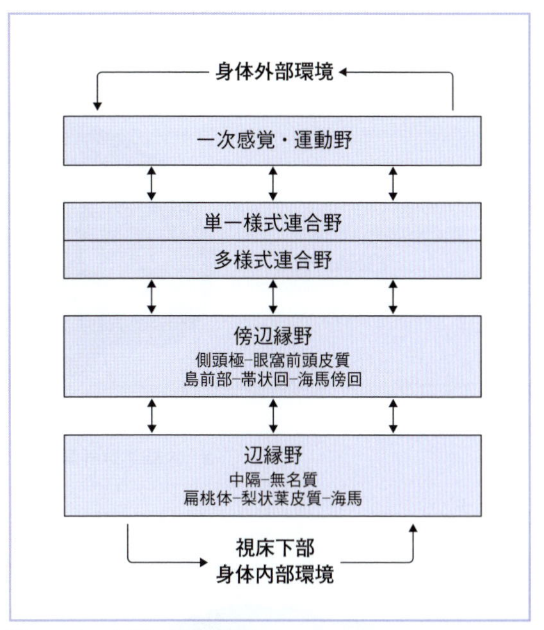

図 1-10 大脳の階層構造

大脳は身体内部環境 internal milieu と身体外部環境 extra-personal space 両方の情報を処理している．身体内部環境の情報は，視床下部と機能的関連が深い辺縁野でまず処理され，傍辺縁野に送られる．一方，身体外部環境の情報は一次感覚野から入力される．また，身体外部環境に働きかける運動出力は一次運動野を介してなされる．多様式連合野は傍辺縁野と単一感覚様式連合野からの情報をもとに，知覚・認知を行い，行動・行為を企画する．身体内から身体外の情報処理系として，辺縁野–傍辺縁野–多様式連合野–単一様式連合野–一次感覚・運動野は階層構造をなしている．

〔Mesulam M-M：Principles of Behavioral and Cognitive Neurology (2nd ed). p8, Oxford University Press, 2000 より一部改変〕

e 白質線維(短連合線維，長連合線維，交連線維，投射線維)

一側の大脳半球の各領域は**連合線維 association fiber** によりお互いに線維連絡がある．また，左右大脳半球は**交連線維 commissural fiber** によりお互いに線維連絡がある．さらに，大脳皮質は**投射線維 projection fiber** により皮質下の構造物から入力を受けるとともに，皮質下の構造物に出力している．

連合線維は短連合線維 short association fiber と長連合線維 long association fiber に分けられる．短連合線維は，同じ脳回または隣の脳回にあ

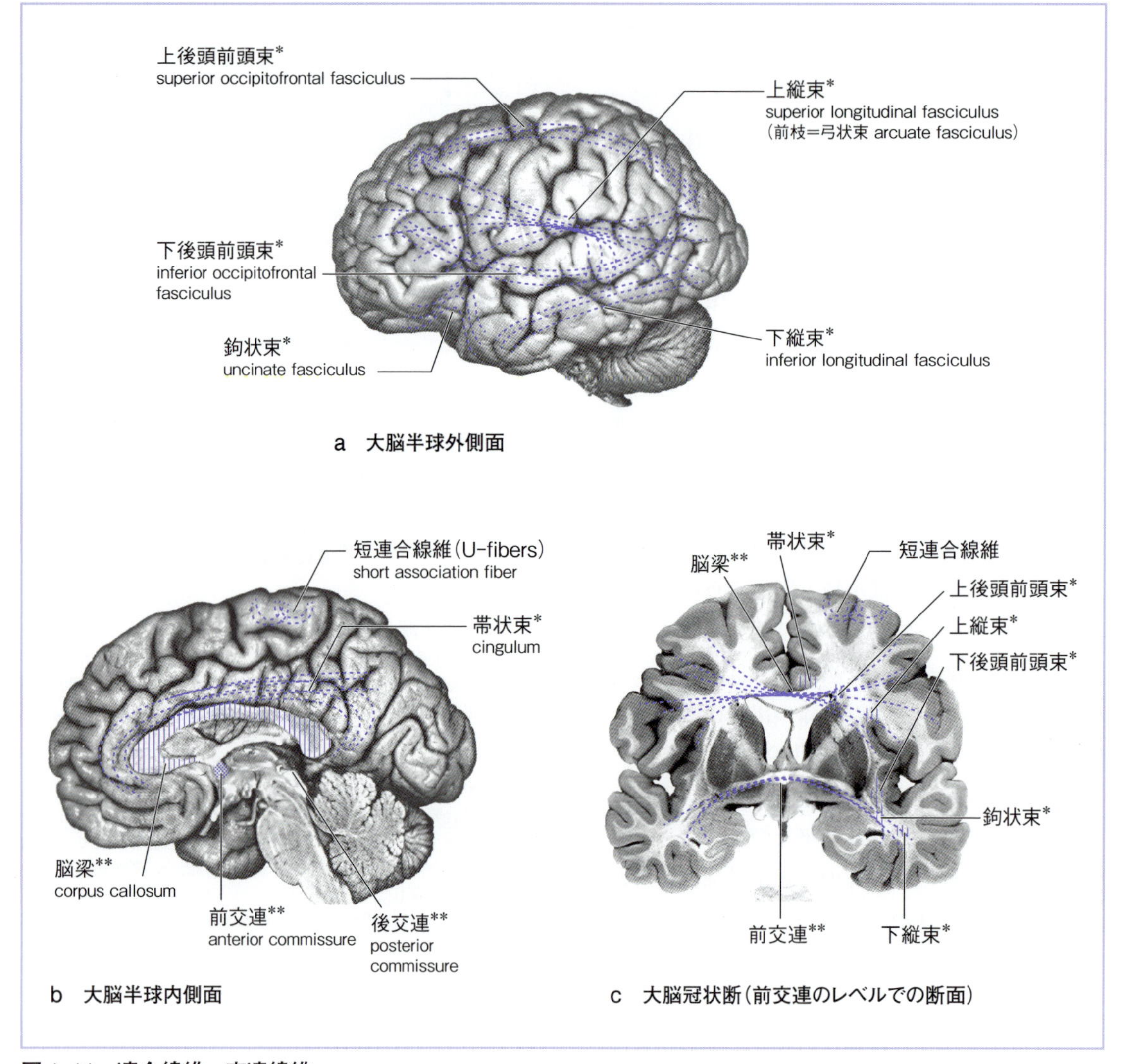

図 1-11　連合線維，交連線維
*：長連合線維束　**：交連線維束

る機能的に関係の深い近傍の皮質部位を結合する線維で，各脳溝の底部にU字形をなして走行する(U-fibers)．長連合線維は離れた皮質間を(多くは連合野間を)結合する．これらの連合線維による結合は大部分が両方向性である．長連合線維には，①後頭葉と前頭葉を結ぶ上・下後頭前頭束 superior and inferior occipitofrontal fasciculus，②後頭葉および側頭葉後部と前頭葉(下・中前頭回)を結ぶ上縦束 superior longitudinal fasciculus (前枝と後枝に分けられ，前枝を弓状束 arcuate fasciculus と呼ぶ)，③後頭葉後端と側頭葉前部を結ぶ下縦束 inferior longitudinal fasciculus，④側頭葉前部と前頭葉下部を結ぶ鉤状束 uncinate fasciculus がある．また，帯状束 cingulum は大脳辺縁系の連合線維束であり，前頭葉，頭頂葉の内側皮質と海馬傍回・海馬傍回周辺側頭葉皮質を結んでいる(図 1-11)．

交連線維のなかで，最大のものは脳梁 corpus callosum である．脳梁は約2億本の交連線維からなるとされる．多くは，起始部の神経細胞が存在する領域と対側半球の同じ領域を結んでいるが，それよりもやや対応が緩く，広範な領域につながっている線維もある．ほとんどの脳領域が交連線維を出すが，一次視覚野と一次体性感覚野は例外的に直接の交連線維を出さない．大脳皮質間交連線維には脳梁のほか，前交連 anterior commissure（図 1-11b，c）がある．前交連は左右の中・下側頭回，嗅覚関連の眼窩前頭皮質，扁桃体を連絡している．その他の交連線維には後交連 posterior commissure，海馬交連 hippocampal commissure，手綱交連 habenular commissure があげられる．

投射線維は大脳皮質と，大脳基底核・視床・小脳・脳幹・脊髄など，レベルの異なる部位とを結ぶ線維である．大脳皮質から出ていく投射線維を遠心性投射線維と呼び，皮質に向かうそれを求心性投射線維と呼ぶ．皮質球路，皮質脊髄路などの運動経路は遠心性投射線維の代表的なものである．体性感覚・視覚・聴覚・平衡感覚などの各種感覚経路は，視床を介して大脳皮質に連絡する求心性投射線維として代表的なものである．

C 高次脳機能と画像診断

1 病巣マッピング

a 病巣研究ということ

神経心理学における病巣研究の目的は，第1に，局在した脳損傷（病巣）と，認知または行動変化のパターンとの相関を確立すること，第2に，正常脳における局在部位の脳機能を推測することにある．

ヒトにおける脳病巣は，病気そのものによって引き起こされる場合もあれば，外科的な治療（脳部分切除など）に由来する場合もある．病巣研究のための病巣の条件としては，それが安定した病巣で，病変がある脳領域に限局していることがあげられる．よって単発性の陳旧性脳梗塞などは最も病巣研究に適しているといえる．しかし，浮腫を伴うような急性期脳梗塞や脳出血の急性期，急速に大きくなる脳腫瘍，脳機能の広範な障害をきたす脳炎急性期などでは病巣局在を特定することはできない．

さて，限局脳病巣と神経心理学的な症状との相関を多数例で検討して，ある相関関係が得られたとしよう．このような知識は，ある神経心理学的な症状から，脳損傷部位を推測し，逆にある局在性脳損傷により現れうる神経心理学的症状を予測するのに役立つ．ここで，第1の目的は達せられる．第2の目的はどうであろうか．現れた症状と病巣部位の機能とをただちに結びつけるのは早計である．その理由として，①最近の神経解剖学や神経生理学の知見は，「単一脳機能が単一脳領域に存在し，一方向性に順次階層が上がることにより高次脳機能が成立する」というような単純な考えは現実に即していないことを示唆している，②高次脳機能は，多くの機能領域が双方向性に結びついたネットワーク活動から創発すると考えられている，③脳損傷後の症状は残存した脳機能と損傷後の機能回復の両方を反映したものである，などがあげられる．

第2の目的を達成するための方法の1つとしては，認知神経心理学的なアプローチが有用であろう．認知神経心理学では健常な脳の機能単位としてはどのようなものがあるかをまず考える．また，それらがどのように組み合わされて，ある高次脳機能を成立せしめているかの理論的な仮説を立てる．一方，正常脳においてこれら個々の機能単位が脳のどの辺りに存在するか，神経解剖学的，神経生理学的な知見から仮説を立てる．限局した脳病巣による症状を観察し，理論から予測される症状と比較する．この作業により，仮説が適切であったかどうかを確認することができる．すなわち病巣研究は，仮説の正当性を検証するうえで重要なヒントを与えてくれる探索針 probe となる．

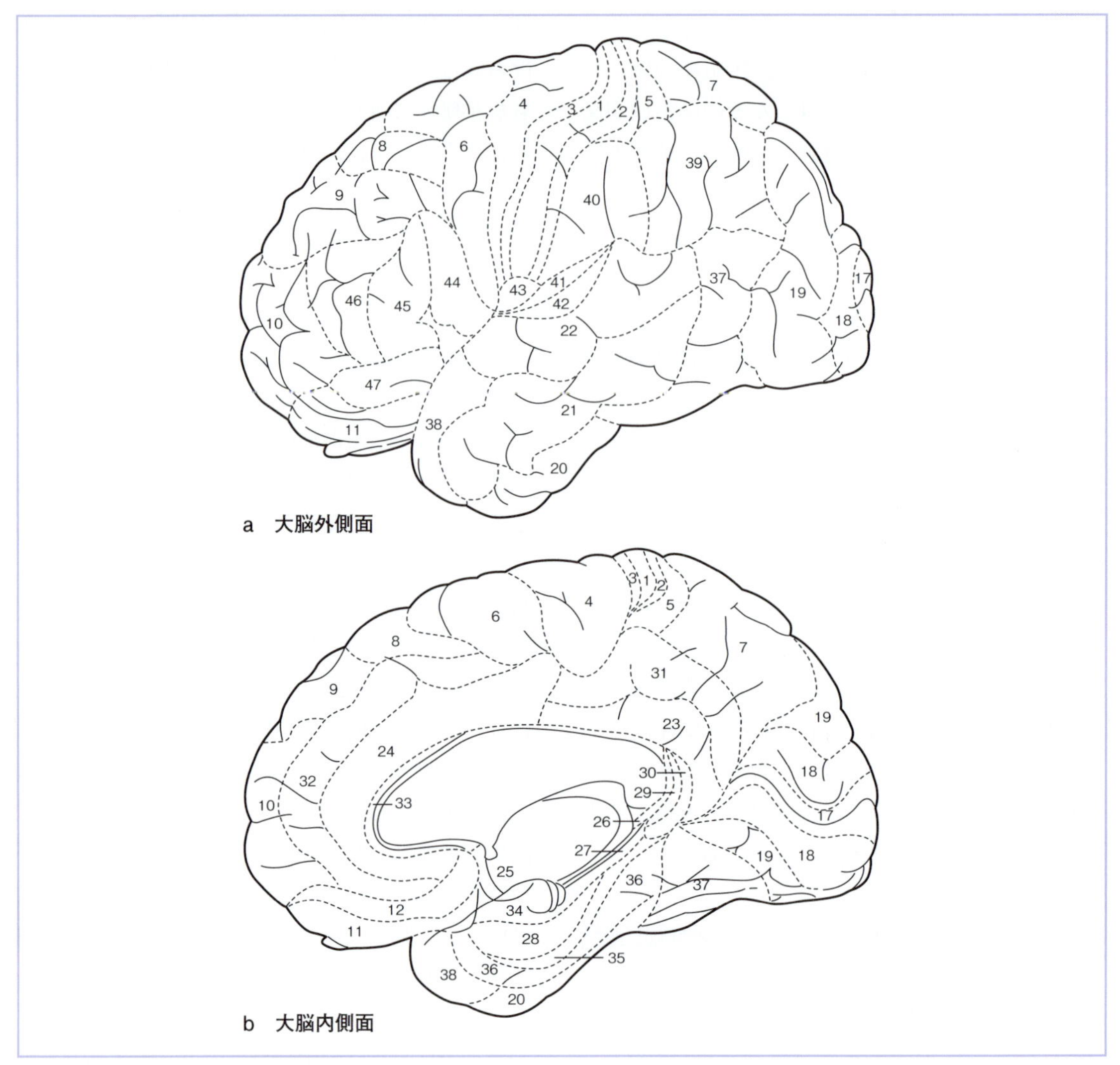

a　大脳外側面

b　大脳内側面

図 1-12　ブロードマンの脳地図

数字はブロードマンの脳地図による番号を示す.

〔Nieuwenhuys R, et al：The Human Central Nervous System；A Synopsis and Atlas(3rd ed). Springer, 1988 より一部改変〕

b 脳部位の命名

脳の病巣研究においては，記載された病巣に対して共通の認識をもたなければならない．言い換えると，脳解剖学的な共通のことば(ラベル)をもつことが必要である.

大脳皮質の病巣記載の第1の方法として，**ブロードマン Brodmann の脳地図**は今でもよく用いられる．ブロードマンは大脳皮質の各領域について神経細胞層構造を顕微鏡で詳細に検討し，脳の細胞構築学的な地図を作成した(図 1-12)．地図では脳表に振られた番号で領域が区分されている.「細胞構築学的な違いは機能的な違いを反映する」との考えは現在でも有用である．しかし，大脳新皮質の 1/3 が脳表にあり，2/3 は脳溝に面していることを考えると，ブロードマンの脳地図の境界の脳溝に面した皮質はどちらに含まれるのかという問題が生じる.

第2の方法として，脳溝・脳回の解剖名で記載する方法が考えられる．この方法によれば，ブロードマンの脳地図で生じた問題は避けることができる．たとえば上側頭溝皮質という呼び方をすれば，脳表からは見られない上側頭溝に面した側頭葉皮質(背側と腹側面がある)を示していることになる．ただしこの方法にも欠点がある．脳溝，脳回には個人差があるのである．

第3の方法として，たとえば一次運動野や補足運動野などのように，機能野の名称で記載する場合がある．これは主として実験動物を用いた神経生理学的な知見をもとにして決定された機能野名である．したがって，実験動物の結果をそのままヒトに当てはめてよいかという問題がある．さらに，神経生理学的手法や実験パラダイムが変化した場合，機能野は変更されうる．

これら3つの記載方法について，それぞれの限界と問題点を知ったうえで，それぞれの方法により記載された脳部位がどこを示しているかを理解する必要がある．機能野名，解剖名，ブロードマンの地図番号のそれぞれの対応表を表 1-4 に示す．

C 脳部位同定の実際

本項においては，脳溝・脳回の同定による方法を説明する．最近の脳画像検査，特に MRI 画像は，水平断・矢状断・冠状断面を自由に得ることが可能で，脳溝・脳回の同定が比較的容易にできるからである．大脳外側面，内側面，底面における主要な脳溝・脳回について以下に記載する．

1) 外側面

前頭葉と頭頂葉の境界が中心溝である．外側溝(シルヴィウス裂)は，前頭葉，頭頂葉と側頭葉の境界である．中心溝前方の脳回が中心前回，中心溝後方の脳回が中心後回である．前頭葉は上前頭溝と下前頭溝により上前頭回，中前頭回，下前頭回の3つの脳回に分かれる．下前頭回は外側溝の分枝である前方の前枝と後方の上行枝により前，中，後の三部に分かれ，それぞれ眼窩部，三角部，弁蓋部と呼ばれる．このうちの三角部と弁蓋部がブローカ野にあたる．

頭頂葉は頭頂間溝により2つに分けられる．頭頂間溝より上方は上頭頂小葉と呼ばれ，それより下方は下頭頂小葉と呼ばれる．下頭頂小葉の前方が縁上回，後方が角回 angular gyrus にあたる．外側溝後端で外側溝後枝が上方に切れ上がるが，それを取り囲む脳回が縁上回である．側頭葉は上側頭溝，下側頭溝により，上側頭回，中側頭回，下側頭回の3つの脳回に分かれる．上側頭回後半1/2がウェルニッケ野にあたる(図 1-13a)．

2) 内側面

帯状溝により前頭葉内側面，一次体性感覚野内側面と帯状回が分けられる．前頭葉内側面には前頭前野内側面，補足運動野，一次運動野内側面が含まれる．帯状溝は後方にいくと上方に切れ上がり辺縁枝となり，頭頂葉頂部に到達する．帯状溝辺縁枝の前方には，中心溝が内側に切れ込んだ中心溝切痕がある．これを前後に取り囲む部分は中心傍小葉と呼ばれるが，その前半は一次運動野内側面であり，後半は一次感覚野内側面である．頭頂後頭溝は頭頂葉内側面と後頭葉内側面の境界である．帯状溝辺縁枝と頭頂後頭溝に挟まれた部分は前部と呼ばれる．鳥距溝は，後頭葉後端からほぼ水平に前方に伸び，頭頂後頭間溝と交わり鳥距溝上方に楔部と呼ばれる楔形の領域をつくる(図 1-13b)．

3) 底面

前頭葉底面部分は眼窩の上にあるので眼窩前頭皮質 orbitofrontal cortex と呼ばれる．側頭葉前方から後頭葉にかけて縦に伸びる溝が2つ認められる．内側の溝は側副溝，外側の溝は後頭側頭溝と呼ばれる．側副溝より内側部領域は後頭葉から側頭葉移行部までは舌状回，側頭葉中部では海馬傍回，側頭葉前方では鉤と呼ばれる．側副溝と後頭側頭溝で挟まれた部分は紡錘状回と呼ばれる(図 1-13c)．

表 1-4　各領野の対応表

機能野名		解剖名	ブロードマン野
前頭葉	一次運動野	中心前回，中心傍小葉前部	4
	運動前野	上・中前頭回後部，中心前回中下部	6（外側面）
	補足運動野	上前頭回内側中部	6（内側面）
	前頭眼野	中前頭回中部	8
	前頭前野	上前頭回前部，中前頭回中部	9
		前頭葉極部	10
		眼窩回，直回	11, 12, 47
		中・下前頭回中部	46
		上・中前頭回内側	32
	ブローカ野	下前頭回三角部，弁蓋部	44, 45
	—	中心溝下端（中心前回と中心後回接合部）	43
頭頂葉	一次体性感覚野	中心後回，中心傍小葉後部	3, 1, 2
	体性感覚連合野	上頭頂小葉	5, 7
	補足感覚野	楔前部	7（内側面）
	頭頂連合野	下頭頂小葉（角回，縁上回）	39, 40
側頭葉	一次聴覚野	横側頭回（ヘシュル横回）	41
	聴覚周辺野	側頭平面	42
	ウェルニッケ野	左上側頭回後 1/2	22
	視覚関連	紡錘状回	36
	—	紡錘状回後部，中・下側頭回後部	37
	—	下側頭回	20
	—	中側頭回	21
後頭葉	一次視覚野	有線野（楔部下部，舌状回上部，後頭葉極部）	17
	視覚前野	有線野周囲（第一，二，三後頭回，下行回，楔部，舌状回のそれぞれ一部）	18
	視覚周辺野	視覚前野周囲	19
辺縁系	前脳基底部	梁下回（膝下部後部）	25
	—	帯状回前部	24, 33
	—	帯状回後部	23, 31
	脳梁膨大後域	帯状回峡	26, 29, 30
	側頭葉内側	内嗅領背側（鉤）	34
		内嗅領（海馬傍回前部）	28
		周嗅領	35
		海馬傍回	27
	—	側頭葉極部	38
	—	島前部	—
	—	島と側頭弁蓋境界	52

Brodmann K（1909）の図には 12～16 野，48～51 野は記載されていない．Brodmann K（1914）には眼窩回に 12 の番号が付されている．
注）— は名前のつけられていない領域．
〔平山惠造，他：MRI 脳部位診断．医学書院，1993 より〕

d　磁気共鳴画像 MRI における脳溝，脳回同定の実際

上述の脳溝，脳回の同定手順について，実際の MRI 画像を用いて説明していこう．ここで説明するそれぞれの脳断面は，脳軸に対して標準的な切り方をしたものである．すなわち，水平断は前交連–後交連を結んだ基準線（AC–PC line）に平行な断面，矢状断は大脳縦裂に平行な断面，冠状断は AC–PC line に垂直な断面である．

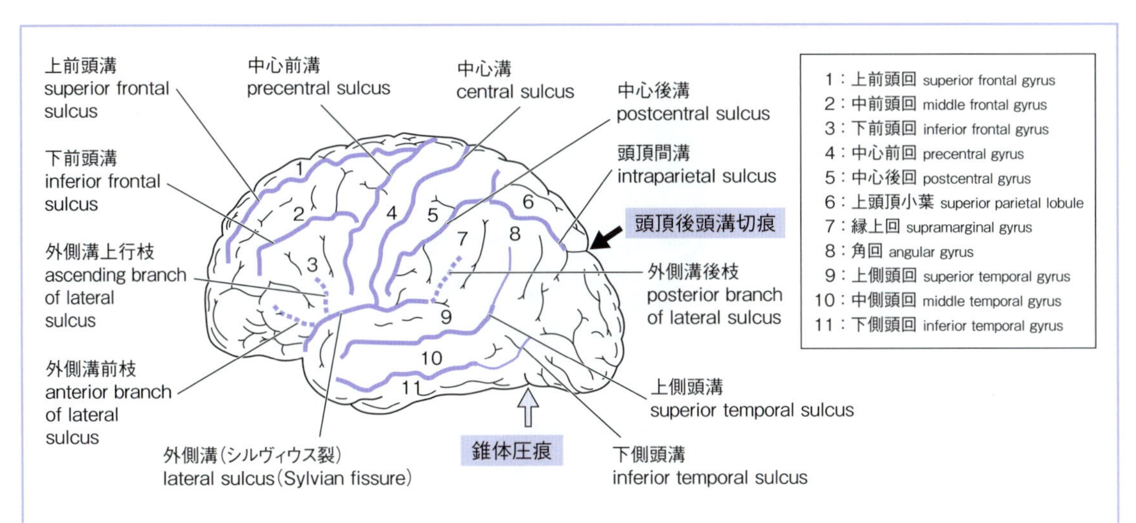

a　大脳外側面

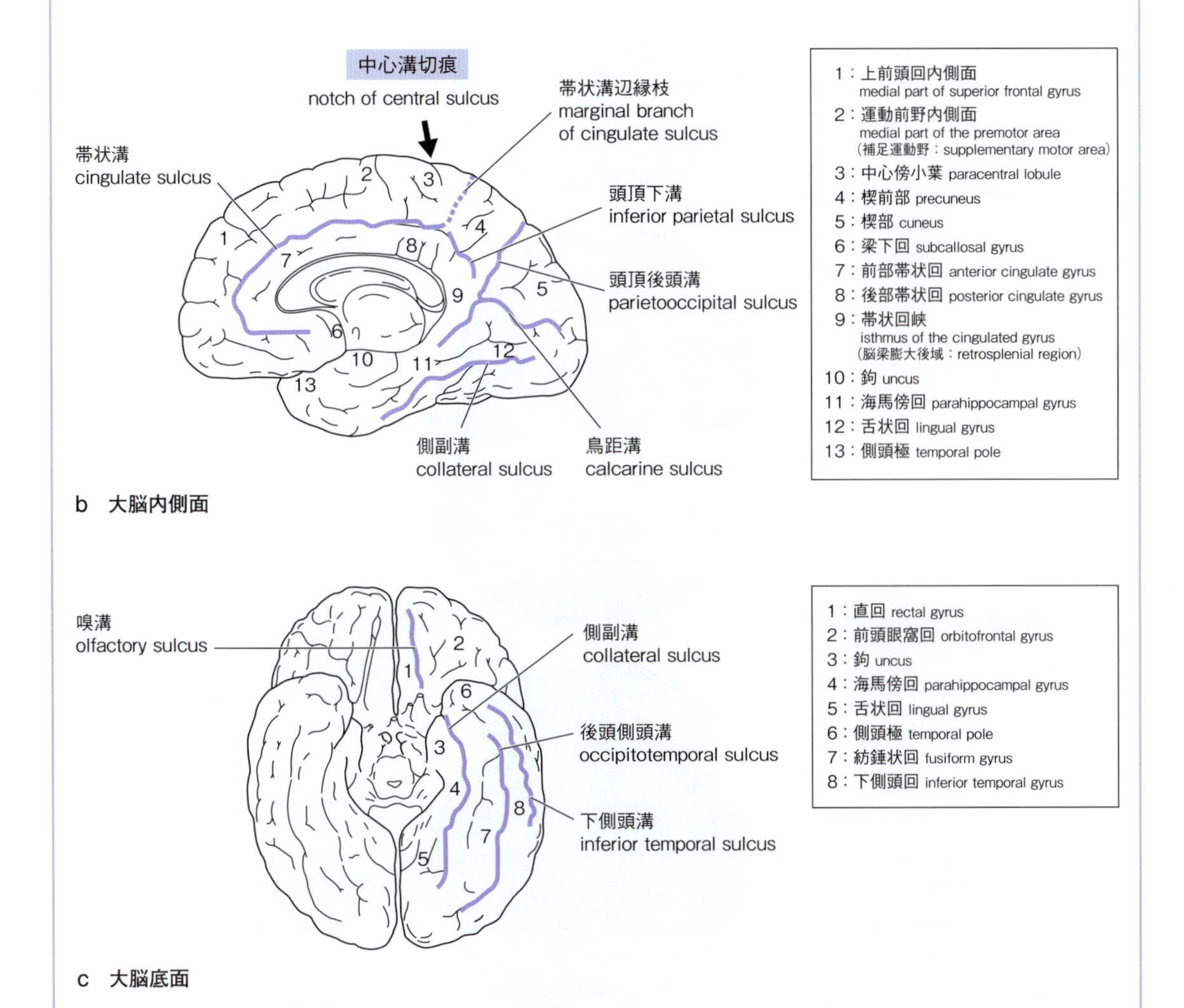

c　大脳底面

図 1-13　大脳外側面・内側面・底面の主要な脳溝と脳回

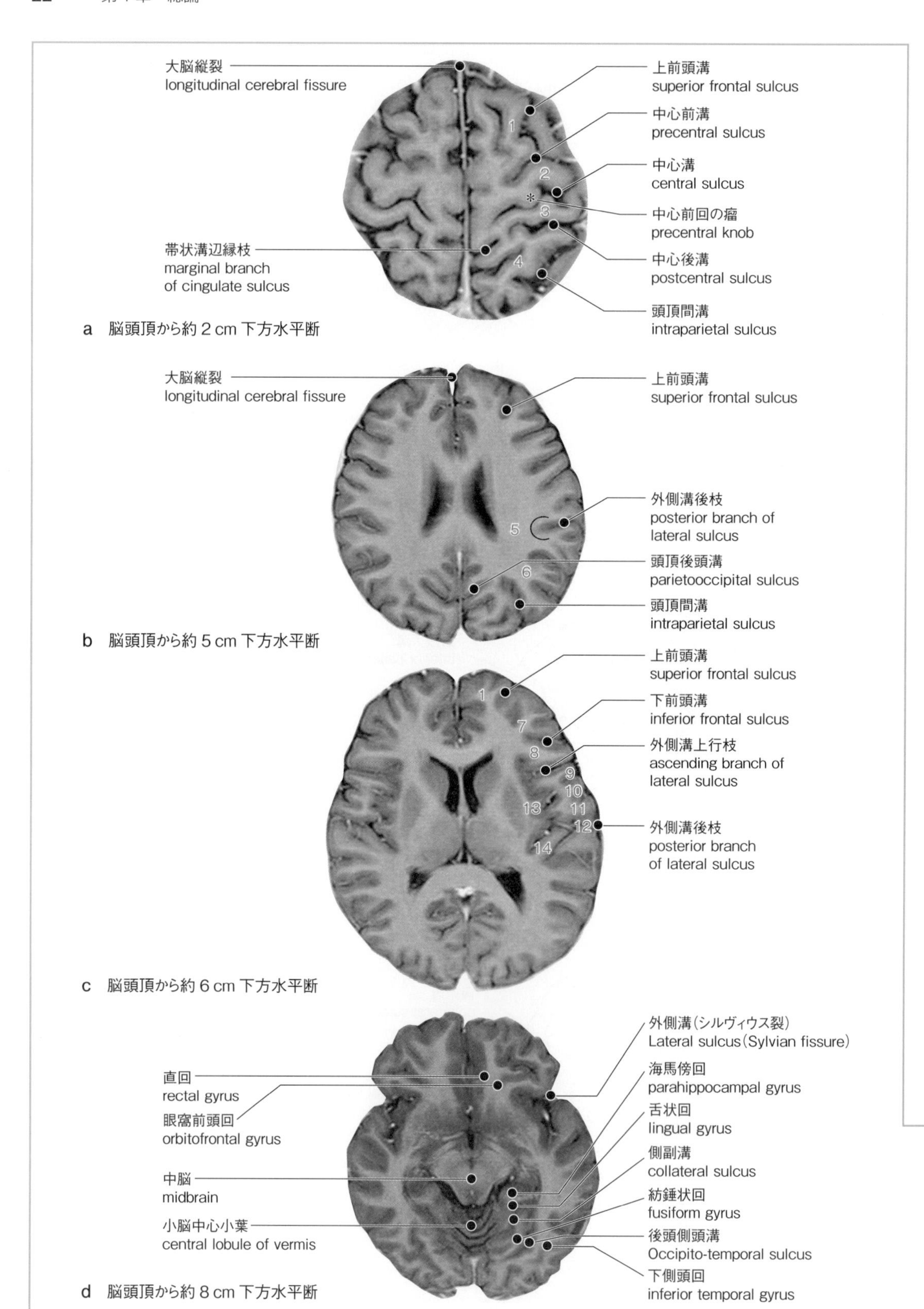

図1-14　大脳水平断面の脳溝と脳回

1）水平断

まず，脳の頂上部の水平断 axial view．大脳縦裂から左右の半球内側面に切れ込む帯状溝辺縁枝を認めれば，その直前方を起点に外側前方へ走る溝が中心溝である．中心溝前方の脳回が中心前回である．中心前回には後方に膨らんだ瘤が認められるが，これは一次運動野の手の領域にあたる．これを中心前回の指標としてもよい．中心溝の前後には中心前溝と中心後溝が中心溝と同様に外側前方へ走る．上前頭溝は前頭葉前面から大脳縦裂に平行して走り中心前溝に交わるので，このことを指標に上前頭溝と中心前回を確認する．また，中心溝と中心後溝に挟まれた脳回が中心後回であるが，中心後溝には頭頂間溝が交わることが多いので，このことを指標に頭頂間溝と中心後回を確認する（図 1-14a）．

少し下のスライスで脳梁体部が水平断され，側脳室体部が八の字に見える断面において，八の字の払いの延長線上にある脳回が角回である．このスライスでは頭頂間溝前方の脳回が角回に相当するので，これを指標に角回を同定してもよい．角回前方の脳回が縁上回にあたる．または外側溝（シルヴィウス裂）後端を確認し，その上のスライスで上方に切れ込む脳溝が外側溝後枝であるが，この脳溝を馬蹄形に取り巻く脳回が縁上回である（図 1-14b）．

b のスライスよりも約 1 cm 下方のスライスで，尾状核頭部，被殻，視床，島の水平断面を得る．島の外側は前頭頭頂弁蓋部 fronto-parietal operculum と呼ばれるが，これは前方より下前頭回弁蓋部，中心前回下部，中心後回下部，縁上回前方下部にあたる．このスライスにおける外側溝前端を外上方に切れ上がる脳溝が外側溝上行枝であるが，その前後の脳回がそれぞれ下前頭回の三角部と弁蓋部であり，ブローカ野にあたる．島葉後端から外側前方に指のように伸びる脳回は一次聴覚野にあたるヘシュル Heschl 回である（図 1-14c）．

c のスライスよりもさらに 2 cm ほど下のスライスでは中脳上端と小脳上端（小脳中心小葉）が現れる．このスライスでは前頭葉下面の直回，眼窩前頭回，側頭葉内側底面の海馬傍回とその後方につながる舌状回，その外側に紡錘状回，さらに外側に下側頭回を認める．舌状回と紡錘状回を隔てる脳溝は側副溝であり，紡錘状回と下側頭回を隔てる脳溝は後頭側頭溝である（図 1-14d）．

2）矢状断

正中から 5～6 cm 外側の矢状断 sagittal view では，下前頭回が外側溝の分枝である前方の前枝と後方の上行枝により前・中・後の三部に分かれ，それぞれ眼窩部，三角部，弁蓋部と呼ばれる．ブローカ野周辺の皮質病変の広がりの同定にはこのスライスが有用である．またこのスライスで外側溝（シルヴィウス裂）後枝が確認されれば，それを取り巻く脳回が縁上回である．また，上側頭溝の上行枝が確認されればそれを取り巻く脳回が角回である（図 1-15a）．側頭葉上面に凸に突出する脳回がヘシュル回である．正中部断面では，内側面概観のところで述べた脳溝，脳領域が容易に確認される（図 1-15b）．

1：上前頭回 superior frontal gyrus
2：中心前回 precentral gyrus
3：中心後回 postcental gyrus
4：上頭頂小葉 superior parietal lobule
5：縁上回 supramarginal gyrus
6：角回 angular gyrus
7：中前頭回 middle frontal gyrus
8：下前頭回三角部 inferior frontal gyrus pars triangularis
9：下前頭回弁蓋部 inferior frontal gyrus pars opercularis
10：中心前回下部 inferior part of precentral gyrus
11：中心後回下部 inferior part of postcentral gyrus
12：縁上回下部 inferior part of supramarginal gyrus
13：島回 insula
14：ヘシュル回 Heschl's gyrus

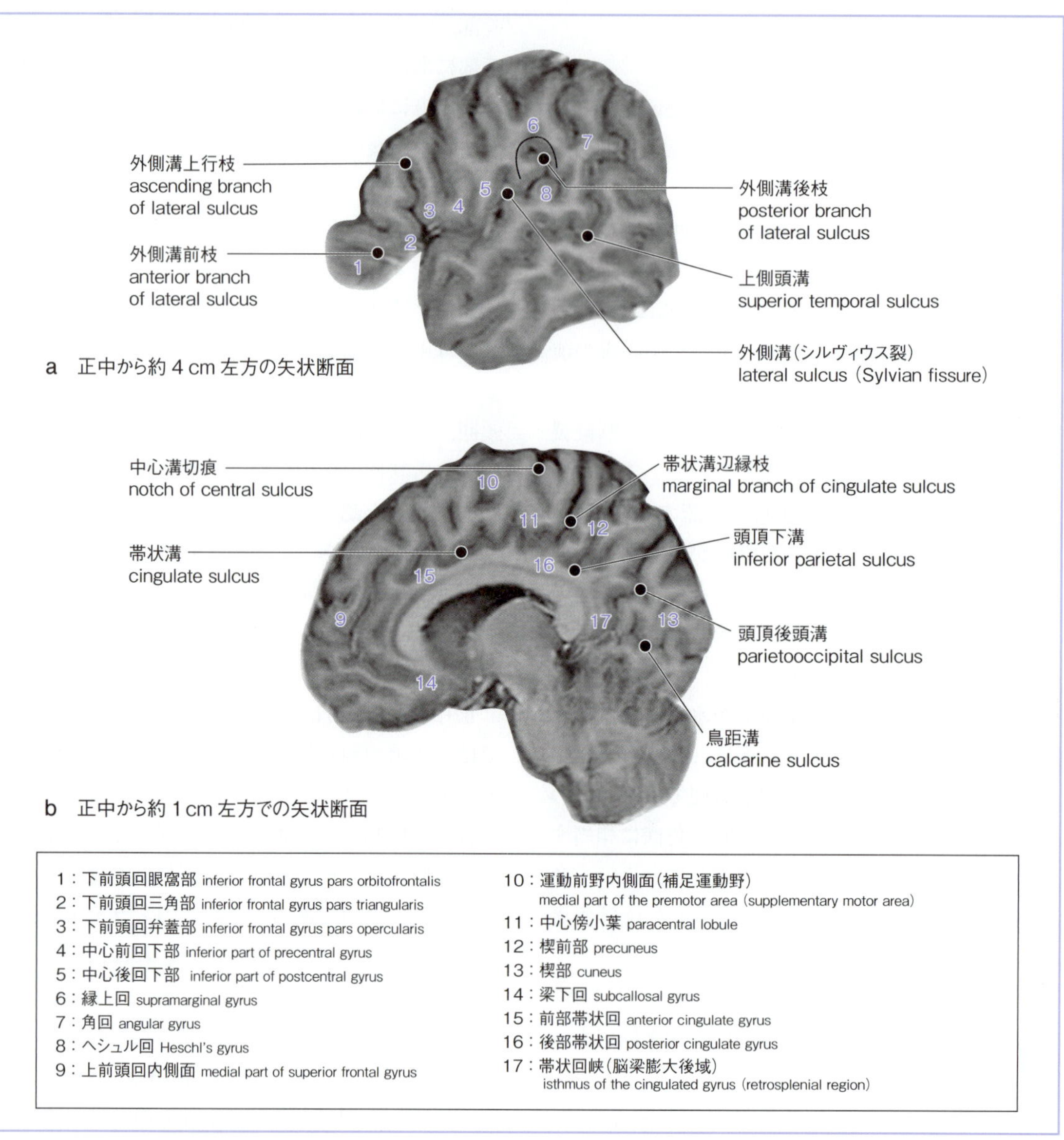

図1-15　大脳矢状断面の脳溝と脳回

3) 冠状断

冠状断 coronal view では前頭葉の上・中・下前頭回，側頭葉の上・中・下側頭回，後頭・側頭葉底面の舌状回，紡錘状回，側頭葉内側面の海馬，海馬傍回が同定しやすい(図1-16)．また，側頭葉上面にΩ状に突出する脳回がヘシュル回である．

2　機能的磁気共鳴画像法 (fMRI)

近年，**機能的磁気共鳴画像法 functional magnetic resonance imaging (fMRI)** は脳機能画像研究の中心的役割を果たすようになってきている．高次脳機能障害に関与する臨床家や研究者は fMRI についての基本的な知識を身につけている必要がある．

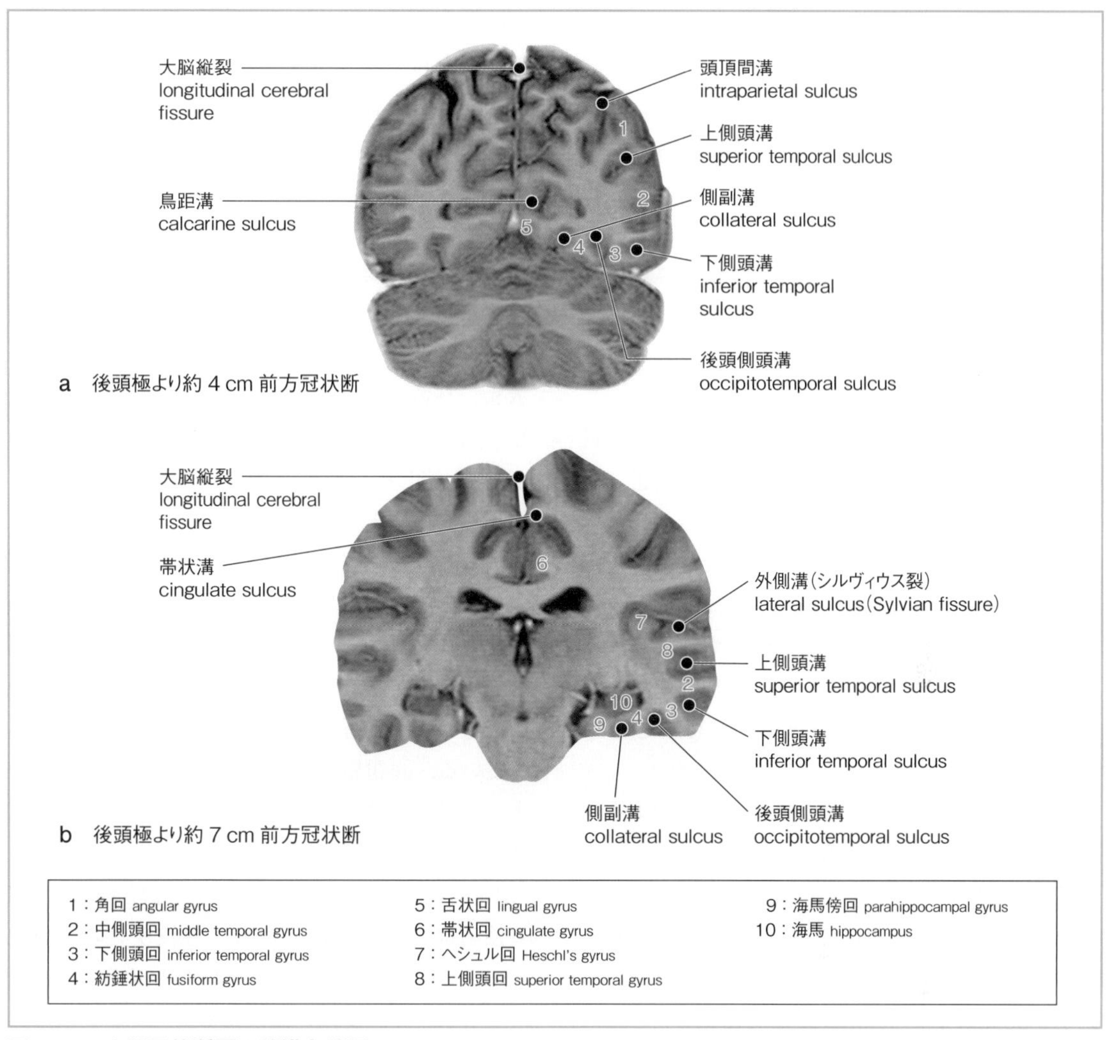

図 1-16 大脳冠状断面の脳溝と脳回

局所的な神経活動があると同部の酸素消費量は5％程度増加し，局所脳血流量は20〜40％増大するとされる．すなわち，脳活動部位では相対的に血流量が多い状態になり，局所から導出される静脈血の酸化ヘモグロビンが増大し還元ヘモグロビンが減少する．酸化ヘモグロビンと還元ヘモグロビンでは磁化率が異なり，磁気共鳴信号も異なる．この局所の酸化/還元ヘモグロビン比率変化に依存する磁気共鳴信号変化を，blood oxygenation level dependent(BOLD)効果と呼ぶ．fMRIはこのBOLD効果を利用して，あるタスクを遂行時の脳活動部位(脳血流増加部位)を画像化しようとする試みである．このようなタスク施行に関連する脳活動領域同定は脳賦活研究 activation study と呼ばれるが，fMRIは脳賦活研究において最も繁用されるツールである．

一般に，脳賦活研究においてはその画像法の時間分解能 time resolution と空間分解能 spatial resolution が問題となる．あるパラメータ(たとえば局所血流量)が時空間的に変化するときに，どの程度の時間的精度でその変化をとらえることができるかの指標が時間分解能であり，どの程度の空間的精度でその変化をとらえることができるかの指標が空間分解能である．fMRIの時間分解能は数秒であり，空間分解能は1〜3 mmほどである．したがってfMRIは，数秒以上の持続時間で1〜3 mm以上の広がりをもった神経細胞群の活動変化(局所脳血流量変化に反映される)を評価する画像法であるといえる．またfMRIは放射性物質を使用しないため被曝のリスクがなく，同一被検者に繰り返し検査することができるという利点がある．

fMRIを用いた高次脳機能研究は，①仮説(目的)，②実験計画，③データ収集・データ解析，④結果の解釈という一連の手続きからなる．

仮説はなかでも最も重要な手続きである．先行する病巣研究や脳機能画像研究から，目的とする脳機能の局在についてどこまで明らかにされて何がまだわかっていないのかを十分に検討する．この作業により明らかにすべき命題がはっきりする．

次にその命題を確かめるためには，どのような実験計画が適切かを考える．実験計画は刺激提示デザインと解析デザインからなる．刺激提示デザインにはblockデザインとevent-relatedデザインの2つがある．blockデザインでは1つの課題提示(one block)時間は30秒程度であり，2つ以上の課題が交互に繰り返される．したがってblockデザインでは，30秒間ほどの課題施行中に，持続して活動した脳部位を同定することになる．event-relatedデザインでは，複数の課題条件がランダムな順序をもって一試行ずつ秒単位で提示される．一般にevent-relatedデザインの利点としては，個々の試行に関連した脳活動部位を秒単位で検討できる，被検者の課題に対する慣れの影響を減らすことができる，各試行における被検者の行動データ(課題における被検者の正誤など)により各試行を分類して解析できる，などがある．しかし，有意な統計値を得るためには，blockデザインよりも多くのデータ数(被検者数，スキャン数)が必要とされる．解析デザインとしては現在多くの研究で差分法が用いられている．差分法とは，課題Aの遂行にはaという認知過程とbという認知過程が必要で，課題Bの遂行にはaの認知過程のみが必要と考えられるような条件を設定し，課題Aを遂行時の脳活動から課題Bの遂行時の脳活動を差し引いて残った脳活動領域が，課題A遂行に特異的なbという認知過程を担っているとする考え方である．たとえば，有名人と一般人の顔写真をアトランダムに提示し，有名人の写真提示の際の活動(顔認知＋既知／熟知感)から一般人の写真提示の際の活動(顔認知)を差し引いて残った脳活動部位は，既知／熟知感に関与すると推測するのである．

次に，データ収集とデータ解析の概要を以下に述べる．fMRIではボクセルvoxel(一辺が数mmの立方体)というデータ単位ごとに課題に伴う脳活動が評価される．おのおののボクセルには空間的位置情報と時系列的なBOLD信号情報が含まれている．課題施行中に被検者の頭部が動いてしまった場合にはボクセルの位置情報が不正確になり，検定精度が著しく損なわれる．一般的に，fMRIでは多数の被検者データを解析するが，各被検者間で脳形態が異なる．各被検者の脳画像データを標準脳テンプレートに合わせるように変換することで，多数の被検者のデータを比較解析することが可能となる．この変換を，空間的標準化spatial normalizationと呼ぶ．

解析の対象となるボクセルは脳の体積を1,400 mLとして1ボクセルを2×2×2 mmとすると，被検者1人あたりの解析対象となるボクセルは175,000となり，これに被検者人数を掛けた数が解析対象となる総ボクセル数である．これらのボクセルを統計学的に検定し，ある課題施行時に有意なBOLD信号変化を示した領域を同定することになる．

fMRI結果解釈の注意点について述べる．fMRIではその結果が脳画像上にマッピングされて表示される．しかし，そこで示された脳領域が本当に想定する認知機能の中心領域であるかどうかについての判断は慎重であらねばならない．その理由として，① fMRI で検出される脳部位は，ある課題を施行するときに活動する脳領域すべてであり，課題遂行に必要不可欠な部位とは限らないということ，②マッピングされた領域はあくまでも課題間で統計学的な有意差を示した部位であって，それ以上でもそれ以下でもないということ—すなわち，統計的差異としてはとらえられないが課題遂行に重要な脳部位が存在する可能性があること，③課題遂行時の被検者の課題取り組みへの意欲・集中度など，課題遂行時の脳活動領域に影響を及ぼす可能性の高い背景脳活動の統制は難しくそれらはマスクされてしまう，などが考えられる．先行研究との比較検討や他分野(神経生理学，神経解剖学など)の知見との整合性を勘案し，総合的に結果解釈を行う態度が大切である．研究結果の信頼性を増強する目的で，検証すべき命題は同じであっても実験計画を変えて再実験を行うこともある．

3 拡散テンソル画像法

もう 1 つの MRI の応用方法として拡散テンソル画像 diffusion tensor imaging(DTI) がある．これは脳の解剖学的構造に由来する水分子拡散方向の違い(anisotropy：異方性)を画像化するものである．白質は軸索の束(線維束)からなり，線維束平行方向への水分子の拡散が垂直方向へのそれより約 3〜6 倍速いため，その違いを統計処理して画像化するわけである．

DTI ではある程度の太さをもつ線維束(おおよそ直径＞5 mm)しか描出できない．したがって，長大な皮質脊髄路や葉間を結ぶ長連合線維の描出は可能であるが，近接する皮質どうしを結ぶ U 字線維などの描出には向かない．また異なる線維束が交差するような領域では統計的に優位な拡散方向がキャンセルされて，線維追跡が困難である．このような制限を理解したうえで用いれば，ある病巣が皮質脊髄路や，長連合線維を含むかど

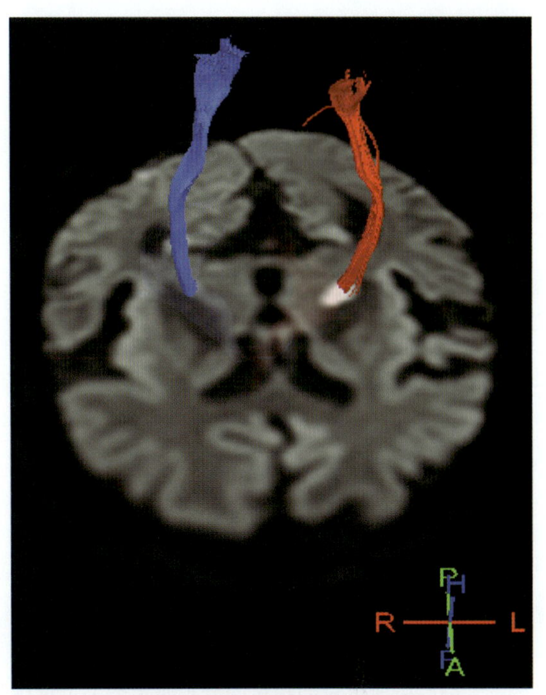

図 1-17 左内包後脚の脳梗塞例(拡散強調画像とトラクトグラフィの合成画像)

トラクトグラフィにより皮質脊髄路が描出されている．赤，青はそれぞれ左，右の皮質脊髄路を示す．梗塞巣(白く光る部位)が左皮質脊髄路を含んでいることがわかる．
A：前方，P：後方　R：右側，L：左側
(画像は国際医療福祉大学脳神経内科　加藤宏之博士の御厚意による)

うかの判定などに有力なツールとなる(図 1-17)．

このように DTI は神経路を描出するのに適しているので**神経路画像：トラクトグラフィ** tractography とも呼ばれる．

4 その他の画像診断

高次脳機能評価や研究に用いられる神経画像検査として，X 線 CT や MRI は梗塞巣，血腫，腫瘍，萎縮など形態変化，すなわち**形態的病巣** morphological lesion の存在とその部位を描出することに優れており，病巣研究に欠くことのできない検査である．一方，局所病巣に伴い形態画像では異常のないように見える脳部位(病巣周囲や病巣と機能解剖学的につながりの強い遠隔部位)

に，血流低下やエネルギー代謝の低下が認められることが知られており，そのような部位を**機能的病巣** functional lesion という．脳損傷による高次脳機能障害は，形態的病巣に加えて機能的病巣によりもたらされていると考えられる．機能的障害部位をとらえる画像法としては，**single photon emission computed tomography（SPECT），positron emission tomography（PET）**があげられる．

SPECT による脳血流測定には，静脈投与可能で，血流分布に相関して脳に蓄積するトレーサー（γ線を放出する同位元素でラベルした化合物）を用いる．このような脳血流測定用トレーサーには，^{123}I-IMP，^{99m}Tc-HMPAO，^{99m}Tc-ECD などがある（^{123}I，^{99m}Tc の半減期はそれぞれ 13.27 時間と 6.10 時間である）．これらトレーサーを静脈注射後に安静時脳血流量の相対的分布測定や半定量測定を行う．特殊な病態を除けば脳血流量と脳代謝量との間には強い相関があるので，脳血流分布は脳代謝分布を表していると考えてよい．最近では three-dimensional stereotactic surface projections（3D-SSP）や，easy z-score imaging system（e-ZIS）といった SPECT 装置により得られた全脳のデータを統計処理し，自動解析するソフトが開発されており，日常診療でも汎用されている．これらのソフトを脳血流解析に用いた場合，健常者の脳血流データベースと被検者の血流データをそれぞれ解剖学的標準化により比較可能としたのちに，これらの間で統計学的差異のある部位を z-score マップとして表示することが可能である．脳形態に著しい変形がある場合は標準化に問題が生じる可能性があり注意を要するが，それ以外の場合は脳血流分布異常を 3D 画像で簡単に視認でき，有用である．

PET は ^{11}C，^{15}O，^{13}N，^{18}F など陽電子 positron 放出能をもつ核種で標識されたトレーサーを用いる．SPECT と異なる点は，①トレーサーに利用される核種の半減期が比較的短い（^{11}C，^{15}O，^{13}N，^{18}F の半減期はそれぞれ 20 分，2 分，10 分，110 分である），② ^{15}O を利用したトレーサーで脳の酸素消費量と脳血流量それぞれを定量的に測定し，SPECT による脳血流検査では困難であった脳血流量と脳代謝量の相関が崩れる特殊な病態―貧困灌流 misery perfusion（酸素消費量に対する血流不足状態）と贅沢灌流 luxury perfusion（酸素消費量に対する血流過多）―を呈する脳部位を同定できる，③脳賦活研究が可能である，ということがあげられる．

すなわち ^{15}O は半減期が特に短いので基準状態と課題施行中に脳血流分布計測目的で酸素標識水（$H_2{}^{15}O$）を静脈注射し，課題施行時から基準状態時の脳血流分布を差し引けば，課題特異的脳活動部位を描出できる（fMRI の項で説明した block デザインが用いられる）．PET の時間分解能は 90 秒程度であり，空間分解能は数 mm である．PET の問題点は，被曝を伴うことと，装置が大掛かりで高価なことである．^{11}C，^{15}O，^{13}N は半減期が短いために，これらを利用したトレーサーを使用するためには施設内にサイクロトロンを設置する必要がある．

このほかに，脳磁図 magnetoencephalography（MEG）や光トポグラフィ near infrared spectroscopy（NIRS）が高次脳機能の評価やその障害の診断に用いられつつある．これら画像診断法の特徴について表 1-5 にまとめた．

D　高次脳機能障害の原因疾患

高次脳機能は英語の higher brain function に相応するもので，脳機能のうち一次運動野や一次感覚野により営まれる運動・知覚機能とは異なり，さらに高次の機能，すなわち，言語，行為，認知，記憶，注意，判断，遂行機能，社会性認知・行動などの働きを指す．**高次脳機能障害 higher brain dysfunction** とはこれらの機能の障害を指し，失語，失行，失認，健忘，注意障害，判断

表 1-5 高次脳機能評価に用いられる画像法とその特徴

画像法	検出するもの	特徴
X 線 CT	X 線吸収度	形態的病巣を同定．空間分解能：≦1 mm．骨によるアーチファクトあり．被曝あり．
MRI	磁気共鳴信号	形態的病巣を同定．空間分解能：≦1 mm．断面を自由に設定できる．骨によるアーチファクトなし．被曝なし．
fMRI	BOLD 効果	脳賦活研究に用いる．空間分解能：1～3 mm．時間分解能：数秒．被曝なし．
拡散テンソル画像（トラクトグラフィ）	水分子拡散方向の違い	投射線維や長連合線維の描出が可能．空間分解能 5 mm 程度．被曝なし．
SPECT	放射性同位体から放出される γ 線	脳血流分布を画像化することにより機能的病巣を同定．空間分解能：数 mm．被曝あり．
PET	放射性同位体から放出される陽電子	脳血流分布，脳代謝分布を画像化することにより機能的病巣を同定．空間分解能：数 mm． $H_2{}^{15}O$ を用いれば脳賦活研究が可能．空間分解能：数 mm．時間分解能：90 秒．被曝あり．
脳磁図（MEG）	磁場変化	神経細胞活動に伴う磁場変化をとらえる．脳賦活研究が可能．空間分解能：数 mm．時間分解能：数ミリ秒．被曝なし．
光トポグラフィ（NIRS）	近赤外線の吸収度	被検者の姿勢・動きの自由度が高い．脳賦活研究が可能．空間分解能：1～2 cm．時間分解能：数秒．非連続な経時データの比較が困難．被曝なし．

障害，遂行機能障害，社会性認知・行動障害を含む．高次脳機能障害の行政的定義は上記と異なるが，これについては第 12 章（➡ 262 頁）を参照されたい．

高次脳機能障害をきたす疾患は多岐にわたるが，脳血管疾患，脳外傷，脳腫瘍，脳変性疾患，脳の炎症性疾患，代謝性疾患，機能性疾患（てんかん），栄養障害，発達障害，髄液循環障害などのカテゴリーに分類される．それぞれのカテゴリーに分類され，比較的頻度の高い疾患について表に示した（表 1-6）．

それぞれのカテゴリーの特徴について簡単に記す．脳血管障害は突然発症で，再発のない限り病巣は不変である．したがって，高次脳機能障害の回復過程は脳の機能的再構築の過程をみているといえる．びまん性軸索損傷では病巣の局在が不明なことが多く，形態画像からは予測されない高次脳機能障害が存在する可能性がある．脳変性疾患では，時間経過とともに病変部位は拡大し，その障害程度も増強する．したがって，当初は単一認

表 1-6 高次脳機能障害をきたす疾患

脳血管疾患	脳炎症性疾患
・脳梗塞 ・脳出血 ・くも膜下出血	・多発性硬化症 ・ヘルペス脳炎 ・免疫介在性脳炎
脳外傷	**代謝性疾患**
・脳挫傷 ・びまん性軸索損傷 ・慢性硬膜下血腫	・低酸素脳症（一酸化炭素中毒含む） ・低血糖後脳症 ・甲状腺機能異常
脳腫瘍	**機能性疾患**
	・てんかん
脳変性疾患	**栄養障害**
・アルツハイマー病（AD） ・パーキンソン病 ・進行性核上性麻痺（PSP） ・大脳皮質基底核変性症（CBD） ・前頭側頭葉型認知症 ・筋萎縮性側索硬化症（ALS） ・脊髄小脳変性症	・ビタミン B_1 欠乏（ウェルニッケ脳症） ・ビタミン B_{12} 欠乏 ・慢性アルコール中毒
	発達障害
	・自閉症スペクトラム ・発達性読み書き障害
	髄液循環障害
	・正常圧水頭症

知ドメインの障害であっても経過中に多くの認知ドメインに障害が及ぶことが多い．リハビリテーション介入の立場からは，残存機能の評価と進行に合わせた生活指導が重要となる．脳炎症性疾患で，最近注目されているのは多発性硬化症である．脱髄巣の増加とともに高次脳機能障害が顕在化する．二次性進行性多発性硬化症では認知症が問題となる．低酸素脳症では特に低酸素に脆弱な脳部位，すなわち海馬，後頭・頭頂葉境界皮質，淡蒼球などの障害による症状がみられる．てんかん(特に側頭葉内側に焦点をもつ局在関連性てんかん)では記憶障害をきたしうる．

参考文献

- Nieuwenhuys R, Voogd J, van Huijzen C：The Human Central Nervous System；A Synopsis and Atlas(3rd ed). Springer, 1988
〔水野昇，岩堀修明，中村泰尚(訳)：図説中枢神経系(第2版)．医学書院，1991〕
- 平山惠造，河村満：MRI 脳部位診断．医学書院，1993
- 山鳥重：神経心理学入門．医学書院，1985
- 酒井邦嘉：心にいどむ認知脳科学—記憶と意識の統一論．岩波書店，1997

3 神経心理学的な考え方

1 乖離ということ

a 階層構造の違いによる乖離

乖離はフランスの Baillarger(1865)が最初に観察・記載し，英国の Jackson(1884)が理論化した原理である．フランスの Alajouanine(1960)が，これを“バイヤルジェ-ジャクソン Baillarger-Jackson の原理”と命名した．

この原理は臨床の場で高次脳機能障害患者を診察する際に，しばしば遭遇する奇妙な症状を説明するのに有用である．たとえば，ある失語症患者は，検査の場面でヒマワリの絵を呼称できなかったが，部屋に飾られていたヒマワリの絵を指して，「ヒマワリきれいね」と言ったという．またある失語症患者は，検査の場面では「あなたは男ですか？」というような簡単な問いを間違える．しかし，家族や看護師が自然に話していると，言うことはほとんど理解していると思われるという．このように，言葉の表出面や受容面において，より人工的で意図的な状況と，より情動的で自動的な状況とでその能力が乖離しているのである．このような乖離は言語症状のみでなく，行為の異常を示す失行患者でも認められる．ある口舌顔面失行患者は口頭命令では挺舌(ていぜつ)することができない．しかし，食事の際には口唇を舐める．

Jackson はこのような症状を説明する理論として神経系を階層的にとらえ，「階層的に高次の神経系は，より意図的で不安定であり，低次の神経系は，より自動的で安定である」とし，「神経系が損傷されたときには，階層的に高次なものが壊れやすく，低次なものが保たれやすい」と主張した．前述の例でいえば，検査や口頭命令の場面ではより高次の意図的要因が強く働き，自然な会話や日常動作の場面はより低次の自動的要因が強いと考えられる．バイヤルジェ-ジャクソンの原理は，「意図的行為と自動的行為の乖離の原則」(意図性と自動性の乖離)として一般化されている．

b 二重乖離の原理

神経心理学の１つの大きな流れとして，脳機能の局在を追究することがあげられる．ある大脳病巣によってある症状がみられたときに，その症状が全般的な大脳機能障害によって生じているのか，その病巣が存する特定部位の機能損失によるのかを判定する必要がある．ある脳機能とある脳部位との関係を論理的に関連づけるため，Teuber（1955）が唱えたのが**二重乖離の原理 principle of double dissociation**である．たとえば，後頭葉一次視覚野が損傷されたときには視野障害を生じ，体性感覚障害はみられない（単純乖離）．しかし，この事実のみでは一次視覚野と視野障害を結びつけることはできない．論理的には，大脳損傷は視野障害を生じうるということしか導けない．一方，頭頂葉一次感覚野が損傷された場合は体性感覚障害を生じるが，視野障害は生じない．このように，2つの病巣部位とそれぞれの病巣によって生じた症状が二重に乖離することにより，初めて一次視覚野と視野障害，一次体性感覚野と体性感覚障害の関係を想定することが可能となる．

二重乖離の原理は，種々の高次脳機能の神経解剖学的な基盤を考えるうえでの基礎となっている．二重乖離が成立した場合，それぞれの脳機能は少なくとも一部は異なる神経解剖学的な基盤によるということがいえる．例をあげよう．言語症状では，左前頭葉損傷で言語表出面の障害が目立ち，言語受容面は保たれる．一方，左側頭葉病変ではその逆の症状がみられる．ここに二重乖離が成立し，言語の表出面と前頭葉，受容面と側頭葉の関係を推測することができる．また記憶では，海馬損傷で新しい陳述記憶の形成障害がみられ，手続き記憶は保たれる．一方，脊髄小脳変性症ではその逆の症状がみられる．これらから，陳述記憶形成と海馬，手続き記憶と基底核-小脳系との関係が示唆されるわけである．

ここで大切なことがある．ある症状をみたときにそれがどのような脳機能の欠損であるかを分析的にとらえる態度のことである．前述の例でいえば，失語症例から言語の表出面と受容面という2つの側面を脳機能として抽出することから，それぞれの神経基盤の違いについての研究が発展した．記憶についても陳述記憶と手続き記憶を分類することから研究が進展したのである．脳の働きを複雑なものとして漠然ととらえるのではなく，その基盤にある脳機能を分離抽出するという態度が大切で，そこから脳機能局在の研究が始まるといえる．

2　大脳機能の左右非対称性—側性化ということ

大脳は左右一対の半球が交連線維によってつながった形態をしているが，左右の半球は特に高次脳機能において機能差があるとされる．

たとえば，19世紀末にBrocaは，左半球損傷は言語に重大な障害をきたすが右半球損傷では障害がみられないことを発見し，言語機能は主として左半球に存することを主張した．また20世紀初頭にLiepmannは，左半球損傷患者と右半球損傷患者の運動面について検討し，左半球損傷では，言語理解が保たれ麻痺・感覚障害・失調もないにもかかわらず，言語命令に応じて，道具使用のまねや習慣動作を行うことができなかったり（観念運動性失行），道具を提示してもそれをうまく使用できなかったりする（観念性失行）ことを見出した．このことから，左半球には右半球にはない運動面へのかかわりがあることを主張した．さらに比較的最近になって，Zangwill，Hécaen，Milnerらが視空間認知に関しての右半球の特別なかかわりを主張している．このように，ある脳機能が一側半球に偏って存在すると考えられる場合を脳機能の**側性化 lateralization**と呼ぶ．

ある個人の脳機能の側性化の程度は，性別や利き手などの遺伝性素因，環境要因の両者が関与している．たとえば，左利き-女性の場合，右利き-男性に比べて，左右半球の機能的非対称性が少ないと考えられている．留意すべきは，側性化というのは相対的であって，絶対的なものではないということである．すなわち，すべての行動・認知活動において左右半球はそれぞれのしかたで関与している．たとえば，左半球は言語産生において重要な働きをしているが，右半球もいくらかの言語機能を有していることが知られている．

3 離断症候群

大脳半球内を結ぶ連合線維または大脳半球間を結ぶ交連線維が損傷されて生じる高次脳機能障害を**離断症候群 disconnexion syndrome** という．連合線維によって生じるものは**半球内離断症候群 intrahemispheric disconnexion syndrome** と呼び，交連線維の損傷によって生じるものは**半球間離断症候群 interhemispheric disconnexion syndrome** と呼ぶ．半球内離断症候群としては，視覚野と頭頂葉連合野を結ぶ線維が損傷されて起こる視覚性運動失調，ウェルニッケ野とブローカ野を結ぶ線維(弓状束)が損傷されて起こる伝導失語などがその代表である．半球間離断症候群としては，脳梁病変によって生じる左手一側の失行，左手一側の失書などがその代表である．

A領域とB領域の離断によって生じる症状を，AまたはB領域が損傷されたときの症状と区別することは理論的には可能である．A領域の機能が保たれていることは，B領域を介さない神経心理学的な検査でA領域の正常な出力を確認できればよい．同様にB領域の機能が保たれていることは，A領域を介さない神経心理学的な検査でB領域の正常な出力を確認できればよい．このようにしてA領域，B領域の機能が保たれていることが確認されたにもかかわらず，A領域とB領域の両方の機能を必要とするような神経心理学的な検査で異常がみられた場合に，A領域とB領域間の離断が疑われる．たとえば，前述の伝導失語では復唱の障害が特徴的であるとされるが，これが言語受容野であるウェルニッケ野や言語表出野であるブローカ野の障害によるものでないことは，言語理解と自発言語が比較的保たれていることから推測される．

ある大脳病変によって高次脳機能障害が生じたとき，それは皮質損傷による症状なのか，皮質下の白質線維の損傷による症状なのかは常に議論の的になる．したがって症状と病巣の広がりの関係を検討する際は，病変が存する皮質領域のみに注目するのではなく，皮質下への病巣の広がりも考慮する必要がある．

4 局在論，ネットワーク論，全体論

a 局在論

Gall(1758～1828)は人間の能力を27の基本能力に分類し，それぞれのセンターが脳の特定部位に存在すると考えた．また，その部位の脳の発達程度は頭蓋骨の形として現れるので，頭蓋の形態からその人の能力が推測されると主張した．19世紀初頭にGallの骨相学 phrenology は，ヨーロッパ全土で名をはせた．Gallの説は，方法論的には問題があったが，彼の考え方そのものがまったくの誤りであったとはいえない．現在でも，脳機能の一部は局在していると考えられている．

大脳皮質の話である．体性感覚(触覚，温度覚，位置覚)は中心後回にてまず処理される．そこは一次体性感覚野と呼ばれる．同様に聴覚は横側頭回にてまず処理され，そこは一次聴覚野と呼ばれる．視覚は鳥距溝周辺皮質が一次視覚野である．また運動の最終出力部位は中心前回にあり，一次運動野と呼ばれる．これら一次感覚野や一次運動野の損傷は，損傷部位と症状との対応が比較的厳密である．

たとえば，左半球体性感覚野の手の領域が損傷されれば，右手の感覚鈍麻が生じる．同様に左半球一次運動野の手の領域が損傷されれば，右手の麻痺が生じる．このように，一次感覚野や一次運動野と脳機能の関係は，**脳機能局在論 localism** が最もよくあてはまる．

b ネットワーク理論

より複雑な行為や認知，および言語などはどうであろうか．これらは，いわゆる高次脳機能と呼ばれる脳機能である．このような高次脳機能は，それぞれの遂行に必要ないくつかのサブシステムが存在し，それらが協調して働くことにより，よ

り高次の機能を果たすと考えられている．すなわち，複雑な心理活動は大脳の単一の領域に局在するのではなく，前向性結合と逆向性結合によって機能的に連結した複数の脳機能領域からなるネットワークの協調的活動の結果によるととらえられる．

例をあげよう．外界に対する空間性注意機能は，前頭眼野 frontal eye fields，頭頂間溝周辺皮質 intraparietal sulcus，帯状回 cingulate gyrus の3つの**機能中心領域 epicenter** が関与している**大きなネットワーク large scale network** によると考えられている．実験的に前頭眼野，頭頂間溝周辺皮質それぞれに，逆向性に軸索輸送される異なるトレーサーを注射してそれぞれの領域の線維連絡を調べたところ，前頭眼野，頭頂間溝周辺皮質，帯状回は相互に線維連絡をしていることが判明した．また，これら3つの領域はそのほか異なる12の皮質領域とも相互に線維連絡していることがわかった．さらに，視床の背内側核，内側視床枕，線条体にもそれぞれの領域から重複する投射が見つかった．

この線維連絡を要約したのが図 1-18 である．このような線維連絡はそのほかの脳機能ネットワークでも一般的にみられると推測されている．この図における A と B は相互線維連絡のある機能的中心領域である．A 領域が，その他の大脳皮質領域(仮に 1，2，3 の領域)と線維連絡があるとすると，B 領域もこれら 3 領域と線維連絡がある．その結果，A 領域は B 領域に情報を直接伝えることができると同時に，1，2，3 領域の連結ポイントを介して間接的に B 領域と情報交換ができる．このような結合様式は情報の並列処理を可能にする(図 1-18におけるA-1AB-B，A-2AB-B，A-3AB-B の線維連絡はそれぞれ並列的な情報処理を行っていることを示す)．大きなネットワークでの情報処理過程には，機能中心領域に加えて多数の**構成要素 component**(図 1-18 における大脳皮質 1，2，3 領域，視床，線条体が構成要素にあたる)が含まれていると考えられる．

大脳皮質は連合線維によってお互いに連絡しており，機能中心領域や構成要素として働く皮質連合野が単一の機能ネットワークのためだけに活動するということは考えにくい．むしろ多くの機能ネットワークが働く際に，脈絡の違いによって使い分けられている可能性が高い．

ところで，大脳皮質と異なり視床亜核 thalamic subnuclei は視床内でお互いの線維連絡をもたない．また，視床亜核は大きなネットワークの機能中心領域(図 1-18 でいえば A と B)と双方向性の線維連絡がある．このような視床亜核の特性は，ある脳機能ネットワークを必要に応じて選択的に活動させることに最適である．言い換えると，視床亜核はある脳機能ネットワークが働く際に，その他の脳機能ネットワークとの競合を避けるために重要な役割を担っている可能性がある．線条体はそれぞれの機能的中心領域から入力を受けるが，視床と異なりその領域への直接の出力線維連絡をもたない．線条体は大きな機能ネットワークにおける皮質からの出力統合の場として働いている可能性がある．

ヒトの大脳にはこのような大きな機能ネットワークが少なくとも5つあり，それぞれが高次脳機能との関連において重要な働きをしている．以下にそれぞれを説明する．

1）背側頭頂前頭ネットワーク

まず，空間性注意機能に関与する背側頭頂前頭ネットワーク dorsal parietofrontal network があげられる．これは前述のように前頭眼野，頭頂間溝周辺皮質，帯状回が機能的中心領域を占める．これらの領域は，相互に線維連絡がある．頭頂間溝周辺皮質は自己の行動に関与する空間を表象し，さらに目標物に対して注意を振り向ける働きをしている．前頭眼野は探索的で志向性のある運動を次々と選択し，それらを時系列上に並べ，効果的な探索運動を発現させることに関与している．

帯状回は自発性に関係しており，動機や努力を分配することに関係している．視床と線条体も，

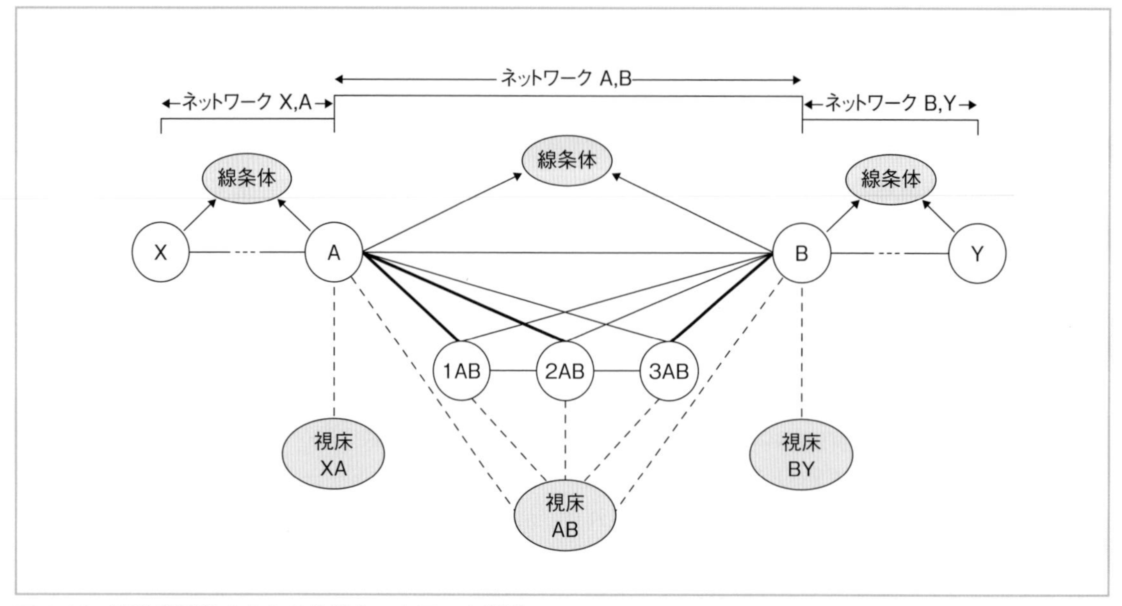

図 1-18　高次脳機能を支える分散ネットワーク構造

高次脳機能はいくつかの脳領域が協調して働くことにより遂行されると考えられる．ある高次脳機能αを支えるネットワーク A, B は大脳皮質の A 領域と B 領域を中心としたネットワークを形成している．1AB，2AB，3AB は高次脳機能αに必要な，A，B 領域以外の大脳皮質領域である．これらの領域はお互いに線維連絡をもつ．さらにネットワーク A, B は視床や線条体といった皮質下の構造物とも線維連絡をもつ．これらは，おのおの異なる形でネットワーク機能を支えている．

〔Mesulam M-M：Principles of Behavioral and Cognitive Neurology(2nd ed). p87, Oxford University Press, 2000 より〕

このネットワークの構成要素として，皮質領域とは異なるしかたでこのネットワークが正常に働くために関与をしている．このネットワークの損傷により，空間性の注意障害や探索行動の障害が現れる．臨床的には半側空間無視 hemispatial neglect，同時失認 simultanagnosia，バリント Bálint 症候群などがみられる．半側空間無視は右側病変で著明に現れ，バリント症候群は両側病変でみられるのが一般的である．

2）辺縁系ネットワーク

次に，記憶と情動に関与する辺縁系ネットワーク limbic network があげられる．海馬・海馬周辺皮質と扁桃体が双方向性に線維連絡のある機能的中心領域を占める．海馬・海馬周辺皮質は記憶と学習に関与し，扁桃体は情動と内臓活動のトーンを調節している．傍辺縁系，視床下部，視床，線条体もこのネットワークの構成要素として関与している．このネットワークの損傷により，記憶・感情・性行動・自律神経の調節障害が現れる．重篤な症状は両側性の損傷でみられることが多い．

通常，左側の海馬・海馬周辺皮質の病変では言語性記憶 verbal memory の障害が，右側病変では軽度で一過性の視覚性記憶 visual memory の障害が現れる．左側の海馬・海馬周辺皮質の損傷であっても言語性と視覚性両者の健忘が現れることがある．

3）言語ネットワーク

シルヴィウス裂周囲の言語ネットワーク perisylvian network の機能中心領域はブローカ野とウェルニッケ野である．ブローカ野は言語の構音，統語や文法面と関係が深く，ウェルニッケ野は言語の語彙や意味面と関係が深いとされている．このネットワークのその他の構成要素は，視床，線条体，前頭-側頭-頭頂葉の連合野に存在する．このネットワークの損傷により，失語・失読・失書が現れるが，多くの場合は左側病変で生じる．

4）腹側後頭側頭ネットワーク

中側頭回と側頭極の多様式連合野は，相貌と物品の認知に関与する腹側後頭－側頭ネットワーク ventral occipitotemporal network の機能中心領野を含んでいる．これらの領域に加えて紡錘状回，下側頭回がこのネットワークの構成要素となっている．このネットワークの損傷により，相貌や物品の認知障害，すなわち相貌失認 prosopagnosia や物体失認 object agnosia が現れる．これらの症状がみられるのは多くは両側損傷の場合である．

臨床の場で多くみられるのは，紡錘状回病変による相貌失認や物体失認である．これはおそらく，このネットワークに関与する領域のなかで，紡錘状回のみが血管支配の関係で両側損傷が起こりやすいためである．時に，左側病変で物体失認が，右側病変で相貌失認が現れることがある．

5）前頭前野ネットワーク

最後に，社会性や遂行機能 executive function に関与する前頭前野ネットワーク prefrontal network があげられる．前頭前野の多様式連合野と眼窩前頭皮質 orbitofrontal cortex は社会性の調整に関与する機能中心領域である．一方，背側前頭前野と後方頭頂葉はワーキングメモリ working memory とそれに関連する遂行機能の機能中心領域である．また，尾状核頭部と視床背内側核が前頭前野ネットワークの構成要素に加わっている．

臨床的に，社会性や礼節の障害は眼窩前頭皮質とその周囲の前頭葉内側部損傷でみられることが多く，ワーキングメモリや遂行機能障害は背側前頭前野の損傷で現れることが多い．時に，左側の病変で無為 abulia が，右側の病変で脱抑制的行動 behavioral disinhibition がみられることがある．

C　全体論

脳の特定の領域に特定の機能を帰属させる考え方を局在論と呼ぶ．それに対し，脳の各部位は基本的に同質，同等の能力 equi-potentiality をもつという立場が**全体論 holism** である．全体論的な立場では，脳損傷によって起こる機能障害は損傷部位ではなく，損傷された量が関係すると考える．その根底には，脳は局在した脳機能の単なる寄せ集めではなく，それ以上の統一性をもった総体としてとらえるべきであるという主張がある．

20 世紀前半に局在論と全体論の間で激しい論争があったが，現在では両論は統合されつつある．前述のネットワーク理論は，これら両者の考え方を取り入れつつ，神経生理的，神経解剖学的な事実を織り込んだ理論である．ネットワーク理論によれば，高次脳機能は多くの脳領域が脳内に広く分布し，それらがネットワークという形で機能的連関をすることで成り立っているとする．これは全体論的な考えを取り入れている．一方，機能中心領域を設定し，この領域の損傷はある脳機能ネットワークに重大な機能損失をきたすとする．これは局在論的な考えを取り入れている．

さて，脳機能回復ということを考えてみる．たとえば左シルヴィウス裂周辺が損傷されて生じた失語症の回復に脳のどの領域が関与するかということに関して，PET（positron emission tomography）を用いた脳機能画像の研究がある．その研究によると，失語からの回復にはまず損傷部位周囲の皮質が関与し，それのみで十分な回復が得られないようなときには，対側半球のシルヴィウス裂周辺領域が関係するという．このような知見は，脳機能の回復に脳全体が関与しており，損傷された脳機能を代償する脳部位は可変的で個々の例で異なりうることを示す．つまり，脳機能の回復には大脳全体の反応（再組織化 reorganization）が関与しているといえる．これには全体論的な考え方があてはまる．

5　並列分散処理とニューラルネットワーク

かつては，脳内における情報処理は一方向性であり，一次野から二次，三次というように順次処理が進むにつれて，情報内容も高次になっていくと考えられていた．しかし，前述したように，大脳皮質領域は前向性と逆向性の線維連絡をもち，順行性の処理ばかりでなく，回帰性に情報を送り返している〔第1章2節(➡10頁)を参照〕．つまり，情報処理は常に双方向性の神経活動を伴う．

また，実験動物を用いた感覚刺激に対する神経細胞反応性，神経線維連絡の研究などから，同じ感覚様式であってもその特性によってさらに処理系が細分化され，それらが並列的に情報を処理することにより，ある感覚様式の認知が成立すると考えられるようになった．このような処理形式は**並列分散処理 parallel distributed processing** と呼ばれる．たとえば，視覚情報であるならば，色・形・方向・動き・大きさなどの視覚的特性は，それぞれ個別に並列的に処理されつつ階層を形成していると考えられている(図1-19)．

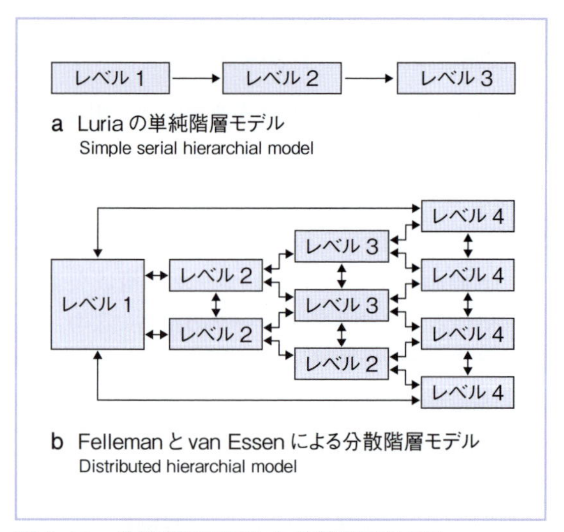

図1-19　単純階層モデルと分散階層モデル

a：矢印が一方向なのはレベル1から順次，一方向性に高次の情報処理へと進むことを示す．
b：矢印が両方向性なのは，ある機能領域が同レベル領域内，下位・上位レベル領域と双方向性に線維連絡をもつことを示す．
〔Kolb B, et al：Fundamentals of Human Neuropsychology (4th ed). p172, W.H. Freeman, 1996より〕

さて最近，コンピュータ技術の進歩により，実際の脳の働きをコンピュータでシミュレーションするという試みが注目されている．一般にニューラルネットワーク neural network と呼ばれるが，脳の機能単位をコンピュータの演算素子(ユニット)に置き換えて，それらを並列分散的に連結することにより，ヒトの認知機能をコンピュータで代行させる．これは，実際の脳での並列分散的な神経線維連絡を模擬的に再現しているといえる．そしてニューラルネットワークにおいては，知覚・思考・知識などの表象はネットワークの結合強度としてネットワーク全体に分散されて表現される．

言い換えると，ユニットの活性値とそれらの間の結合強度によって表現されたネットワーク全体のダイナミックな時空間的変化そのものが，知覚・思考・知識などを表象していると考えるのである．このことは，前述した神経コラムの活動パターンがある心理状態を表象していることに相応している．また，ユニット間の結合強度は可変的で，ある機能を遂行しているときに，あるユニットと別のあるユニットが同時に活動したとすると，それらの間の結合に重みづけがなされて強化される．そのようにして，将来同様の作業を遂行する際に効率向上が期待される．これは，Hebbの法則(➡Note 1)に対応する．

このようなニューラルネットワークにおいては，種々の操作を加えることにより，実際のヒトでみられる脳損傷による神経心理学的な症状を再現してみせることが可能であるという．

6　ボトムアップ処理とトップダウン処理

ボトムアップ処理 bottom-up processing とは，情報を逐一階層的に積み上げて，最終的に認知に至る情報処理のしかたである．この場合，情報処理は低次の処理野に始まり，順に高次処理野に進むと考えられる．一方，**トップダウン処理 top-down processing** は，仮説・予測的な枠組みのなかに当てはめて情報を処理し，認知に至る機構のことである．この場合，処理過程はボトムアップ処理とは逆に，情報の高次処理野から始まり，順に低次の領域に進むと考えられる．ヒトはおそらく両者の処理機構を状況に応じて柔軟に組み合わせて使用していると考えられる．

ボトムアップ処理では，処理は遅く非効率的である．しかし現実に即しており間違いはない．一方，トップダウン処理では，情報処理は効率的で速度は速い．しかし間違い(思い違い，錯覚)が起こりうる．またボトムアップ処理は帰納的，外界情報依存的 external-event based でデータ駆動型 data-driven といえる．一方，トップダウン処理は，演繹的，記憶依存的 memory-based で概念駆動型 conceptually-driven といえる(表 1-7)．

われわれの脳が，このように異なる 2 種類の情報処理形式をとることが可能なのは，前向性と逆向性の両方向性の線維結合が関係していると考えられる．トップダウン処理のトップに相当するのは多様式連合野，特に前頭前野が解剖学的な候補領域であり，ボトムアップ処理のボトムに相当するのは一次感覚野が候補領域となる．

例をあげよう．失語症患者との会話場面を想定してみる．患者の発する言葉には構音の変形，錯語，あるいは文法の間違いなどが混じているかもしれない．しかし，これらが認められても，患者の言わんとするところを概ね了解することはしばしば可能である．この場合受け手は，欠落・余剰の音や語，文法間違いのある文などから有意味な情報を得るために，過去データ，話の内容の枠組み，前後のつながりなどを利用する．すなわち，ボトムアップ処理のみでは有用となりえない情報をトップダウン処理により補填していると考えられる．

Note 1. Hebb の法則

神経科学者の Hebb(1949)が，学習成立の仮説として提案した法則．彼は「ある神経細胞とある神経細胞が同時発火をした場合，両者の機能的結合が強まる．すなわち，2つの神経細胞活動に正の相関があるときに，それら神経細胞間の線維連絡は強化される．したがって，将来的にこれら2つの神経細胞の一方が活動するときに，もう一方の活動が起こりやすくなる」と主張した．Hebb の法則は学習成立の仮説として現在でも有力である．このような神経細胞間の活動相関性については，シナプスの伝達効率が関係していると考えられる．実際，相関のある活動を繰り返す2つの神経細胞間のシナプスは構造変化(シナプスが大きくなったり，その数を増す)をきたすとする報告がみられ，Hebb の仮説を支持している．

7　陰性症状と陽性症状

脳損傷患者の症状を観察するときに，その症状には**陰性症状**(今まであった能力が失われたことによる欠落症状)と**陽性症状**(これまで認められなかった新たな症状)が併存していることに注意しなければならない．

たとえば，右半球が頭頂葉を含んで広範に損傷された場合，左半側空間無視が認められることがあるが，これは左半側空間の刺激に気づかず反応

表 1-7　ボトムアップ処理とトップダウン処理の比較

	ボトムアップ処理	トップダウン処理
情報処理形式	階層的 逐次的処理 帰納的 外界情報依存的 データ駆動型	予測的枠組みへの当てはめ 跳躍的処理 演繹的 記憶依存的 概念駆動型
処理速度	非効率的で遅い	効率的で速い
処理確度	現実に即しており間違いは少ない	間違いや錯覚が起こりうる
解剖学的候補部位	一次感覚野	前頭前野

しない欠落症状(陰性症状)である．一方，このような右半球損傷患者では，右半側空間へ注意過剰になり，書字行為が亢進して意味をなさないような文章を書き下す行為(過剰書字)や多弁になって冗長な会話を続けるといった症状がみられることがある．これらは左半球に存在する右半側空間注意機能，書字中枢，言語野が右半球からの統制・制御を失って現れた陽性症状と考えられる．

前頭葉内側面が損傷された場合，対側肢の自発的な行為が減少し，あたかも麻痺があるかのようなふるまいをすることがある(自発運動低下)．一方，このような患者では見えたり触れたりした物に対して不随意に手が伸びてつかんでしまう病的把握現象や目の前に置かれた道具を強迫的に使用してしまう行為(道具の強迫的使用)が認められることがある．自発的・意図的な運動の減少は陰性症状であり，病的把握現象や道具の強迫的使用は外的刺激に対する自動的かつ過剰な反応であり陽性症状としてとらえられる．病的把握現象や道具の強迫的使用は，前頭葉内側面損傷によって，大脳外側面の外界刺激依存性運動への統制・制御が失われた結果現れたと解釈されている．

レビー Lewy 小体型認知症では，視覚認知機能の低下と活発な幻視がみられることが多い．視覚認知機能の低下は後頭葉視覚野の機能障害と結びつけられ，陰性症状である．幻視は，後頭葉視覚野の機能障害によりボトムアップ形式の視覚情報処理が不十分になり，記憶・概念駆動型のトップダウン型視覚情報処理が優位となって現れた陽性症状としてとらえられる．

これらの例でみられるように，健常な脳機能は脳内の機能的統合・均衡関係(左右半球間，半球内側面と外側面，トップダウン処理とボトムアップ処理，機能的階層における上位機能と下位機能など)により支持されている．脳損傷患者にみられる症状には，それらの力動的均衡が破綻したために出現したと解釈される場合がある．

8 顕在性認知と潜在性認知

意識は「自分自身の心理状態または心的産物に対する自覚」とみなされる．自身の脳活動の結果として生じたこと―何を知り，どのように行動し，何を経験したか―には意識に上る(自覚できる)ものと意識に上らない(自覚できない)ものがある．意識される脳活動は**顕在性認知 explicit cognition** と呼ばれ，意識されないものは**潜在性認知 implicit cognition** と呼ばれる．

例をあげよう．海馬損傷患者に，鏡像文字読みやハノイの塔(➡図 8-7，164 頁)のタスクを繰り返し行うと，それらのタスク達成の速度と正確度が向上し学習効果が得られる．しかしこの患者にこれらのタスクを過去にやったことがあるかどうかを尋ねると，患者は「憶えていない」と答える．学習効果を認めるのは新たに手技や手順を憶える能力(手続き記憶)が保たれていることを示し，タスクをやった記憶がないと答えるのは意識的な想起を必要とする記憶(この場合はエピソード記憶)が障害されていることを示す．すなわち，手続き記憶を担う脳領域活動は意識的に想起されえないといえる．手続き記憶は，潜在記憶 implicit memory または非陳述記憶 non-declarative memory に分類される．一方，想起意識を伴い言語的にその内容を表現しうる記憶は，顕在記憶 explicit memory または陳述記憶 declarative memory に分類される．

閾値下知覚 subliminal perception は，意識に上る閾値以下の刺激に対する脳活動のことをいう．視覚，聴覚，体性感覚，味覚，嗅覚すべての感覚様式で閾値下知覚は存在するとされる．閾値下知覚は意識には上らないが，ある実験条件を設定すると閾値下知覚が存在することを証明できる．たとえばある図形(たとえばひし形)を閾値下の短時間で視覚提示をしたあとに，2つの図形(たとえばひし形と三角形)を視覚提示し「どちらが好きか」を選択させるタスクを行うと，閾値下視覚提示を受けた被検者は，提示を受けない者に比べて有意にひし形と答える確率が高いとされる．このことは，閾値下知覚が感覚記憶痕跡として潜在的に残存していることを示唆する．すなわち，閾値下刺激を受けた被検者は，先行する刺激について自覚することはないが，その後の行動に変化をきたしうる．

脳梗塞などの大脳損傷により視野欠損をきたした患者の視野欠損部に光点刺激を与え，その位置について強制的に示すように求めると，患者は「見えない」と主観的視覚経験を否定するが，光点位置をかなりの正確度で示すことできる場合があるという．この現象は盲視覚 blind sight として知られている．「見えているという自覚」がなくとも，「適切な反応（行動）」がみられるという点において，これらの患者は「見えている」といえる．また一酸化炭素中毒により高次視覚野に広範な損傷を受けた例において，線分の傾きの識別を言語または手の方向で示させるタスクを行ったところ，このタスクはまったくできなかった．しかし，患者の目の前に郵便ポストのような直線状の入口のあるスロットを置き，そこにカードを差し込むように求めると，難なくそのタスクを行うことができたという．この例は視覚情報を言語化または意識化して出力することは障害されていたが，視覚情報を利用した運動出力（視覚誘導性運動）は保たれていたのである．さらに失読患者に漢字単語を提示しそれらの意味的範疇化を強制的に求めると，主観的には「読めない」と自身の読字能力を否定するが，偶然の確率以上に意味的範疇（はんちゅう）化が可能な場合がある．これらの患者では「言語化」や「読字の自覚」を伴わずとも漢字の意味処理をあるレベルまでは行っていると考えられる．

顕在性認知か潜在性認知かの決定要因について，エピソード記憶と手続き記憶の乖離例では「これらを支持する神経回路が異なる」という説明がなされる．閾値下知覚では「刺激強度」が決定因子であることを示している．盲視覚や一酸化炭素中毒による高次視覚の損傷例では，「情報処理のレベルが無意識的処理レベルにとどまっている」

表 1-8 顕在性認知と潜在性認知に関連する用語

顕在性認知 Explicit cognition	潜在性認知 Implicit cognition
明示的 overt 宣言（陳述）的 declarative 意識的 conscious 意図的 intentional	暗示的 covert 非宣言（陳述）的 non-declarative 無意識的 unconscious 自動的 automatic 閾値下 subliminal 暗黙の tacit

または「並列的な視覚情報処理サブシステムのうちの部分的活性化」で説明されている．失読患者の潜在的読字能力については，「言語領域と処理された情報との離断」または前述の「情報処理レベルの問題」で説明される．

これらの例から，顕在化（意識化）される脳内情報は実際に脳内でなされている情報処理の一部であることが示される．言い換えれば，脳内情報処理は種々のサブシステムからなり，それらサブシステムの活動は必ずしも顕在化を伴わないといえる．自身の心の状態については内省または内観 introspection によってのみ明らかにされると考えがちであるが，内省により表出されるのは顕在性認知のみであり，自覚されない潜在性認知は出力条件を実験的に設定することによってその存在が明らかにされる．表 1-8 に顕在性認知と潜在性認知に関連する神経心理学的用語を列挙した．

参考文献

- Kolb B, Whishaw IQ：Fundamentals of Human Neuropsychology（4th ed）. W.H. Freeman, 1996
- Mesulam M-M：Principles of Behavioral and Cognitive Neurology（2nd ed）. Oxford University Press, 2000
- 下條信輔：サブリミナルマインド―潜在的人間観のゆくえ．中公新書，1996
- Heilman KM, Valenstein E（eds）：Clinical Neuropsychology（4th ed）. Oxford University Press, 2003

高次脳機能障害のリハビリテーションにおける言語聴覚士の役割

リハビリテーションは，ICF(International Classification of Functioning, Disability and Health；国際生活機能分類)の示すように，**心身機能のみならず，活動や参加を含めた生活機能の向上**を目指す[1]．

高次脳機能障害はその障害の程度に加えて，障害への気づきや認識，また背景にある生活様式や周囲の人々の対応によって，同じ障害に分類されても，個々人で状態が異なることが多く，個別性が高いといわれている．つまり，高次脳機能障害をもつ人それぞれが，どのように外界を認識し，行動しているかということに加えて，その人の人生や生活の多様性を知ることが，高次脳機能障害における生活機能の向上を目指すためには求められる．

本項では，高次脳機能障害に対するリハビリテーションの流れと，言語聴覚療法で実施する高次脳機能障害のリハビリテーションを概観する．

A 高次脳機能障害のリハビリテーションの流れ

1 一連の流れ

高次脳機能障害のリハビリテーションは，対象者を評価した結果に基づく．それぞれの高次脳機能障害の評価やリハビリテーションにおける介入方法は，各章に詳述されている．

全般的な流れとしては，収集した**情報**を分析し，**問題点**を抽出し，問題点の**解決方法**についての**仮説を設定**し，仮説に基づいて定めた目標に向かって訓練を実施する．そして再評価にて，実施した訓練効果を測定するまでが一連の流れである(図1-20)．

2 評価

a 事前の情報収集—診療録(カルテ)，他職種ならびに家族からの情報

評価の前に，カルテやほかの専門職から，医学面や生活面などの情報を集める．それぞれの情報を収集する目的についても理解しておくことが重要である(➡ Note 2)．

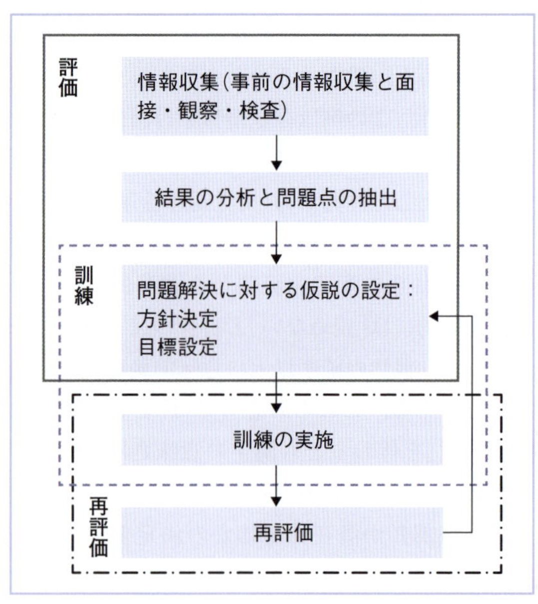

図1-20 リハビリテーションの実施についての一連の流れ

評価では収集した情報を分析し，問題点を抽出し，問題点の解決方法についての仮説を設定する．そして，設定した仮説に基づいた目標に向かって訓練を実施する．一定期間の訓練後には再評価を行い，実施した訓練内容の効果を測定する．再評価後には訓練が継続する場合や，終了となる場合がある．

Note 2. 情報が評価や訓練にもたらす意味

基本情報としては，年齢，教育年数，利き手を知る．年齢や教育年数は病前の対象の能力を推定することや，訓練目標や訓練方法の設定に影響する情報である．利き手は脳の側性化に重要な情報である．

医学面の情報として，病歴により，脳に変化をもたらす疾患や事故などの出来事があったのかを知ることができる．神経学的所見では，病歴で示された疾患や事故の結果，運動や感覚などの神経学的症状が生じたか否かを知る．画像所見では，病歴に応じた脳の損傷を画像でもとらえることができるか否かを確認する．神経心理学的所見では，病歴，神経学的所見，画像所見と一致する，あるいは推定できる高次脳機能障害に関する症状があるか否かについての情報を得ることができる．

生活面の情報には，職業歴に併せて病前のコミュニケーション習慣や読字・書字習慣，趣味，性格などがある．これらは，予後予測や目標設定などの見通しに役立つ．また，家族構成からは目標達成に向けて協働できるキーパーソンや家族指導や支援の見通しについての情報を得る．

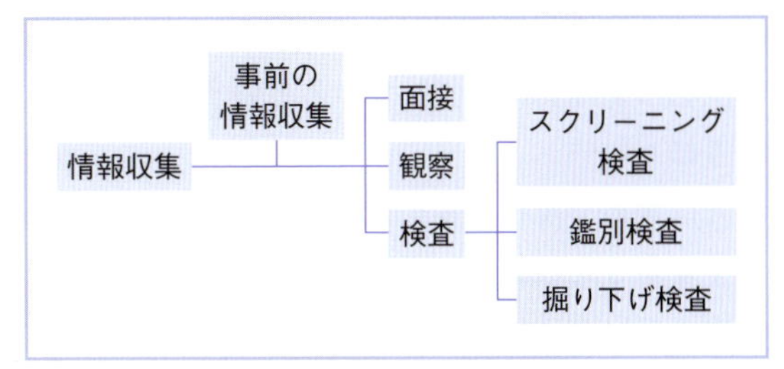

図 1-21 情報収集の概要と検査の種類
情報収集は，面接，観察，検査において行う．

b 面接，観察，検査における情報収集

評価における情報収集は，**面接**，**観察**，**検査**によって行われる（図 1-21）．検査のみが評価ではない．面接にはおいては，発声や発語，聴覚的理解，読解などの音声・言語的コミュニケーションのみならず，アイコンタクト，視線，開眼の有無や全般的な精神機能および全般的活動性，身振りの表出と理解，シンボルの理解などの非言語的コミュニケーション能力についても確認する．観察では，対象者の行動に現れた高次脳機能の状態や変化を，客観的に多面的に注意深くとらえる．

検査においては，求められる反応を記録するだけではなく，反応するまでの本人のふるまいや表情も把握する．検査場面で正誤反応以外に対象者の検査課題に取り組む態度や行動を確認することで多くの情報を得ることができる．

さらに，検査場面以外での行動を確認することによっても有用な情報を得ることができる．たとえば，入院中であれば病室での行動を観察することにより，検査場面と日常における反応の差に関係する**意図性と自動性の乖離を評価**できる．また，同じ障害と判断されても，日常での困難の程度は異なることも，検査場面以外の行動で観察できる．

直接に評価場面以外の様子を観察することが難しい場合や，病前の高次脳機能を反映した生活に関する情報は**質問紙**を用いて収集する．たとえば外来患者においては，評価や訓練以外の日常生活の様子を垣間見ることは難しいが，質問紙を用いて，家族や介護者から普段の様子についての情報を得る．

検査の種類について，対象者の残存機能や障害機能を選別し，対象者の概況を把握する**スクリーニング検査**，類似の障害と鑑別し，主な障害を多面的かつ総合的に評価し確定する**鑑別診断検査**，特定の側面に焦点を当て，掘り下げて詳細に評価する**掘り下げ検査**がある．

c 問題点の抽出と目標設定

問題点を抽出し，目標設定する際には，高次脳機能の検査での得点で表される**定量的**な結果と，面接や観察から得た本人の障害に対する気づきの程度や行動特性などによる**定性的**な結果を統合する．また，検査結果のみならず，面接や観察，質問紙などの情報を統合し，残存機能と障害機能を把握する．そして，生活における困難さを少しでも解消できるように，訓練，支援において実現できる目標を設定する．

高次脳機能障害患者は，自己の状態に対する認

識をもちにくい場合が多く，日常生活での困難が高次脳機能障害に起因しているということにも気づきにくい[2,3]．

人は努めて現状を変えようとするときは，現状の不安定さを認識しているときである．自分が何も困っていなければ，今の状態を変えようとはしがたい．そのため，自身の状態にある程度の気づきがなければリハビリテーションのステージに乗らずに，実施が難しくなることもある．しかしながら，自身の障害についての認識が強すぎる場合も，社会生活の活動の妨げになる可能性もある．

障害を受けた機能に対する検査にとどまらず，活動や参加における対象者の行動や様子，そして心理社会的問題を統合して，問題点を抽出し，方針や目標を決める．

d 訓練の実施と再評価

高次脳機能障害に対する訓練においては，障害機能そのものの介入にとどまらず，**残存機能を活用**し，**代償手段**の獲得や使用，環境調整も積極的に行い，生活や社会における活動，参加の拡大を目指す．

一定期間訓練を実施したあとには，訓練で実施した内容の効果測定を行う．設定した目標や方法が，目指す方向性に対して妥当であったかについて検証を行う．介入前に実施した定量的評価を再び実施し，得点の変化で効果の有無を評価することも重要である．しかし，得点には表されなくても，質的な変化を認める場合がある．

このような質的な変化は，日々の臨床での行動観察に裏づけされることも多いため，リハビリテーションにおける訓練でも，実施した課題の結果や反応は数値化しておくと，再評価における効果測定の指標になる（例：開始時は10課題のうち自分で集中できた回数は3/10であったが，再評価前では他者からの注意の確認は不要となりすべての課題10/10に集中できた）．

e 高次脳機能障害のリハビリテーションを実施するうえでの留意点

1）高次脳機能の評価と視覚・聴覚ならびに運動の評価

会話において（図1-22），話し手が「これは何ですか？」と対象物について発話するには，高次脳機能としては視覚認知機能や言語機能などが働いている．これらの高次脳機能の処理が行われる前に，話し手は対象物をまず見て，指さしには手指の運動や発話には口腔顔面の運動を行う．さらに，聞き手が「あ，それはね……」と答えるのにも，高次脳機能としての注意機能，聴覚認知機能や言語機能が働く前に，声やことばを聴き，返答するための口腔顔面の運動を行う．

高次脳機能は**中枢神経系**の主に大脳において処理される．中枢神経系において処理する情報は，**末梢神経系**である聴覚や視覚によって伝達される．そのため，外界での情報を適切に末梢神経系から入力されなければ，中枢神経系における高次脳機能の処理も適切に行われない．また，中枢神経系で処理された高次脳機能は末梢神経系の運動

図1-22 高次脳機能と視覚・聴覚そして運動との一連の流れ

大脳において言語機能や視覚認知など高次脳機能が適切に処理されているかを評価するためには，高次脳機能において処理する情報を入力する視覚や聴覚，そして高次脳機能の処理結果を出力する運動の状態を事前に確認することが重要である．

Note 3. 高次脳機能障害と外界との関係性

高次脳機能として脳内で行われる処理は，認知処理だけが関係するのではなく，外界の情報を取り込む，また脳内での処理結果を外界へ送り出す，という一連の流れのなかにある(図)．外の世界から刺激や情報を取り込む段階は，感覚 sensory system で，外界から得た情報が皮膚などにある感覚受容器を通して，信号として脳に送られてくる．信号として送られた情報は知覚 perceptual system において，その信号から情報を抽出する．そして，高次脳機能(認知 cognition)において，抽出した情報に意味づけされ，得た情報を認識，さらには定着する．さらに，運動 motor system では，認識した情報に基づいて，ことばや行動などとして外界へ出力する．

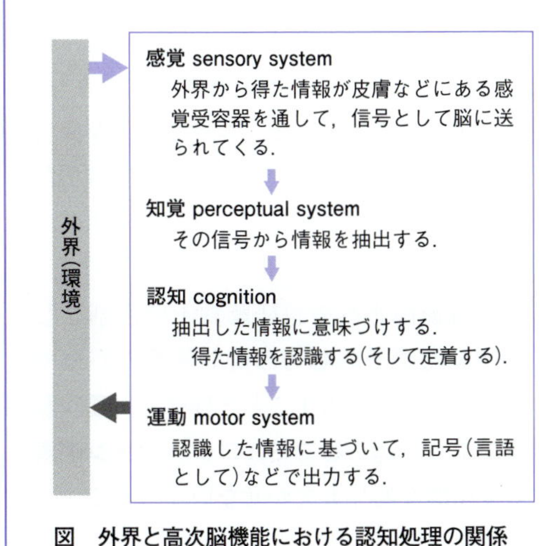

図 外界と高次脳機能における認知処理の関係

によって出力される．

そのため，高次脳機能の評価の前には，見えているか，聴こえているかなどの視覚や聴覚の状態，四肢や手指，さらには口腔顔面などの運動の状態を事前に確認することが重要である(➡ Note 3)．

高次脳機能障害のリハビリテーションにおいて，高次脳機能の状態を把握するためには，高次脳機能のみに焦点を当てるのではなく，外界からの入力と出力も含めたプロセスの状態を知ることが重要である．

高次脳機能はみえないといわれるが，**高次脳機能**において処理された結果は**行動に反映する**ため，行動を介して高次脳機能は観察できる[4]．

Note 4. 高次脳機能障害と加齢

日本の総人口は，平成30(2018)年10月1日現在で1億2,644万人，65歳以上人口は3,558万人で，総人口に占める65歳以上人口の割合である高齢化率は28.1%で，超高齢社会となった．介護保険制度によって要介護または要支援の認定を受けた要介護者等について，介護が必要となった原因として最も多かったのは，認知症で，次に多かったのが脳血管疾患であった[9]．

高次脳機能障害の原因疾患として，脳血管疾患が最も多いことも考えると[10]，高次脳機能障害を呈する患者を評価する際には，加齢の影響も考慮する必要が生じる．

加齢の影響を受ける高次脳機能と加齢の影響を受けにくい高次脳機能がある．高齢者に高次脳機能についての評価やリハビリテーションを実施する際には，加齢による変化を含めて介入することが重要である．

また加齢の影響は高次脳機能のみならず，視覚や聴覚などの高次脳機能以外の機能に対しても影響を与える．また，加齢によって高次脳機能障害が重複し重症化することや，認知症との鑑別についても，高齢者の高次脳機能のリハビリテーションを実施するうえでは留意する．

人の行動を決めるのは主には高次脳機能であるが，その人が存在する世界(外界，環境)との相互作用によって，高次脳機能の状態が変わる[5]．つまり，感覚入力や運動出力を含めた一連のプロセスのなかで，高次脳機能はその働きが決まる．このような，視覚・聴覚，さらには高次脳機能は加齢の影響を受ける(➡ Note 4)．

2) 高次脳機能の階層性

評価は，**高次脳機能の階層性**に基づき，より基本的な側面から行う．高次脳機能におけるさまざまな機能は，ばらばらに働きをなすのではなく，精神活動の駆動力としてほかの高次脳機能を下支えする役割，道具としての個別の働きをする役割，各機能を監督する精神活動の取りまとめの役割というように，役割が大きく分かれている[4]．このように，認知機能は役割によって，**基礎的な機能からより高次の機能へ**と順に積み重なってい

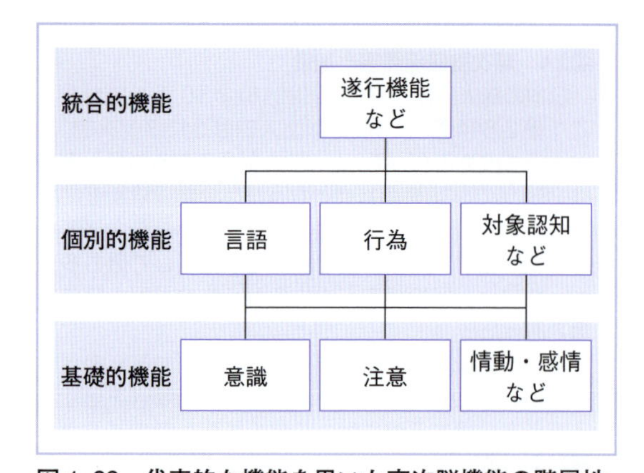

図 1-23　代表的な機能を用いた高次脳機能の階層性
精神活動の駆動力としてほかの高次脳機能を下支えする役割を担う基礎的機能，道具としての個別の働きを担う個別的機能，各機能を監督する精神活動の取りまとめの役割を担う統合的機能というように，認知機能は役割によって，基礎的な機能からより高次の機能へと順に重なっている．
〔山鳥重：高次脳機能障害とは．山鳥重，早川裕子，博野信次，他(編)：高次脳機能障害マエストロシリーズ(1)基礎知識のエッセンス．p17，医歯薬出版，2007 および鈴木匡子：やさしい高次脳機能の診かた．神経心理学 32：224-228，2016 をもとに作成〕

ることを，高次脳機能の階層性と呼ぶ(図 1-23)．

基礎的な機能が不安定であれば，その上に位置づけられる道具的機能も十分な力が発揮されない．そのため，評価を行う際は，よりベーシックな基礎的機能の状態から，より上位の機能を把握する，というように階層構造を念頭に段階的に評価する．

また，特定の機能を評価する検査に求められる高次脳機能についても，特定の機能を評価する前に状態を把握することが望ましい．たとえば，言語性の記憶検査は，ことばで答えることを求めるため，検査の実施前に，失語症が原因で反応ができないわけではないことを確認する必要がある．そのために言語機能の障害の有無は，記憶そのものの検査の前に確認する．

B　高次脳機能障害のリハビリテーションにおける言語聴覚士の役割

高次脳機能障害の評価やリハビリテーションにおける介入は，言語聴覚士や関連他職種においても行われる．評価によって対象者の状態を把握し，訓練プログラムを立案するという流れは他職種とも共通している．しかし，言語聴覚士が行う高次脳機能障害への介入は，コミュニケーション活動の向上を目指すことにあると考える[7]．

コミュニケーションとは，人と人が共通のものをつくりだす過程で，その過程では話し手と聞き手が情報をやりとりする．やりとりされるのは言語情報のみではなく，言語以外の非言語情報，たとえば手振りや身振り，意図の表出や状況ならびに文脈の理解や推論なども含まれる．意図や推論などには，言語機能に併せて，注意，記憶，遂行機能など，実に多くの高次脳機能が必要となる．つまり，失語症のみがコミュニケーション障害を引き起こすわけではなく，その他の高次脳機能障害においてもコミュニケーション障害が生じている．

高次脳機能障害への言語聴覚士の役割としては，**高次脳機能そのものの機能障害**の回復や活動，参加の向上を目指すことと併せて，**高次脳機能障害によって起こるコミュニケーション障害**に対する多面的な関与も欠かせないと考える．

1　急性期の言語聴覚療法の特徴

急性期における高次脳機能障害は，変動することが多い．また，全身状態も不安定な場合が多く，長時間の評価に応対できない場合が多い．そのため，面接や観察，スクリーニング検査を中心に短時間で行う．高次脳機能障害では，発症するまでは可能であったことができなくなることが起こる．それは想像以上の苦しみや自尊心を傷つけることにつながる．そのために，高次脳機能評価における面接や観察の前には，一度対象者や家族に挨拶に赴き，評価前に相互に信頼し，安心して評価に臨める関係であるラポールを形成することも重要である．

この時期の言語聴覚士の役割として，高次脳機能障害によって生じる日常生活の困難さの軽減をはかり，本人と他者とのかかわりの改善策を講じる．評価の実施後には得た結果や改善策を家族や医師，看護職，介護職など周囲の他職種に情報提供する．

2　回復期の言語聴覚療法の特徴

回復期は全身状態が安定し，積極的かつ集中的にリハビリテーションが行われる時期である．詳細な評価を行うことによって，高次脳機能障害の発生メカニズムを検証し，より詳細にリハビリテーション計画を立案し，プログラムを実行する．

この時期の言語聴覚士の役割としては，詳細な高次脳機能障害の評価に基づいて，次に来る生活適応期を見越して，注意，記憶，遂行機能などのそれぞれの高次脳機能障害に対する機能回復ならびに代償手段の獲得訓練を行う．

また高次脳機能障害が日常生活におけるコミュニケーションに与える影響についても検討し，グループ訓練なども取り入れながら，実践的な介入をする．本人への介入内容や状況は家族にも具体的に説明し，回復過程における心理社会的問題に対しても支援を行う．

3　生活適応期の言語聴覚療法（地域言語聴覚療法を含む）

生活適応期において，高次脳機能障害をもたらす脳損傷の範囲の程度や種類によっては，障害が残存する確率も高くなり，医療機関における介入のみで生活や社会に適応することが困難なことがある．特に青年期や壮年期における就労支援や高齢期の社会参加の機会増大に向けた地域でのリハビリテーションの施行が重要となる．

地域における有効なリハビリテーションの実施には，それ以前の急性期や回復期における医療機関と，**地域でのリハビリテーション**を担う福祉機関や介護事業所との連携が必要となる[8]．

この時期の言語聴覚士の役割としては，多職種が関与する包括的リハビリテーションにおいて，高次脳機能障害の特性を客観的に把握し，コミュニケーションの妨げになっている要因を探る．そして，本人が周囲の人々との円滑なコミュニケーションをはかることができるような物理的環境調整や，周囲の人々へ本人の高次脳機能障害の特性についての理解を促すという人的環境調整を行う．これにより，生活や社会における活動や参加を具体化する．また，高次脳機能障害の障害特性に応じた社会資源の利用についても検討する．

引用文献

1）上田敏：国際生活機能分類（ICF）とリハビリテーション医学の課題．リハ医 40：737-743，2003
2）種村留美：高次脳機能障害に介入するとはどういうことか．鈴木孝治，早川裕子，種村留美，他（編）：高次脳機能障害マエストロシリーズ(4)リハビリテーション介入．pp2-8，医歯薬出版，2006
3）大沢愛子，前島伸一郎：記憶障害のリハビリテーション．Med Rehabil 246：49-53, 2020
4）山鳥重：高次脳機能障害とは．山鳥重，早川裕子，博野信次，他（編）：高次脳機能障害マエストロシリーズ(1)基礎知識のエッセンス．p17，医歯薬出版，2007
5）Wilson M：Six views of embodied cognition. Psychon Bull Rev 9：625-636, 2002
6）鈴木匡子：やさしい高次脳機能の診かた．神経心理学 32：224-228，2016
7）関啓子：言語聴覚士による高次脳機能障害へのアプローチ．高次脳機能研究 28：276-283，2008
8）渡邉修：急性期および回復期病院の高次脳機能障害者に対する地域連携の在り方．J Clin Rehabil 23：1036-1041，2014
9）内閣府：第1章 高齢化の状況．令和元年版高齢社会白書．〔https://www.cao.go.jp/（2020.3.16 アクセス）〕
10）高次脳機能障害全国実態調査委員会：高次脳機能障害全国実態調査報告．高次脳機能研究 36：492-502，2016

第 2 章

視覚認知の障害

学修の到達目標

- 視知覚の障害種類，症状，病巣を説明できる.
- 視覚性失認の種類，症状，病巣を説明できる.
- 視覚性失認の訓練・代償方法・指導・支援の原則を説明でき，実施できる.
- 言語聴覚士としてどのように視覚性失認に介入するかを説明できる.

エピソードと臨床的推論の視点

Aさん(40歳代，女性)は，一酸化炭素中毒のあと，目の前にあるものも触ったり音を聞いたりしないと何だかわからなくなった．はじめ医療者はAさんが盲になったと考えた．しかし家族は，Aさんが机上に物があるのを見つけるのに苦労がなく，小さな糸くずも拾え，近づいてくるのが車か，人か，ペットの猫かもすぐわかるので，盲ではないと語った．

Aさんは，四角や星形など簡単な図形も見てはわからなかった．しかし，それが何かを確かめるためにつかみに行くときの手の形は図形に一致して正しかった．より複雑な形の物も正しくつかむことができた．物品の色や肌理，大きさについて問うと正しく答えた．

以上から，Aさんには統覚型視覚性失認があると推測し，確認のための詳しい評価を行った．

視知覚と視覚認知

A 知覚と認知

知覚とは，身体の受容器が外界の信号を受け入れ神経信号に変換される過程で生じる，(たとえば音，手触り，におい，明るさ，色などの)心的経験である[1]．認知とは，単語，顔，物品などを，過去の経験を通じて学習した事物をもとに再認する過程である[1]．これらが，眼の網膜にある光受容器を通して得られた情報をもとに起これば，それぞれ視知覚，視覚認知と呼ばれる．大まかには，視知覚の障害は視覚情報処理の流れのうちより初期の(網膜に近い)段階の問題により，視覚認知の障害はよりあとの段階の問題により生じる．しかし，両者に厳密な境界があるわけではない．私たちは，実際に外界にはないものを感じたり(幻覚)，実際に外界にあるものを実際とは異なって感じる(錯覚)ことがある．これらも知覚の障害に入れることが多い．視覚に生じれば，それぞれ幻視，錯視と呼ばれる．

B 視覚伝導路(網膜から一次視覚皮質までの情報伝達)

眼には水晶体というレンズがあるので，網膜の像は外界と逆向きとなる(図2-1a)．このため視野の右側は網膜の左側，左側は右側に映る．網膜像の情報は，図2-1bのように視神経，**視交叉**，視索，外側膝状体，**視放線**を経て**一次視覚皮質**に運ばれる．右眼の網膜の左半分の情報は真っすぐ反対側すなわち左後頭葉の一次視覚皮質に，左眼の網膜の左半分の情報も視交叉で方向を変えて左の一次視覚皮質に運ばれる．同様にして，左眼の網膜の右半分と右眼の網膜の右半分の情報はどちらも右の一次視覚皮質に運ばれる．そのため，視交叉より前では，片側の経路のどこかが完全に損傷すると，損傷側と同じ側の眼だけが見えなくなる．視交叉よりあとの病変では，片側の経路が完全に損傷すると，どちらの眼でも損傷と反対側の半分の視野だけが見えなくなる．これを**同名性半盲**と呼ぶ．光が当たると瞳孔が縮む対光反射にかかわる線維は外側膝状体に入る前で視索から別れ，反射に必要な脳幹の核に入る(図2-1b)．

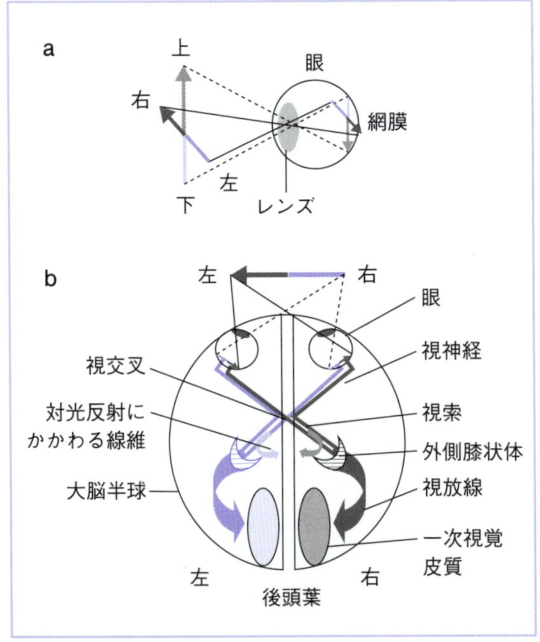

図 2-1 視覚伝導路

a：網膜像と外界の関係.

b：網膜から一次視覚皮質までの視覚情報の伝導路.

C 一次視覚皮質以降の視覚情報処理

一次視覚皮質に到達した視覚情報は大きく背背側，腹背側，腹側の3つの流れに分かれて処理されていく[2]（図 2-2a）．①上頭頂小葉へ向かう「背背側の流れ dorso-dorsal stream」は，視覚対象の位置や運動，形の情報をあまり意識に上らない形で伝え，直接，行為を引き起こす．②下頭頂小葉へ向かう「腹背側の流れ ventro-dorsal stream」は，対象の位置や運動の情報を意識に上る形で処理する．③側頭葉へ向かう「腹側の流れ ventral stream」は，色や形を中心に情報処理を行い対象の同定と深くかかわる[2].

周知のように，左大脳半球は言語化しやすい情報の処理に，右大脳半球は言語化しにくい情報の処理に優れている（図 2-2b）．これは視覚にも当てはまる．すなわち，形状，用途を言語化しやすい物品や，文字の認知には左半球が，顔や風景など特徴を言語化しにくいものの認知には右半球が優れている．

一次視覚皮質に到達した視覚情報は順次前方に送られ，処理が進行する．それに従って，はじめは①視野（目を動かさずに見える範囲）の特定の場所の情報（たとえばそこが赤いか）を分析する領域，次いで②特定の視野に限らずに対象がもつ視覚的な性質を分析する領域，さらに③視覚に限らず感覚の種類を越えて対象についての判断を行う領域へと情報が送られていく（図 2-2c）．

引用文献

1）下山晴彦，遠藤利彦，齋藤潤，他（編）：心理学事典（新版）．誠信書房，2014
2）Rizzolatti G, Matelli M：Two different streams from the dorsal visual system：anatomy and functions. Exp Brain Res 153：146-157, 2003

2 視知覚障害

 皮質盲

両側の一次視覚皮質あるいはそこへ投射する視放線の損傷により，全視野にわたって視機能が失われ光刺激を知覚できなくなった状態を皮質盲 cortical blindness と呼ぶ．眼から視交叉までの損傷による盲とは異なり，対光反射が保たれるのが特徴である．

a 原因

両側の一次視覚皮質あるいは視放線の全体を損傷する疾患は，すべて原因となりうる．最も多い

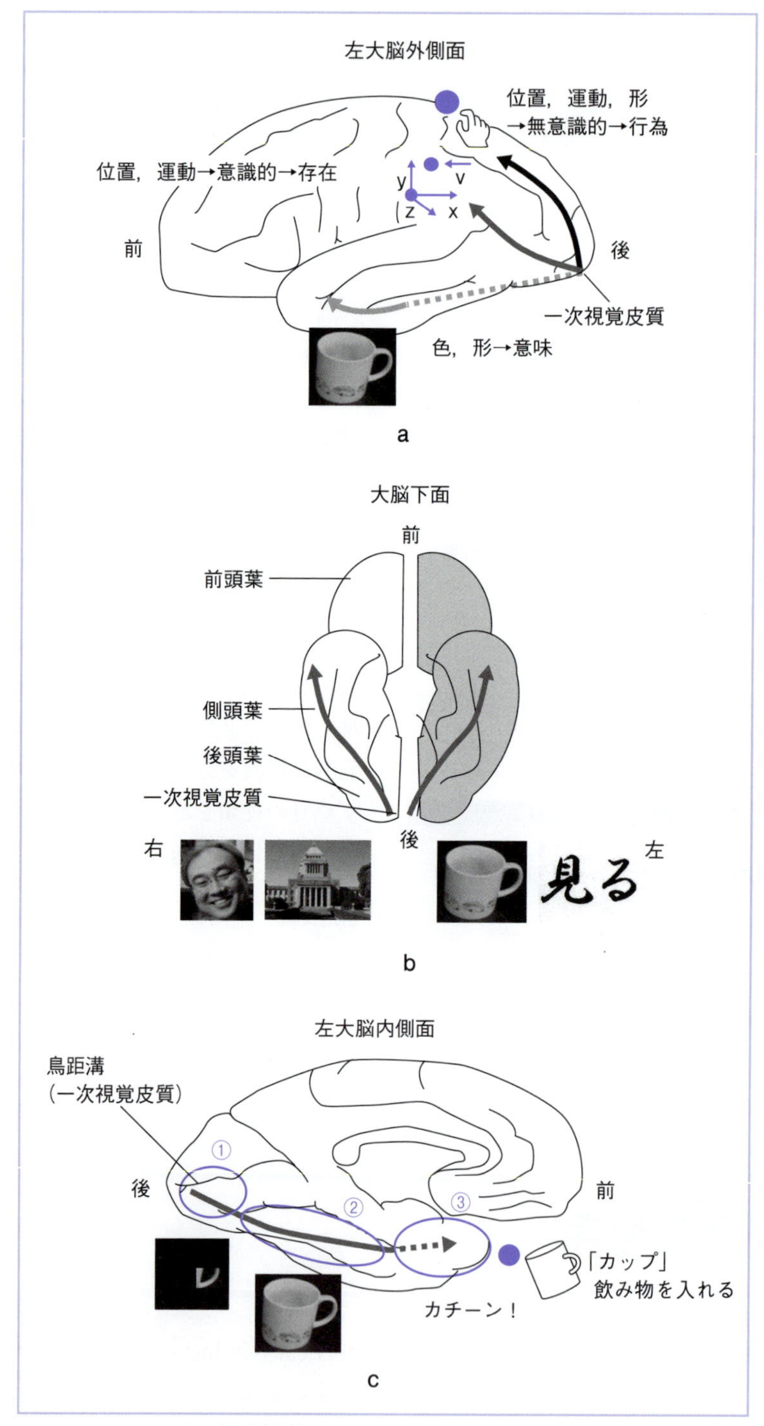

図 2-2　大脳での視覚情報処理

a：上下の軸．黒矢印は背背側の流れ，暗灰矢印は腹背側の流れ，明灰矢印は腹側の流れ，破線は裏側を走ることを表す．

b：左右の軸．左半球は言葉にしやすい特徴，右半球は言葉にしにくい特徴の分析に優れている．

c：後前の軸．腹側の流れでの処理の進行．①視野に限局→ ②視覚に限定→ ③感覚の種類を越える．

のは両側後大脳動脈領域の梗塞であるが，次いで脳挫傷[1]，そのほか低酸素脳症，一酸化炭素中毒などである．一次視覚皮質は鳥距溝内とその上下の皮質，後頭葉の後端およびその少し外側の皮質に存在するので，これらの領域が合わせて損傷すると皮質盲となる．視放線は側頭茎，側頭葉や頭頂葉の一部，そして後頭葉を通り上下から一次視覚皮質に到達する．これらの領域のどこかで視放線のすべてが損傷しても皮質盲となる．しかし，視放線のすべてが損傷される事態は線維が狭い範囲に集まっている側頭茎付近や鳥距溝上下の後頭葉のほうが起こりやすいので，これらの領域に病変があることが多い．

b 発生メカニズム

視交叉より後ろの経路が左右とも完全に損傷すると全盲になる．そのような盲が視索や外側膝状体に限局して起こることは稀なので，視放線や一次視覚皮質の損傷で生じる場合，すなわち皮質盲によるものがほとんどである．左右の後大脳動脈が1本の脳底動脈から分かれるので，脳梗塞による皮質盲は左右の同名性半盲が別々に起こって生じることも，一度に全盲となって生じることもある．

対光反射にかかわる線維は外側膝状体に入る前で視索から別れ，反射に必要な脳幹の核に入る(図 2-1b)ので，外側膝状体より後方にあたる視放線や一次視覚皮質の損傷による皮質盲では対光反射が保たれる．

c 症状

強い光の明るさを含め，外界の視覚刺激がまったく知覚できなくなる．自覚的には，「何も見えない」と語ることもあるが，「通常とはまるで異なる暗さを感じる」などと語ることもある．また，盲を認知しないこともあり，アントン Anton 症候群と呼ばれる(➡ Note 1)．

脳梗塞や脳挫傷の急性期に皮質盲を生じることは稀でないが，完全な盲の状態が長く続くことは少ない．多くの場合，視野のどこかで機能が回復してくる．しかし，回復は一部の視野にとどまることが多く，回復した視野にも明るさが少ないと見えない，眩しい(羞明)などの障害が残る場合がある．

B 大脳性色覚障害

大脳性色覚障害 cerebral achromatopsia では，色を見ても何色かがわからなくなる[1, 2]．視野全体あるいは半側視野，1/4 視野のなかで色覚が失われる[1]．

a 原因

原因疾患は脳梗塞が多い．病変が後頭葉の紡錘状回後内側部を含むと生じる[2]．病変が両側性であれば視野全体に，一側であればその反対側の視野だけに生じる．一側の損傷が部分的であれば 1/4 視野だけにも生じうる．

b 発生メカニズム

「一次視覚皮質以降の視覚情報処理」の項(➡ 49 頁)に記したように，色情報の処理を行う機能は腹側への流れに存在する．また，視野に対応する機能なので，流れが始まったばかりで一次視覚皮

Note 1. アントン症候群

後天性の皮質盲を認知しない状態をいう[4]．患者は盲に気づかず，見えているかのようにふるまって失敗する．尋ねられると，見えていると答える．たとえば，診察室で何が見えるか尋ねると「白衣を着た先生が見えます」などと，状況に合った内容を当て推量で報告する．誤りに直面させられると「照明が暗すぎる」などと言い訳をする．無認知は選択的であり，失語などほかの障害が併存する場合，そちらには気づいている．しばしば幻視がみられるが，幻視がない症例もある．病巣は一次視覚皮質だけでなく，より前方の領域にも及んでいる．

質からあまり遠くない場所にあると考えられる．紡錘状回の後内側部がこれに相当する．サルの生理学的研究でV4と呼ばれる脳部位の一部と相同だと考えられている[1]．

c 症状

視力は保たれている．視野は欠けていることも欠けていないこともある．両側病変の場合，多くの患者は色がわからなくなったことを自覚するが，発症後自覚までに時間がかかる場合もある〔章末の事例(➡69頁)を参照〕．患者は，「すべて灰色に見える」，「白黒」，「色が薄い」，「汚れた感じに」見えるなどと言う．一側病変の場合，患者は，障害を自覚していることも，していないこともある．自覚しているときには，視野の該当部分に見えるものが「灰色っぽく」，「汚れて」見えるなどと言う[1]．

興味深いことに，色が何色かはわからないのに，色どうしが違うことは，たとえ明るさが同じ色でも認知できる．ただし，比較する色の面どうしが接していなければならず，わずかでも隙間があるとわからなくなる．本人は「同じ色に見えるが，面どうしの境目が見えるのでわかる」と語る[2]．これは，大脳性色覚障害で失われるのが光の波長の違いを色として感じる能力だけであって，波長の違いから境界を検出する能力は失われないことを示しているのかもしれない．

C 幻視と錯視

1 幻視

外界に実際にはないものが見える現象を幻視visual hallucinationと呼ぶ．幻視は，精神疾患，薬物の作用，橋や中脳の病変，レビー小体型認知症など，さまざまな原因によって生じうるが，後頭葉など大脳の視覚関連皮質の損傷によっても起こる．その場合，障害された視野の側にのみ幻視が生じる．これを「盲視野内幻視」と呼ぶ．意識の問題などが併存しなければ，患者は幻視を非現実的なものだと自覚していることが多い．稀な現象ではないが，持続も短く，患者が盲や麻痺などのほかの症状に気をとられていたり，狂気のふちにいるのではないかとおそれていたりするため，自発的に幻視を報告することは少ない[1]．幻視は，単純なもの(光視)と複雑なもの(複雑幻視)とに分ける．

a 光視

1）原因

光視photopsiaの原因疾患は，後大脳動脈領域の脳梗塞，次いで脳腫瘍が多い．後頭葉などの病変を焦点とするてんかん発作でも起こりうる．

2）発生メカニズム

一次視覚皮質や(有色の場合は)大脳色覚中枢の機能の部分的な異常を原因とする考えがあるが，明らかでない[1]．

3）症状

無色あるいは多色の光が見える．形は，点，星，直線，曲線，円，火花，もや，稲妻，炎などと形容される(後述の単眼性二重視自験例および図2-4参照)．目を動かすと像がついてまわり，開閉眼しても像が変わらない．原因疾患の病状が変化している時期，すなわち悪化期や回復期などに現れることが多い．てんかん発作による光視では，より生々しく，色や鮮明さや動きの変動が激しく，障害された視野の範囲を越えて広がることが多く，のちに一過性の盲を残したりする[3]．

b 複雑幻視

1）原因

原因疾患は，後大脳動脈領域の脳梗塞，次いで脳腫瘍が多い．病変は後頭葉を中心に側頭葉や頭頂葉の一部に及ぶことが多い．これらの部位の病変を焦点とするてんかん発作でも起こりうる．

2）発生メカニズム

後頭葉の病変による視野障害が視覚情報を遮断し，頭頂葉や側頭葉の病変が実在しない視覚像を解放してしまうという考えがある[1)]．

3）症状

人の姿，顔，手，動物，無意味な物，既知あるいは未知の風景などが見える．無色や色彩に乏しい場合が多く，人や物は実際より小さく見えることが多い．人物の顔はよくわからないことが多い．像は固定しているときも，動いているときもある．同じものや人が一列や多列に何個も並んで見えることも多い．もっとよく見ようとすると消失することが多い．視線を動かす（衝動性眼球運動）と消える．視野欠損がなく，複雑幻視が半側視野ではなく視野全体に現れるときは，てんかん発作の可能性が高い[1)]．

2 錯視

外界に実際にあるものが，実際とは異なって見える現象を**錯視**と呼ぶ．錯視も，精神疾患，薬物の作用，レビー小体型認知症など，さまざまな原因によって生じうるが，後頭葉など大脳の視覚関連皮質の損傷によって起こる場合は，①見え続ける，数が増える，傾く，あるいは②歪む，大きさが変わるなど素朴な変化が多い．①のグループは対象と時間，空間との関係の変化，②のグループは対象そのものの見えの変化ということができよう．どちら側の半球の病変でも生じうる．決して稀な現象ではない．しかし，幻視のときと同様の理由で，患者が自発的に症状を報告することは少ない[1)]．

a 時間，空間関係の変化

1）視覚性保続，反復視

外界の刺激が消えたあとも，その対象が見え続ける現象を視覚性保続 visual perseveration あるいは反復視 palinopsia と呼ぶ．

(1) 原因

原因疾患は，腫瘍，脳梗塞，脳挫傷，てんかん，片頭痛と多様である．脳梗塞で生じた場合，後頭葉に加え頭頂葉や側頭葉の一部にも病変がみられる．

(2) 発生メカニズム

不明である．

(3) 症状

対象が視界になくなってから像が見え始めるまでの時間で次の3つのグループに分けられる[1)]．①対象の消失直後から見える．残像と異なり色は元の刺激と同じで，向こう側は透けて見えず，数十秒～数分間持続する．しかし，残像と似て，目を動かすと像がついてまわり，頭を傾けると像も傾く．やがて像は色あせ，輪郭が不明瞭になり突然消失する．②対象の消失後，わずかの潜伏期間がある．像の全体ではなく，頭部，タクシーのマークなど，一部だけが再現することも多い．その場合，タクシーのマークがすべての車の上に見えるなど，あってもおかしくない所に見える傾向がある．持続は数秒～数分が多い．③対象の消失後の潜伏期間が数日以上と長い．複雑幻視と同様，視線を動かすと消失する．幻視に近い病態と考えられている．

いずれも，像は障害された視野の側にのみ生じる．像が半側視野ではなく視野全体に現れるときは，てんかん発作の可能性が高い[1)]．

反復視の特殊なものとして多視 polyopia がある．外界の対象か患者の視線のいずれかが動くと，その際に対象が視野内に描く軌跡に沿って，対象の像が連珠のように連なって多数現われ，見え続ける．視界に入っていた対象のうち何の像が

a

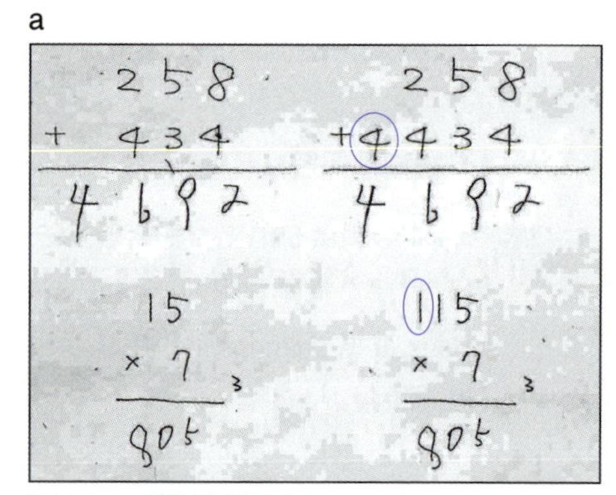

b

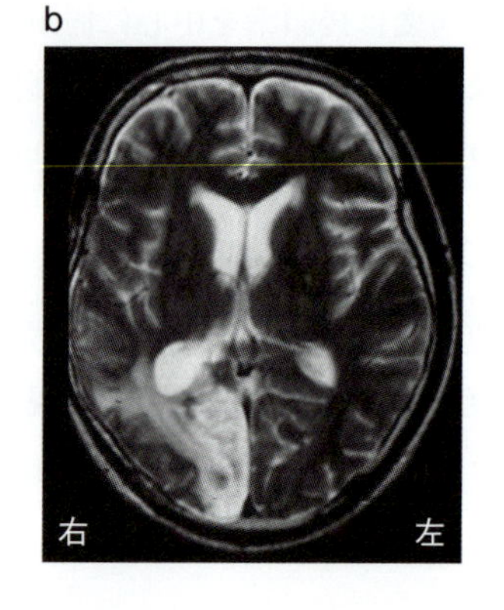

図 2-3　視覚性保続の反応例と MRI 画像
a：筆算時に現れた反復視の影響
b：MRI T2 強調画像，水平断

繰り返されるかには規則性はない．見つめた対象とは無関係に生じる．複雑幻視とは異なり，視線を動かしても消えない[1]．

【自験例】右側頭後頭葉の脳梗塞により，動静脈奇形からの出血で，血腫除去術および動静脈奇形摘出術を受けた．左同名性半盲，いずれも軽度の左半側空間無視，記銘力障害，構成障害に加えて反復視を認めた．本人の報告によれば，次のような体験があった．自分の左側に立っていた理学療法士が立ち去ったあと，正面を向きもう一度左を向くと，いないはずの理学療法士が見え，触ろうとして手を伸ばすとすり抜けてしまい驚いた．七福神の置物を見ると，左端の神様がもう1人見え，合計8人になった．画面に表示される字幕の歌詞の色が白から緑に変わって歌うべき場所を教えるカラオケの画面で，文字が白いままに見え続けたため，歌うべき場所がわからなくなった．筆算中に左端の数字がさらに左方にもう1つ見え，重複して計算してしまった．図 2-3a の左側はそのときの計算問題と患者の答えの写真である．答えは誤っているが，もし右側に表したように，青線の円のなかのように数字が左側にもう1つコピーされて見えたとすると正しい計算になる．反復像は見つめることと無関係に突然現れ，見つめ続けると消失した．向こうは透けて見えず，大きさ，色，形は実物と同じで区別できなかった．MRI では，後頭側頭葉に梗塞巣を認めた（図 2-3b）．本例の症状は上記の②のグループに属すると思われる．

2）単眼性二重視

片方の目で見たときにも対象が二重や多重に見える症状は，屈折系や網膜などの眼疾患や，転換性障害で起こるが，後頭葉を中心とした大脳病変によっても起こる．「単眼性二重視 monocular diplopia」あるいは「大脳性二重視 cerebral diplopia」と呼ばれる．

(1) 原因

原因疾患には，脳梗塞，脳挫傷，低酸素脳症などがある．病変部位は後頭葉が多い．小さな病変の症例では，一次や二次の視覚皮質に病巣がある．

(2) 発生メカニズム

一次や二次の視覚皮質の機能異常との関係が考えられるが，詳細は不明である．

(3) 症状

一定時間（多くは数秒），動かない対象を見つめたときに，その対象が両眼でも，どちらの単眼でも，2つあるいは多数に見える現象である．像は障害された視野の側にのみ，多くは注視点の近くで，生じる．多重像は，視線を動かすと消える[1]．

【自験例】急な左後頭部痛のあとに次のような体験をした．右同名視野の周辺が見えなくなり，欠

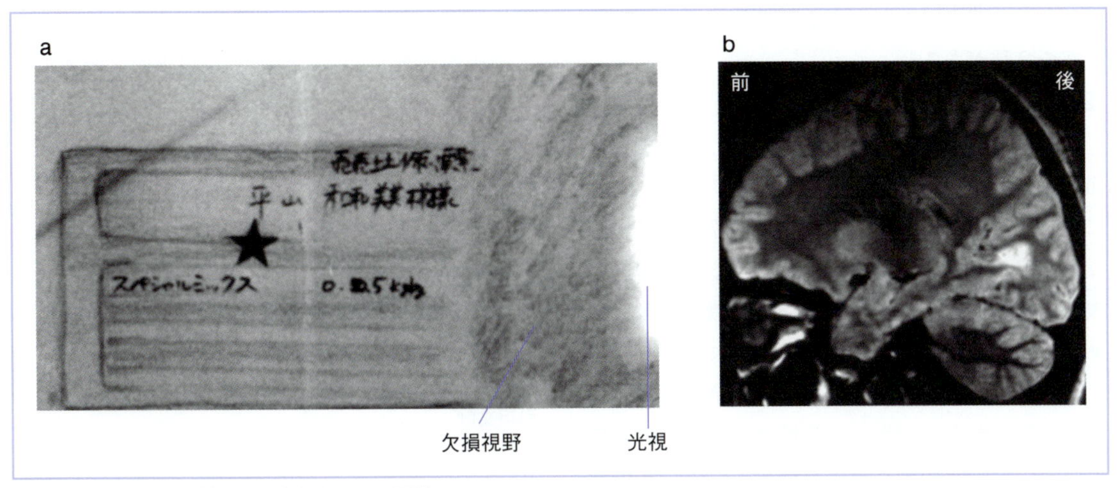

図 2-4 単眼性二重視の反応例と MRI 画像
a：二重体験の本人による描画
b：MRI プロトン密度画像，矢状断

損視野のなかに数個の無色の光が見え(光視)，右視野の欠損していない部分で注視したものだけが2つに見えるという現象(二重視)が，30分ほどの間隔で3〜10分，断続的に出現した．図 2-4a は，本例が記憶をもとに描いた二重視体験の例である．右同名視野の右側から注視位置に向かって凸な視野欠損があったことを黒っぽく塗ることで表している．欠損視野内に現れた光の点は無色で，はっきりとした形をもたず，眩しくて，動きはなかった．視野欠損が生じるたびに光の大きさや数は変化し，一度は欠損視野全体を占めることもあった．図中央の星印は注視位置を表すために筆者が加えたものであるが，その少し右側から欠損視野に至るまでの部分で，見ている伝票の文字が二重に見えたことが描かれている．二重視は見つめたものにだけ生じ，2つに見え始めるまでには数秒間見つめ続けなければならなかった．二重像は水平方向に生じ，どちらが本物か区別できず，視線を動かすと1つに戻った．MRI では，鳥距溝(一次視覚皮質)前部の上下深部に小さな梗塞巣を認めた(図 2-4b)．

3）逆転視，傾斜視

光景が逆立ちして見えたり(逆転視 inverted vision)，傾いて見えたり(傾斜視)する症状をいう．

(1) 原因

原因疾患は脳梗塞，脳腫瘍など．病巣は，頭頂葉，小脳，脳幹などにある[1]．

(2) 発生メカニズム

前庭系の情報や空間認知の混乱が推定される．

(3) 症状

外界の全体が上下逆に見えたり，前額面上や，奥行き方向に回転した状態に見えたりする．視野との対応はない[1]．

b 対象そのものの見えの変化

対象の形が歪んで見える変形視と対象が小さく見える小視が多い[3]．ほかに，大きく見える大視 macropsia，遠くに見える遠隔視 teleopsia，反対側の視野にあるように見える視覚性アレステジー visual allesthesia などがあるが，頻度は少ない．

1）変形視

対象の形が歪んで見える現象を変形視 metamorphopsia という．

(1) 原因

原因疾患としては，脳梗塞，脳出血，脳腫瘍などがある．病巣は，後頭葉前下外側付近と脳梁膨大部の2種がある[3]．

(2) 発生メカニズム

後頭葉前下外側部(外側後頭複合，lateral occipital complex)は，視覚情報処理の腹側の流れに属し，対象の形そのものの判断に際し活動することがfMRI研究などで示されている．外側後頭複合付近の病巣による場合は，この機能の障害により形が歪んで知覚されると考えられる．脳梁膨大は外側後頭複合を含む両側の後頭葉を連絡している．脳梁膨大の病巣による場合は，左右の外側後頭複合の機能が相互調節を行えずに生じる可能性が考えられる[3]．

(3) 症状

病巣と反対側の視野でのみ対象が歪んで見えることが多い．変形視には，顔の半分や1/4が「だらっと垂れ下がって」「口元が平面的に伸びて」見えるなど変形の著しい例もあるが，「目じり口角が(少し)下がって元気なく」見えるなど変形がわずかな例もある[3]．

2) 小視

対象が小さく見える現象を小視 micropsia という．

(1) 原因

原因疾患としては，脳梗塞，脳出血，脳腫瘍などがある．病巣は，変形視同様，後頭葉前下外側付近と脳梁膨大部の2種がある[3]．

(2) 発生メカニズム

変形視と類似の機序が考えられる．

(3) 症状

病巣と反対側の視野でのみ小さく見える例が多い．大きさの違いはさほど著しいものではない．

引用文献

1) Kölmel HW：Die homonymen Hemianopsien — Klinik und Pathophysiologie zentraler Sehstörungen. Springer Verlag, 1988
〔井上有史，馬屋原健(訳)：視覚の神経学—中枢性視覚障害の臨床と病態生理．シュプリンガー・フェアラーク東京，1990〕
2) Heywood CA, Cowey A, Newcombe F：Chromatic discrimination in a cortically colour blind observer. Eur J Neurosci 3：802-812, 1991
3) 平山和美：錯視の神経心理学．神経心理学 29：113-125，2013
4) Anton G：Über die Selbstwahrnehmung der Herderkrankungen des Gehirns durch den Kranken bei Rindenblindheit und Rindentaubheit. Arch Psychiatr 32：86-127, 1899
〔野上芳美，臼井宏(訳)：皮質盲，皮質聾患者による大脳巣疾患の自覚について．秋元波留夫，大橋博司，杉下守弘(編)：神経心理学の源流—失行編・失認編．pp753-791，創造出版，2002〕

3 視覚認知障害

A 視覚性失認

「失認 agnosia」は，①要素的感覚の障害，②知能の低下，③注意の障害，④失語による呼称障害，⑤刺激に対する知識(意味記憶)のなさの，いずれにも帰することのできない，⑥特定の感覚種に限った対象認知の障害と定義される[1]．このような障害が視覚的対象に生じた場合を，**視覚性失認**という．すなわち，見ても何かわからないが，触ったり，特徴的な音を聴いたりすればすぐわかるし，言語的定義を聞いても何を指しているかわかる．上記の定義には含まれないが，視覚性失認には重要な特徴がほかに2つある．1つは，障害されるのが対象を形から認知することだけであり，動きなど，形以外の視覚情報からは対象を認知できることである．もう1つは，対象の認知の障害が，対象が視野のどこに提示されても起こるということである．視覚性失認はいくつかの型に分類されてきた．分類は，①視覚による対象の認知が視覚情報処理のどの段階で障害されているかという観点と，②認知できない対象がどのようなカテゴリーのものかという観点からなされる．

Lissauer[2]は，視覚性失認を情報処理の段階の観点から統覚型 apperceptive type と連合型 associative type に二分した．彼は，統覚型は視覚的な特徴を1つの全体にまとめることができないために生じ，連合型はまとめあげた結果を意味と結びつけることができないために生じると考えた．また，両者を区別するためのテストとして，知覚型では対象の模写や同じものの選択ができないが，連合型ではこれらができるという基準が提案された．しかし，連合型のテスト基準を満たす症例のなかには，模写は正確にできるものの，長い時間をかけて各部分をばらばらに写し取っていくだけであり，対象全体の把握が正常とはとてもいえないような症例のほうがむしろ多いことが明らかとなり，連合型とは区別して「統合型 integrative type」と名づけられた[3]．したがって，はじめの定義を満たすような視覚性失認は，次のような3つのグループに分けて考えることができよう．①**統覚型**：要素的感覚によりとらえた特徴を，部分的な形にすら，まとめあげることができない．形がまったくわからない．したがって，模写ができない．②**統合型**：まとめあげた部分的な形を全体の形と関係づけられない．したがって，模写はできるが，各部分をばらばらに写し取る形で，ゆっくりとしかできない．また，見せる時間を短くしたり，網掛けなどの視覚的な雑音を加えたりすると，わからなさが増す．③**連合型**：これらの段階は完了しているが，それを意味と結びつけることができない．したがって，模写がすばやく正確にできる．また，見せる時間を短くしたり，視覚的な雑音を加えたりしても，わからなさは変わらない．

形がまったくわからない統覚型視覚性失認では，特定の種類の対象だけが認知できなくなるという現象は起こりえない．しかし，統合型や連合型の視覚性失認ではそのような現象が起こる．認知できない対象と，症状の名前の組み合わせは以下のようである．①物品 → 視覚性物体失認，②文字 → 失認性失読（純粋失読の一部），③顔 → 相貌失認，④風景 → 街並失認．これらの症状はいくつかが組み合わさった形でも生じるが，それぞれ単独でも生じることが確かめられている．

1　視覚性失認の発生メカニズム

「一次視覚皮質以降の視覚情報処理」の項（➡ 49頁）に記したように（図 2-2a），側頭葉へ向かう「腹側の流れ」が，色や形を中心に情報処理を行い対象の同定と深くかかわる[4]．見たものが何であるかわからなくなる視覚性失認は，この腹側の流れの障害で生じると考えられる．

形状，用途を言語化しやすい物品や，文字の認知には左半球が，顔や風景など特徴を言語化しにくいものの認知には右半球が優れている（図 2-2b）．したがって，視覚性物体失認や失認性失読は左半球損傷で，相貌失認や街並失認は右半球損傷で起こる．視覚情報は一次視覚皮質から順次前方に送られ，処理が進行する．特定の視野に限らずに対象がもつ視覚的な性質を分析する領域は，一次視覚皮質から少し離れた場所にある（図 2-2c）．したがって，対象が視野のどの場所にあっても何だかわからなくなる視覚性失認も，統覚型を除いてこの領域の損傷で起こる．

2　統覚型視覚性失認（視覚性形態失認）

統覚型視覚性失認は，近年は「視覚性形態失認 visual form agnosia」[5]と呼ばれることが多い．要素的感覚によりとらえた特徴を，部分的な形にすら，まとめあげることができない状態とされる．

a 原因

原因疾患のほとんどが一酸化炭素中毒か低酸素脳症である．いずれもびまん性の大脳損傷を生じる疾患なので，責任病巣は明確でない．

b 発生メカニズム

統覚型視覚性失認の機序については，両側の一次視覚皮質や二次視覚皮質などで，酸素を多く必要とする細胞だけが上記の疾患による皮質層状壊死などに伴って破壊され，腹側の流れへの出力だけが選択的に障害されたとする考えと，腹側の流れの途中にあり形そのものの判断にかかわる外側後頭複合が両側とも損傷したためという考え[6]とがある．

c 症状

視野も視力も保たれているのに，これら要素的感覚によりとらえた特徴を，部分的な形にすら，まとめあげることができない．結果，簡単な幾何学図形もわからない．したがって，対象を描き写すこと(模写)ができない．形がわからないので，物品，顔，風景いずれの認知も障害される．しかし，動きや色，面積，質感などの知覚は正常で，明暗の差の知覚も十分に保たれているので，これらの特徴が違っていると2つの対象を区別することができる[6]．また，見誤るときはこれらの性質の似たものと誤る．触ったり，特徴的な音を聴いたりすればすぐわかる．背背側の流れは保たれているので，形がわからないのに，見たものの形に合わせて正しくつかむことができる．腹背側の流れも保たれているので，対象の特徴的な動きを見ることができれば何であるかすぐわかる．

【自験例】低酸素脳症．形がほとんどわからないのに，1人で散歩でき，家庭内での生活の多くは自立していた．円は見てわかるが，三角は「1，2，3」と言いながら指でなぞってやっとわかった．その他の形はまったくわからなかった．単純な幾何学図形の模写も困難だった(図 2-5a)．傾斜45°の線の傾きが右か左も答えられなかった．しかし，視力や視野，色や面積，質感などの知覚は正常で，明暗の差の知覚も十分に保たれていた．たとえば，プラスチックの柄のお玉を見せられて「ここが光ってて金属みたい．ここが赤くてつるつる，プラスチックみたい．栓抜き？」と，色や質感の似たものと誤った．触ったり，特徴的な音を聴いたりすれば何かわかった．また，特徴的な動きを見ればわかった．面積を同じにした長方形どうしの異同判断は障害されていた．しかし，それらの図形をつかませると形に合わせて正しくつかんだ(図 2-5b)．人体の各所に豆電球を点けて歩行させたものを見せると，健常者同様，静止中はそれとわからないが動画にするとすぐにわかった(図 2-5c)．MRIでは，大脳全体の萎縮と，一次視覚皮質内や周辺に皮質に沿った線状の高信号，皮質層状壊死の所見がみられた(図 2-5d)．

3 視覚性物体失認

視覚性物体失認は，視覚性失認が(動植物を含む)物品に選択的に起こった状態である．上述のように，統合型と連合型に分けられる．

a 統合型視覚性物体失認

統合型視覚性物体失認は，要素的感覚をもとにまとめあげた部分的な形を，全体の形と関係づける段階が障害されたために，物品を見ても何かわからない状態と考えられている[3]．

(1) 原因

原因疾患は，脳梗塞が多いが，脳挫傷などでも起こりうる．病変は左あるいは両側の後頭葉から側頭葉にかけて存在し，紡錘状回を含む．

(2) 発生メカニズム

見た物品の部分的な形を全体の形に関係づけるうえで重要な機能が，左半球の腹側の流れで一次視覚皮質から少し離れたところ，特定の視野に限らずに対象がもつ視覚的な性質を分析する領域に存在し，その部位が損傷したために生じると考え

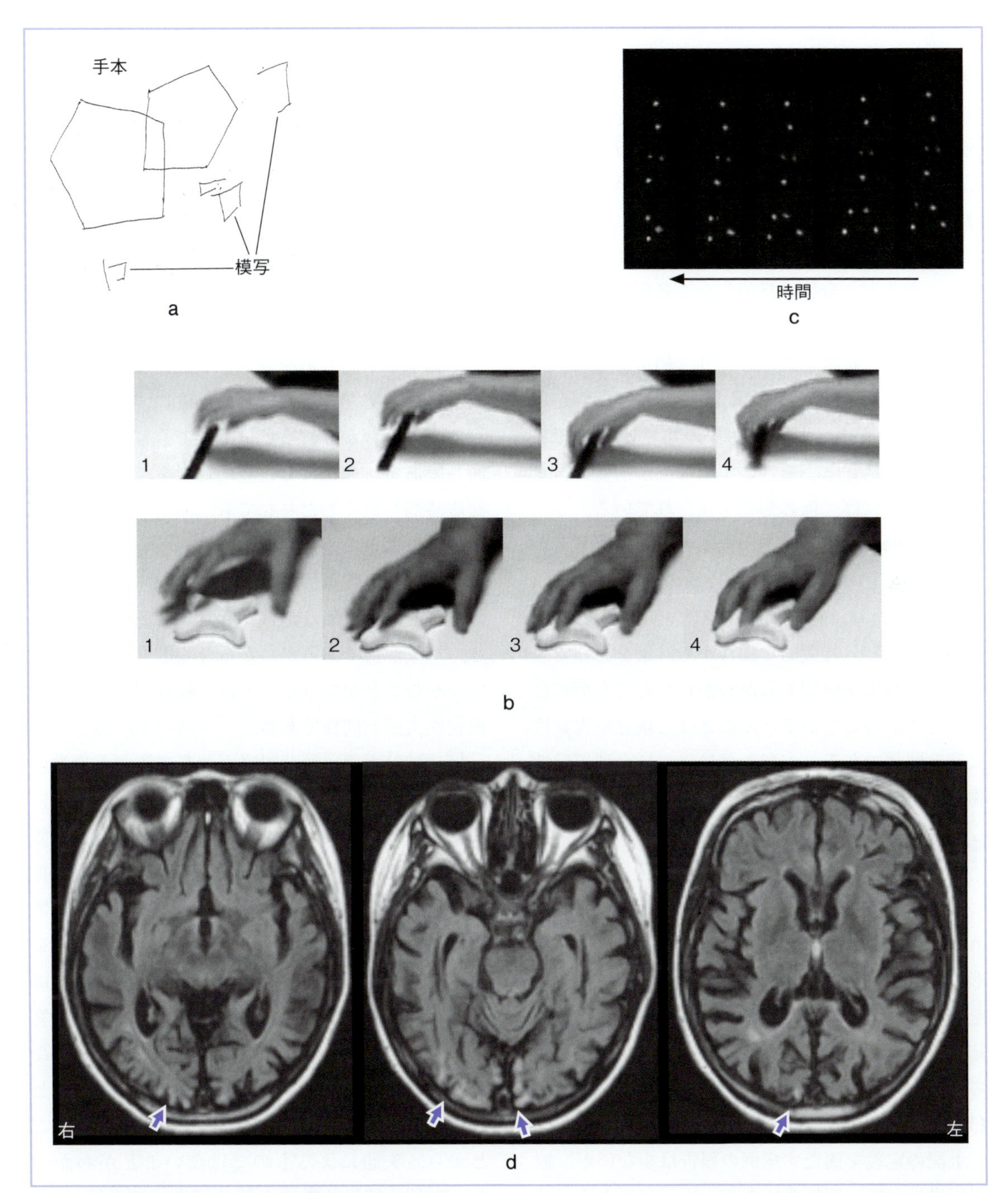

図 2-5　知覚型視覚性失認の反応例と MRI 画像

a：模写．直線で構成された図形であることはわかっているように見えるが，形はまったく把握されていない．

b：紙片や粘土細工をつかませたときの連続写真．番号は時間順序．健常者同様，指の開きが軌跡の途中で最大となり，以後閉じていって対象に到達したときその大きさに一致する，なめらかな動きがみられた．

c：人の体のいろいろな場所に豆電球を点けて暗闇で動作をさせたときの，光点の位置の時間変化(図の←)．静止画ではそれとわからないが動画であれば，健常者も患者も，すぐに人が歩いているとわかった．

d：症例の MRI T1 強調画像．大脳全体の萎縮と，後頭葉を中心とした，線状の高信号(矢印)，皮質層状壊死の所見がみられる．

られる．

(3) 症状

視力は保たれている．視野は欠けていることが多いが，対象の認知に必要な部分は十分に保たれている．しかし，見たものが何かわからない．部分的な形はわかるが，それを全体の形と関係づけることができない．したがって，模写はかなり正確にできるが，全体の見通しなく各部分をばらばらに隷属的に写し取るため，大変時間がかかる．また，見せる時間を短くしたり，網掛けなどの視覚的な雑音を加えたりすると，わからなさが増す．明暗や質感，面積，動きの知覚は正常である．大脳性色覚障害を起こす脳部位が病変に含まれていなければ，色の知覚も保たれている．さらに，部分的な形はわかり，全体の大まかな形もわかっているので，誤るときは形の似たものと誤る[3]．触ったり，特徴的な音を聴いたりすればすぐわかること，特徴的な動きから対象を認知できること，対象が何であるかわからなくても形に合わせてつかむことができることは，統覚型視覚性失認と同様である．本章の最後に，統合型視覚性物体失認の事例を示す(➡ 69 頁)．

b 連合型視覚性物体失認

連合型視覚性物体失認は，意味アクセス型 semantic access type とも呼ばれる[3]．見た物品の形の認知に問題はない．しかし，それを(動植物を含む)物品についての知識(意味記憶)と正しく結びつけることができないため，対象が何かわからないと考えられている[3]．

(1) 原因

上記の定義を満たす症例の報告は少ないが，原因疾患は全例，脳梗塞である．病変は左あるいは両側の後頭葉から側頭葉にかけて存在し，報告症例に共通する病巣は，左の舌状回，紡錘状回，下後頭回である．

(2) 発生メカニズム

見た物品の形をその意味に関係づけるうえで重要な機能が，左半球の腹側の流れで一次視覚皮質から少し離れたところ，特定の視野に限らずに対象がもつ視覚的な性質を分析する領域に存在し，その部位が損傷したために生じると考えられる．

(3) 症状

視力は保たれている．視野は欠けていることが多いが，対象の認知に必要な部分は十分に保たれている．しかし，見たものが何かわからない．対象の形の認知に問題はない．明暗や色，質感，面積，動きの知覚は正常である．さらに，いろいろなテストをしても形を認知する能力の低下がみられない．対象全体を把握して正確にすばやく模写ができる．わかりにくさは実物でも写真や絵でも同じである．網掛けで視覚的雑音を加えたり，見せる時間を短くしたりしても，同定成績や模写の正確さに大きな差がない．

触ったり，特徴的な音を聴いたりすればすぐわかること，特徴的な動きから対象を認知できること，対象が何であるかわからなくても形に合わせてつかむことができることは，統覚型や統合型の視覚性失認と同様である．

【自験例】両側前頭葉眼窩面と右の側頭葉先端の脳挫傷，外傷性くも膜下出血ののち，血管攣縮によると思われる後大脳動脈領域の脳梗塞が，両側後頭側頭葉に生じた．右上四分盲があったが，視力，色覚は正常だった．軽度の失名辞失語，健忘，相貌失認に加えて，連合型視覚性物体失認を認めた．見た物品が何か正答できないときには「まったくわからない」と答えることが多く，正答するときも迷った末に「○○かな？」と自信がなかった．見た物品を同じ種類の群に分けることも，その用途や特徴を口述することもできないことから，失語によるものではないことがわかった．物品の特徴的な音を聴けばすべて正答した．物品同定の正答率は，実物，線画，網掛けした線画，線画を 1/4 秒だけ見せたときのいずれも 30％ほどで，見せ方による差がなかった．線画の模写は正確ですばやく，見せる時間を 1/4 秒にしても，網掛けをしても良好であった(図 2-6a)．もちろん，模写後にも同定はできなかった．MRI

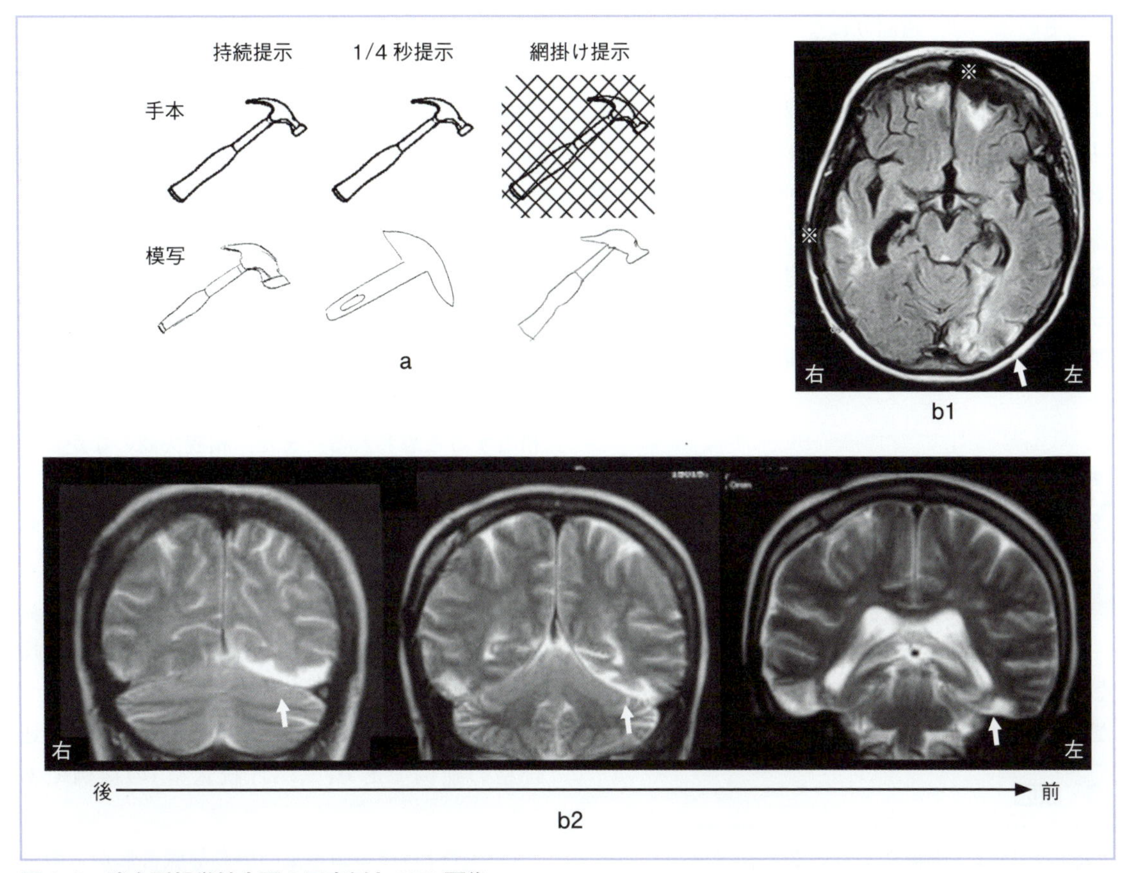

図 2-6 連合型視覚性失認の反応例と MRI 画像

a：模写は対象全体を見通して計画的に行われ，正確ですばやい．模写の正確さは提示時間を短くしても(1/4 秒)，網掛けなどの視覚的雑音を加えても，あまり影響を受けない．

b：症例の MRI 画像．**b1** は FLAIR 画像，水平断．**b2** は T2 強調画像，冠状断．矢印は，連合型視覚性失認の責任病巣．※は脳挫傷の病巣．

では，左の舌状回，紡錘状回，下後頭回に梗塞巣を認めた(図 2-6b)．

B 視覚性失語

視覚性失語 optic aphasia とは，見たときだけ物品の名前が言えない状態である．

a 原因

原因疾患は，脳梗塞が多い．病巣は左の後頭葉，側頭葉後部にある．

b 発生メカニズム

物品の形と名前の対応に関する障害なので，左側の腹側の流れの物品認知にかかわる領域と言語領域との相互作用に問題があると考えられる．

c 症状

見たときだけ物品の名前が言えない．見たもののなかから言われた物品を選ぶことは，できることも不良なこともある．視覚性失認同様，触る，聴くなどほかの感覚種では呼称障害がなく，言語的な定義からの呼称も問題ない．視覚性失認と異なり，視覚的に呈示されたものの同定はできている．そのことは，遠回りになら言語表現ができることや，使用法を動作で示したり，対象をカテゴリーに分類したりができることで明らかになる．見せられた対象が何であるかは「ようわかっとんやけど名前が出てこん」[7]というふうに語る．呼称の誤りは意味的誤り，意味的にも視覚的にも無関係な誤りや保続が多く，視覚的に似たものと誤ることは少ない．言われたものを選んで指示する課題では呼称課題より誤りが少ないか，誤りがない．

C 相貌失認

相貌失認は，視覚性失認が顔に選択的に起こった状態である．よく知っている人の顔を見ても誰だかわからない．

a 原因

原因疾患は，脳梗塞が多いが，脳挫傷などでも起こりうる．病変は右あるいは両側の後頭葉から側頭葉にかけて存在し，紡錘状回を含む．

b 発生メカニズム

見た顔の部分的な形を全体の形に関係づけるうえで重要な機能や，顔の形をその意味に関係づけるうえで重要な機能が右半球の腹側の流れで一次視覚皮質から少し離れたところ，特定の視野に限らずに対象がもつ視覚的な性質を分析する領域に存在し，その部位が損傷したために生じると考えられる．

c 症状

視力は保たれている．視野は欠けていることが多いが，対象の認知に必要な部分は十分に保たれている．しかし，よく知っている人の顔を見ても誰だかわからない．けれども，それが顔であることはわかる．声を聴けば誰であるかすぐわかるし，服装や髪型，仕草や歩き方からもわかる．すなわち，聴覚を介すればわかるし，顔以外の物品の形や，動きからはわかる．唇を読むこともできるし，表情の動きもわかる．すなわち，顔の動きからは情報を引き出すことができる．

相貌失認には，知らない顔について①異同，老若，男女，美醜などを正しく判断できるタイプと，②できないタイプとがある[8]．前者は「連合型」，後者は「統覚型」と呼ばれるが，視覚性物体失認との比較でいえば，むしろ連合型と統合型に相当すると思われる．また，相貌失認のなかには①それが誰だかわからないにもかかわらず，嫌な人物，恋人などの顔に対して電気皮膚反応（いわゆる「嘘発見器」の一部）では反応が起こる，知らない顔では顔全体を見るが知っている顔では目鼻など内部の特徴だけを見るという正常人同様の反応が起こるなど，無意識的な認知が生じるタイプと，②それらが生じないタイプとがある．①は連合型の症例であり，②は「統覚型」の症例である[9]．

【自験例】右後頭頭頂葉の脳動静脈奇形からの脳内出血の診断で，開頭血腫除去術と脳動静脈奇形摘出術が行われた．術後，よく知っている人の顔を見ても誰かわからないことに気づいた．「顔全体は見えていて，パーツもわかり，パーツがどこにあるかもわかるが，全体としてはわからない，人相がわからない．その人が誰かの判断は，主に声，服装，また目を中心とした顔の個々のパーツの特徴をもとに行っている」と語った．知らない顔の写真の異同判断は，両方が正面顔でないと困難だった．老若，男女，美醜などの判断も困難だった．写真の表情は「口角が上がっているから笑っている，眉間にしわが寄っているから怒っている」などと推測した．一方，表情の動きはわかり，唇を読むこともできた．以上より，統合型の相貌失認と考えられた．知っている風景の写真はどこであるかわかり，街並失認はなかった．物品や文字の認知にも問題はなかった．MRIでは，出血巣や周辺の虚血性病変，切除巣が紡錘状回を

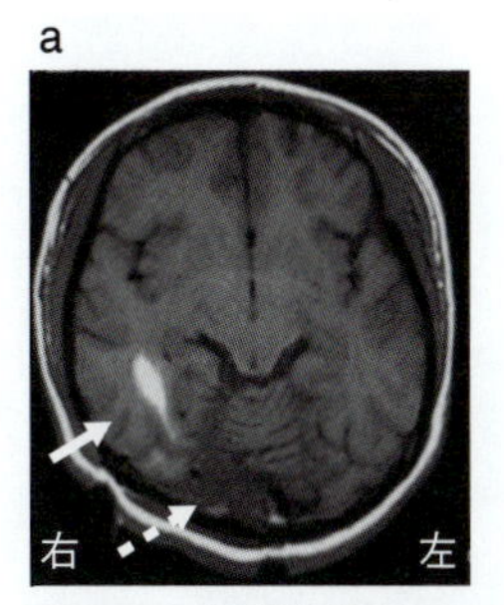

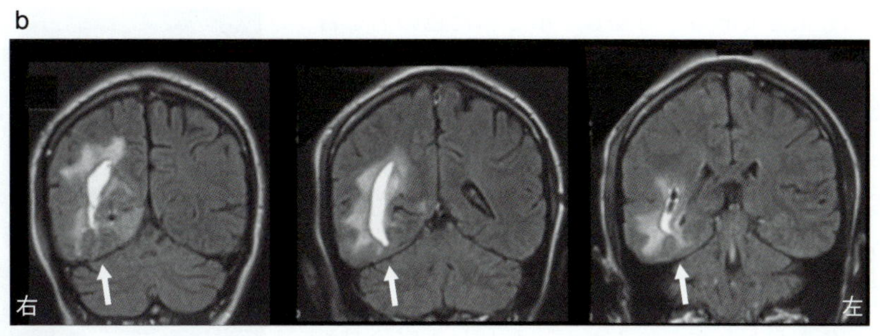

図 2-7 相貌失認例の MRI 画像

a：T1 強調画像，水平断
b：FLAIR 画像，冠状断
実線矢印は出血巣．破線矢印は摘出巣．

中心に舌状回や下後頭回にも及んでいるが，海馬傍回にはなかった(図 2-7)．

D 色彩失認

古典的定義によれば，色彩失認 color agnosia の患者は，見せられた色の名前を言えず検者が言った色を指さすこともできないが，色知覚の検査では正常な成績をあげる[10)]．しかし，「色彩失認」という用語には概念上の問題がある．先に記したように失認の定義には，対象認知が 1 つの種類の感覚に限り障害されていてほかの種類の感覚を通せば何だかわかるということが含まれている．けれども，色は視覚を通してしか認知できないので，ほかの感覚を通すテストを行うことができない．近年の用語で上記の定義に相当するのは「色彩失名辞」である．

1 色彩失名辞

色彩失名辞 color anomia は，「色名呼称障害」とも呼ばれる．色とその名前の対応が障害される[11)]．

a 原因

原因疾患は脳梗塞が多い．病変は左後頭葉から側頭葉の内側部にあることが多い．左一側病変だけで，視野のどこに提示した色も呼称できなくなる．すなわち，一側病変で全(色)視野に症状が出る．

b 発生メカニズム

色とその名前の対応に関する障害なので，左側の腹側の流れの色認知にかかわる領域と言語領域との相互作用に問題があると考えられる．

従来提唱されてきた機序は以下のようなものである．左後頭葉内側面の損傷により言語能力のある左半球に色覚情報が入らない．また，両側の後頭葉をつなぐ脳梁膨大部にも損傷があるため，右後頭葉に入った色覚情報が言語能力のある左半球に届かない．このため，色が見えても色の名前を言うことができない[11)]．しかし，左半球に相当する右視野の色視野が十分に保たれていたのに色彩失名辞を呈した例(下記自験例)があり，上記の説明には疑問がある．

c 症状

視力は保たれている．視野は欠けていることが多いが，右視野が完全な半盲とは限らない．明暗や色，質感，面積，動きの知覚だけでなく，色の知覚も正常である．しかし，示された色の名を言うことができず，言われた色を指さすこともできない．色以外の対象とその名前の対応には問題がない．(動植物を含む)物品とその典型的な色の対応を記憶から呼び出すことができない「物品の色の知識の喪失」[12]を伴うことが多い．しかし，両者は二重乖離しうる．発症後，色を見て呼称したり，色を言われてわからなかったりした経験がなければ，患者は障害に気づいていないことが多い．

【自験例】左後頭側頭葉内側の脳梗塞で，右上四分盲と軽度の失名辞を発症した．呼称検査を行ったところ，色の名前に関する障害が著しく重いことが明らかになった．ほかの対象に対する失名辞は示された対象を呼称する場合にのみみられる１方向性のものだったが，色彩失名辞は，示された色の呼称にも言われた色の指示にもみられる２方向性のものだった．発症１年後には，色以外の失名辞はなくなった．色覚検査，右下四分視野での色視野，いずれも正常であった．しかし，①色を見て色名を選ぶ課題，②色名を見て色を選ぶ課題とも不良であった．一方，③物品の絵を見て名前を選ぶ課題，④名前を見て物品の絵を選ぶ課題は文房具，動物，野菜果物，身体部位のどのカテゴリーについても全問正答した．本例には，物品の色の知識の喪失もあった．線画を見せて物品の色を尋ねると「物の色が目に浮かばない」と語った．事後に正解を教えたり誤りを指摘したりすると驚き，「お前にはわかるのか？」と妻に尋ねた．MRIでは左の海馬後部，海馬傍回後部，舌状回および紡錘状回に梗塞巣を認めた．脳梁膨大にも小さな梗塞巣を認めた(図 2-8)．

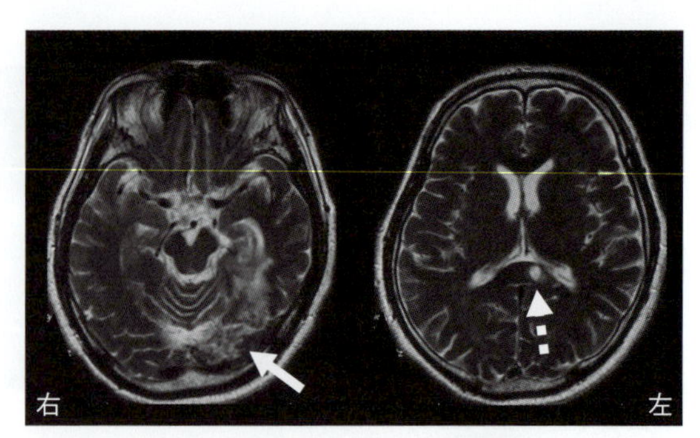

図 2-8　色彩失名辞例の MRI T2 強調画像

水平断．実線矢印は後頭側頭葉の病巣，破線矢印は脳梁膨大部の病巣を示す．

引用文献

1）Frederiks JAM：The agnosias：Disorders of perceptual recognition. Vinken PJ, Bruyn GW, Aminoff MJ, et al (eds)：Handbook of Clinical Neurology. vol 4, pp13-47, North-Holland, 1969

2）Lissauer H：Ein Fall von Seelenblindhheit nebst einem Beitrage zur Theorie derselben. Arch Psychiatr Nervenkr 21：222-270, 1890
〔波多野和夫，浜中淑彦(訳)：H. Lissauer 著「精神盲の１症例とその理論的考察」．精神医学 24:93-106，319-325，433-444，1982〕

3）Humphreys GW, Riddoch J：To see but not to see：a case of visual agnosia. Lawrence Erlbaum Associates, 1987
〔河内十郎，能智正博(訳)：見えているのに見えない？ある視覚性失認症者の世界．新陽社，1992〕

4）Rizzolatti G, Matelli M：Two different streams from the dorsal visual system：anatomy and functions. Exp Brain Res 153：146-157, 2003

5）Benson DF, Greenberg JP：Visual form agnosia：a specific defect in visual discrimination. Arch Neurol 20：82-89, 1969

6）Goodale M, Milner D：Sight unseen. An exploration of conscious and unconscious vision. Oxford University Press, 2004
〔鈴木光太郎，工藤信雄(訳)：もうひとつの視覚．<見えない視覚>はどのように発見されたか．新陽社，2008〕

7）松田実，中村和雄，藤本直規，他：視覚失語に移行した視覚性失認．臨床神経 32：1179-1185，1992

8）下山晴彦，遠藤利彦，齋藤潤，他(編)：心理学事典(新版)．誠信書房，2014

9）小山善子，鳥居方策，山口成良：相貌失認および色覚喪失を呈した両側性後大脳動脈領域梗塞の１例―特に overtly に同定できない熟知相貌に対する covert 認識について．神経心理学 11：240-249，1995

10）Bauer RM：Agnosia. Heilman KM, Valenstein E (eds)：Clinical Neuropsychology. Oxford University Press, 1993
〔平山和美，下村辰雄(訳)：失認．杉下守弘(監訳)：臨床神経心理学．pp140-184，朝倉書店，1995〕

11）Geschwind N, Fusillo M：Color-naming defects in association with alexia. Arch Neurol 15：137-146, 1966

12）Miceli G, Fouch E, Capasso R, et al：The dissociation of color from form and function knowledge. Nature Neurosci 4：662-667, 2001

視覚性認知障害の評価とリハビリテーション

A 皮質盲

評価には以下の4点を確認する．①患者が，強い光が当てられているか否か(光覚弁)も，検者の手が動いているか否か(手動弁)もわからないこと．②強い光を急に当てたり，手背を急に目に近づける視覚的な威嚇動作を行ったりしても反射的な閉眼が起こらないこと．③ペンライトなどで瞳孔に斜め前方からの光を当てると縮瞳すること，すなわち対光反射が保たれていること．④眼科的検査で，中間透光体，網膜や視神経は正常であるか，もしくは全盲の原因となるほど障害されていないこと．

皮質盲である間は，眼や視神経の損傷による後天性の全盲患者と同様のリハビリテーションを行う．しかし，アントン症候群があって全盲を自覚しない場合は，適応の努力を促すのが困難である．また，盲の否認がなくなったあとに，強い不安を生じ外出や単独行動，歩行を嫌がって訓練が難しくなる例もある．

視野の一部にでも，ある程度対象を見分ける能力が回復し皮質盲の状態を脱すれば，残存視野を活用して探索する訓練を行える可能性がある．したがって，くわしい**対座法**(➡ Note 2)などでこまめに視野測定を行うことが重要である．視野の一部にある程度の視力が戻れば，周辺のいろいろな方向から視野の中心に向かって移動する光点をすばやく見つけて指示する訓練，画面に散在する2種の図形から一方のものだけを見つけて指示する訓練などがある[1]．残存視野に明暗の差の感度の低下がある場合，明暗の差が小さいものは見えにくくなる．照明を明るくすることが助けになる．羞明がある場合は，不快感が最も少なくなる色のサングラスを掛ける[1]．

B 大脳性色覚障害

Farnthworth-Munsell 100色相検査やパネルD-15検査など，似た色を正しい順序で並べさせる検査で評価できる．石原式色覚検査などの偽同色票は障害の検出感度が低い．検者が示した色の名前が言えないだけでは，失語による呼称障害や，色は認知できているのに見た色の名前を言うことができず，言われた色を指さすこともできない色彩失名辞の可能性もある．また，明暗の感覚は正常なので，色どうしの明るさが異なると，異なる刺激であることがわかってしまう．したがって，色どうしの明るさをそろえた上記のような検査を行う必要がある．

病巣が一側であれば，病巣と反対側の半視野や1/4視野にのみ色覚障害が生じるので，上記の方法は使えない．棒の先に色のついた球などを付けた視票を用いて，Note 2の手順を行い，球が見えただけでなくそれに色がついて見え始めたら「はい」と言ってもらうなどして「色視野」の検査を行うと，球が見えているのに色がわからない領域が，病巣と反対側の半視野や1/4視野にだけあることで検出できる．周辺視野に相当する網膜部位には色を感じる細胞がないので，健常者でも，色視野は通常の視野より狭くなることを知っておく必要がある．

リハビリテーションとしては，明るさの同じ色どうしの異同判断，3択で異なる色を選ぶなどの訓練が報告されている[1]．報告はないが，接していれば色どうしの違いがわかるという特徴もリハビリテーションに活かすことができるであろう．

Note 2. 対座法による視野測定

患者と向かい合い，患者の片目を本人の掌やアイパッチで覆って，お互いの反対側の目だけを開けて見つめ合うようにする(図)．その際，検者の目を見つけられない患者などでは，視線を動かさないようにだけ求めて，検者のほうから患者の視線上に自分の目をもっていく．2人の目の距離の中間(x ＝ y)の平面上で，検者の指先，ペン，棒の先に小球を付けた視標などを視野の周囲の，検者からも見えないさまざまな位置から中心に向かってゆっくりと移動させ，初めて見えたときに合図をしてもらう．合図があった点をつなげば視野の外周が得られる．視野の外周より内側にも視野欠損が島のように存在(暗点)する場合があるので，視標の移動中に再び視標が見えなくならないか尋ねながら行う．視標を動かすのは検者と患者，両方から等距離の平面上なので，検者には見えている視標が患者に見えなければ，そこの視野が欠けていることになる．なお，見つめ合った点から真横外側に15°(57 cmの距離なら15 cmに相当)の位置には健常者でも視野が欠けている場所，盲点がある．

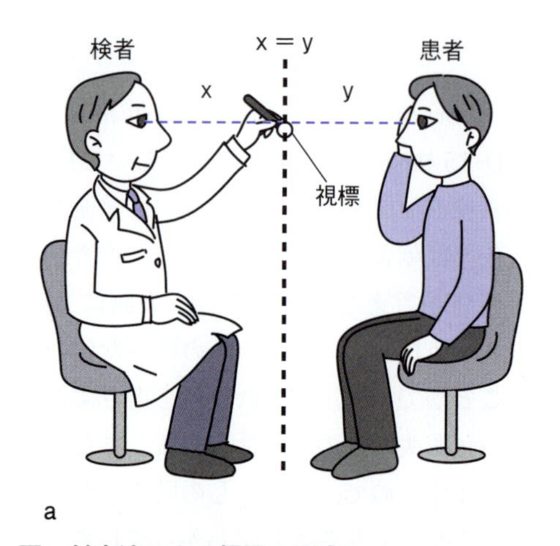

図　対座法による視野の測定

a：細い破線は検者の目と患者の目を結ぶ線．この距離の中間の平面(太い破線)上で視標を移動させる．
b：移動してきた視標が初めて見えたとき合図してもらう．合図のあった点を結んだものが患者の視野(黒破線)である．bの小さな○は盲点．

C　幻視・錯視

評価としては，患者に①本当は存在しないと思われるものが見えたことはないか，②現実にあるものが実際とは違って見えたり見え続けたりしたことはないかと尋ね，どのようなものが見えたか，どのように見えたかを語ってもらう．また，その内容から，幻視や錯視の有無，どの種類の幻視や錯視であるかを判断する．訓練中の言動から症状のあることがわかることもある．錯視については，何かの対象を見てもらうことで症状が再現されることも多い．

リハビリテーションとしては，幻視や錯視が，今回の病変により生じた決して稀でない症状であり狂気とは関係がないこと，やがて消失していく場合が多いことなどをわかりやすく説明することが重要である．これにより，患者や家族の対処行動が改善することが多い．てんかん発作と考えられる場合は重篤な発作につながる場合もあるので，主治医などに報告する．光視の存在は原疾患の病状が変化していることを示している場合があるので，主治医などに報告する．複雑幻視は視線を動かすと消えることを教えると有用な場合が多い．

D 視覚性失認

周囲に何かあることに気づくのには問題がないが，見ているものが何かわからずに触って確かめるなどの行動は，視覚性失認を疑うきっかけになる．触る動作に迷いがなく正確な点が盲や著しい視野狭窄の場合と異なる．視覚性失認の患者は障害の性質を正確には自覚せず，「よく見えない」とか「眼鏡が合わない」などと視力の異常のような答えをする場合も多い．したがって，本人の訴えを待っていては視覚性失認を見逃す可能性がある．

視力と視野の検査は必須である．中心視野に盲があると見つめたところが見えなくなる一方で周辺視野は見えるので，障害物にぶつかったりはせず，見たものが何だかわからないという状態になる．しかし，視覚性失認と異なり視力は低い値になる．中心視野だけが残りほかの視野全体が失われると，視力は正常なのに見たものが何だかわからないという状態になる．しかし，視覚性失認と異なり視野検査で著しい狭窄が明らかになる．

統覚型視覚性失認でも，ランドルト環の向きやEの字の向きなどは認識できることが多いので，視力の測定にはこれらを用いる．Note 2 に従い，対座法による視野測定を行う．視力は見つめた場所に相当する視野(中心視野，中心窩領域付近)の解像度のみを評価しているので，視力とは別に，視野の測定が必要である．

失認があることの確認には，実際の物品を見せて同定できないことを確認する．次いで，写真や線画などについても同定を行わせて，成績を比較する．また，視覚性失語と区別するために，使用法をジェスチャーで示したり，同じ仲間のものを群にしたりもできないことを確認する．見せて同定させたものを，触らせたり，特徴的な音を聴かせたり，用途などをもとにした定義を聞かせたりして，これらの方法では同定できることを確かめる．

a 統覚型視覚性失認

統覚型視覚性失認では，四角形や星形などの単純な幾何学図形でも形がわからないので，これらの図形を見せて同定させ，できないことを確認する．また，線画の模写を行い，途方にくれて意味のある形をなさないか，まったく誤った形を描くことを確認する．

リハビリテーションには，色，質感，大きさ，動き，音などの情報を総合して判断することを指導する方法の報告がある．1つの特徴に飛びつかず，特徴を列挙し，重要と思われる特徴を選び，その結果が正しいかをチェックする訓練を行う．成績の改善は訓練に使われた物品以外には般化しなかったが，生活に重要な物品を選んで行えば実際的な助けになるのではないかと考察されている[2]．対象をつかむ動作をし，そのときの手の形から，対象の形を判断する方法を自ら案出した症例の報告[1]もある．その症例は，やがて対象をつかむ動作を思い描くだけで，対象の形を判断することができるようになった．

b 統合型，連合型視覚性物体失認

統合型と連合型の区別を行うには，まず線画の模写を行う．統合型視覚性物体失認では，全体の見通しをもたずに部分，部分を写していく．連合型で視覚性物体失認では，全体像を把握してすばやく正確である．次に，線画に対する反応をみる．物品の線画に視覚的な雑音を加え，雑音なしの場合との比較を行う．統合型では，雑音があると模写も同定も著しく不良になるが，連合型では変わりがない．

リハビリテーションとしては，統合型については統覚型視覚性失認の項(➡57頁)で述べたものと類似の訓練が報告されている．肌理，大きさ，動き，音，把握しえた限りの形などの情報を総合して判断することを指導する．結果，練習した物品での成績向上に加え，他種の物品へも般化がみられた[1]．連合型については報告がないが，同様

の方法が使えるかもしれない．

E 相貌失認

評価としてはまず，視力，視野の検査を行う．患者の熟知した実人物(家族，友人，同僚など)に協力してもらい，検査を行うのが基本である．声を出したり，仕草や表情をしないように依頼して，常用のメガネは外し，髪型は頭巾などで隠し，服装は白衣などで統一して，患者に顔を見せて，同定できないことを確認する．また，声を聴いたり，職業，経歴などからの定義を聞けば同定できること，人名を聞けば職業，経歴などを言えることを確かめる．顔を見てわからないだけでなく，上記のどれもができなければ，人物の意味記憶障害を考える．実人物で障害があることが確認できたあとは，熟知者や有名人の顔写真を用いてテストしてもよい．いずれの場合も髪，服などを隠し，顔の部分だけを見せるようにする．情報処理の段階による型分類を行うには，患者の知らない顔の写真について異同，老若，男女，美醜などを正しく判断できるかどうか確認する．判断できれば「連合型」，判断できなければ「統覚型」に分類される．

リハビリテーションとして，顔の同定を直接訓練する方法はあまり効果がない[1]．自発的に声，服装や髪型，仕草の情報を使って適応する人が多いが，本人が気づいていなければこの方法をすすめる．しかし，これらのヒントが使えない状況では，無礼な人，愛想のない人と思われるおそれがある．周囲の人に説明して，障害をよく理解してもらうことが大切である．

F 色彩失認

a 色彩失名辞

評価としてはまず，視力，視野の検査を行う．大脳性色覚障害の項で説明したFarnthworth-Munsell 100色相検査やパネルD-15検査などを行い，色覚が正常なことを確認する．失語症の検査で色以外の対象の呼称，聴覚指示には大きな問題がないことを確認する．その後，色片などを見せてその色を言わせる課題と，並べた色片のなかから言われた色を選ばせる課題を行い，どちらの課題にも低下のあることを確認する．「物品の色の知識の喪失」の併存の有無も確認しておくとよい．そのためには，(動植物を含む)物品の絵を見てその典型的な色を選ぶ課題，色を見て物品の絵を選ぶ課題に低下があること，物品の絵を見て物品の色以外の知識を述べる課題には低下がないことを確かめる．

リハビリテーションについての報告はない．

引用文献

1）Zihl J：Rehabilitation of Visual Disorders after Brain Injury. Neuropsychol Rehabi：A Modular Handbook. Psychology Press, 2000
〔平山和美(監訳)：脳損傷による視覚障害のリハビリテーション．pp19-21，医学書院，2004〕
2）稲垣侑士，境信哉，伊藤文人，他：意味記憶障害を伴った知覚型視覚性失認例に対するリハビリテーションの効果．高次脳機能研究 31：8-18，2011

5 視覚性失認の事例

以下に，視覚性失認のなかでも臨床で出会う機会の多い統合型視覚性物体失認の事例を紹介する．この事例では，失認性失読，相貌失認，大脳性色覚障害も併存した．

■ **主訴**

見たものが何かわからない．字が読めない．顔を見ても誰かわからない．色がわからない．

■ **現病歴，検査結果など**

急性の意識障害で入院した．1時間半後の意識回復時から，物を見ても何だかわからず，字が読めず，顔を見ても誰だかわからないのを自覚した．入院3日目の他科受診時に色がわからないことに気づいた．病室を離れると迷って部屋に戻れなかった．

• **神経学的・神経心理学的所見**

神経学的には，中心視野の十分に保たれた上水平性半盲と軽度の構音障害以外，視力を含めて特記すべきことはなかった．神経心理学的には，全視野の大脳性色覚障害，失認性失読，相貌失認，街並失認および統合型視覚性物体失認があった．視覚性注意障害や半側空間無視はなかった．神経心理学的検査では，WAIS-R知能検査のVIQは112で知能は正常だった．数の順唱は7個可能で全般性注意の障害はなかった．前回の訓練時の出来事などを正確に報告でき，出来事記憶の障害はないと考えられた．WAB失語症検査のAQは80.9で誤りはすべて視覚性失認，大脳性色覚障害，失認性失読で説明可能なものであった．したがって，失語はなかった．WAB失語症検査の行為の得点は10で失行もなかった．

• **物品の認知**

物についての知識は保たれており，たとえばミカンを定義して「主として関東地方より南の地方，たとえば静岡県，愛媛県，和歌山県でとれるすっぱい果物．皮をむいて食べる．色は橙色．楕円形をしていて，中が房になっている」などと述べることができた．しかし，ミカンを見ても何であるかわからなかった．実物を見て何であるか言わせると，正答率は40%弱であった．どのように見えるか尋ねると，懐中電灯に対し「台があって，20センチくらいの細い柱がついている．寒暖計らしい」などと大まかな形は把握していた．対象を触ったり特徴的な音を聴いたりすれば，すぐにわかった．また，特徴的な動きを見てもすぐにわかった．たとえば，とまっているハエは何だかわからないが飛び立つとわかった．人体の各所に豆電球を点けて歩行させたものを見せると，静止中はわからないが，動画にするとすぐにわかった．何だかわからないものを，形に合わせて正しくつかむことができた．正答できない物品の使用動作もできなかった．同じカテゴリーの物品を4択で選ぶ課題では正答がなかった．模写はかなり正確だが，あちらの一部こちらの一部というように全体の見通しなくばらばらに行われ，時間がかかった（図2-9a）．模写したあとでも，写したものが何であるかはわからなかった．線画では正答率が10%ほどに低下し，線画に網掛けしたものでは正答率が0%であった．大脳性色覚障害，失認性失読，相貌失認，街並失認についての検討は省略する．

• **画像所見**

MRIでは，右の海馬，舌状回，紡錘状回および海馬傍回と，左の舌状回，紡錘状回，海馬傍回に梗塞巣を認めた（図2-9b）

■ **検査結果の解釈と治療方針の立案**

上記のように，本例の視力は正常で，上水平半盲はあったが，中心視野は十分に保たれていた．すなわち，要素的視覚の障害はなかった．知能の低下もなかった．全般性注意は正常で，視覚性注意障害や半側空間無視もなかった．失語もなかっ

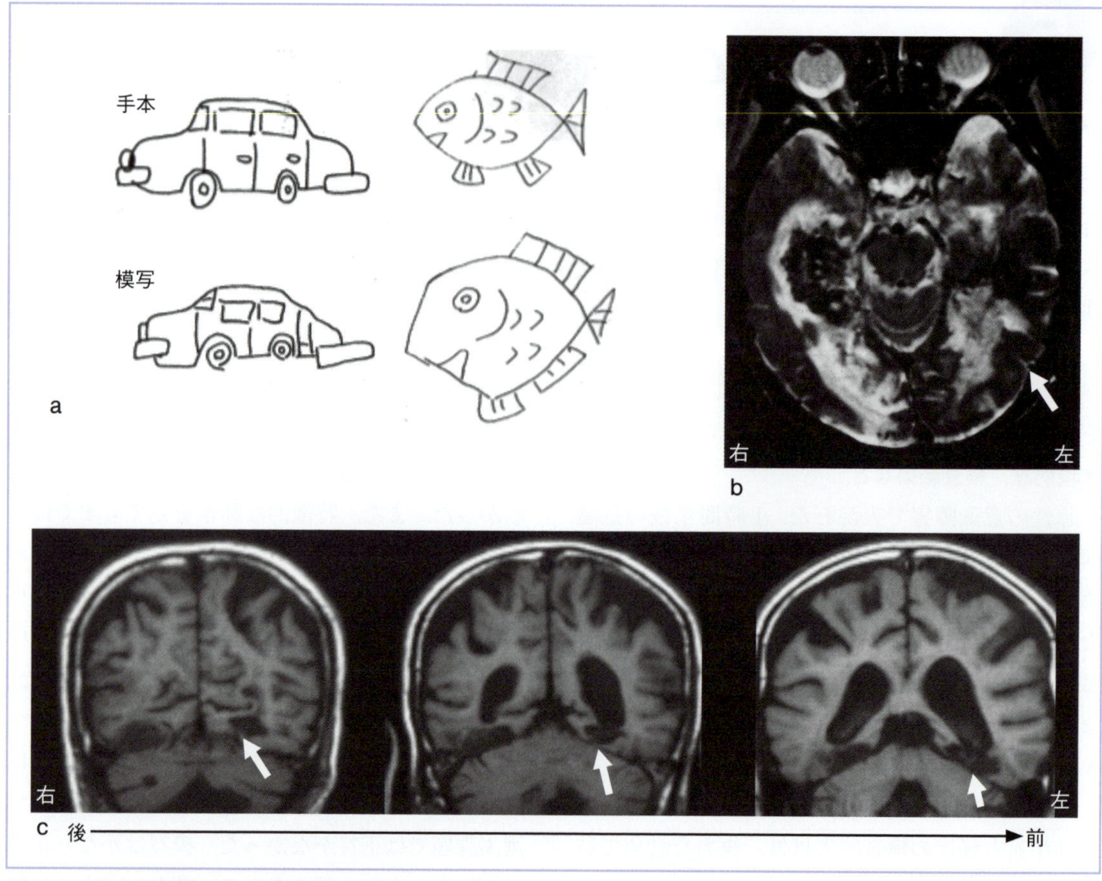

図 2-9　統合型視覚性失認事例の反応例と MRI 画像

a：上段が手本，下段が模写．かなり正確だが時間がかかる．線の途切れの位置が不自然なこと，手本にはない線の付加(車の前窓部)や手本にはある部品の書き落とし(ドアの取手)が少しみられることから，手本全体が把握されていないことがうかがわれる．
b：症例の MRI T2 強調画像，水平断．矢印で示した部位が統合型視覚性失認の責任病巣と考えられる．
c：症例の MRI T1 強調画像，冠状断．矢印で示した部位が統合型視覚性失認の責任病巣と考えられる．

た．物品についての知識も保たれていた．しかし，見た物品が何かを答えられなかった．聞いたり触ったりすればすぐにわかった．すなわち障害は視覚に限られていた．以上より，視覚性失認があると考えられた．

特徴的な動きを見れば何だかわかり，何だかわからないのに形に合わせて正しくつかめることも視覚性失認の特徴に一致していた．使用動作や同じカテゴリーの物品を選ぶこともできなかったので，視覚性失語でないと考えられた．模写が隷属的なことや正答率が視覚的雑音など提示方法の影響を受けることから，統合型の視覚性物体失認であると考えられた．

■ **目標**

日常生活において，物が何であるかの判断をなるべく問題なく行えるようにする．

■ **訓練計画**

本人や家人などに以下のことをよく理解してもらう．それには評価場面を家人に見てもらうことも役立つ．①眼が見えなくなったり，見えにくくなったりしたのではない．②できなくなったのは見たものが何か理解することだけであり，触ったり特徴的な音を聞いたりすればわかる．③困難なのは形からの理解であり，特徴的な動きを見ればわかる．④質感や大きさ，そして全体の大まかな形はわかる．物品についての知識は保たれている．

物品が何かを知るために，視覚以外の感覚の情報や動きの視覚情報も十分に活かすことをすすめる．加えて以下のような訓練を行う．日常生活で重要な物品をいくつか選び，1つずつ見せて触らずに何であるか言ってもらう．このとき，質感，大きさ，全体的な大まかな形などを利用して答えるように促す．また，1つの特徴に飛びつかず，特徴を列挙し，重要と思われる特徴を選んで判断するように指導する．答えたあと，その結果が正しいかを触るなどしてチェックする．この訓練を順次それ以外の物品を用いて行い，般化の有無を確認する．日常生活でも自発的に行うことを促す．

■まとめ

本人の言動や家族の話，生活の観察などから視覚性失認がある可能性に思い至ることが重要である．物を見たときだけわからないことが確かめられたら，それを説明するほどの視力，視野，知能，注意，知識の問題がないこと，名前を言えないだけでないことを確認する．最後に，模写や網掛け線画の効果などで，どの型の視覚性失認であるかを調べる．その結果に従って，障害されていない能力を利用したリハビリテーションを立案する．

第3章

視空間障害

学修の到達目標

- 視空間障害の種類，症状，病巣を説明できる.
- 半側空間無視など右半球損傷における特徴的な症状を説明できる.
- 視空間障害の訓練・指導・支援の原則を説明できる.
- 言語聴覚士としてどのように半側空間無視に介入するかを説明できる.

エピソードと臨床的推論の視点

Aさん(60歳代，男性)は，付き添いの妻とともに，車椅子で言語聴覚療法室に入室すると，右方にある壁を眺めていた．言語聴覚士が，正面から声をかけたが，反応が得られなかった．そのため，言語聴覚士が右方に移動して，顔を見て挨拶をしたところ，今度は挨拶を返してもらえた．氏名，住所についての質問に対しても，スムーズな反応が得られた．しかし，A4の白紙と鉛筆を置いて氏名の書字を求めると，スムーズではあるものの，用紙からはみ出るほど右寄りに書く様子がみられた．次に，住所の書字を求めると，すでに書いた氏名と重なるほど右側に寄せて書く反応が認められた．その様子を見ていた妻が，左後方から声をかけながら眼鏡を机の左側に置いた．しかし，Aさんは妻に視線を向けようとはせず，眼鏡にも気づかなかった．

以上から，言語聴覚士は，Aさんには左半側空間無視があると推測した．

1 視空間認知

視空間認知とは，視覚情報を処理し，見たものや空間の全体像を把握するための機能である．視空間認知には，左右視野に視覚性注意を等分に向ける能力，自己を空間内に定位する能力，空間内に定位した対象に手を伸ばして到達する能力などが含まれる[1]．本章では，視空間障害 visuospatial deficits の代表的な障害である半側空間無視について詳しく解説するとともに，地誌的見当識障害，バリント症候群についても取り上げる．また，構成障害についても本章のなかで取り扱う．

引用文献

1）山鳥重：高次脳機能障害とは．山鳥重，早川裕子，博野信次，他(編)：高次脳機能障害マエストロシリーズ(1)基礎知識のエッセンス．p21，医歯薬出版，2007

2 半側空間無視

A 基本概念

半側空間無視 unilateral spatial neglect とは，大脳半球損傷側と反対側に提示された刺激を発見し，その刺激に反応して，その場所を定位することの障害[1]である．半側空間無視は，左半球損傷による右半側空間無視と右半球損傷による左半側空間無視があるが，右半側空間無視は速やかに改善することが多いのに対し，左半側空間無視は慢性期まで持続することが多い．このため，臨床において問題となるのは，右半球損傷による左半側空間無視である．

左半側空間無視は，頭部の固定や視線の動きが制限されない状態で生じる障害であり，一点を固視した状態で検出される左同名半盲とは異なる．左半側空間無視は左同名半盲を伴うことが多いが，両者は独立して生じうる別の症状である．

B 症状

1 日常生活における症状

重症の患者は，頭部や眼球を右方に向け，左側からの声かけに対しても顔を向けることをしない．また，左側に置いた物を見つけられない，食事の際に左側にあるおかずに手をつけない，茶碗のごはんの左側を食べ残す，左側に置かれた薬を見つけられない，着衣の際に衣服の左側の袖に腕を通さない，新聞記事の左側を読み落とす，などさまざまな場面で左空間の情報を見落とす．

移動に際しては，車椅子の左側のブレーキをかけ忘れる，フットレストから左足を降ろし忘れる，車椅子とベッドの移乗に失敗する，車椅子の左側を部屋の出入口にぶつける，左側の障害物に気づかない，左側の人にぶつかる，左折できず目的の場所に行けない，左側の部屋が見つからない，などの問題が生じる．車椅子操作や移乗における失敗は転倒の危険性が高く，監視が必要となる．

2 身体および刺激の中心を基準とした無視

患者が無視する左側は，身体の中心に対する左側の場合と，刺激の中心に対する左側の場合がある．

①**身体の中心を基準に生じる無視**：患者の身体中心を基準として，その左側を見落とす症状である．患者は，食事の際には，食卓の右側に置かれた皿にだけ手をつけ，左側に置かれた皿には手をつけない．模写課題においては，紙面の左側を描かない（図 3-1a 上段）[2)]．抹消課題においては，紙面の左側の標的のみを見落とす（図 3-1a 下段）[2)]．

②**刺激の中心を基準に生じる無視**：刺激の中心を基準にして，その左側を見落とす症状である．対象が身体の中心から右方にある場合にも，刺激の左側を見落とす．食事の際には，食卓に置かれた皿の右側に盛られた部分だけを食べて，左側に盛られた部分を食べ残す．模写課題においては，刺激が紙面の左右どちらにあるかにかかわらず，刺激の左側を描かない（図 3-1b 上段）[2)]．抹消課題においては，刺激の左側を見落とす（図 3-1b 下段）[2)]．

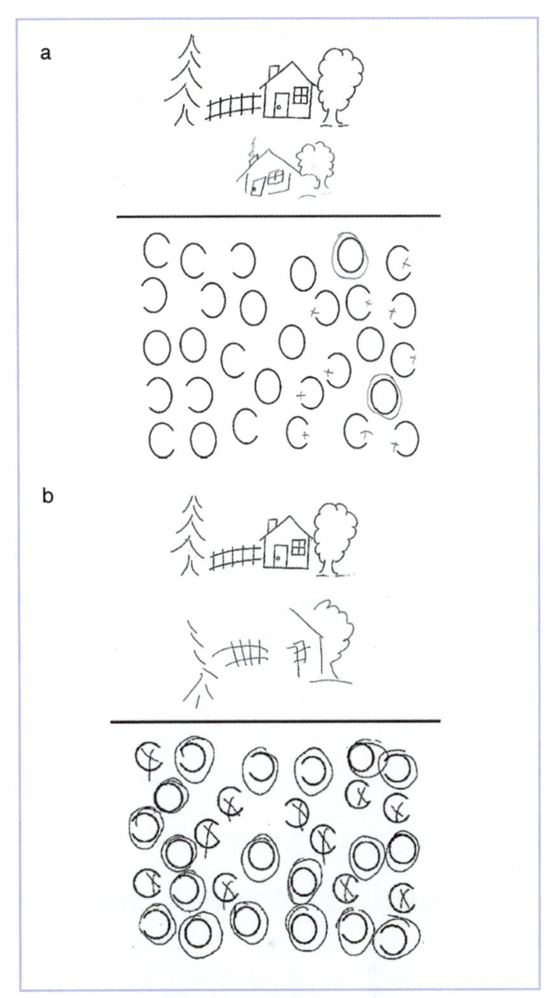

図 3-1　身体の中心を基準に生じる無視と刺激の中心を基準に生じる無視

a：身体の中心を基準に生じる無視
b：刺激の中心を基準に生じる無視
上段：模写課題，下段：抹消課題（欠けている部分がない丸に印をつける）
〔Medina J, et al: Neural substrates of visuospatial processing in distinct reference frames: Evidence from unilateral spatial neglect. J of Cogn Neurosci 21: 2073-2084, 2009 より〕

3 個体空間，個体周辺空間，個体外空間の無視[3]

身体との関係から空間を分類すると，個体空間 personal space，個体周辺空間 peripersonal space，個体外空間 extrapersonal space に分けられる．

①**個体空間の無視**：personal neglect と呼ばれ，自己の身体に対する反応が欠如する．左側の髭を剃り残す，左側の袖を通さないなどの異常として観察される．

②**個体周辺空間の無視**：peripersonal neglect と呼ばれ，手が届く範囲の空間の刺激に対する反応が欠如する．机上の検査において観察される．

③**個体外空間の無視**：extrapersonal neglect と呼ばれ，手が届く範囲を超えた空間(遠位の空間)の刺激に対する反応が欠如する．部屋の左側の人や物に気づかないなどの症状として観察される．

4 読字にみられる症状

半側空間無視による読字障害は，**無視性失読** neglect dyslexia と呼ばれる．右半球損傷患者の左無視性失読は，横書き文章を音読する際の行頭の文字の脱落として観察される．単語の音読においては，左側の文字の脱落(例：東日本 → 日本)や置換(例：タンク → パンク)などがみられる．また，頻度は高くないが，漢字の旁(つくり)だけを読む誤り(例：伏 → 犬)がみられることもある．

5 書字にみられる症状

右半球損傷患者にみられる左半側空間無視，構成障害などの視空間性障害に起因する書字障害は，**空間性失書** spatial agraphia として知られている．空間性失書は，紙面の左側を使用せず右端にのみ文字を書くこと，行を水平に保てないこと，個々の文字を見た場合の構成部分の脱落，重複，付加，離開(字画や部首の間に空白が入り，字としてのまとまりを欠く)を特徴とする[4]．

空間性失書の特徴のうち，文字が紙面右端へ偏り，行を水平に保てない異常は，左半側空間無視の症状そのものと考えられている[5]．一方，字画や部首の脱落，重複，付加は，半側空間無視の症状が重いほど多いとはいえず，文字の左側だけでなく右側にもみられること，半側空間無視がない右半球損傷例にもみられることから，半側空間無視が主たる要因でない可能性が示されている[6]．

6 病識の欠如・不足

左半側空間無視患者は，自身が左側を見落としているという意識に乏しい．すなわち，患者は自身の状態に対する病識の欠如・低下を示す．患者が「自分は，左側を見落としやすい」，「左側に気をつけるようにしている」と述べても，行動が伴わないことが多い．

7 合併する症状

左半側空間無視は，空間的方向性をもたない全般性注意障害を合併することが多い．このような患者の反応には，性急で持続性が乏しいといった特徴がみられる．

また，患者は右半球損傷に由来する特有の態度を示すことが多い．具体的には，楽天的，表面的，無関心，無反省などである．これらは，リハビリテーションの妨げとなる．

8 視覚消去現象

軽度の半側空間無視を示唆する所見に**視覚消去現象**がある．視覚消去現象とは，患者の左右一側に対象を提示した場合にはどちらの側であっても対象が知覚されるのに対し，両側同時に対象を提示した場合には一方が知覚されないことをいう．視覚消去現象は，左半側空間無視において，視野が保たれている場合の左視野，左上 1/4 視野にみられることが多いが，必ずみられるわけではない．

C 責任病巣と発症メカニズム

1 半側空間無視の責任病巣

左半側空間無視は，右半球の脳血管障害によって生じることが多い．半側空間無視が生じる部位としては，**側頭-頭頂接合部（下頭頂小葉）**が重視されているが，前頭葉，側頭葉，視床などの病変でも生じることが知られている．近年は，半側空間無視の発現に**白質病変**が関与することが示され，特に**上縦束**の損傷が重要視されている[7]．今日，半側空間無視は，各領域と白質線維から構成される**空間性注意の神経ネットワーク**の障害によって起きると考えられるようになっている．

2 半側空間無視の発症メカニズム

1）最も有力な仮説：空間性注意のネットワーク仮説

左半側空間無視はすでに述べたとおり，右半球のさまざまな病変によって生じる．Mesulam は頭頂葉，前頭葉，帯状回，視床，線条体，上丘，網様体が神経ネットワークを構成し，脳損傷によってこのネットワークに機能不全が生じると左半側空間無視が出現すると考えた[8]．現在，半側空間無視の発現メカニズムを説明する仮説として，空間性注意障害のネットワーク仮説が最も有力と考えられている．

右半球損傷に比し左半球損傷で半側空間無視が少ない理由は，Mesulam によれば左右半球の空間性注意に機能差があるためである（図 3-2）[9]．すなわち，右半球は左右空間への注意機能を担っているが，左半球は右空間への注意機能のみを担っている．このため，右半球の空間性注意の神経機能が働かなくなると，左半球による右空間への注意機能しか残らず，左空間に注意を向けることが困難になる．一方，左半球の空間性注意の神経機構が働かなくても，右半球による右空間への注意機能は残るため，右空間に注意を向けることが可能である．したがって，右半球の病変による左半側空間無視は，左半球の病変による右半側空間無視よりも，はるかに高い頻度で生じ，重度である．

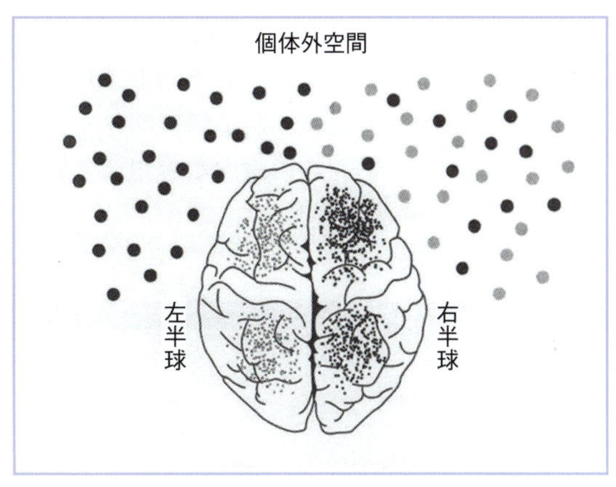

図 3-2　空間性注意に対する右半球の優位性
右半球は左右空間への注意機能を担っているが（●），左半球は右空間への注意機能のみを担っている（●）．
〔Mesulam MM：Functional anatomy of attention and neglect；From neurons to network. Karnath H-O, et al（eds）：The Cognitive and Neural Bases of Spatial Neglect. pp34-45, Oxford University Press, 2002. Figure 2 を改変〕

2）その他の主要な仮説

①**方向性運動低下説**[10]：半側空間無視の左方向の探索は，刺激を発見する知覚的な側面と，刺激に反応する運動的な側面がある．Heilman らの方向性運動低下説は，左半側空間無視の発現に，左方向に向かう運動の障害を仮定するものである．

②**表象障害説**[11]：Bisiach らは，左半側空間無視患者に，ミラノの大聖堂広場を，大聖堂の正面から見た場合と，背にした場合とを思い浮かべて記述させたところ，どちらの場合にも左側の無視が認められた．このことから，Bisiach らは，

左半側空間無視では，脳内の表象の左側(外界についてのイメージの左側)が欠落していると考えた．表象障害説は，左半側空間無視の発現に脳内の表象の左側の障害を仮定するものである．

D 評価・診断

1 ベッドサイドの行動観察

急性期においては，ベッド上での患者の様子を観察し，左半側空間無視に特徴的な反応がみられるかを確認する．まず，姿勢(顔を右に向けているか)，眼球(右に向いているか)，左上肢や左下肢が不自然な位置にないかを観察する．次に，声かけに対する反応(左側からの声かけに対し，顔を向けることができるか，左から握手を求めたときに手を見つけられるか)を確認する．

2 机上検査

座位が可能であれば，机上検査を実施し，定量的な評価を行う．机上検査としては，抹消試験，線分二等分試験，模写試験，描画試験が一般的であり，これらを複数組み合わせて評価する．

BIT 行動性無視検査日本版(BIT)[12]：BIT は，**抹消試験**，**線分二等分試験**，**模写試験**，**描画試験**など複数の試験を含む，半側空間無視の包括的な検査である．BIT 日本版は，Behavioral Inattention Test(BIT)を日本の文化的背景に合わせて標準化した検査である．

BIT は，**通常検査**と**行動検査**で構成される(表 3-1)．通常検査は，半側空間無視の診断に用いるもので，線分抹消試験，文字抹消試験，星印抹消試験，模写試験，線分二等分試験，描画試験からなる．行動検査は，半側空間無視に伴って生じやすい日常的問題を予測し，リハビリテーションの課題を選択する手がかりを得るためのもので，写真課題，電話課題，メニュー課題，音読課題，時計課題，硬貨課題，書写課題，地図課題，トランプ課題からなる．

3 日常生活における行動評価

BIT による半側空間無視の重症度と，日常生活でみられる無視に起因する問題の大きさは，平行することが多い．一方で，BIT の成績がカットオフ点以上であっても，日常生活においては左側に注意が向かず，ADL 上の問題がみられる患者も存在する．したがって，半側空間無視は，机上の検査に加えて行動観察による評価が必要である．

The Catherine Bergego Scale(CBS)日本語版[13, 14]：日常生活における問題を評価する尺度に CBS の日本語版がある．CBS 日本語版は，観察者が行う「観察評価法」と患者自身が行う「自己評価法」がある．「観察評価法」では観察者が訓練室や ADL 場面の 10 項目の状況を評価し(表 3-2)，「自己評価法」では患者自身が同様の 10 項目を自己評価する．「観察評価法」，「自己評価法」とも，各項目を 0〜3 点の 4 段階で評価し，合計得点(得点範囲 0〜30 点)を算出する．また，「観察評価法」と「自己評価法」の得点の差を，「(半側空間無視に対する)病態失認」得点とする．

4 その他の検査

リハビリテーションを行ううえで，知的機能，視野障害の有無に関する情報は重要である．

知的機能の評価：改訂長谷川式簡易知能評価スケール(HDS-R)，Mini-Mental State Examination(MMSE)を用いて評価する．

視野検査：半側空間無視患者は固視が不安定で，ゴールドマン視野計，ハンフリー視野計などを用いた正確な測定は困難である場合が多いため，**対座法**(➡ 66 頁参照)を用いる．対座法では，検者

表 3-1　BIT 行動性無視検査日本版(BIT)の構成

通常検査			行動検査		
下位検査	最高点	カットオフ点	下位検査	最高点	カットオフ点
線分抹消試験	36	34	写真課題	9	6
文字抹消試験	40	34	電話課題	9	7
星印抹消試験	54	51	メニュー課題	9	8
模写試験	4	3	音読課題	9	8
線分二等分試験	9	7	時計課題	9	7
描画試験	3	2	硬貨課題	9	8
合計	146	131	書写課題	9	8
			地図課題	9	8
			トランプ課題	9	8
			合計	81	68

〔石合純夫(BIT 日本版作成委員会代表)：BIT 行動性無視検査 日本版．新興医学出版社，1999 より〕

表 3-2　The Catherine Bergego Scale 日本語版・観察評価法の 10 項目

1. 整髪または髭剃りのとき，左側を忘れる
2. 左側の袖を通したり，上履きの左を履くときに困難さを感じる
3. 皿の左側の食べ物を食べ忘れる
4. 食事の後，口の左側を拭くのを忘れる
5. 左側を向くのに困難さを感じる
6. 左半身を忘れる(例：左腕を肘掛けにかけるのを忘れる，左足をフットレストにおき忘れる，左上肢を使うことを忘れる)
7. 左側からの音や左側にいる人に注意することが困難である
8. 左側にいる人や物(ドアや家具)にぶつかる(歩行・車椅子駆動時)
9. よく行く場所やリハビリテーション室で左に曲がるのが困難である
10. 部屋や風呂場で左側にある所有物をみつけるのが困難である

〔長山洋史，他：日常生活上での半側無視評価法 Catherine Bergego Scale(CBS)の信頼性，妥当性の検討．総合リハ 39：373-380, 2011 より〕

は患者の正面に着席し，患者に検者の目(あるいは鼻)を固視するよう求める．検者は，患者が固視していることを確認しながら，固視点の左右，上下 1/4 視野内で，ゆっくりと指を動かし，見えるかどうかを尋ねる．被検者が左半側空間無視患者の場合には，患者が教示を理解していることを確認するため，右視野から始めるようにする．視野障害が疑われる場合は，その視野内で上下，左右，斜め上下から視野中心の方向へ指を動かし，見える範囲を調べる．

E リハビリテーション

左半側空間無視のリハビリテーションにおいて重要な点は，①病識・意欲に働きかけること，②生活場面を想定すること，③左側を意識するための方略を身につけさせること，である．これまでに，数多くのリハビリテーション方法が報告されている．以下では，特に報告が多い左空間の**視覚的探索訓練**と**プリズム順応**について説明する．

1 左空間の視覚的探索訓練

患者に左端を示し意識させること（食事のトレイの左端，課題用紙の左端，横書きの文章の行頭など），患者が探索を持続できるようにすること，患者に左側を探索するための方略を身につけさせること，などが重要である．横書き文章の音読を行う際には，図3-3のように行の先頭に印をつけて，その印を手がかりに左側を探索させる．

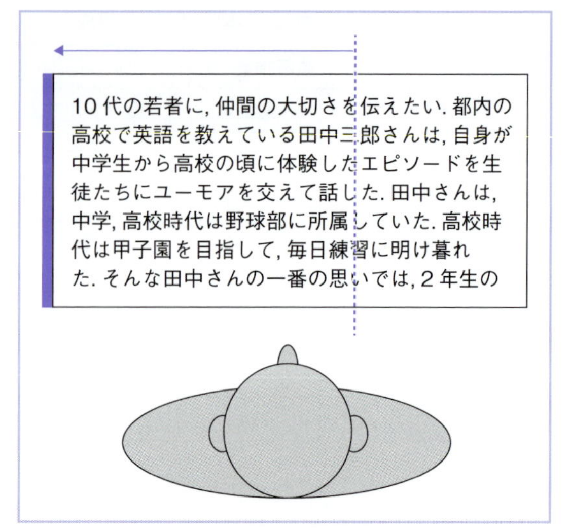

図3-3　左端を示し意識させる訓練

2 プリズム順応[15]

プリズム順応とは，対象物が右方に移動して見えるプリズム眼鏡を着用した状態で，右手の人差し指で標的にポインティングする動作を繰り返し．視運動性の順応を成立させる方法である．順応が成立することによって，指標に対し相対的に左空間への運動が可能になる．左半側空間無視の改善は，プリズム眼鏡をはずしたあとにみられる．プリズム順応の効果については，数週間にわたってみられたとする患者が報告されている．しかし，その一方で，効果が持続しない患者も存在する．プリズム順応に関しては，今後，どのような患者で効果が持続するのかの解明が期待されている．

引用文献

1）Heilman KM, Watson RT, Valenstein E：Neglect and related disorders. Heilman KM, Valenstein E(eds)：Clinical Neuropsychology(3rd ed). pp279-336, Oxford University Press, 1993
2）Medina J, Kannan V, Pawlak MA, et al：Neural substrates of visuospatial processing in distinct reference frames：Evidence from unilateral spatial neglect. J of Cogn Neurosci 21：2073-2084, 2009
3）Halligan PW, Marshall JC：Left neglect for near but not far space in man. Nature 350：498-500, 1991
4）Hécaen H, Marcie P：Disorders of written language following right hemisphere lesions：spatial dysgraphia. Dimond SJ, Beaumont JG(eds)：Hemisphere function in the Human Brain. pp345-366, Paul Elek Science Books, 1974
5）山鳥重，彦坂興秀，河村満，他(シリーズ編集)，石合純夫(著)：神経心理学コレクション—失われた空間．pp88-94，医学書院，2009
6）Seki K, Ishiai S, Koyama Y, et al：Effects of unilateral spatial neglect on spatial agraphia of kana and kanji letters. Brain and Language 63：256-275, 1998
7）石合純夫：神経心理学と大脳白質神経路研究との接点—言語と空間性注意の神経ネットワーク．神経心理学 33：25-34, 2017
8）Mesulam MM：A cortical network for directed attention and unilateral neglect. Ann Neurol 10：166-170, 1977
9）Mesulam MM：Functional anatomy of attention and neglect；From neurons to network. Karnath H-O, Milner D, Vallar G(eds)：The Cognitive and Neural Bases of Spatial Neglect. pp34-45, Oxford University Press, 2002
10）Heilman KM, Bowers D, Valenstein E, et al：Hemispace and hemispatial neglect. Jeannerod M(ed)：Neurophysiological and neuropsychological aspects of spatial neglect. pp115-150, Elsevier, 1987
11）Bisiach E, Luzzatti C：Unilateral neglect of representational space. Cortex 14：129-133, 1978
12）石合純夫(BIT 日本語版作成委員会代表)：BIT 行動性無視検査 日本語版．新興医学出版社，1999
13）大島浩子，村嶋幸代，高橋龍太郎，他：半側空間無視(Neglect)を有する脳卒中患者の生活障害評価尺度—the Catherine Bergego Scale 日本語版の作成とその検討．日看科会誌 25：90-95, 2005
14）長山洋史，水野勝広，中村祐子，他：日常生活上での半側無視評価法 Catherine Bergego Scale(CBS)の信頼性，妥当性の検討．総合リハ 39：373-380，2011
15）Rossetti Y, Rode G, Pisella L, et al：Prism adaptation to a rightward optical deviation rehabilitates left hemispatial neglect. Nature 395：166-169, 1998

3 地誌的見当識障害

地誌的見当識障害とは，熟知した場所で道に迷う症状である．ただし，意識障害，認知症，記憶障害，半側空間無視，視覚性注意障害などによるものは除外する．熟知した場所とは，発症前からよく知っている場所(旧知の場所：自宅など)だけでなく，発症後によく知るようになった場所(新規の場所：病院)も含まれる．

地誌的見当識障害は，Aguire & D'Esposito[1]にもとづき，**街並失認** landmark agnosia，**道順障害** heading disorientation，自己中心性地誌的見当識障害 egocentric disorientation，前向性地誌的見当識障害 anterograde disorientation の4種類に分類されることが多い(表 3-3)．

A 街並失認

1 基本概念

熟知した建物や風景を同定することの障害である．建物の種類(駅，病院)の同定ではなく，既知の何駅か，何病院かを同定することの障害で，視覚性失認の一種である．視覚性失認のうち，物体に対するものを物体失認，相貌に対するものを相貌失認と呼ぶように，街並(建物，風景)に対するものを街並失認という．ランドマーク失認と呼ぶこともある．

2 症状

患者はよく知っているはずの家を見ても，誰の家かを同定することができない(旧知の場所の同定障害)．自分の家を見ても，「初めて見る家のように感じる」と述べることが多い．そのため，自宅付近を歩いていて家の前を通り過ぎても気づかないなどの問題が生じる．入院先，通院先の病院内でも同様に迷うなどの問題が生じる(新規の場所の同定障害)．

建物の形態認知は保たれており，家を家として認知することはできる．また，建物の形態の識別も可能であり，2つの家の写真を見比べて同じか異なるかを判断することができる．しかし，同種の家のなかから，どれが自分の家かを同定することができない．

表 3-3 地誌的見当識障害の分類

分類	基本概念
街並失認(ランドマーク失認) Landmark agnosia	熟知した建物や風景を同定することの障害
道順障害 Heading disorientation	目的地の方向を定位することの障害
自己中心的地誌的見当識障害 Egocentric disorientation	自己を基準とした対象の視空間性定位の障害
前向性地誌的見当識障害 Anterograde disorientation	発症後の新しい環境に限定して生じる地誌的見当識障害

〔Aguire GK, et al：Topographical disorientation: a synthesis and taxonomy. Brain 122：1613-1628, 1999 を改変〕

3 責任病巣

責任病巣は，右半球の海馬傍回後部，舌状回前部，紡錘状回と考えられている[2)]（図 3-4a）[3)]．街並失認は，認知された街並の視覚情報を，その街並の記憶像に結びつけられない状態と考えられる[3)]．

B 道順障害

1 基本概念

熟知した地域内で，ある地点からある地点へ移動する際に，方向を定位する（どちらの方向に進めばよいかをとらえる）ことの障害である．ナビゲーション障害とも呼ばれる．

2 症状

道順障害の患者は，目印となる固有の建物や風景は認知でき，建物の外観の想起も可能である．しかし，ある地点とある地点の位置関係がわからない．今いる地点と目的地の位置関係がわからないために，道に迷う．

3 責任病巣

道順障害の責任病巣は，脳梁膨大後部から頭頂葉内側部（楔前部）にかけての領域である[4)]（図 3-4b）[3)]．特にブロードマンの 30 野が重視されている[5)]．病変側は右半球であることが多い．脳梁膨大後部から頭頂葉内側部（楔前部）は，地図上に自己やほかの地点の空間的位置を定位する処理と新規の地図を記銘する処理にかかわる可能性が考えられている[3)]．

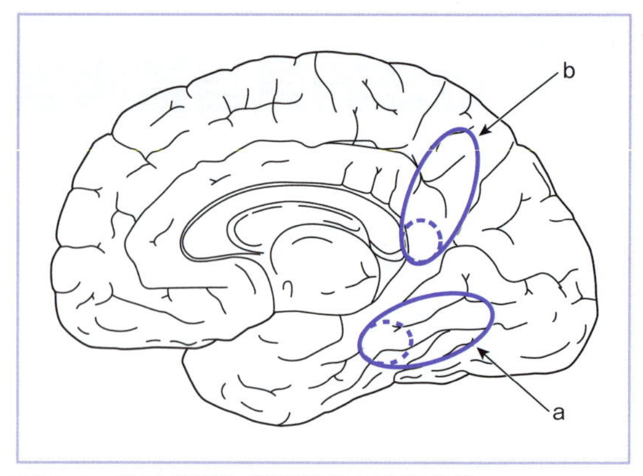

図 3-4　街並失認と道順障害の責任病巣

a：街並失認の責任病巣
b：道順障害の責任病巣
a・b ともに青実線は旧知・新規の場所が障害される場合の病巣，青点線は新規の場所のみが障害される場合の病巣を示す．
〔高橋伸佳：街並失認と道順障害．Brain Nerve 63：830-838, 2011 より〕

C 自己中心的地誌的見当識障害

1 基本概念

自己を基準として，対象がどのような空間的位置関係にあるかを同定することの障害である[1)]．

2 症状

患者は，対象の視覚認知は可能であるが，自己と対象の空間的位置関係がわからない．自己中心的地誌的見当識障害は，自己身体に対する相対的な位置を定位する能力（自己身体を座標軸とする空間表象能力）が障害されるために生じると考えられている[1, 6)]．

3 責任病巣

自己中心的地誌的見当識障害の責任病巣は，右一側または両側の後部頭頂葉領域とされている．脳梁膨大後部から頭頂葉内側部（楔前部）にかけての領域である[1, 6)]．

D 前向性地誌的見当識障害

1 基本概念

発症後の新しい環境に限定して生じる地誌的見当識障害である[1]．前向性地誌的見当識障害が視覚性記憶障害と異なるのは，風景や道順以外は憶えられることである．

2 症状

新規の場所の街並失認：旧知の場所は同定できるが，新規の場所のみが同定できない病態である．入院した病院内のよく訪ねる場所(リハビリテーション室など)の風景を憶えることができない．

新規の場所の道順障害：新規の場所のみで道順障害を示す病態である．

3 責任病巣

新規の場所や風景のみに限定して生じる街並失認の責任病巣は，右半球の海馬傍回の後部と隣接する紡錘状回と考えられている[2](図 3-4a 青点線)[3]．新規の場所や風景のみに限定して生じる道順障害を呈した患者の病巣は，脳梁膨大後部である[7,8](図 3-4b 青点線)[3]．

E 評価・診断

1 地誌的見当識障害に関する検査

a 熟知した建物・風景の認知

熟知している建物・風景を同定することができるか否かを検査する．熟知している場所の写真を用意し，どこであるかを呼称または口述できるかを調べる．旧知の場所，新規の場所の両方について検査を行う．街並失認の患者は困難を示すが，道順障害の患者は困難を示さない．

b 熟知した建物の外観の想起

熟知している建物の外観を口述または描画することができるか否かを検査する．街並失認の患者は困難を示すが，道順障害の患者は困難を示さない．

c 建物の位置の定位

地図上に，建物の位置を定位できるか否かを検査する．旧知の場所については，自宅周辺など熟知している場所の地図を見せ，主だった建物(自宅，駅など)の位置を正しく示すことができるかをみる．新規の場所については，病院内部の見取り図を見せ，病室，ナースステーション，エレベータなどの位置を正しく示すことができるかをみる．街並失認の患者は困難を示さないが，道順障害の患者は困難を示す．

d 2 地点の道順の想起

熟知した 2 地点の道順の想起が可能かを検査する．旧知の場所については，自宅から最寄りの駅のような熟知した 2 地点を指定して道順を説明させる．また，自宅の玄関を背にした場合に，主だった建物がどの方角にあるかを説明させる．新規の場所については，病院内の 2 地点を指定して道順を説明させる．また，病室の出入口を背にした場合に，ナースステーション，エレベータなどがどの方角にあるかを口述させる．

2 視空間認知機能検査

橋本ら[6,9]が新たに開発した card placing test (CPT)は，道順障害と自己中心的地誌的見当識障害の基盤にある空間表象能力の障害を定量的に評価することができる．

card placing test（CPT）：被検者を，床に書かれた3×3の格子の中央に立たせ，格子のなかにランダムに置かれた○△×のカード3枚の位置を記憶するよう求める．その後，カードを取り去り，身体の回転なしの条件（CPT-A）と身体の回転ありの条件（CPT-B）で，カードをもとの位置に置くように求める．CPT-Aは自己身体を基準とした空表象能力（自己中心的空間表象能力）を評価することができ，CPT-Bはカードの位置を基準とした空間表象能力（環境中心的空間表象能力）を評価することができる[6]．

F　リハビリテーション

1　街並失認

患者は，街並を同定することはできないが，それを構成する電柱，看板などの認知は可能である．また，文字を読むことも可能であるため，言語化の方略を用いることができる．具体的には，「○○医院と書いてある看板を目印にして，右に曲がる」のような方略を身につけさせる．さらに，広い範囲であれば，地図を持って移動し，「○○医院と書いてある看板」のように目印を記入するようにする．

2　道順障害

街並失認と異なり，地図に指標を書き入れても，自分が地図上のどこにいるのかを定位することができないため，有効に用いることができない．道順障害の患者の場合には，目的地までをすべて言語化してメモにして，それに従って移動する方法が有効である[10]．たとえば，「家の玄関を出て直進して，左側に○○薬局と書いてある看板，右側に駐車場がある．真っすぐ行くと，××一丁目と書かれた交差点がある．信号を渡るとすぐに病院がある」のようなメモを持って移動する．メモに，指標となる建物の写真を，その位置から見える角度で撮って貼りつけることが有効であった例も報告されている[11]．

引用文献

1）Aguire GK, D'Esposito M：Topographical disorientation：a synthesis and taxonomy. Brain 122：1613-1628, 1999
2）Takahashi N, Kawamura M：Pure topographic disorientation；The anatomical basis of landmark agnosia. Cortex 38：717-725, 2002
3）高橋伸佳，河村満：街並失認と道順障害．Brain Nerve 63：830-838，2011
4）Takahashi N, Kawamura M, Shiota J, et al：Pure topographic disorientation due to right retrosplenial lesion. Neurology 49：464-469, 1997
5）Maguire EA：The retrosplenial contribution to human navigation：A review of lesion and neuroimaging findings. Scand J Psychol 42：225-238, 2001
6）橋本律夫，上地桃子，湯村和子，他：自己中心的地誌的見当識障害と道順障害—新しい視空間認知機能検査card placing testによる評価．臨床神経学 56：837-845，2016
7）Katayama K, Takahashi N, Ogawara K, et al：Pure topographical disorientation due to right posterior cingulate lesion. Cortex 35：279-282, 1999
8）佐藤文保，笹ヶ迫直一，入江克実，他：新規の場所に強い地誌的障害を呈した1例．神経内科 61：270-276，2004
9）Hashimoto R，Nakano I：The card placing test：a new test for evaluating the function of the retrosplenial and posterior cingulate cortices. Eur Neurol 72：38-44, 2014
10）揚戸薫，高橋伸佳，高杉潤，他：道順障害のリハビリテーション—風景．道順を記述した言語メモの活用．高次脳機能研究 30：62-66，2010
11）村山幸照，原寛美，尾関誠：道順障害を呈した右頭頂葉皮質下出血の1例—独居生活復帰に向けたリハビリテーション．認知リハ 15：63-71，2004

4 バリント症候群

A 基本概念

バリントBálint症候群は，**精神性注視麻痺，視覚性注意障害，視覚失調**の3徴候からなる症候群[1]である．これらの3症状は，視力障害，視野障害，眼球運動障害によるものではない．

精神性注視麻痺は，対象へ視線を移動させて固視することができない症状である．視線の動きはさまようように不規則である．視覚性注意障害は，視野の中心で1つの物体しか見ることができない症状である．ある対象を注視すると，周囲にあるものに気づかない．視覚失調は，上肢の運動機能に問題がなく，対象を視線の先にとらえているにもかかわらず，手でつかむことができない症状である．

B 症状

患者は，盲人のように手探りしながら物を探し，移動する．対象を眼で追うことができない，2つの対象を交互に見ることができない(精神性注視麻痺)，眼前にある複数の対象の数を目測できない，文字を1文字ずつしか読むことができない(視覚性注意障害)，食事の際に食べ物を箸でつまめない(視覚失調)などの困難を示す．また，円の中心に点を打つ課題や図形描画や文字を書く課題などを正確に行うことができない(視覚性注意障害，視覚失調の両者の影響が考えられる)(図3-5)．

C 責任病巣

両側の頭頂-後頭領域の病変で生じる．3徴候がすべて揃わない不全型の症例も存在する．

D 評価・診断

①**精神性注視麻痺**：患者の目の前に人差し指あるいは物品を出し，視線を合わせることができるかどうかによって評価する[2]．また，周辺視野に物品を提示し，そちらに視線を移動することができるかどうかをみる．

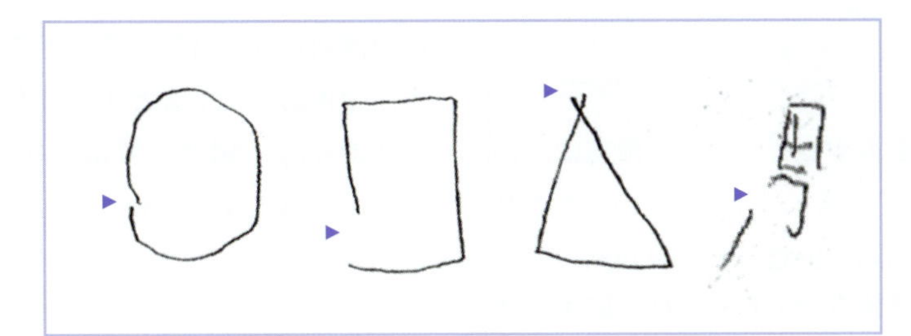

図3-5　図形描画や書字における異常

②**視覚性注意障害**：患者の目の前に人差し指あるいは物品を提示し，それを注視させたうえで，もう一方の手の人差し指を近づけて，2番目の指の存在に気づくかどうかで評価する[2)]．紙面上に一定の間隔で配置した複数の点を目視にて数える課題も有用である[3)]．

③**視覚失調**：患者の視線の先に検者の指あるいは物品を提示し，患者がそれらに触ることができるか否かを評価する[2)]．視覚失調を呈する患者は，うまく触ることができず，手の位置を何度も修正することが多い(➡ Note 1)．

> **Note 1. 視覚性運動失調 ataxie optique**
>
> バリント症候群の視覚失調 optische Ataxie と区別すべき症状として視覚性運動失調 ataxie optique がある．視覚性運動失調は中心視野で注視した対象をつかむことはできるが，周辺視野にある対象をつかむことができない症状である[4)]．
>
> 視覚性運動失調は一側の頭頂葉と後頭葉の接合領域の病変で生じるとされている．左半球病変では右視野内にある対象を右手でとらえる際に症状が出現し，右半球病変では左視野内の対象をとらえる際に左右両手に症状が出現する[4)]．

E　リハビリテーション

Rosselli ら[5)]は「視覚認知訓練」と「機能適応訓練」を並行して行い良好な改善が得られた若年例を報告している．「視覚認知訓練」の内容は，標的を追視する訓練や複数行にわたる文章の音読訓練などで，「機能適応訓練」の内容は，家族同伴の外出訓練，公共交通機関の利用訓練などであった．

その他，視覚失調に対しては，眼と手の協調，すなわち視覚刺激に対して適切に手を動かすことを目的とした描画課題やペグボード訓練〔ペグ(木釘)を手で持って板の穴に入れる訓練〕などが考えられる．

引用文献

1）古川哲雄：Bálint 症候群．神経内科 37：493-498, 1992
2）高屋雅彦，數井裕光，武田雅俊：バリント症候群，ゲルストマン症候群とその評価法．老年精医誌 20：1128-1132, 2009
3）石合純夫：Bálint 症候群．高次脳機能障害学第2版．pp184-185，医歯薬出版，2012
4）平山惠造：視覚性運動失調(Ataxie optique)の臨床と病態．失語症研究 2：196-205, 1982
5）Rosselli M, Ardila A, Beltran C：Rehabilitation of Balint's syndrome：a single case report. Appl Neuropsychol 8：242-247, 2001

5 構成障害

A　基本概念

部分を空間的に配置する行為能力の障害は，古くは Kleist によって，構成失行として報告された．現在は，構成活動の困難さを，視知覚の要因も含めたより広い枠組みでとらえ，構成障害と呼ぶのが一般的である[1)]．構成障害は，著しい要素的な視覚障害や運動障害が原因とは考えられない，構成的な課題に困難を示す状態を指す．構成的な課題とは，対象の部分と部分の関係を把握して，全体的としてまとまりのある形態を形成する課題を指し，例としては，立方体など図形の模写，積木構成などがある．

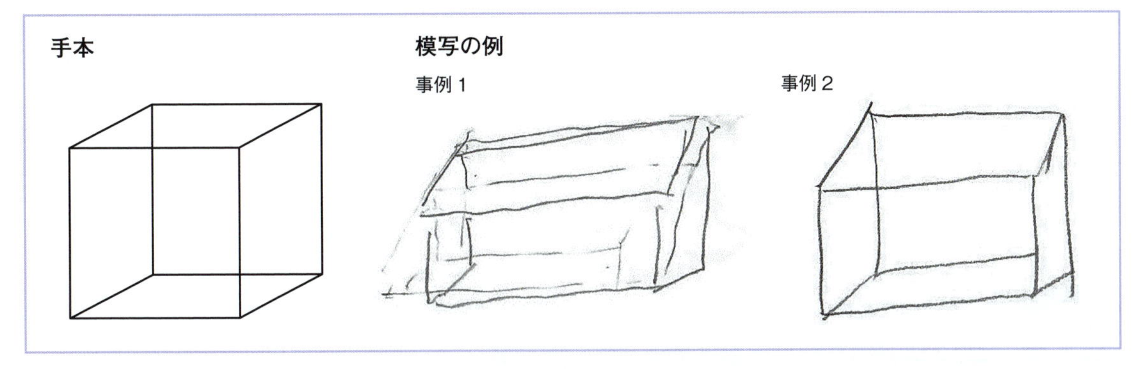

図 3-6　左半球損傷患者の立方体の模写の例
立体的な構成が不完全である．

B 症状

構成障害は，左半球損傷でも右半球損傷でも起こるが，損傷側によって障害が質的に異なる[2~4]．左半球損傷によるものでは，描画において図形が単純化し細部が表現されない．右半球損傷患者の図形の模写では，**piecemeal approach**（細部を逐次描いていく）がしばしばみられる．

C 原因と発症メカニズム

左半球損傷によるものは，構成行為の実現における企画や段取りの困難さによる側面が強い[1,2]．右半球損傷によるものは，視空間的障害（空間的位置関係の誤り）による側面が強い[1,2]．

知的機能の低下と半側空間無視は構成障害に大きく影響する要因である[5]．

D 評価・診断

図形の模写，自発描画，積木構成，マッチ棒による図形構成，などが用いられる．このなかでも，図形の模写と積木構成が比較的よく用いられる．

図形の模写：立方体や単純図形（三角形，星型）の手本を提示し，模写を求める課題である．立方体のような立体的構成のある図のほうが障害の検出力が高い（図 3-6）．WAB 失語症検査，標準高次動作性検査の下位検査を用いることができる．

積木構成：各面に色が塗られた積木を使って模様を作る課題である．WAIS-Ⅳの積木模様，コース立方体組み合わせテストおよび WAB 失語症検査の下位検査を用いることができる．

E リハビリテーション

上記のように，左半球損傷患者の構成障害は，企画や段取りの困難さによる側面が強いため，適切な手がかりによって構成障害を改善できる可能性がある[2,4]．一方，右半球損傷患者の構成障害は，手がかりによる成績の変化がほとんど認められない[2,4]．右半球損傷患者の構成障害は，左半側空間無視の影響を強く受けるため，それらの状態に応じた対応を行う必要がある．

引用文献

1）平林一，野川貴史，平林順子，他：構成障害．石合純

夫：高次脳機能障害のすべて．神経内科(特別増刊号)：471-476，2008
2）平林一，坂爪一幸，平林順子，他：左右半球損傷による構成障害の質的差異についての検討．失語症研究 12：247-254, 1992
3）Warrington EK, James M, Kinsbourne M：Drawing disability in relation to laterality of cerebral lesion. Brain 89：53-82, 1966
4）Hécaen H, Assai G：A comparison of constructive deficits following right and left hemispheric lesions. Neuropsychologia 8：289-303, 1970
5）石合純夫：構成障害．高次脳機能障害学第2版．pp185-188，医歯薬出版，2012

6 左半側空間無視の事例

70歳代，男性，右利き．

■ **医学的診断名**

脳梗塞

■ **主訴**

家に帰りたい．

■ **既往歴**

虚血性心疾患

■ **現病歴**

X年Y月X日，左下肢の麻痺が出現．A院を受診し，脳梗塞の診断にて入院する．

■ **画像所見**

MRI FLAIR画像(発症1か月後)にて，右半球の頭頂葉，側頭葉に高信号域を認めた．

■ **神経学的所見**

左片麻痺，左同名半盲

■ **神経心理学的所見**

左半側空間無視，全般性注意障害

■ **高次脳機能評価**

インテーク面接においては，礼節は保たれていたが，視線は右側に向くことが多かった．知的機能に関して，HDS-R得点は24/30点で明らかな低下は認められなかった．会話の理解は良好で，名前，住所，年齢などを正しく答えることが可能であった．喚語困難も認められず，失語症は疑われなかった．スクリーニング検査上，失行症も疑われなかった．

左半側空間無視に関して，BITを実施した．通常検査は119/146点，行動検査の得点は46/81点であった．模写試験では左側に見落としを認めた(図3-7a)．線分抹消試験ではすべての線分の

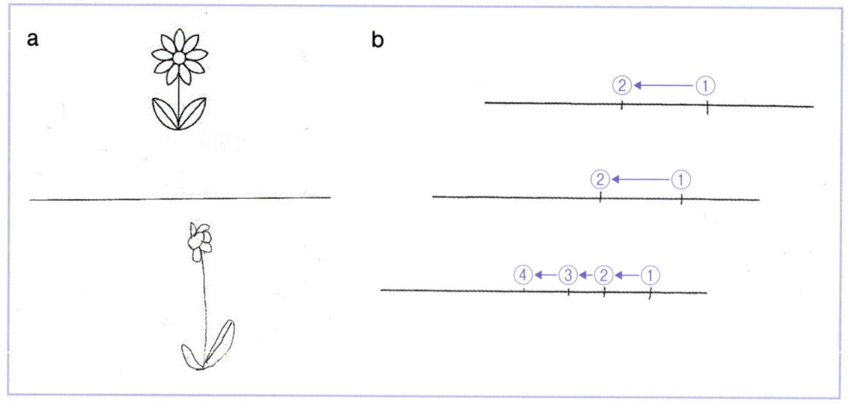

図3-7　BIT通常検査の結果

a：模写試験(花)．左側が描かれない．
b：線分二等分試験．①最初に印をつけた二等分点，②〜④自己修正した二等分点．

抹消が可能であったが(左側 18/18, 右側 27/27), 星印抹消試験では左側に見落としを認めた(左側 22/27, 右側 27/27). 文字抹消試験では左側に加え, 右側にも見落としを認めた(左側 11/20, 右側 15/20). 線分二等分試験においては, 最初に視線を向けたところに二等分点を付けた. ただし, その後, より左側に点を付け直す反応もみられた(図 3-7b). その際には,「何だかおかしい」ことを口にはするものの, あまり気に留めている様子ではなかった.

病棟生活では, 食事場面で左側のあるものを食べ残すなどがみられた. また, 院内の移動は, 左側に注意が向かないために, 見守りが必要であった.

■ **目標**

【長期目標】

日常生活が最低限の見守りで送ることができるようになる.

【短期目標】

①机上課題において手がかりを利用して左端まで探索が行えるようになる. ②机上課題を通して, 自身の状態に対する理解を深める. ③食事や身のまわりのことが声かけなしで, できるようになる.

■ **訓練方針・内容**

訓練においては, ①病識をより高めること, ②訓練・生活場面ともに, 左端(課題の用紙, 食事のトレイ)を示すこと, ③訓練場面では, 自ら左端を確認できるようにすること, 全般性注意障害の合併を考慮しながら進めることとした. 左空間の視覚的探索訓練としては, 図 3-3(➡80 頁)のような文章を用いて左端を示し意識される訓練を行った. 行頭を読み落とした際に, 文がつながらないと, より左側に視線を移動させて読み直す様子も観察された.

訓練開始 1 か月後には, 左端まで視線を移動することが可能になり, 見落とし総数が大きく減少した. 病棟生活では, 食事の食べ残しがみられなくなった.

■ **まとめ**

本例は, 行動観察および BIT の結果より, 左半側空間無視があると考えられた. また, 文字抹消試験においてみられる右側の見落としは, 全般性注意障害の合併によるものと考えられた.

訓練においては, 訓練・生活場面ともに, 左端(課題の用紙, 食事のトレイ)を示すこと, 机上課題を通じて自身の状態の理解を促すこと, 課題の難易度や長さを設定する際に全般性注意障害の合併を考慮した. その結果, 課題での見落としが少なくなり, 食事動作が自立した.

第 4 章

聴覚認知の障害

学修の到達目標

- 皮質聾を説明できる.
- 聴覚認知の障害の種類，症状，脳病変を説明できる.
- 聴覚認知障害の訓練，指導，支援の原則を説明できる.
- 言語聴覚士としてどのように聴覚性失認に介入するか説明できる.

エピソードと臨床的推論の視点

Aさん(60歳代，女性)は5年前に右脳損傷の既往があったが，日常生活は自立していた．ところがある日突然耳が聞こえなくなり，A病院を受診した．今回は左脳損傷と診断され入院加療となった．入院中，物音や人の声に対する反応は鈍く，患者本人は「聞こえない」と言うものの心理的な落ち込みが強いわけではない様子であった．自発語は時々喚語困難が認められたが，流暢で情報伝達量はほぼ問題なかった．一方，簡単な日常会話理解も困難な状況であった．現病歴から推論して，この方の聴覚障害は今回の左脳損傷後から始まった中枢性の聴覚障害と考えた．

聴覚の情報処理過程：聴覚伝導路と聴覚認知

図4-1に聴覚伝導路を示す．音は外耳道から中耳，内耳へと伝わる．内耳で音響信号は電気信号へと変わる．

内耳の聴覚伝導路において**蝸牛神経**は第一次ニューロンであり，脳幹に入って同側の蝸牛神経背側核と蝸牛神経腹側核に終わる．蝸牛神経背側核から第二次ニューロンの軸索は中脳へと上行するが，半数は同側の，残りは反対側の外側毛帯の成分となる．蝸牛神経腹側核から始まる第二次ニューロンは橋のレベルで台形体を形成し，反対側の外側毛帯に入って上行するか，台形体のなかに存在する上オリーブ核に終わる．上オリーブ核から始まる第三次ニューロンは同側または反対側の外側毛帯を構成する．外側毛帯の線維は中脳の下丘に終わる．下丘から内側膝状体までは第三次，または第四次ニューロン，内側膝状体から第四次，あるいは第五次ニューロンは聴放線を形成して大脳皮質の一次聴覚野(ヘシュル回，横側頭回)に達する．

一次聴覚野のヘシュル回(横回)は上側頭回の中部にある．内側膝状体から聴放線(聴覚線維)を受けている．この章では中枢性聴覚障害として知られている皮質聾，聴覚性失認，純粋語聾，失音楽症について以下解説する．

聴覚認知障害

皮質聾

皮質聾 cortical deafnessとは，両側の側頭葉(皮質)損傷で聾になる状態で，初めて報告したのはWernicke(1883)である．あらゆる音に対する自覚awarenessが著しく欠如した状態で，それを裏づけるように純音聴力検査で100 dB以上の聾状態を示す．末梢の聴力障害でいわれる「聾」の意味にとどまらず，聴覚性失認や語聾の病初期に出現することがある聾状態に対しても用いられて

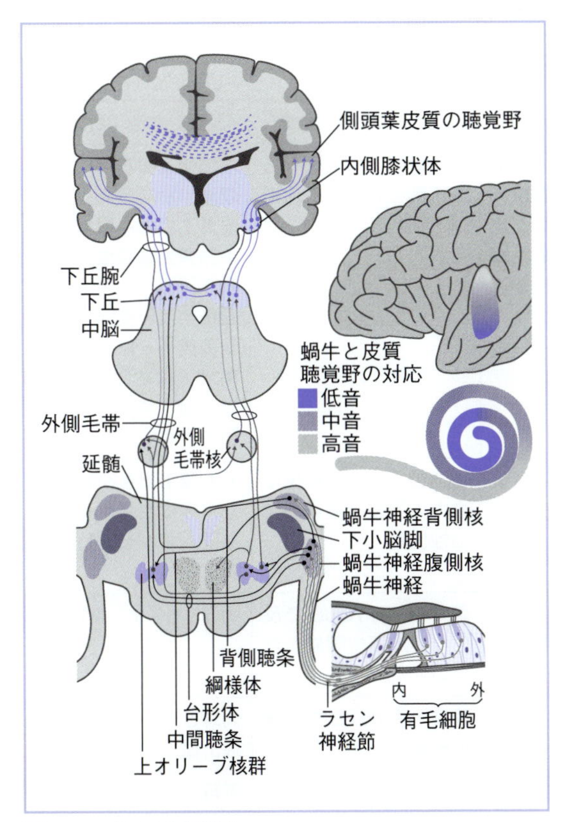

図 4-1 求心性聴覚路

いる．しかし，聴性脳幹反応の ABR では正常に近い結果となるので，内耳性難聴とはまったく異なる病態である．

臨床例では，側頭葉皮質の損傷がなくても「聾」の状態を示す例が報告されている．平野[1]は 2 回の脳卒中により「聾」の状態を示した 55 歳の女性の症例を検討している．50 年程前の報告であるが，症例は詳細に解析されている．平野の症例は両側の内側膝状体の損傷で「聾」の状態となった例であり，皮質ではない部位であるところから，平野は「所謂（いわゆる）」皮質聾と命名した．表 4-1 はわが国における皮質聾例の報告を示しているが，田中[2]の 2 例は両側被殻とその周囲の白質の損傷で高度聴力障害を呈した例で，田中によれば，いずれの症例も高度難聴を示し，両側**内側膝状体**が広範囲に変性していた例であると述べており，「所謂」皮質聾例に該当する．田中はもう 1 例聴力が保たれた例も報告しているが，その症例では 2 回の発作で両側損傷後に中枢性聴覚障害を生じている．田中によれば，損傷が一側か両側損傷かだけではなく，内側膝状体から聴放線を経由して皮質の聴覚関連領域に到達するまでの損傷の広がりと部位によって，純音聴力が保たれる場合と高度の障害が生じる場合があるとしている．近年，脳画像解析の進歩によって，聴覚伝導路の評価が可能になってきている（➡ Note 1）．

Note 1. 拡散 MRI 軸索画像

拡散 MRI 軸索画像は，脳梗塞の超急性期診断に用いられる拡散強調画像と同様の原理で，神経細胞の軸索における軸索流などの微小な動きをとらえることができる画像診断法である．これにより，従来困難であった聴覚伝導路の評価を非侵襲的に行うことができるようになった[16]．

B 聴覚性失認（広義）

聴覚性失認とは大脳損傷によって生じた聴覚障害で，内耳障害を中心とする末梢性聴覚障害とは原因や症状も異なる．中西[3]によれば，大脳の損傷後の聴覚障害を音刺激に対して反応がない状態の皮質聾と，音の意味理解障害である精神聾に分けたのは Munk（1881）であり，その後 Freud（1891）によって失認の概念が導入され，精神聾は聴覚性失認といわれるようになったとのことである．

一般に，人間の耳に入ってくる聴覚情報には，人が話す言葉のほかに救急車や電話の音に代表される社会音（**環境音**），風の音，鳥の鳴き声，工事現場の音や音楽をはじめさまざまな雑音などがある．そのなかで，人が話す言葉を言語音，その他を非言語音に分けると，聴覚性失認では末梢レベルの聴力障害がないにもかかわらず，言語音も非言語音も音としては聞こえてもその意味が理解で

表 4-1　わが国における皮質聾例の報告

報告者	田中[2] 症例 1	田中[2] 症例 2	上島ら[4]	山本ら[5]
事例	48 歳　男性　右利き	38 歳　男性　右利き	56 歳　男性　右利き	43 歳　女性　右利き
損傷部位	両側側頭葉の後半深部白質と被殻に病巣，右側へシュル回と深部白質まで損傷，両側へシュル回と左へシュル回皮質下白質は保存	両側頭葉の後半の深部白質を含む側頭頭頂葉に病巣，右側へシュル回と皮質下白質の損傷，左側も部分的損傷	左被殻部と右側頭から頭頂葉にかけて低吸収域	左前頭葉眼窩部に低吸収域，右前頭葉皮質・皮質下に低吸収域．左中側頭動脈領域に梗塞巣を認め，左側上側頭回後半部・側頭横回・島葉後半・縁上回に損傷. さらに右側頭横回・縁上回・角回・一部上頭頂小葉に及ぶ
原因	右被殻出血，左上肢の軽度麻痺，7 年後に左被殻出血	右側頭頭頂葉に広範な梗塞，7 年後に左側頭頂葉梗塞	左被殻出血，3 日後に右中大脳動脈領域の出血性梗塞	くも膜下出血術後，数か月後に左慢性硬膜下血腫，右中大脳動脈梗塞
純音聴力検査	両耳とも 80～110 dB, 閾値変動あり	両耳とも 60～110 dB 以上の難聴，閾値変動が多い	両耳とも 110 dB で反応なし，不快閾値とれない	両耳ともスケールアウト
ABR			両耳とも 20 dB まで波形出現	両耳とも 40 dB までV波出現
語音の聞き取り検査			不可	不可
環境音認知検査			不可	不可
音楽の認知			不可	不可
失語の有無	自発語良好，喚語困難なし, 呼称全問正答	2 回目の発症で失語出現	軽度感覚失語，呼称，音読，読字理解良好	軽度感覚失語
主訴			耳が聞こえない，大声	特になし
耳鼻咽喉科所見			鼓膜所見など異常なし	特記すべき所見なし
知的機能検査			書字による WAIS で VIQ 76，PIQ 66	RCPM 26/36. WAIS-R の PIQ 59
日常生活の音に対する反応やその経過	自声大きい	失語は改善し，簡単な会話は筆談で可能，音に対する反応が悪い	まったく音に対する反応なし．補聴器装用効果なし．発症 4 年目まで経過を追えたが，聴覚機能改善なし	発症 2 年経過後も聴覚機能の回復なし
リハビリテーションの内容と経過			筆談，読話，ジェスチャーを利用．読話は簡単な単語レベルにとどまった	筆談，読話，ジェスチャーなどを利用. 読話訓練効果は訓練場面でのみ

きなくなるという病態（広義の聴覚性失認）を指す．また，言語音のみが理解できなくなる病態（純粋語聾）と，非言語音のみが理解できなくなる病態（狭義の聴覚性失認）とに分けられる．

聴覚性失認の主な原因疾患として脳梗塞や脳出血，ヘルペス脳症などが知られている．表 4-2 には主な成人の聴覚失認例をまとめているが，側頭葉や視床，内包などの出血が原因で聴覚性失認

表 4-2 わが国における主な聴覚性失認例の報告(成人例)

報告者	能登谷ら[6]	水野ら[7]	長谷川ら[8]	Motomura ら[9]	青木ら[10]	村山ら[11]
事例	58 歳 女性 右利き	56 歳 男性 右利き	53 歳 男性 右利き	69 歳 男性 右利き	67 歳 女性 右利き	症例 2 64 歳 男性 右利き
損傷部位	両側側頭頭頂葉	左被殻，右上側頭回	両側聴放線	両側皮質下(視床，内包後方)	左視床から内包にかけて出血性病変，右視床に線状の低吸収域	左ヘシュル回・聴放線に変成，右聴放線
原因	1 回目 44 歳くも膜下出血，2 回目 55 歳左脳梗塞	1 回目 46 歳左被殻出血，2 回目 56 歳右側頭葉皮質下	1 回目 43 歳右被殻出血，2 回目 53 歳左被殻部出血	1 回目 65 歳左視床梗塞，2 回目 69 歳右内包・視床出血	59 歳右視床出血，その後左視床出血	50 歳代左側頭葉脳挫傷，64 歳右被殻出血
純音聴力検査	左耳 64 dB 右耳 49 dB	左耳 51 dB 右耳 46 dB	左耳 30 dB 右耳 30 dB	左耳 20 dB 右耳 30 dB	左耳 57 dB 右耳 56 dB	左右とも 1 kHz 30 dB 4 kHz 40 dB
ABR	左耳 30 dB 右耳 40 dB	左右とも正常	左右とも正常	左右とも正常	左右とも正常	左右とも正常
語音の聞き取り検査	母音 50% 子音 0%	単音節の弁別 24/40 正答	左耳 5% 右耳 0%	当初左右とも 0%(60 dB)以後徐々に改善	まったく困難	不可
環境音認知検査	不可	3/10 正答 1/4 選択肢では 5/10 正答	2/24 正答	0/15 正答から徐々に改善	まったく困難	不可
音楽の認知	楽器，童謡不可	楽器，童謡，演歌とも不可	音楽認知できない	当初障害あり，以後改善	まったく困難	記載なし
失語の有無	軽度感覚失語の合併	合併なし	初期軽度の Wernicke 失語	合併なし	SLTA で聴覚項目 0/10，書字命令 10/10	当初感覚失語が疑われる
読話の効果	あり	あり	記載なし	記載なし	あり	第 20 病日から可能
その他	錯聴		初期聴覚性病態失認	特になし	音源定位可	病識に乏しい
日常生活の音に対する反応やその経過	2 年経過時でも聴覚のみでの会話困難．読話を併用すると簡単な会話可能	2 か月頃には簡単な会話は読話併用で可能となったが，複雑な内容の場合には筆談必要	当初音に無関心．1 年半経過しても語音・環境音・音楽認知できない	2 か月過ぎで非言語音の障害のみとなる	2 か月後には家族やスタッフとコミュニケーションがとれた	当初失語と皮質聾を呈した

を呈した例が多い．しかも，左右半球側年月を異にして 2 回発作を起こした結果聴覚性失認となった例がほとんどである．したがって，CT，MRI などの画像検査で障害部位を確定できることが多い．臨床的には，聴覚性失認は比較的稀であるが，言語音の聞き取りの障害が脳出血などの脳損傷をきっかけとして生じて，聴力レベルに比し低下していると判断した際には，言語音のみだけで

なく，非言語音の理解検査（後述）の実施も望ましい．

次に聴覚性失認の発症メカニズムについて簡単に述べる．

加我ら[12]によると，聴覚性失認の損傷部位は5つのタイプに分けられるという．タイプ1は，両側聴皮質の損傷でウェルニッケ Wernicke 中枢も含むこともある．タイプ2は，片側の聴皮質と他側の聴放線あるいは内側膝状体が損傷された場合で，タイプ3は両側**聴放線**が損傷した場合，タイプ4は，内側膝状体の損傷で，タイプ5は脳室拡大を生じるような疾患により大脳皮質が圧迫されたような場合である．これらの5つのいずれの場合でも両側で聴放線～聴覚野が損傷され，その結果として言語音，環境音ともに認知できない聴覚性失認を生じると述べている．

聴覚性失認のなかの広義の聴覚性失認とは，典型的には両側の側頭葉損傷により，音は聞こえるが言語音（言葉）だけでなく，鳥の鳴き声，救急車のサイレン，バイオリンの音などの非言語音（環境音や社会音）も理解できなくなるものを指す．聴覚を通しての言葉や環境音などの理解障害を生じるのが最大の特徴であり，言葉の聴覚理解（1音，単語，文）に加えて復唱（1音，単語，文）や書き取り（1音，単語，文）も困難となる．一方，自発語や音読，自発書字には障害を認めないので失語症とは異なり，言語習得後の例では，筆談でやりとりできる

感覚失語に聴覚性失認を合併した例も報告されている（表4-2）．聴覚機能については，高齢者の場合に発症前から加齢性難聴を合併していることが多いので，純音聴力検査で会話音域の聴取が可能な程度かを確認することが重要であると同時に，他覚的聴覚検査であるABRは必須である．

日常の聞こえの様子は，発症初期にはまったく音に反応しない場合があるが，次第に音に反応する様子がみられるものの何の音かわからないという訴えをする例などがある．

C 狭義の聴覚性失認

狭義の聴覚性失認は言葉の聞き取りには問題ないが，環境音や社会音の理解ができない状態を指し，報告は非常に少ない[13]が，患者からの訴えそのものが少ないせいもあるのかもしれない．

D 純粋語聾

聴覚を通して言葉の理解ができなくなるが，周囲の環境音や社会音などの理解は保たれている病態で比較的稀である．人の言葉が外国語や雑音のように聞こえると訴える例もある．口頭言語による聞き取りが困難であっても成人例の場合には文字を提示されれば理解が可能となる．また，ゆっくり話されると理解しやすいという例もある．自発語や書字には問題がない成人の純粋語聾例では脳血管障害後の報告が多いが，小児例ではてんかん発作で生じる**ランドウ－クレフナー症候群 Landau-Kleffner syndrome（LKS）**[14]による聴覚性失認が知られており，難病指定（155）されている．広義の聴覚性失認を呈する場合と純粋語聾を呈する場合がある．

E 失音楽症

失音楽症 amusia とは脳の後天的な損傷により生じた音楽能力の障害である．失音楽症はほかの聴覚性失認と異なり，**受容性失音楽症**（感覚性失音楽症）と**表出性失音楽症**（運動性失音楽症）がある．受容面の障害の内訳は，音楽の各要素の弁別障害である狭義の受容性失音楽，メロディの認知が障害される健忘性失音楽や楽譜が読めない障害

がある．表出面の障害としては，歌唱が困難になる歌唱性失音楽，楽器の演奏が困難になる楽器性失音楽，楽譜が書けなくなる記譜の障害（音楽性失書）がある．

失音楽症に関する報告によると，脳血管障害例や脳の側頭葉切除例などがある．さらに，失語などを合併しない純粋失音楽症 pure amusia は少ないとのことである．

佐藤は脳の左右それぞれまたは両側の損傷により生じた失音楽症の文献を以下のようにまとめている．①言語と音楽は，少なくとも一部は脳内で異なった経路を経て処理される．②ピッチとリズムを比べると，障害の程度はピッチに強く生じることが多い．③歌唱や演奏など表出面の障害は右半球損傷例に多くみられる．④受容性失音楽症は一側または両側側頭葉が関与している．また，さらに佐藤は音楽のプロと素人とでの脳内過程の相違は，従来指摘されていたようなプロは左半球，素人は右半球という半球差ではなく，関与する脳の領域の違いであると指摘している[15]．

引用文献

1）平野正治：「所謂」皮質聾について．精神経誌 75：94-138，1973
2）田中康文：聴覚性認知障害の病態生理―「いわゆる」皮質聾の責任病巣と純粋語聾及びリズム認知障害の生理学的機序．神経心理学 9：30-40，1993
3）中西雅夫：聴覚失認，濱中淑彦（監修）：失語症臨床ハンドブック．pp230-235，金剛出版，1999
4）上島睦，沖春海，能登谷晶子，他：1皮質聾例の言語訓練の試み．失語症研究 13；97，1993
5）山本久美子，能登谷晶子，得田和彦，他：皮質聾の1例―病態失認・無関心と知的機能に関する文献考察．高次脳機能研究 31：337-344，2011
6）能登谷晶子，原田浩美，橋本かほる，他：聴覚失認の1例における音の要素的弁別障害．神経心理学 28:34-40，2012
7）水野勝広，赤星和人，堀田富士子，他：両側半球の脳出血により聴覚失認を呈した一例に対するリハビリテーションの経験．リハ医 39：730-734，2002
8）長谷川恵：両側聴放線障害による中枢性聴覚障害の一例．臨床神経 29：180-185, 1989
9）Motomura N，Yamadori A，Mori E，et al：Auditory agnosia. Brain 109：379-391, 1986
10）青木昌弘，佐々木梨嘉，森泉茂宏，他：両側視床出血により聴覚失認となった症例のリハビリテーション．リハ医 48：666-670，2011
11）村山浩通，松尾成吾，西村尚志，他：両側大脳半球病変により皮質聾および聴覚失認を呈した2例．脳卒中 32：190-196, 2010
12）加我君孝，竹腰英樹，林玲匡：中枢性聴覚障害の画像と診断　聴覚失認―音声・音楽・環境音の認知障害．高次脳機能研究 28：224-230，2008
13）Spreen O，Benton AL，Fincham RW：Auditory agnosia without aphasia. Arch Neurol 13：84-92，1965
14）Landau WL, Kleffner FR：Syndrome of acquired aphasia with convulsive disorder in children. Neurology 7：523-530, 1957
15）佐藤正之：音楽の脳内処理機構―PET 研究と失音楽症例から．臨床神経生理学 33：114-122，2005
16）泉修司：高次聴覚機能とその画像的評価．音声言語医学 53：183-186，2012

3　聴覚性失認の評価とリハビリテーション

A　聴覚性失認の評価

聴覚性失認の診断に必要な主な検査項目について以下に述べる．高齢者は病前から高音域の聴力閾値が上昇している場合が多いので注意したい．

1　耳鼻咽喉科的所見ならびに標準純音聴力検査

耳鼻咽喉科医による診察で外耳，中耳の異常所見がないことを明らかにする．聴力レベルに問題がないかを自覚的に評価する標準純音聴力検査法は，日本聴覚医学会で定められており，250～8,000 Hz までを左右の耳別々に測定する．特に会話音域といわれる500 Hz，1,000 Hz，2,000 Hzの閾値が言葉の聞き取りに重要な周波数である．また，聴覚性失認例では聴力閾値の変動が多いので，下降法で行ってもよい．いずれにせよ数回の測定が望ましい．レシーバを用いての検査が困難な場合には，スピーカ法による幼児用聴力検査を代用するのもよい．既報告例では軽度〜中度の閾値上昇を示すものが多い．

2 脳幹，大脳皮質レベルの検査

ABR（auditory brainstem response，聴性脳幹反応）は蝸牛神経ならびに脳幹レベルの聴性の誘発反応である．正常であれば10ミリ秒以内に5〜7つの反応成分が出現する．第V波は最大振幅をもち安定しているので，閾値を測定する場合の指標とする．ABRの反応は純音聴力検査の2,000〜4,000 Hz付近の閾値にほぼ相当するといわれており，高音域は語音の聞き取りに重要な情報をもたらすので，聴覚性失認の診断のためには他覚的聴力検査として重要である．既報告例をみてもABRは正常例が多い．すなわち，中枢性聴覚障害例は，純音の聴力検査結果では軽度や重度聴力障害を呈していても，内耳以降の聴覚伝導路の障害ではないので，ABRは正常に近い値を示すのである．

ABR以外にMLR（middle latency response，聴性誘発中間潜時反応）やSVR（slow vertex response，頭頂部緩反応）の成績を記載していた例（進藤ら[1]，Motomuraら[2]）を少し紹介する．

MLRは内側膝状体レベルから側頭葉由来の反応とされ，音刺激から50ミリ秒程度以内に波形が出現する．進藤らの例ではN0，P0，Na成分は出現するが，Paは出現しなかった．Motomuraらの症例は，聴覚性失認が明らかな時期にはMLRの波形は出現せず，軽度まで改善した時期にはMLRの波形が出現したが，左耳に比し右耳で潜時の延長を示したとのことである．MLRは各症例の内側膝状体の損傷程度とも関連しているようである．

SVRは皮質反応とも呼ばれ，聴覚皮質を含めた広い脳内の部位が関係するといわれている．SVRの成績は症状改善とともに波形が出現した例[2]，波形が出現しなかった例[1]が報告されており，SVRの波形は症例ごとやその発症からの時期にもよることがわかる．

3 標準語音聴力検査・ことばの聞き取り検査

日本聴覚医学会では語音聴力検査法が確立されている．1音節の聞き取りを行い，最高の明瞭度を語音弁別能という．通常は復唱または書き取りで行われ，一般に純音平均聴力閾値レベルよりも約40 dBで最高明瞭度（100%）になる．

臨床現場などでは，肉声（被検者の閾値上の音で）によって単音，単語，短文を復唱してもらう方法や，絵カードからの選択法，書き取りを行ってもらうなどの方法がある．その際に，聴覚のみでの提示と，聴覚に読話を併用した場合（口元を見せながら），読話のみ（声を出さずに口形を示す）とのそれぞれの差をみると，患者が聴覚をどれくらい活用しているかがわかる．報告例の語音弁別能をみると，ほとんどの例で純音閾値に比し，語音の聴き取りレベルが著明に低下している．

4 環境音（社会音）の認知検査

環境音（社会音）の認知検査の方法は，失語が合併していない場合には口答による返答法も可能であるが，音源に対応する絵や写真を選択する方法で行うこともできる．現在のところ標準化されたものがなく，筆者らは独自に作成された音源で検討している．Motomuraら[2]は15音源，倉知ら[3]は20音源を用いている．加我ら[4]は20音源の環境音検査を作成して，vocalizationと言語音以外のnonvocalizationという概念を導入している．聴覚性失認例では4枚の絵カードからの選択にすると可能なものがあるとしている．倉知らはFaglioniらの非言語性有意味音同定検査を参考に環境音弁別検査を作成し，正答1枚(例：猫)，正答と意味的に同じカテゴリーに入るもの2枚(例：犬，ねずみ)，無関係なもの1枚(例：バス)の4枚から選択させる方法を用いている．選択肢の内容としては音源と意味的に関連あるもの，音響的に近いものなどがよい．これらの報告例の成績をみると，語音の聞き取りと同様にまったく困難な例から，多少聞き取れる例もあり，環境音の認知テスト成績は報告者によってばらばらであるが，語音聴力検査と同様に障害を認めることは明白である．

5 音楽の評価

失音楽症が疑われる例では，音楽の3要素であるメロディ，リズム，ハーモニーと音色の認知はいずれも著しく障害されるので，その評価を実施する必要がある．しかし，わが国には失音楽症を評価する標準化された検査バッテリーがないので，報告者ごとに使用している材料が異なる．

6 音の方向感覚の検査

聴覚性失認例で音源定位についての記載があるものは少ないが，青木ら[5]の例は可能であったと報告している．自験例では日常生活のなかで音に対する反応が不十分で，方向感の検査が困難であった．

臨床の場で音の方向感を調べる方法は，患者に部屋の中心に座ってもらい，左右，前後の位置にスピーカをおいて，音がどこから聞こえるかを調べる．それ以外に音像定位検査という方法もある．これは左右の耳に当てたレシーバから与えた音を頭蓋内で正中に感じるように設定し，次に左右の耳に与える音に時間差を作っていくと，正中で感じていた音像が左右のいずれかに移動したと感じる．これを時間差と音の強度差を用いて測定する方法で，両耳時間差音像移動弁別閾値と両耳強度音像移動弁別閾値が測定できる．耳鼻咽喉科外来で使用されているオージオメータ(聴力検査機器)にも内蔵されているので，外来でも十分できる検査である．音源定位について調べているものとしては，半側空間無視例で調べられているものがあるので参考にされるとよい．

7 失語症の評価

聴覚性失認例に失語症が合併した場合には包括的失語症検査(SLTA，WABなど)を実施する必要がある．包括的失語症検査を行った場合に，特に聴覚言語理解，復唱，書き取りの点数が低くなるが，呼称や音読，読字理解との成績の差に注目するとよい．失語を合併していない例では呼称や自発語，音読，文字理解面での問題はみられない．既報告では感覚性失語の合併例がブローカ失語の合併例より多い傾向にある．

8 知的機能評価

知的機能を評価する検査の多くは話し言葉を用いての検査項目から構成されているので，RCPM(レーヴン色彩マトリックス)やWAIS-Ⅳなどのウェクスラー検査の動作性課題，コース立方体検査などを用いるとよい．また，言語獲得後の聴覚性失認例の場合には，言語性の知的機能検査を筆談で実施してもよい．

B 聴覚性失認例に対するリハビリテーション

進藤[6]は自験例10例の聴覚性認知障害例のリハビリテーションについて，以下のようにまとめている．語音認知はいずれも重度の障害を認め，聴覚的理解力も低下していた．リハビリテーションは有意味2〜3音節単語を用い，口形を手がかりに聴覚と口形情報を与えて文字カードを選択させている．そして，徐々に音節数を増やし，5音節単語まで行い，その後は挨拶語，日常語，短文レベルへと進めている．しかし，聴覚と口形を併用して(聴覚読話)一部可能になったものは2例で，ほかの8例は実用不可であったとのことから，聴覚失認例の聴覚理解〔読話(➡ Note 2)も含めて〕の訓練予後はよいとはいえないようである．いずれの症例も筆談が必要であったとのことである．

自験例(表4-2)でも簡単な文の読話は可能であるが，複雑な内容は筆談を用いた結果，コミュニケーションが可能となった．

成人の聴覚性失認例や純粋語聾例では早口で言われるとわかりにくいが，ゆっくり話されるとわかりやすいなどと訴えるので，比較的対応がとりやすいと考える．読話については，患者が担当者の口元を見ることは少ないようであるので，純粋語聾が疑われた場合には，読話の効果を試す(患者に口元を見るように促す)ことを念頭におきたい．

言語発達途上で生じた小児例の場合には，成人とかなり対応が異なるので注意が必要である．まず補聴器などの補装具は役立たないので，視覚経路での言語習得が望ましい．筆者が経験したランドウ-クレフナー症候群による純粋語聾例の訓練経過を次に示す．当初は失語に準じて単語レベルからの聴覚理解訓練や読話を併用しての理解訓練を試みたが，脳波異常のためか落ち着きがなく，訓練効果が乏しかった．しかし，脳波異常が改善するにつれて落ち着きがみられはじめ，文字(単語レベルの理解から開始)などを用いて訓練した結果，簡単な短文レベルまで理解・書字可能となった．その後，ろう学校/ろう教育で教育を受け成人となった．手話を主としたコミュニケーションを用いており，発話はわずかで，読み書きについては不十分な状態にとどまっていた．

Note 2. 読話

読話とは通常，口の形を読むことを示す．聴覚読話は音を聞かせながら口元も見せる方法で，聴覚とは，口元を見せないで音だけを聞かせる方法である．中枢性の聴覚障害では聴覚理解が乏しい場合でも音を読話と併用したほうが成績がよい場合が多いので，何らかの音情報を頼りにしていると考えられる．

表4-3　病態失認の分類

(1)自分の障害に気づいている．
(2)自分の障害に気づいているが，無関心である．
(3)自分の障害に気づいていない．
(4)自分の障害に気づいてないだけでなく，そのことを指摘されると否定(否認)する．

〔山鳥重：「病態失認」特集にあたって．神経心理学19：75-76, 2003より〕

聴覚性失認例では，しばしば障害自体の否認や無関心がみられることは古くからアントン症状として知られている．山鳥は病態失認について，患者自らが自分の病態を認めないレベルを4段階に提示している(表4-3)[7]．病態に対する無関心や否定はリハビリテーションを行う際にも妨げになることが多いので，訓練にあたって確認する必要がある．

聴覚性失認例の訓練については，口頭言語理解を補うために読話や指文字，ジェスチャーなどを用いた訓練報告が散見される．しかし，注意や視空間の情報処理の問題があり，手や口の動きをとらえる必要がある指文字やジェスチャー，読話の学習が困難であったこともあるので注意したい．最近，土屋ら[8]は両側被殻出血後の皮質聾例の1例に，音声変換アプリを用いてコミュニケーション訓練を行い，筆談よりもタイムラグが少なく意思疎通がしやすいことを報告している．昨今はさまざまな意思疎通機器が開発されているので，中枢性の聴覚性失認の患者たちにもコミュニケーション上の恩恵が届くようになってきていると考える．

最後に失音楽症のリハビリテーションについて少しふれる．佐藤[9]によれば，プロの音楽家を除くと音楽能力の障害は，日常生活場面でQOL低下の原因にはなってもADL低下の原因にはなりにくく，そのため周囲の関心を惹きにくいとしている．また音楽能力は個人差が大きいので障害の程度を測りにくいこと，ほかの高次脳機能障害を合併しない純粋な失音楽症の症例が少ないことなどがこの領域の研究が十分進んでいない原因かもしれない．しかし陽電子放出断層撮像法(PET)や脳磁図(MEG)，機能的MRI(f-MRI)などによって測定可能となってきているので，今後この領域ではますます多くのことが解明されると考えられる．

引用文献

1）進藤美津子，加我君孝：聴皮質・聴放線損傷例における言語音および音の要素の認知．音声言語医学 35：295-306，1994
2）Motomura N, Yamadori A, Mori E, et al：Auditory agnosia. Brain 109：379-391, 1986
3）倉知正佳，鈴木重忠，能登谷晶子：Auditory Sound Agnosia はありえるか．精神医学 25：373-380，1983
4）加我君孝，竹腰英樹，林玲匡：中枢性聴覚障害の画像と診断　聴覚失認―音声・音楽・環境音の認知障害．高次脳機能研究 28：224-230，2008
5）青木昌弘，佐々木梨嘉，森泉茂宏，他：両側視床出血により聴覚失認となった症例のリハビリテーション．リハ医 48：666-670，2011
6）進藤美津子：聴覚失認のリハビリテーション．江藤文夫，武田克彦，原寛美，他(編)：高次脳機能障害リハビリテーション 第2版．pp295-298，医歯薬出版，2004
7）山鳥重：「病態失認」特集にあたって．神経心理学 19：75-76，2003
8）土屋繁治，秋元雅俊，小澤恭子，他：軽度失語と「所謂」皮質聾を合併した1例．第41回日本高次脳機能障害学会(抄)38：74，2018
9）佐藤正之：音楽の脳内処理機構―PET研究と失音楽症例から．臨床神経生理学 33：114-122，2005

4 聴覚性失認の事例(図4-2)

60歳代，女性，右利き，大学卒，自営業．

■ **主訴**

言葉がわからない，昔のように音楽を楽しみたい．

■ **現病歴と言語病理学的検査結果**

初回発症44歳時．くも膜下出血後に右MCA梗塞となり，軽度左片麻痺を生じたが改善し，ADLは自立していた．13年後に左脳出血となり，当初は感覚失語も合併していた．当科初診時は2度目の発症から2年ほど経過しており，自発語は流暢であり，時に音韻性錯語が出現したが，文レベルの発話が可能であった．家人とのやりとりは筆談で行っていたので，家人の負担が大きいようであった．

標準純音聴力検査では閾値変動を認めたが，右耳40 dB程度，左耳60 dB程度であった．末梢性内耳性難聴との鑑別のためにABRを施行した結果，右40 dB，左30 dBまでV波の波形が得られた．また，聴覚医学会の67式語音表を肉声で，復唱法で行ったが，まったく聞き取れなかった．犬の鳴き声，赤ちゃんの泣く声，お経などが録音された音を聞かせ，1/4枚選択法で行ったが，「聞こえるけど何の音かわからない」と答えた．

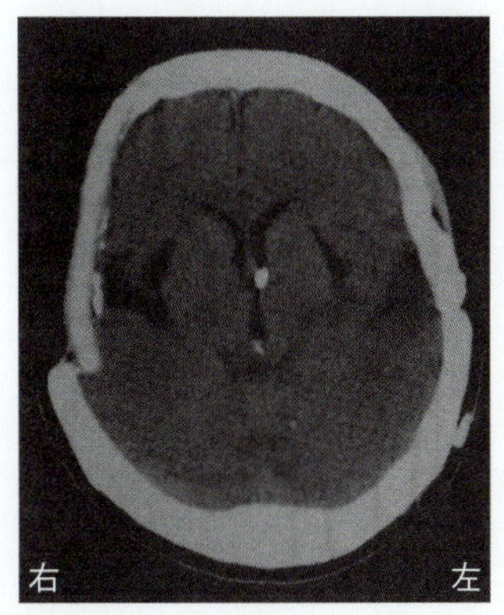

図4-2　事例のCT

右側頭葉上，前部に低吸収域を認める．左側頭葉上部の皮質・深部皮質下に低吸収域を認め，聴放線にも及ぶ．
〔能登谷晶子，他：聴覚失認の1例における音の要素的弁別障害．神経心理学 28：34-40，2012〕

SLTAの聴覚理解の項目，復唱，書き取りはいずれの項目も困難であった．一方，呼称(20/20)，音読，読字理解(書字命令10/10)はほとんど正答した．自発書字も文レベルで可能であった．知的機能の評価はRCPMを用いたが，全問正答した．

■ **検査結果のまとめと治療方針の立案**

純音聴力は軽度〜中度レベルであるが，ABRで正常範囲にあること，しかし聴覚理解障害が著しいこと，一方，自発語や文字理解，書字が良好であることから聴覚性失認と推測した．聴覚性失認のなかでも言語音のみならず環境音の理解も障害されているので，広義の聴覚性失認と考えた．

■ **目標**

【短期目標】

家族は本人とのコミュニケーションに一日中筆談で対応しており，かなりの疲労がみられたので，まず簡単な言葉が読話で可能になることを目指す．

【長期目標】

聴覚系の回復が今後も少ないと予想して，文字言語(新聞，テレビの字幕利用，メール操作)の活用ができることとした．

■ **訓練計画**

外来では隔週に1回の頻度で，読話訓練を行うことと，定期的に聴覚検査で聴覚性失認の経過を追った．読話は挨拶語，日常生活に必要な語彙(月日，曜日，知人の名前，仕事に関する用語など)から始め，短文レベルまで行う．視覚的なモードの利用は患者本人が積極的に取り入れていたので，メールはホームヘルパーに操作方法の指導をお願いした．

■ **まとめ**

2度の脳損傷が原因となり，広義の聴覚性失認を呈した1例である．初回は言語面に後遺症を残さなかったが，2度目の発症で中枢性の聴覚障害となった．初期には感覚失語を呈していたが，その後，筆談による簡単なやりとりが可能であったことから，失語がほぼ回復して聴覚性失認となった例と考える．言語音のみならず環境音の認知も低下したことから広義の聴覚性失認と考えられる．本例の聴覚障害についての詳細な検討がされたのは2度目の発症から2年経過後であったので，この時点で今後大きな回復は見込めないと予想して，視覚系のモダリティを導入して，家族との交信を円滑にする手段を取り入れた．

第5章

触覚認知の障害

学修の到達目標

- 触覚認知障害の種類，症状，病巣を説明できる．
- 触覚認知障害の訓練，指導，支援の原則を説明できる．

エピソードと臨床的推論の視点

X さん(60 歳代，男性，右利き)は，部屋に入るとはっきりと挨拶をした．氏名や年齢，住所はスムーズに答えた．発症から今日までの出来事を尋ねると，「わかりません」と答えることがあった．発症前の日常生活や職業に関する質問では，迂遠な表現をして，「憶えているのに言葉が思い出せない」と訴えた．最近の記憶に軽度の障害はあるが，言葉が思い出せないのは失語症による喚語困難を疑い，WAB 失語症検査の呼称課題を行った．実物を見て呼称(視覚呼称)してもらうと成績は正答 17/20 であった．試しに同じ物品を用いて，見ないで片手で触って呼称(触覚呼称)をしてもらうと，右手・左手ともに正答 6/18(「切手」と「ナイフ」を除く)で，「何かわからない」と答えた．机上に置いた 1 円玉を見ないで手指でつまむことは，右手でも左手でも可能であった．

失語症による喚語困難であれば視覚呼称も触覚呼称も同程度に障害される．また両手に明らかな運動や感覚の低下はない．このことから X さんは失語症に加えて，触覚による物品の認知障害または触覚性呼称障害を疑い，詳細な検査が必要であると判断した．

1 触覚の情報処理過程：体性感覚と触覚認知

ヒトは，視覚や聴覚，体性感覚，味覚・嗅覚という感覚様式(モダリティ)を通して脳内に入る情報を，脳内にある対象物に関する記憶と照合して，対象物が何であるのか認知する．どのモダリティを用いて認知や学習が行われるかは対象物によって異なる．触覚による対象物の認知能力は，視覚に比べて劣ると考えられているが，日常の 3 次元物体であれば触るだけで簡単に認知できる[1)]．

岩村[2)]によると**体性感覚**とは，「身体の表層組織(皮膚や粘膜)や，深部組織(筋，腱，骨膜，関節嚢，靱帯)にある受容器が刺激されて生じる感覚」である．体性感覚には皮膚感覚である触覚，温度覚，痛覚などと，深部感覚である位置覚，振動覚など筋や腱，関節といった運動器官に起こる感覚がある．これらの皮膚や筋，関節にある感覚受容器が刺激されて生じる興奮は，末梢神経から脊髄に入り，視床から体性感覚野に到達する．この体性感覚伝導路には後索内側毛体系(触覚，圧覚，振動覚，深部感覚)と脊髄視床路系(温度覚，痛覚，一部の触覚)がある(図 5-1)．体性感覚情報はこのほか，三叉神経伝導路(顔面・口腔・舌の感覚)，脊髄小脳路(姿勢や運動の調節)，脊髄網様体路(睡眠や覚醒の維持・調節，姿勢の維持や歩行の調節)を経てほかの部位にも投射する[2)]．

体性感覚野には**第一体性感覚野(SⅠ：中心後回)**と**第二体性感覚野(SⅡ：頭頂弁蓋の上部内壁)**がある(図 5-2)．第一体性感覚野と身体部位には対応関係(体部位再現地図)があり，対側身体部位からの皮膚感覚や深部感覚情報は第一体性感覚野に最初に入力し，第二体性感覚野ではより高次な触覚認知が処理される[2)]．

体性感覚野は視覚野とも結合し，機能的 MRI による研究からも，触覚認知は触覚系から後頭葉の視覚系を介して成立することが示唆されている[3)]．

また体性感覚野は運動野とも結合し，運動の調節にも関与している．触覚で対象物を認知する際

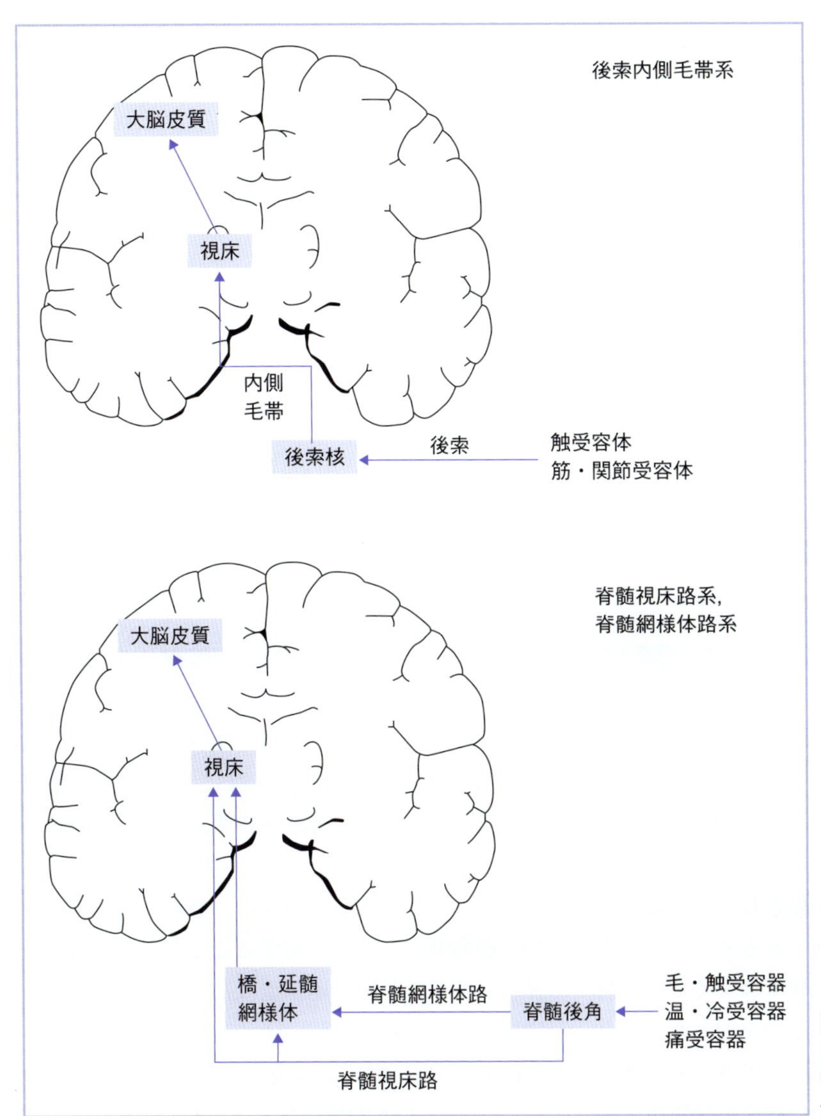

図 5-1　体性感覚伝導路

〔山鳥重，他(シリーズ編集)，岩村吉晃(著)：神経心理学コレクション―タッチ．p219，医学書院，2001〕

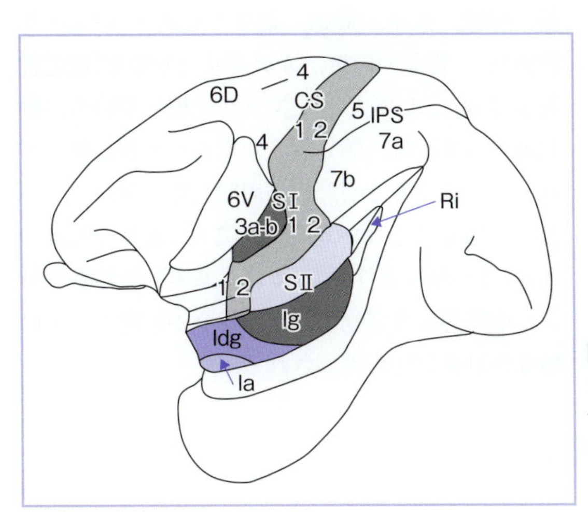

図 5-2　体性感覚野

第二体性感覚野(SⅡ)と隣接する島皮質(Ig，Idg，Ia)とRi，第一体性感覚野(SⅠ：3a，3b，1，2)，頭頂連合野(5，7a，7b)，運動野(4)，運動前野(6V，6D)，中心溝(CS)，頭頂間溝(IPS)

〔山鳥重，他(シリーズ編集)，岩村吉晃(著)：神経心理学コレクション―タッチ．p93, 医学書院，2001〕

は，手を能動的に動かす(これを"アクティブタッチ"という)．手の運動パターンは，全体の形を大雑把に知覚する場合はつかみ，より詳細な形状を知覚するには手で物体の輪郭をなぞる．そして素材や重量，硬さ，温度など知りたい属性に応じて変化する．たとえば素材を正確に知覚する場合は表面の上に手を置き，左右に動かす．重さを知覚する場合は物体を手に載せ，手を上下させる．このように対象物の知りたい属性に合わせた手指の動かし方を使用している[1]．

引用文献

1）北田亮：触覚認知の心理学．Clinical Neuroscience 32：183-186，2014
2）山鳥重，彦坂興秀，河村満，他(シリーズ編集)，岩村吉晃(著)：神経心理学コレクション―タッチ．医学書院，2001
3）Deibert E, Kraut M, Kremen S, et al：Neural pathway in tactile object recognition. Neurology 52：1413-1417, 1999

触覚性失認

A 基本概念

触覚性失認 tactile agnosia は，体性感覚(表在感覚である触覚・痛覚・温度覚および深部感覚である位置覚･振動覚など)が保たれているにもかかわらず，手で触った物が何であるのか認知できない状態である．触覚では認知できなくても，対象物を見たり，対象物から出る音を聞いたりすれば認知できる．また，触覚認知ができても，触っている対象物の名称が言えない状態を**触覚性失語 tactile aphasia** と呼び，触覚性失認とは区別する．

B 触覚性失認の分類

広義の触覚性失認は，**一次性認知障害**と二次性認知障害に分類される[1]．一次性認知障害には，素材弁別(重量・粗滑・硬軟・材質)の障害である素材失認 ahylognosia と，形態弁別(平面および立体的形態の把握)の障害である形態失認 amorphognosia がある．**二次性認知障害**では，素材弁別や形態弁別は保たれているにもかかわらず対象物の認知ができない．狭義の触覚性失認は，この二次性認知障害の状態を指し，触覚性失象徴 asymbolie tactile，純粋立体失認 pure astereognosia とも呼ばれる．

近年，視覚性失認と同様に，触覚性失認を**統覚型**と**連合型**の2つに分類することがある．統覚型は一次性認知障害，連合型は二次性認知障害とほぼ同じ状態を示す(図 5-3)．

Caselli[2] は，触覚，痛覚，振動覚，位置覚，触2点弁別を「基本的体性感覚」，触覚消去現象，重量，粗滑，大小，形態，素材の弁別を「中間的体性感覚」，物品の同定，カテゴリー分類を「触覚性対象認知」として大きく3つに分類している．触覚消去現象とは，触覚刺激が左右の一側に提示されると知覚できるが，両側同時に提示されると一側しか知覚できない現象である[3]．狭義の触覚性失認(連合型触覚性失認)では，基本的体性感覚および中間的体性感覚の障害はないか軽度で，主に触覚性対象認知が障害される．

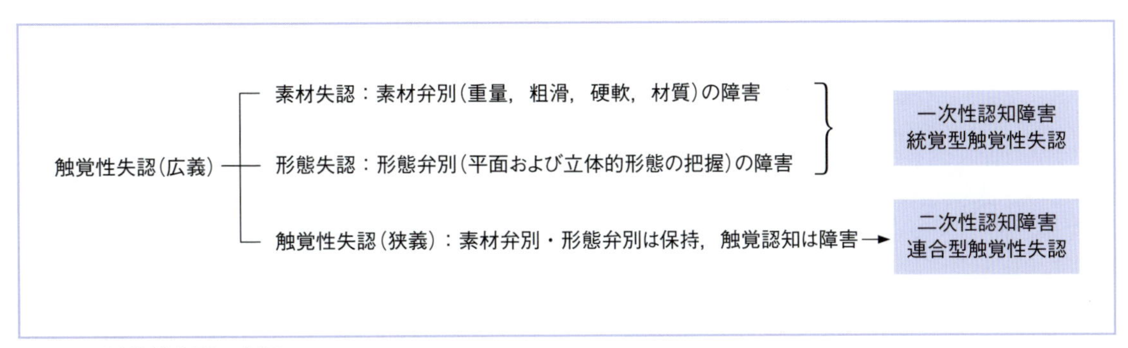

図 5-3　触覚性失認の分類

C 症状

触覚性失認は，左右どちらか一方の手に出現する場合と，両方の手に同時に出現する場合がある．

日常生活場面では，患側の手で暗い場所やポケットの中の物品を探す，手元を見ないで作業するといった限られた条件下でないと障害が現れにくい．そのため障害があっても患者自身が気づいていないことがある．また限局した病巣によって生じるため，触覚性失認の症例報告はきわめて少ない．

統覚型触覚性失認では，手で触った物品の素材・形態の口述や異同弁別，マッチングが障害され，物品の名称を答えることもできない．一方，連合型触覚性失認では，物品の素材・形態について正しく口述し，異同弁別やマッチングはできるが，物品の使い方を口頭や身振りで表現できず，物品の名称を言えない．たとえば，両手の連合型触覚性失認例では，はさみを触って「2つ穴があいてて，ボツボツがあって……わからない」と形態の口述はできるが，名称を言えなかった．またナイフを触って「櫛」と答えるなど，語性錯語も出現する[4]．

触覚性失認は通常，手の検査しか行われていないが，稀に足にも認められることがあり，足底でマットやスリッパ，靴などの触識別ができなくなる[5]．

D 病巣と発症メカニズム

触覚性失認の原因疾患は脳血管障害が多く，そのほか低酸素脳症や多発性硬化症，悪性リンパ腫による症例が報告されている．

触覚性失認の責任病巣は，統覚型触覚性失認では左縁上回から角回の一部(右手触覚性失認)[6,7]，左中心後回からSⅡ，後方頭頂皮質(右手触覚性失認)[8](図 5-4a)，連合型触覚性失認では左角回皮質・皮質下および右頭頂葉(右手触覚性失認，左手は感覚障害)[9]，右中心後回と縁上回(左手触覚性失認)[10]，左縁上回と角回の皮質下および右角回皮質下(両手触覚性失認)[4]，右頭頂葉深部白質(左手触覚性失認)[11](図 5-4b)が報告されている．

右半球損傷による両手触覚性失認も報告されているが，左半側空間無視や注意障害が右手の触覚認知に影響を及ぼしている可能性があり，一側病変による両手触覚性失認の存在には否定的な立場もある[12]．

中心後回に限局した病変では触覚性失認は生じず，対側の特に上肢遠位部で，強い要素的感覚の障害を生じることがある．しかし重量感覚，触覚

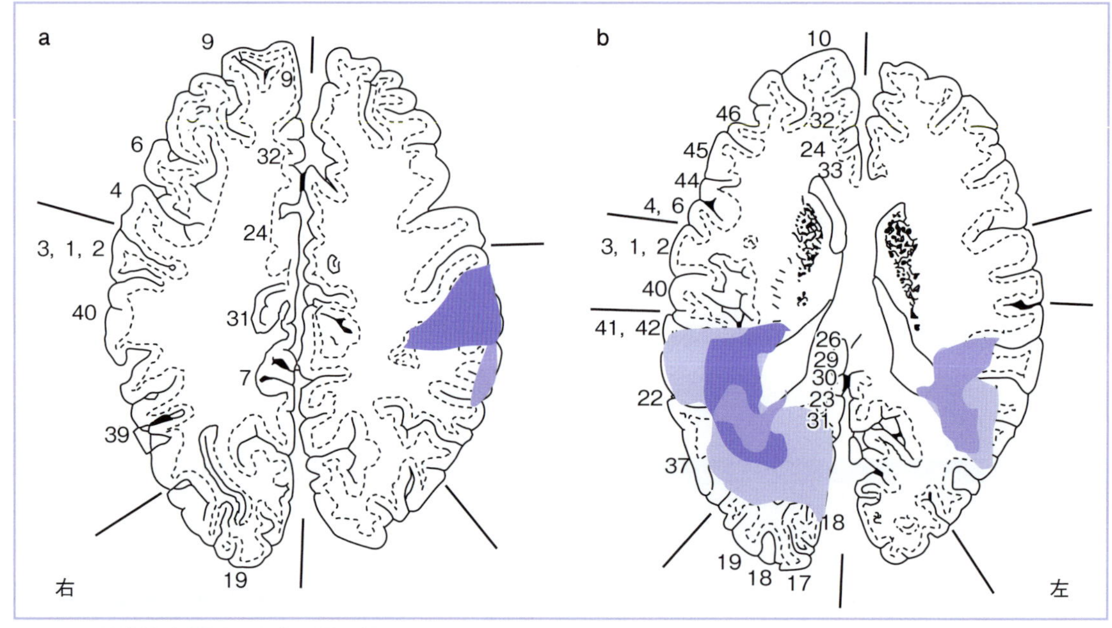

図 5-4　触覚性失認例の病巣の重ね描き

a：統覚型触覚性失認 2 例
b：連合型触覚性失認 3 例
病巣は本文参照．数字はブロードマン Brodmann の脳地図による番号を示す．

定位，触 2 点弁別の障害とは局在的対応はない．また中心後回の病変により，手指の巧緻動作が低下することがある[13]．

触覚性失認の病巣と発生機序の関係についてはさまざまな説がある．SⅡおよび頭頂葉後方の皮質損傷例では，体性感覚のさまざまな知覚情報を物体のイメージに統合する過程の障害[6, 7]や，触覚固有の表象障害[10]によって触覚性失認が出現したと推測されている．また頭頂葉角回皮質下の弓状束・下縦束を含む損傷例では，体性感覚連合野から視覚系を経て側頭葉下部の意味記憶領域に至る経路が，角回皮質下で離断し，触覚性失認が出現すると考えられている[4, 9, 11]（図 5-5 の影の部分）．

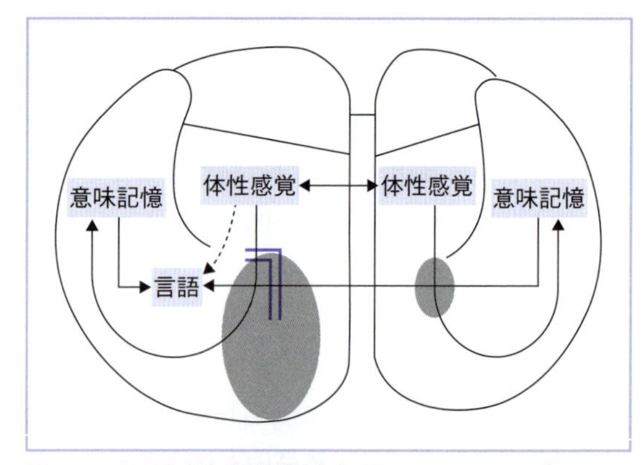

図 5-5　両手連合型触覚性失認の Endo のモデル

影の部分は Nakamura らの症例の病巣を示す．連合型触覚性失認では，物品の素材や形態について口述はできる（点線矢印）が，物品の認知や呼称ができない（実線矢印）．
左角回深部の二重線は両手触覚性失語の病巣を示す．
〔Nakamura J, et al：Bilateral tactile agnosia；A case report. Cortex 34：375-388, 1998〕

E　触覚性失語

左手の**触覚性失語（触覚性呼称障害）**は脳梁離断症状の 1 つで，右手で触った物品の呼称はできるが，左手では触覚呼称ができない．これは右手（左半球）の触覚認知情報は左半球へ伝達され言語化できるが，脳梁の幹から膨大前部の損傷により，左手(右半球)の触覚認知情報が左半球に伝達されないために生じる(➡第10章3節，203頁を参照)．また**両手の触覚性失語**は，左角回深部の脳梁放線を含む病巣により，左手(右半球)の触覚認知情報が左半球の言語中枢に伝わらないと同時に，右手(左半球)の触覚認知系内部の離断が加わって生じると考えられている[9](図5-5の二重線)．

引用文献

1）大橋博：臨床脳病理学．pp336-348，医学書院，1965
2）Caselli RJ：Rediscovering tactile agnosia. Mayo Clinic Proceedings 66：129-142, 1991
3）加藤敏，神庭重信，中谷陽二，他(編)：現代精神医学事典．p499，弘文堂，2011
4）Nakamura J, Endo K, Sumida T, et al：Bilateral tactile agnosia；A case report. Cortex 34：375-388, 1998
5）田中尚，難波忠明，大西慶彦，他：足のみの触覚失認を認めた一例．神経心理学 29：311，2013
6）Reed CL, Caselli RJ：The nature of tactile agnosia；A case study. Neuropsychologia 32：527-539, 1994
7）Reed CL, Caselli RJ, Farah MJ：Underlying impairment and implications for normal tactile object recognition. Brain 119：875-888, 1996
8）Bohlhalter S, Fretz C, Weder B：Hierarchical versus parallel processing in tactile object recognition. Brain 125：2537-2548, 2002
9）Endo K, Miyasaka M, Makishita H, et al：Tactile agnosia and tactile aphasia；Symptomatological and anatomical differences. Cortex 28：445-469, 1992
10）Platz T：Tactile agnosia；Casuistic evidence and theoretical remarks on modality-specific meaning representations and sensorimotor integration. Brain 119：1565-1574, 1996
11）加茂力，高橋洋一，佐々木浩三，他：左手の触覚失認を呈した多発性硬化症の1例．神経心理学 19：184-189，2003
12）中川賀嗣：触覚失認とその周辺．鹿島晴雄，大東祥孝，種村純(編)：よくわかる失語症セラピーと認知リハビリテーション．pp415-424，永井書店，2008
13）武田克彦：体性感覚野の症候学．神経進歩 35：983-989，1991

3 触覚性認知障害の評価

触覚認知の検査(表5-1)を行う際，意識や注意の障害・知的低下・中等度以上の失語症があると，正確な判定は困難である．また触覚での探索行為を妨げる運動麻痺や不随意運動がないか，コインなど小さな物品をつまんで持つ際の手指の細かな動きを含めて観察する．触覚認知の検査には，①要素的感覚，②複合感覚，③素材弁別，④形態弁別，⑤物品認知の5種類がある．以下にそれぞれについて説明する．

検査を行う際は，物品が立てる音から何であるのか気づかれないよう，机上に防音布を敷き，ついたてを用いる．目隠しは被検者が疲労するので避けたほうがよい．明らかな運動障害や感覚障害がなければ，③素材弁別，④形態弁別，⑤物品認知の検査を左右おのおのの手で行い比較する．③素材弁別，④形態弁別，⑤物品認知の検査は標準化されていないため，患者と同年代の健常者複数名を統制群として同じ検査を行い，患者の成績と比較する必要がある．

A 要素的感覚の検査

- **触覚**：手指や手掌に毛筆などで軽く触れたり触れなかったりして，触ったかどうか答えてもらう．
- **痛覚**：安全ピンやピン車で皮膚を軽くつついて，痛みの有無を調べる．
- **温度覚**：40〜45℃程度のお湯と10℃程度の冷水を入れた試験管を，手指や手掌に3秒ぐらい密着させて，「温かい」か「冷たい」かを判定させる．
- **位置覚**：検者の母指と示指で被検者の手指を側

表 5-1　触覚認知の検査

検査の種類			方法
要素的感覚	表在覚	触覚 痛覚 温度覚	毛筆などで軽く触れる. 安全ピンやピン車で皮膚を軽くつつく. お湯と冷水で「温かい」「冷たい」を判定.
	深部感覚	位置覚 振動覚	手指が上下のどちらに動いたか答える. 音叉を振動させ手指の爪に当てる.
複合感覚	触覚定位		手掌の1点に触れてその場所を定位する.
	触2点弁別		触覚用ノギスなどを用いて触覚弁別閾値を測定.
	皮膚書字試験		手掌に数字や仮名，記号を書いて当てる.
素材弁別	重量の弁別		同じ形で重さが異なる分銅4種類の重さを比較.
	粗滑の弁別		サンドペーパー4種類の粗さを比較.
	材質の弁別		異なる素材のなかから見本と同じ素材を同定.
形態弁別	平面図形の弁別 立体の形態把握		5種類の図形から見本と同じ図形を同定. 物品を触ってその絵を描く.
物品認知	触覚呼称ほか		呼称や用途の説明，使用法の身振りを調べる.
	意味的連合検査		3つの物品のなかから関係のある物品を2つ選択.

面から軽くつかみ，被検者の手指を手背・手掌側に伸展・屈曲させて，背面に伸展させたら「上」，手掌に屈曲させたら「下」と答えてもらう.

- **振動覚**：振動数の少ない音叉(C0128)を振動させ，手指の爪に当てて，振動を感じるかどうか聞く[1].

B 複合感覚の検査

- **触覚定位検査**：検者が被検者の手掌の1点に触れて，その場所を反対の手の指で示してもらう．手掌上の異なる場所について行い，検者が触れた場所を定位できるかどうかみる.
- **触2点弁別**：触覚用ノギスやコンパスを用いて行う．2点間の距離を0〜6 mmの7段階でランダムに変化させ，2点同時に被検者の指腹部に当てる．被検者に，刺激が1つに感じるか2つに感じるかを答えさせて，2点の刺激を1点と感じる弁別閾値(正反応率が50%になる距離)を測定する．健常成人の示指での弁別閾値は2.2 mmである[2].
- **皮膚書字試験**：マッチ棒など先端が尖っていない物を用い，被検者と同じ向きで手掌に数字や仮名，○△×を書いて答えてもらう[1].

C 素材弁別の検査

- 重量の弁別：形が同じで重さの異なる4つの分銅を用い，4つのなかから2つずつ組み合わせて提示し，重いほうを選ばせる.
- 粗滑(表面の粗さ)の弁別：粗さが微妙に異なる4枚のサンドペーパーを用い，4枚のなかから2枚ずつ組み合わせて提示し，手指で触って粗いほうを選ばせる.
- 材質の弁別：5種類の皮革(牛革，豚革など)や5種類の布(絹，タオル地など)，7種類の素材(プラスチック，金属，ガラスなど)を用いて，

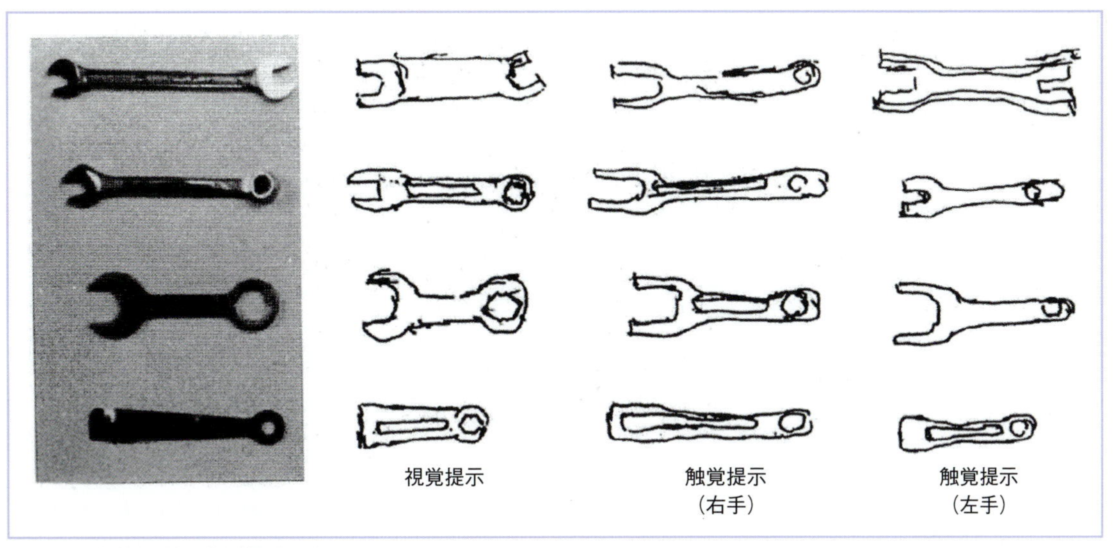

図 5-6　立体図形の弁別検査の例

形の異なるスパナを袋に1本ずつ入れて，触ってその絵を描き，次に同じスパナを見て絵を描く．
〔Nakamura J, et al：Bilateral tactile agnosia；A case report. Cortex 34：375-388, 1998〕

見本と同じ物を選択肢のなかから選ばせる[3,4]．

D 形態弁別の検査

- 平面図形の弁別：厚紙やプラスチック平板を切り抜いてつくった5種類の図形(円，半円形など)を提示し，見本と同じものを選んでもらう．
- 立体の形態把握：物品を袋に入れて触らせ，その物品の絵を描画させるといった方法を用いる[4] (図 5-6)．

2次元パターン(平面図形)よりも3次元物体(日用品)のほうが，さまざまな素材特性(材料や温度など)の感覚情報が加わるので，認識しやすい傾向がある．

E 物品認知の検査

要素的感覚，素材弁別，形態弁別の検査で明らかな異常がなければ，実際に物品の触覚性認知が可能かどうか検査を行う．

- 触覚呼称ほか：通常触って何であるのかがわかり，片手に収まりやすい物品(鉛筆，スプーン，櫛など)を用いて，呼称や用途の説明，使用法の身振りを調べる．ただし，触覚性失語や失行症を合併していると，認知はできても呼称や身振りができない場合があるので，物品の意味的連合検査を行う．
- 物品の意味的連合検査：3つの物品のセット(短い鉛筆・消しゴム・ようじ，栓抜き・500円玉・ビールの栓など)を触って，3つのなかから関係のある物品を2つ選んでもらう(図 5-7)．個々の物品が何であるのか認知できれば，この課題は可能である．同じ物品について触覚提示と視覚提示の2条件で検査を行い比較する[7]．

触覚性失認があると，視覚では物品の呼称も**意味的連合検査**も可能であるが，触覚では両方の検査で低下が認められる．一方，触覚性失語の場合，視覚でも触覚でも物品の意味的連合検査は可能で，視覚呼称も可能であるが，触覚呼称のみ障害される[4]．

従来，素材や形態の弁別に障害があれば物品の触覚認知にも障害があると考えられていた．しかし2次元や3次元の形態認知に障害があるにもかかわらず，日常物品の触覚認知が可能な症例が報告されている[5]．素材や大きさ(長さ)の認知，熟知した日用品を持つ際の手の運動パターンなど形態認知以外の情報から対象物の触覚認知が成立しているか，または形態認知と日用品認知の検査間に難易度の差があるためと考えられる．

図5-7　物品の意味的連合検査の例
栓抜きと栓を選択すれば正答．

引用文献

1）田崎義昭，斎藤佳雄：ベッドサイドの神経の診かた第18版．南山堂，2016
2）Nakamura J, Endo K, Sumida T, et al：Bilateral tactile agnosia；A case report. Cortex 34：375-388, 1998
3）Caselli RJ：Rediscovering tactile agnosia. Mayo Clinic Proceedings 66：129-142, 1991
4）Endo K, Miyasaka M, Makishita H, et al：Tactile agnosia and tactile aphasia；Symptomatological and anatomical differences. Cortex 28：445-469, 1992
5）Kubota S, Yamada M, Satoh H, et al：Pure Amorphagnosia without Tactile Object Agnosia. Case Rep Neurol 24：62-68, 2017

4 リハビリテーション

触覚性失認は報告そのものが少なく，障害があっても，暗い場所で手探りの作業をするといった特殊な条件下でなければ視覚によって代償できるので，そのリハビリテーションに関する報告もきわめて少ない．

触覚性失認の治療法には，治療的アプローチと適応的アプローチがある[1]．

治療的アプローチでは，感覚機能の潜在的回復を促進する**感覚再訓練**を行い，動く刺激から静止した触覚刺激の把握へと段階的に訓練を進める．具体的には指先の皮膚への感覚入力から始め，動く刺激，静止した触覚刺激の把握と進める．

適応的アプローチでは代償を目的とし，まず障害の理解を深め，視覚などほかの感覚や健側の触覚を用いる，体験記憶からトップダウンに認知を促進するといった訓練を行う．たとえば，個人的な思い出と結びつけることで物体の認知を促進する．

視覚性失認に対する代償的アプローチでは，“どこ”経路を利用して“なに”経路(対象物の認知)の処理を促す方略が用いられる．この方法は空間的定位能力を使用して対象を同定しやすくしたり，空間的位置関係や形状的特徴から対象の判断材料にしたりする[2]．体性感覚においても，“なに”経路(**腹外側経路**)と“どこ”経路(**背内側経路**)で並列処理が行われ，前者では意味づけの処理がされ，後者は触覚や動作の視空間的操作に関係すると考えられている．腹外側経路の損傷例は対側上肢に連合型触覚性失認を呈し，背内側経路の損傷例では急性期，一過性に基本的体性感覚，中間的体性感覚および触覚性対象認知の障害が認められたと報告されている[3]．視覚性認知と同様に触覚認知にも2つの経路が存在するならば，この方法は有効であるかもしれない．

最近では，触覚性失認の症例に対して，**経頭蓋**

直流電気刺激法 Transcranial Direct Current Stimulation (tDCS) を併用した神経心理学的リハビリテーションが有効であったとの報告もある[4].

引用文献

1) Barbara Z(著), 河内十郎(監訳):失行・失認の評価と治療. pp110-114, 医学書院, 2001
2) 酒井浩, 種村留美, 高原世津子:失認症. 鈴木孝治, 早川裕子, 種村留美(編):リハビリテーション介入(高次脳機能障害マエストロシリーズ 4). pp54-62, 医歯薬出版, 2006
3) Caselli RJ : Ventrolateral and dorsomedial somatosensory association cortex damage produces distinct somesthetic syndromes in humans. Neurology 43 : 762-771, 1993
4) D'lmperio D, Avesani R, Rossato E, et al : Recovery from tactile agnosia : a single case study. Neurocase 22 : 1-11, 2019

参考文献

• 北田亮, 村田哲, 遠藤邦彦, 他:触覚認知. Clinical Neuroscience 32 : 183-194, 2014

第 6 章

身体意識・病態認知の障害

学修の到達目標

- ゲルストマン症候群の 4 症候と責任病巣を説明できる.
- ゲルストマン症候群の訓練，指導，支援を説明できる.
- 病態失認の症状と責任病巣を説明できる.
- 病態失認の訓練，指導，支援を説明できる.

エピソードと臨床的推論の視点

A さん(70 歳代，女性)は，右中大脳動脈領域の脳梗塞により左上下肢の重度の運動麻痺と感覚障害を合併していた．日常会話に問題はないが，視線や頭部は右側へ偏位していることが多く，言語聴覚士と目を合わせることが少なかった．身体の調子を尋ねると「心臓が悪い」と答えるものの，麻痺した左上下肢に言及した応答がみられなかった．そこで，「左手は動きますか？」と左上肢の運動麻痺に言及した質問を行うと，「左手は普通に動きますよ」と自己の麻痺には気づいていなかった．さらに A さんの左手を右手で持たせて麻痺していることを指摘すると，「動きます，動くのでどこも悪くないです」と自己の麻痺を否認した．病棟では車椅子に座っていても，立ち上がって歩こうとして，しばしば転倒しかけることがあった．

以上のことから，言語聴覚士は，A さんは自己の左上下肢の麻痺にはまったく気づいておらず，麻痺があることを指摘しても否認することから病態失認があると推測した．

身体図式

身体図式 body schema の定義には諸説あるが，「自己の身体の空間的特徴に対する無意識的な認知能力」[1)] と一般的に定義されている．身体図式が形成されるためには，視覚や聴覚，体性感覚，平衡感覚などのあらゆる感覚情報が中枢神経系を上行し頭頂葉で統合されることで，自己の身体を認識することが必要となる．この身体図式により，自分の手足などの身体の各部位がどこにあるか，自分の身体がどのような状態となっているのか正しく認知することができる．

しかし，脳が損傷されると，中指はどれか尋ねられても答えられなかったり，自分の左半身が麻痺していることに気づいていない患者に遭遇することがある．このような身体図式の障害により，自分の身体について正しく認知することができない状態を身体意識の障害，あるいは身体失認という．身体失認には身体の言語的な要因との関連が強い**両側性身体失認**と，身体の空間的な要因との関連が強い**片側性身体失認**に分けられる．両者は，身体図式の障害として類似する症候ではあるが，そのメカニズムはかなり異なり，明確に区別すべきと考えられている．

身体失認は，主に頭頂葉の病変で生じるとされており，左半球が損傷された場合には両側性身体失認が生じ，右半球が損傷された場合には片側性身体失認が生じることが多い．さらに，左半球損傷によって生じる両側性身体失認のなかに，身体部位失認やゲルストマン症候群の徴候である手指失認や左右障害がある．一方，右半球損傷によって生じる片側性身体失認のなかに半側身体失認や片麻痺に対する病態失認がある．

引用文献

1）村山尊司：第 6 章 身体失認，病態失認．吉尾雅春，森岡周，阿部浩明(編)：神経理学療法学第 2 版．pp154-161，医学書院，2018

 ゲルストマン症候群

ゲルストマン症候群 Gerstmann syndrome は，①**手指失認**，②**左右障害**，③**失算**，④**失書**の 4 症候からなる症候群である．ゲルストマンは 1927 年にこの 4 症候が同時に生じることと，左頭頂葉後部の損傷によって生じることを報告し[1]，以後，この 4 症候の組み合わせをゲルストマン症候群と呼んでいる．

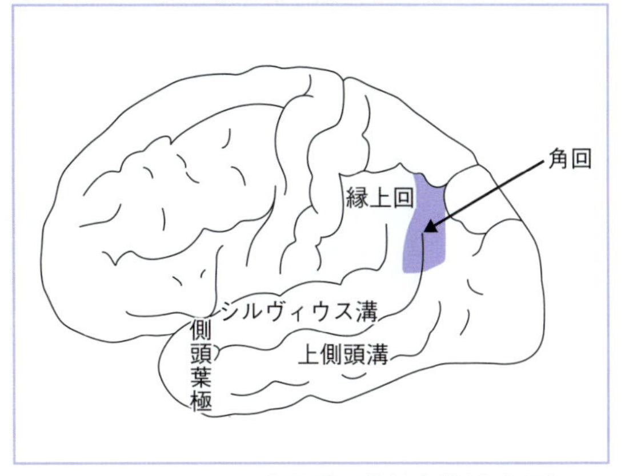

図 6-1　ゲルストマン症候群の責任病巣(左角回)

A 原因

ゲルストマン症候群は，脳梗塞や脳出血，脳腫瘍によって左頭頂葉後部が損傷された場合に発症することが多い．同じ脳損傷でも頭部外傷で発症することは稀である．また，子どもに発症する場合は発達性ゲルストマン症候群と呼ばれているが，発達障害と症状が似ているために見分けがつきにくく，その原因はまだよくわかっていない．文字の読み書きや計算ができず，学校生活についていけなくなって見つかることが多い．

B 責任病巣

責任病巣は**左角回**を中心とした部位である(図 6-1)．この部位は中大脳動脈の最末端である角回動脈に灌流される領域であり，梗塞が単独で生じやすい場所である．また，出血すると皮質下出血の形をとることが多い．これ以外の病巣では，左前頭葉の病変によるゲルストマン症候群の報告例[2]が散見されるが，失語性要因が強く，比較的短期間のうちに消失することが特徴であり，左角回病変によって発症する場合とは，質的に異なる可能性があるという意見も多い．

角回は，後方に脳梁膨大と体部の中間が見えるスライスの側脳室後脚の延長上に位置し[3]，そこに病巣を認める(図 6-2)．

C 発現頻度とメカニズム

左角回を中心とする病巣が重要であり，病変が前方にずれれば失語症が，後方にずれれば失読が生じることが予測される[4]．

4 症候すべてがそろって出現する頻度は 17〜21％と少なく[5]，むしろ，単独や，部分的な組み合わせで出現するほうが多い．近年，頭頂葉性失読失書や孤立性失計算などの各症候が単独で発症したとする報告例もあり，今後は症候がそろうかどうかよりも，それぞれの責任病巣が詳細に検討されていくと思われる．

4 症候の基底にある身体図式障害として，①手指や左右の認知に必要な身体的位置関係の障害，②言語から想起される視覚的イメージの障害，③

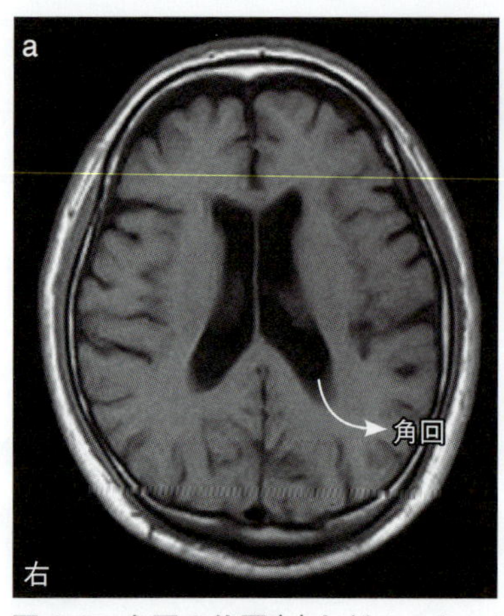

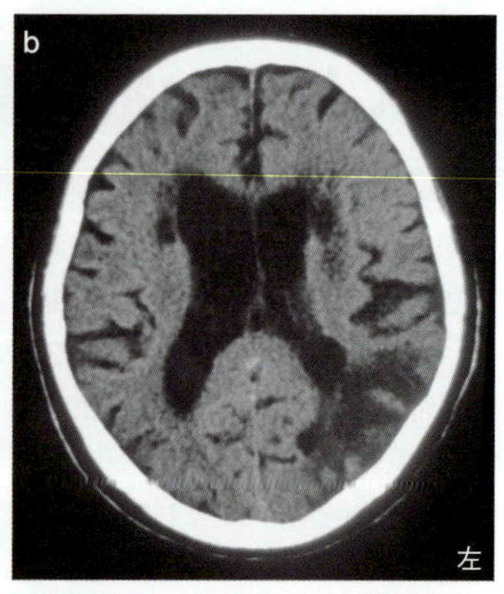

図 6-2 角回の位置(a)とゲルストマン症候群を呈した患者の CT 画像(b)

a：正常画像．左側脳室後脚の延長上"ハの字の払い"に角回が位置する．
b：脳梗塞

心的イメージの生産および操作の障害が考えられている[6,7]．

D 症候

1 手指失認

手指失認 finger agnosia は，身体部位失認の一症候とされ，左右いずれの手指にも出現する両側性の障害である．自分および他者の指の呼称ができないといった指の呼称障害と，「人差し指を出してください」と命じてもその指を出すことができないといった指の選択的障害が含まれる．特に臨床場面では示指，中指，薬指が困難となることが多いので，評価の際には留意したい．ゲルストマン自身は，左右の概念は手から始まること，計算の基本は10本の指の勘定が基盤となっていること，書字は指を使って行うものであることから，4症候のなかでも手指失認が最も中核的な症候と考えていた．

2 左右障害

左右障害 right-left disorientation では，患者自身あるいは他者の身体の左右の違いを認知できず，空間的な位置関係の把握が困難となる．左右の指示を理解することが困難となって間違えたり，判断に時間がかかったりする．Benton[8]によると，左右障害には，①「右」「左」という言語的ラベルの理解に関する言語性要因，②右手は左手よりも使いやすいといった感覚的な左右の識別に関する感覚性要因，③左右の相対的な概念性要因，④心的回転 mental rotation などの視空間性要因があり，自己の左右認知には，言語性要因と感覚性要因が関与し，他者の左右認知には，概念性要因と視空間性要因が関与しているという．一方で左右認知の混乱は，しばしば正常人でも見られ，特に女性に多いといわれる．また発達学的に左右の弁別が可能となるのは6歳ごろとされている．

3 失算

脳損傷によって計算能力が障害されることを失算 acalculia という．失算は，意識障害，認知症，失語，失読，失書，半側空間無視，視空間認知障害などさまざまな高次脳機能障害によって出現する．入院中は計算の必要性が少ないため，失算は見落とされやすい．また計算能力には種々の能力が必要であることから，失算の内容は多彩である．山鳥[9]は，①数字の理解・表出が障害され数字の概念がわからない失象徴性失算 asymbolic acalculia，②数の概念は障害されないが，計算の概念が障害され，繰り上げ，位取りなどの障害がみられる失演算 anarithmetria，③主に筆算に認められ，構成障害により数配列が混乱した計算になる視空間性失算 visuospatial acalculia，④左視野のみに入力された計算ができない左一側性失算に分類している．

ゲルストマン症候群の失算は失演算が多いが，重度の場合には，数の概念が障害される失象徴性失算を呈している場合もあり，どちらに属するのか明確な回答は得られていない．

責任病巣は，①失象徴性失算や②失演算は，左角回上部から上頭頂小葉下部付近の病巣，③視空間性失計算は右半球中心回後方の病巣，④左一側性失算は脳梁と推定されている．

4　失書

失書 agraphia は，錯書が前面に出る失語性失書，文字形態がうまくまとまらずに崩れる構成失書の両方がみられることが多い．自発書字や書き取り，写字などで障害がみられるが，自発書字に比べて写字のほうが障害が軽い場合が多い．失書に関しては，視覚入力による情報と聴覚入力による情報が左角回で統合されるという考えがある．また，機能的 MRI(fMRI)や脳磁図(MEG)などの所見から，角回・縁上回を中心とする部位で書字の機能があることが示されている．

純粋失書の責任病巣である左上頭頂小葉も近く，角回を中心とした損傷によるゲルストマン症候群が失書を併せもつことは容易に考えられる．

E　鑑別すべき失語症との関連

ゲルストマン症候群を示す症例のほとんどは失語症を合併していることが多く，特に感覚性失語や失名詞失語を合併することが多い．4 症候のなかでも特に手指や左右の認知には，言語機能がかかわっているため，ゲルストマン症候群およびその部分的症候と診断できるのは，物を見て名前が出てこない呼称障害や，言いたい言葉が出てこない喚語困難があっても軽度の失名詞失語患者の場合である．中等度以上の失語症では，その言語障害のために明確な診断が困難となる場合が少なくない．

F　評価・診断

1　系統的検査

ゲルストマン症候群を評価する標準化された検査はない．標準化されている検査の下位項目のうち，4 症候に関連する項目を選択したものとして，種村[10]のゲルストマン症候群関連症状検査がある(表 6-1)．この検査は，4 症候に関連する検査項目に加えて，手指の認知と模倣に関連する「手指の肢位模倣」，左右の判断のみならず“向こう側”や“ひっくり返す”といった空間的操作に関連する「空間概念」の項目を含んでいる．

2　左右認知

左右認知の検査は，身体部位とともに左右を問う課題を行うほうがよいとされている．検査には，自分自身の身体部位の左右を口頭で問う方法と，向かい合う検者の身体部位を口頭で問う方法がある．向かい合う検者の左右を判断するには，

表 6-1 ゲルストマン症候群関連症状検査

1. 手指の定位「いま触っている指は？」
1. 右手中指 2. 右手親指 3. 右手示指 4. 右手小指 5. 右手薬指
6. 左手薬指 7. 左手小指 8. 左手中指 9. 左手親指 10. 左手示指

2. 手指の肢位模倣
1. 右手示指を曲げてカタカナの「ク」をつくる
2. 左手親指と小指の先を合わせる
3. 左手中指と右手小指の先をつける
4. 左手示指と中指を合わせる
5. 右手の親指を回す
6. 右手のグーチョキパー
7. 左手のグーチョキパー
8. 右手で OK サイン
9. 左手で OK サイン
10. 両手で蝶の形

3. 手指認知「私が言った指はどれか？」
1. 右手中指 2. 左手小指 3. 左手薬指 4. 右手示指 5. 右手親指

4. 左右弁別テスト（Ayres の左右弁別）
1. 右手を出してください
2. 左耳を触ってください
3. この鉛筆を右手で取ってください
4. この鉛筆を私の右手に置いてください
5. この鉛筆はあなたの右側？ 左側？（左）
6. あなたの右目を触ってください
7. あなたの左足を見せてください
8. この鉛筆はあなたの右側？左側？（右）
9. この鉛筆を左手で取ってください
10. この鉛筆を私の左手に返してください

5. 身体部位認知
1. 左手 2. 左足 3. 右肘 4. 右耳 5. 右足首
6. 右目 7. 左肩 8. 左膝 9. 左手首 10. 右親指

6. 空間概念
1. 鉛筆を線の右に置く
2. コップを線の左に置く
3. 鉛筆をコップの向こう側に置く
4. コップをひっくり返す
5. コップの上に鉛筆を置く

7. 計算
1. 筆算 ① 65 ＋ 2 ② 195 ＋ 78 ③ 58 －14 ④ 263 － 74
⑤ 32 × 4 ⑥ 218 × 73 ⑦ 2)24 ⑧ 12)252
2. 暗算 ①100 － 7 ②93 － 7 ③5 ＋ 3 ④10 ＋ 24
3. 九九 ①5 × 2 ②3 × 5 ③6 × 7 ④9 × 9
4. 計算機の使用 可 不可 そろばんの使用 可 不可

8. 書字
1. 書取 ①本 ②仕事 ③教科書 ④バイオリン ⑤今日は雨が降っています
2. コピー ①本 ②仕事 ③教科書 ④バイオリン ⑤今日は雨が降っています
3. 自発書字

〔種村留美，他：身体失認の評価— Gerstmann 症候群を中心に．OT ジャーナル 31：1135-1139, 1997 より改変〕

心的回転 mental rotation が必要になり，自分自身の身体部位の左右を判断する方法と異なる点に注意したい．

臨床場面では，“左手を挙げる”，“右の耳を指さす”などの指示に正確に応答することができなかったり，とまどいが見られるなどの口頭で左右を問う検査で明らかとなるほか，“右手で左の耳を触る”などの 2 つの身体部位を含む少し難しい課題で症状がさらに明らかとなる．

系統的な検査として Benton[11] の言語性左右オリエンテーション検査がある（表 6-2）．この検査は自分の身体部位に関する 12 個の課題と，向かい合った人の身体部位に関する 8 個の課題の計 20 個からなる．正答の状況で評価を，A：正常

表 6-2 左右のオリエンテーション検査

自分の身体部位	1. 左手を出してください
	2. 右目はどれですか
	3. 左耳はどれですか
	4. 右手を出してください
	5. あなたの左手で，あなたの左耳を触ってください
	6. あなたの左手で，あなたの右目を触ってください
	7. あなたの右手で，あなたの右膝を触ってください
	8. あなたの左手で，あなたの左目を触ってください
	9. あなたの左手で，あなたの右耳を触ってください
	10. あなたの右手で，あなたの左膝を触ってください
	11. あなたの右手で，あなたの右耳を触ってください
	12. あなたの右手で，あなたの左目を触ってください
検査者の身体部位	13. 私の右目を指してください
	14. 私の左足を指してください
	15. 私の左耳を指しください
	16. 私の右手を指してください
	17. あなたの右手を，私の左耳にもってきてください
	18. あなたの左手を，私の左目にもってきてください
	19. あなたの左手を，私の右肩にもってきてください
	20. あなたの右手を，私の右目にもってきてください

正答で1点を与える

A. 正常型：総得点17点以上．かつ自分の身体部位の項目で1個以内の誤り．

B. 全般的障害型：総得点16点以下．かつ自分の身体部位の項目で2個以上の誤り．

C. 向かい合った人での障害型：総得点16点以下．かつ自分の身体部位の項目で1個以下の誤り．

D. 自分の身体部位での障害型：自分の身体部位の項目で2個以上の誤り．向かい合う人の項目で2個以内の誤り．

E. 規則的な左右の逆転型：採点法を左右で逆転したときに総得点17点以上．かつ自分の身体部位の項目で1個以内の誤り．

〔Benton AL(著)，田川皓一(訳)：左右のオリエンテーション．神経心理評価マニュアル．pp8-21，西村書店，1990より〕

型，B：全般的障害型，C：向かい合った人での障害型，D：自分の身体部位での障害型，E：規則的な左右の逆転型，の5つに分類する．

3 手指の認知

患者自身の両手を机上に広げさせ，検者が任意の順序で患者の指を1本ずつ指しながら，「この指はなんですか？」と質問して手指の名称を答えさせる課題と，「○○はどれですか？」と質問して患者に反応を求める課題を行う．左右それぞれの①親指，②示指，③中指，④薬指，⑤小指についてすべて行う．手指失認がある場合，手指の判断にとまどいがみられたり，慎重になったりするので，その反応も観察する必要がある．

系統的な手指の認知についてもBenton[12]の方法がある(図6-3)．A：開眼で検者が触れた手指の認知．B：閉眼あるいは手を見えなくして同時に検者が触れた手指の認知．C：閉眼あるいは手を見えなくして2本の指に触れた手指の認知．いずれも左右の各手指で10施行ずつ行い，口頭あるいは手の模式図で示し，その正答数で分類する方法がある．

4 計算能力

計算能力は，数をかぞえる，数の概念の検査・暗算・筆算が主たる検査である．石合[13]が作成した失算の検査には，これらの項目以外に演算記号の知識，数字の配列を加えた失算の項目をあげている(表6-3)．

また，数に関連する生活関連動作として，時計の読み取り，カレンダーや予定表などの日付，電話の使用，スマートフォンの使用，電子レンジのタイマーの操作，テレビのリモコン操作，計算機の操作，買い物などでのお金の勘定，ATMの操作，銀行窓口での書類の記入，貯金通帳の読み取り，交通公共機関の時刻表の読み取りなどがあげられる．加えて，自分の誕生日，電話番号，1週間の日数，1年の日数，ローマ数字など数に関連する知識などの検査をあわせて行うことにより，数に関連した具体的な生活障害が把握しやすくなる．

A：開眼で検者が触れた手指の認知	
右手：　　点	2→5→3→1→4→3→5→2→4→1
左手：　　点	1→4→2→5→3→4→1→3→5→2
B：閉眼あるいは手を見えなくして同時に検者が触れた各手指の認知	
右手：　　点	5→1→3→2→4→3→5→1→4→2
左手：　　点	2→4→1→5→3→4→2→3→1→5
C：閉眼あるいは手を見えなくして2本の指に触れた手指の認知	
右手：　　点	1・4→2・3→2・4→3・5→3・4→2・3→2・5→1・2→3・4→1・3
左手：　　点	1・3→3・4→1・2→2・5→2・3→3・4→3・5→2・4→2・3→1・4

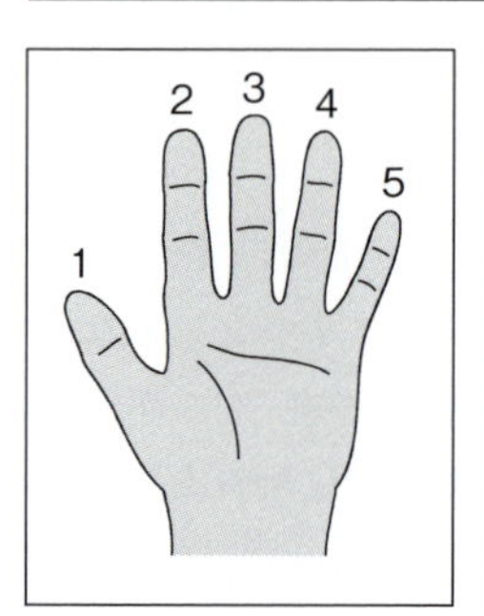

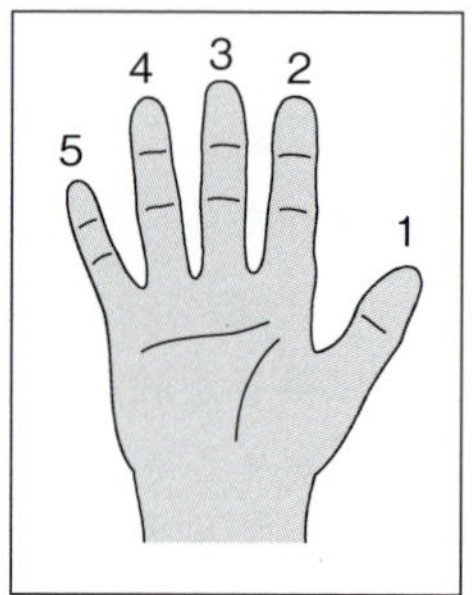

左右の手の模式図

この図を用いて，被検者は触られた手指を指さしてもよいし，その番号を言ってもよい．

図6-3　手指の局在認知（1：親指．2：示指．3：中指．4：薬指．5：小指）

〔Benton AL（著），田川晧一（訳）：手指失認．神経心理評価マニュアル．pp87-102，西村書店，1990より〕

5　書字能力

単語，短文，文，文章について，自発書字，書き取り，写字を行う．標準失語症検査（SLTA），標準失語症検査補助テスト（SLTA-ST），WAB失語症検査日本語版，実用コミュニケーション能力検査（CADL）には，書字能力の下位検査が含まれているのでそれらを利用する．

G　リハビリテーション

1　生活障害

ゲルストマン症候群による生活障害を考える場合，さまざまな生活場面で混乱をきたしている可能性がある．たとえば「手指失認」は，日常会話のなかで指の名前が頻繁に出てくることはないために大きな障害はないが，指の名前は手指の位置によって決まることから，その背後に「間」「角」「隅」などの空間的な位置関係を示す言葉の理解に混乱をきたしている可能性がある．また，「左右障害」は，左右の方向が理解できないこと以外に，「東西南北」などの方角や，「裏返す」「並べる」「平行に置く」など，ものの操作に伴う方向性を表す言葉の理解に混乱をきたしている可能性がある．加えて，位置関係や方向性が理解できないことにより，道具の操作においては，道具を正しく位置づけることが困難となったり，どちらの方向に動かしたらよいかわからないなど，自分の身体の位置関係や動かす方向，道具と自分の関係性に混乱を生じることもある．また，「失算」は計算ができないこと以外に，「電話番号」「テレビのリモコン操作」「お金の勘定」「gやℓなどの単位」「料理などでの〜個，〜杯，〜本」などの数で表される用

表 6-3　失算の検査

数の理解 1）数の大小：視覚的または聴覚的に与えられた数の大小 2）数字の音読 3）数字のポインティング 4）数字の書字 5）数字の写字
数える能力 1）1 から 20 まで数える，また，20 から逆に 1 まで数える 2）提示された点の数を数える
演算記号の知識 1）＋，－，×，÷の読み取りと書き取り 2）＋，－，×，÷の理解
数字の配列 異なる桁数の数字を縦に位取りに従って並べる
基本的四則演算 1）1 桁の加算 2）減数 3）1 桁の乗算 4）除数と答えが 1 桁の除算
計算 基本的四則演算の応用であり，繰り上がり，繰り下がりを要するものを含む暗算，または筆算の実施
WAIS-Ⅲの算数問題

語にとまどうこともある．特に「アナログ時計の読み取り」では，長針が示す「1」を「5（分）」と読み変えなければならないため混乱することが多い．「失書」は，文字が書けないこと以外に，作図や描画を困難にしている可能性がある．

このようにゲルストマン症候群を有する患者は，さまざまな生活障害をきたしている可能性があることから，患者個々の生活環境のなかで「どういった動作に，どのような障害があるか」を確かめてリハビリテーションに結びつける必要がある．

2　アプローチ

ゲルストマン症候群に対する系統的なリハビリテーションは確立していないが，主に**基礎的訓練**，**生活関連動作訓練**，**代償方法の獲得**などが生活障害の改善につながる．

a　基礎的訓練

左右障害に対しては，たとえば「お箸を持つ手が右」「腕時計をする手が左」というように左右を区別することを学習する．失算においては，小学校低学年用の算数ドリルを行うことで計算の再学習を行う．数の概念が障害されている場合には，おはじきと数字カードを用いて視覚的に理解しやすい段階から開始する．失書においては，漢字・ひらがなドリルを用いて文字をなぞる段階から開始し，模写書字，自発書字の順に段階づけて練習する．手添えで運筆のしかたを訓練したり，ビデオを見ながら練習する方法もある．近年，書字訓練用のアプリケーションをダウンロードできるようになっており，今後 IT 機器を用いた自主訓練も期待できる可能性がある．

b　生活関連動作訓練

日常生活において，お金の勘定，時計の読み取り，買い物など「数」が関連する動作や，はさみや爪切りなどの使用において，位置関係や方向性を判断しながら空間操作する道具は多い．訓練する際には患者の必要性に応じて内容を考え段階的にアプローチする．たとえばお金の勘定には，千円札や一万円札の区別が可能か確認し，提示された金額の読み取りや，指示された金額の支払い訓練を行う．また，道具の使用においては，道具の操作に伴う位置関係や方向性を表す言語指示はできるだけ避け，手を添えたり模倣などを組み合わせて正しい動作を誘導し，それを繰り返すことによって身体で憶えるよう促す．

c　代償方法の獲得

買い物や交通機関の利用などのお金の支払いには，支払う金額より大きい紙幣で支払ったり，IC カードを使用する．計算をするときは計算機を使用したり，文字を書くときにはパソコンを使用する方法もある．スマートフォンの使用では，電話帳に顔写真を登録して電話をかける．また，

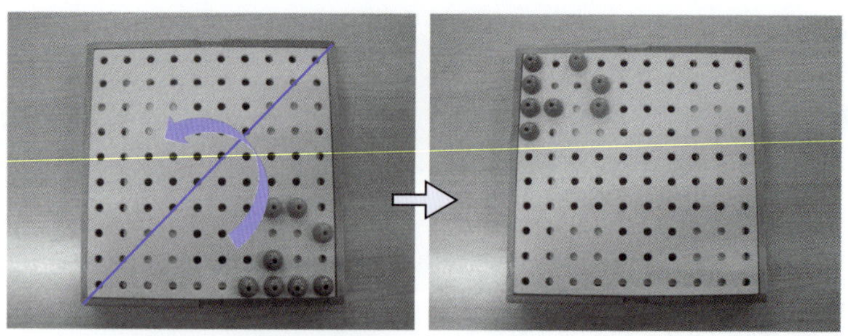

図 6-4　ペグを用いた鏡映し課題

挿してあるペグに対して，鏡映しになるようにイメージしてペグを挿す．段階づけとして，ペグの配置を近い方から遠い方へ位置づけたり，ペグの数を徐々に増やす．

時計の読み取りには，デジタル時計を使用することも有効である．ただしデジタル時計には12時間表記と24時間表記があるため，その理解度の確認も必要である．

3　その他

近年，ゲルストマン症候群の中核症状を，心的イメージと操作の障害と考える立場がある．左右や手指の認知には心的なイメージが必要であり，計算においては繰り上がりのある数を，頭のなかでイメージし演算するための操作が必要である．また，書字については文字の心的なイメージが保たれている必要があるというとらえ方である．このような心的イメージと操作の障害に対して，ペグを用いた鏡映し課題，左右回転文字課題，計算課題，地図回転課題など，心的回転 mental rotation と操作を含む課題を行うことが有用であるという報告[14]もある(図 6-4)．しかし，確実で系統的なリハビリテーションは，まだ確立されていない．

引用文献

1）Gerstmann J：Fingeragnosie：Eine umschriebene Störung der Orientoerung am eigen Köper. Wschr 37：1010, 1924.：Fingeragnosie und isolierte Agraphie：ein neues Syndrom. Z Gesamte Neurol Psychiatr 108：152, 1927〔坂東充秋，杉下守弘(訳)：解説．精神医学 24：665, 773, 1982〕

2）安藤喜仁，澤田幹夫，森田光哉，他：左中前頭回後部局所性梗塞により不全型 Gerstmann 症候群・超皮質性感覚失語を呈した65歳の男性．臨床神経 49：560-565, 2009

3）前田眞治：言語野の見極め方．脳画像．pp60-63，医学書院，2017

4）高橋伸佳：神経内科医・脳外科医が知っておきたい精神症状，徴候．神経心理学的症候群　ゲルストマン症候群．Clinical Neuroscience 31：1303-1304, 2013

5）Heimburger RF, Demyer W, Reiton RM：Implication of Gerstmann's syndrome. J Neurol Neurosurg Psychiatry 27：52, 1964

6）永井知代子，岩田誠：心的イメージ操作障害としてとらえられた Gerstmann 症候群．失語症研究 21：16-23，2001

7）Mayer E, Martory MD, Pegna AJ, et al：A pure case of Gerstmann syndrome with a subangular lesion. Brain 122：1107-1120, 1999

8）姉川孝，松田実，原健二，他：失語，手指失認を伴わずに左右障害をきたした左頭頂葉梗塞の1例．神経心理学 10：204-209，1994

9）山鳥重：計算能力と音楽能力の障害．神経心理学入門．pp252-256，医学書院，1985

10）種村留美，長谷川恒夫：身体失認の評価― Gerstmann 症候群を中心に．OT ジャーナル 31：1135-1139, 1997

11）Benton AL(著)，田川皓一(訳)：左右のオリエンテーション．神経心理評価マニュアル．pp8-21, 西村書店，1990

12）Benton AL(著)，田川皓一(訳)：手指失認．神経心理評価マニュアル．pp87-102, 西村書店，1990

13）石合純夫：高次神経機能障害．pp37-38，新興医学出版社，1997

14）村山幸照，尾関誠，小林勇矢，他：Gerstmann 症候群に対するリハビリテーションの試み．認知リハビリテーション 14：83-89, 2003

3 病態失認

明らかな病的状態があるにもかかわらず，自分自身の病的な状態を正しく認知できないことを病態失認 anosognosia という．病態失認は，高次脳機能障害のさまざまな症状に対して認めるものであり，半身性の病態失認と非半身性の病態失認に分類される．半身性の病態失認としては，片麻痺に対する病態失認のほかに，半側空間無視に対する病態失認がある．非半身性の病態失認としては，盲や聾に対する病態失認(アントン症候群)，ウェルニッケ失語における病態失認，健忘症に対する病態失認，同名半盲に対する病態失認，視覚性失認に対する病態失認がある[1] (図 6-5).

このなかで最もよく遭遇するのは片麻痺に対する病態失認であり，自己の運動機能の異常に気がつかないばかりか，その存在を否定するという Babinski の報告から Babinski 型病態失認とも呼ばれている．本項ではこれに焦点を当てる．

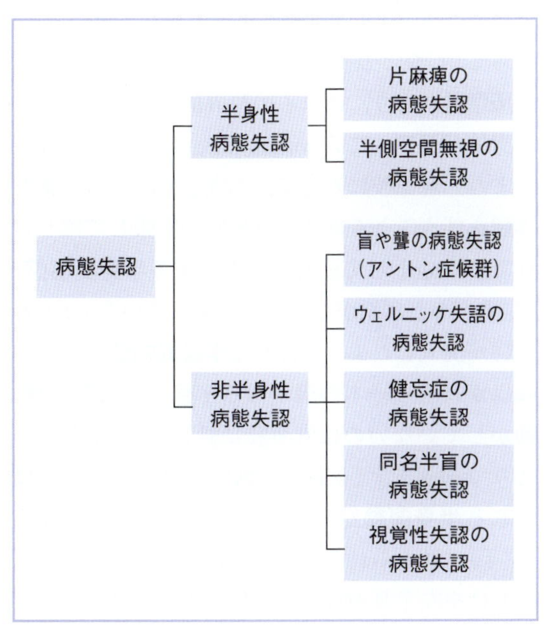

図 6-5 病態失認の分類

A 原因と発症時期

病態失認は，右半球の脳血管障害，特に脳梗塞の急性期に多い[2]．また脳腫瘍によって生じることもある(図 6-6)．脳血管障害の場合，急性期から亜急性期にかけて出現することが多く，慢性期まで遷延する患者は少ない．高齢や脳萎縮，対側半球にも病変を有する患者では回復が遅れる傾向があるとされる．

B 責任病巣

片麻痺に対する病態失認は右半球損傷でみられやすい．病態失認は，中大脳動脈領域の脳梗塞など病巣が大きい場合にみられやすいが，古くから右頭頂葉下部が注目されている．

Hécaen[3]は，縁上回・角回を含む右頭頂葉下部が病態失認の責任病巣であると報告している．森[4]は，病態失認を認めた症例と認めなかった症例で，障害部位の検討を CT 所見で行い，病態失認を認めた症例では右頭頂葉下部・上側頭回・下前頭回を含む病巣が多く，意識障害を伴う症例が多かったと報告した．Hier ら[5]は右頭頂葉下部・側頭葉・前頭葉の広範囲を責任病巣と考えており，Maeshima ら[6]は基底核・皮質下病巣も重要視している．

どの報告も右頭頂葉下部が含まれる頻度が高いが，片麻痺を否認する病態失認であるため，片麻痺をきたす病変が責任病巣を含む必要があることも考慮しなければならない．

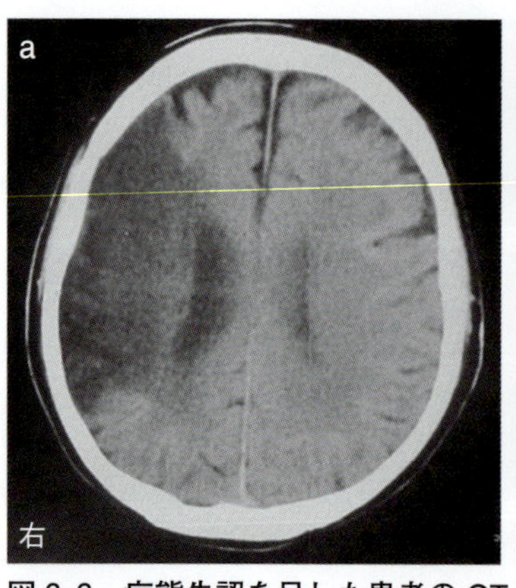

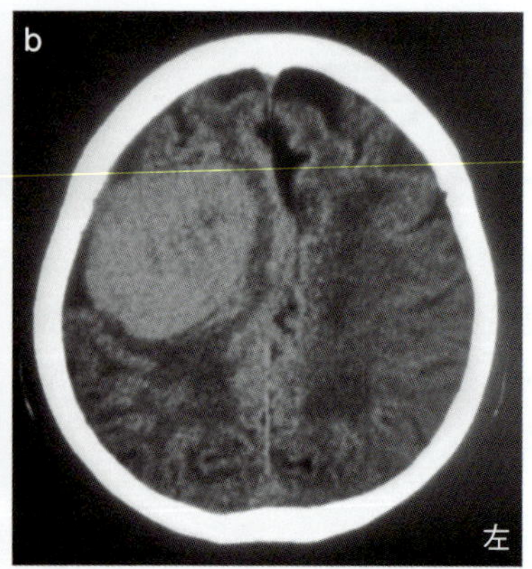

図 6-6　病態失認を呈した患者の CT 所見
a：右中大脳動脈領域の梗塞
b：右前頭葉の脳腫瘍

C　症状

1　病態失認

病態失認の中核的症状は，①**片麻痺の存在**，②**片麻痺に対する無視・無関心**，③**言葉による否認**の3項目からなる．

片麻痺の程度は，一般的に重度な運動麻痺を呈していることが多く，主に検者の質問によって症状が明らかにされるが，患者が自ら麻痺を自発的に否認することはほとんどない．否認の程度には段階があり，「左手は動く」「どこも悪くない」と主張する**片麻痺否認**，“手足を動かしてください”の指示に対して「動きます」というものの健側肢を上げたり，「一生懸命動かせば動く」などと取り繕い，麻痺肢の存在に気づいていないかのような返事をする**片麻痺無認知**，当初は片麻痺に気づかず否認をしているが，経過とともに「手足は動きません」などと片麻痺の存在は認識するものの，そのことに無関心になる**病態無関知**がある．

2　類縁症状

麻痺肢を否認することにとどまらず異常な判断，行動を伴うこともある．自分の麻痺肢に対して「自分の手ではない」「他人の手だ」と述べて麻痺肢を自分のものと認めない**非所属感**，「先生の手」「妹の手」などと他人のものと主張する**他人帰属化**，麻痺肢を「さと子」「私の赤ちゃん」と呼んで第三者のように扱う**擬人化**，麻痺肢を激しく叩いたり，「この手は邪魔ばかりする」「この手が憎たらしい」などと嫌悪感を表す言葉を浴びせる**片麻痺憎悪**があり，これらの特異的な状態を総称して**身体パラフレニア** somotoparaphrenia と呼ぶ．

また，麻痺肢に対して，幻覚とも呼べる異常な体験を伴うこともある．麻痺肢が膨張して感じられたり，縮小して感じられたりする**半身変容感**，「左手のなかに紙がたくさん詰まっている」などと異物が混入したように感じる**半身異物感**，麻痺肢のほかにもう一本の腕があると感じる**余剰幻視**，動かしていないのに麻痺肢に対して「左手が，ひとりで動きます」と勝手に動いているかのように感じる**半身運動幻覚**があり，ほとんどが麻痺手(左手)に認められることが多い．

もはや左半身が自分の身体図式に登場しなくなり，残っている右半身のみで身体図式を形成しているため，麻痺肢に対する作話的あるいは妄想的言動とも考えることができる．これは女性や高齢者が多く，重度の運動麻痺と感覚障害，脱抑制などを伴い，予後不良のことが多い．

D 合併症状

片麻痺に対する病態失認では，重度の運動障害，重度の感覚障害，半側空間無視を合併することが多い．そのほかに半側身体失認，消去現象，運動維持困難 motor impersistence，失見当識，記憶力低下などを合併する報告があり，特に半側身体失認を合併することが多いとされている．その一方で，全般的知能低下とは相関がないことや，半側空間無視を伴わない症例など，病態失認の独立性を示唆する報告も散見される．

E 評価・診断

病態失認は，基本的に患者の言動から診断する．したがって，意識障害があると診断は困難となるが，覚醒レベルがある程度高く，自発的開眼と言語性応答が可能であれば，その存在は診断することが可能である．病態失認の評価･診断には，自己の身体状況についてどのように感じているか直接的かつ具体的な面接によって聴取することが基本であるが，言葉で表現される認識とそれに伴う行動が一致していないこともあるために行動観察も必要である．また，病態失認を系統的に評価するさまざまな評価法や重症度スケールも提案されている．

1 面接

通常は自由な面接形式で診断されるが，たとえば「身体の具合はいかがですか？」「身体の調子はいかがですか？」などの一般的な質問から開始し，麻痺があるのに麻痺以外のことを訴えるようであるならば「手足の具合はいかがですか？」「手足はよく動きますか？」など，四肢に言及した質問をする．次に「左の手足は動きますか？」など，麻痺肢に言及した質問を続ける．

当然ながら患者の自覚症状はほとんどないので，質問に注意を払い患者の言動を詳細に観察することが必要である．いずれの質問に対しても麻痺肢に言及した応答がなければ病態失認と判断することが多い．

2 行動観察

片麻痺があることに言語的には気づいていても深刻感が感じられず，日常生活上も動かない麻痺肢に対して配慮しているようにみえないことがある．特に病態無関知においては，言語的には片麻痺の存在は認識しているような発言はみられるものの，麻痺肢に対して配慮していなかったり，歩けないのに「歩けます」といって立ち上がって転倒してしまうこともあるため行動観察も必要である．

3 系統的評価法

病態失認の系統的な質問による評価法として，Feinberg らの病態失認質問票や Cutting らの病態失認評価表，Berti らの上下肢別の病態失認評価法が報告されている．また，病態失認の重症度のスケールとしては，Bisiach らの重症度評価スケールが報告されている．

1）Feinberg らの病態失認評価法[7)]

左空間に垂れ下がった左手を見させ，その状態を問いかける．それでも麻痺を認める返事がみられない場合には，右空間で左手を見させ，同様の質問を行う．最後に右手で左手をつかませ，この

表 6-4　Feinberg らの病態失認評価法

1. どこか力の入らないところがありますか
2. あなたの腕に何か問題がありますか
3. あなたの腕に何か異常があることを感じませんか
4. 前と同じように腕を使うことができますか
5. 腕が使えなくなって心配なことはありませんか
6. あなたの腕の感覚は正常ですか
7. 主治医は，あなたの腕に麻痺があると言っていますが，そう思いますか
8. (検者が左空間で左手を上げてから下ろして)左手の力が入らないようですが，あなたはそう思いますか
9. (検者が右空間で左手を上げてから下ろして)左手の力が入らないようですが，あなたはそう思いますか
10. 右手を使って左手を持ち上げてください．左手に力が入りにくいところがありませんか

〈採点方法〉
各質問に対する回答を以下の3段階で評価し，合計点を算出する
0点：障害を自覚している
0.5点：障害の一部を自覚している
1点：障害を自覚していない

〔Feinberg TE, et al：Illusory limb movements in anosognosia for hemiplegia. J Neurol Neurosurg Psychiatry 68：511-513, 2000 より〕

表 6-5　Cutting の病態失認質問票

一般的質問
1. あなたはなぜここにいるのですか？
2. どこか具合が悪いのですか？
3. あなたの手や足に何か具合の悪いところがありますか？
4. 手足の力が入りにくかったり，しびれたりしますか？
5. 手足の調子はどうですか？

もし否認が認められた場合
1. (麻痺した手を示して)これは何ですか？
2. (麻痺した手を示して)高く挙げられますか？
3. (麻痺した手を示して)何か問題はありませんか？
4. (両手を挙げるよう指示して)両手の高さは同じではないですよね？

病態失認の類縁症状
病態無関知：そのことは問題ですか？　どのくらい悩んでますか？　どうしてそうなったのですか？
非所属感：それは自分のものだと感じますか？　誰か他人のもののように感じたことがありますか？
半身異物感：腕に何か変な感じ・違和感がありますか？
片麻痺憎悪：その腕は嫌いですか？
擬人化：(麻痺肢に)なにか名前がありますか？
半身運動幻覚：自分で動かしていないのに，この腕が勝手に動くように感じがしたことがありますか？
過大評価：もう一方の腕はどうですか？
余剰幻視：あなたの本当の腕の横にもう一本変な腕があるような感じがしたことがありますか？

〔Cutting J：Study of anosognosia. J Neurol Neurosurg Psychiatry 41：548-555, 1978 より〕

左手はおかしくないかを問う(表 6-4)．

2) Cutting の病態失認質問票[8)]

構造化された面接形式による一般的質問と，否認が認められた場合には，患者に左手の動作を指示して，その状態を問いかける質問がある．また，病態失認の類縁症状を問いかける質問もある(表 6-5)．

3) Berti らの上下肢別の病態失認評価法[9)]

Feinberg らの病態失認評価法や Cutting の病態失認質問票は，麻痺手(左手)に対して言及した評価法であるが，Berti らは上肢と下肢に分けた病態失認の評価法を提案している．このほかに文章の読みや描画に生じた無視に対する病態失認の評価法もある．このように分けて評価する理由としては，病態失認が障害特異的な現れ方をするためとしている．検者の指示によって麻痺を認識できる場合を軽度とし，麻痺を認めないものを重度と判定している(表 6-6)．

4) Bisiach らの重症度分類[10)]

Bisiach らは，患者が病態に気づく程度によって4つのグレードに分類しており，スコア1～3を「病態失認あり」としている(表 6-7)．

F　発症メカニズム

病態失認の発症メカニズムについてはさまざまな説がある[11)]が，どのようなメカニズムで起こるかについてはいまだ定説がない．以下に片麻痺に対する病態失認について提唱されているいくつかの仮説を述べる．

表 6-6　Berti らの上下肢別の病態失認評価法

麻痺側上肢

1. 次の順に質問する.
   ①「私たちは今どこにいますか？」②「なぜあなたは入院しているのですか？」③「あなたの左手の状態はいかがですか？」④「左手を動かせますか？」最後の質問④に「いいえ」と答えたら，「なぜ左手を動かせないですか？」と問う.
2. もし左手の麻痺を否認したら，患者の右空間に検者の手をおいて
   「あなたの左手を私の手に触れてください」と指示する．その後，「(触れることが)できましたか？」 と問う．もし患者が「いいえ」と答えたら，「なぜ触ることができなかったのですか？」とたずね， 患者が「はい」と答えたら，「本当ですか？ とても変ですね．なぜなら私は，あなたの左手が私の手に触れるのを見てませんから」とたずねる.

〈採点基準〉

0(正常)：1 つ目の質問項目で正しく答える.

1(軽度)：患者が入院していることや脳卒中になったことは理解しているが，上肢の麻痺を否認する．しかし，患者は左手を検者の手に触れることができなかった理由は正しく認識できる.

2(重度)：患者は，左手で検査者の手を触れたと誤認している.

麻痺側下肢

1. あなたの左足はいかがですか？　動かせますか？
2. 歩くことに問題はありませんか？

〈採点基準〉

0(正常)：上肢の質問の際に，自発的に下肢の麻痺を訴える．または左足について質問された時に麻痺を認める.

1(軽度)：1 の質問に対しては「うまくできる」と答えるが，2 の質問では歩くことができないと答える.

2(重度)：患者は歩くことができると答える.

〔Berti A, et al：Anosognosia for hemiplegia, neglect dyslexia, and drawing neglect：clinical and theoretical considerations. J Int Neoropsychol Soc 2：426-440, 1996 より〕

1　防衛的心因反応説

片麻痺の存在を無意識的に否認するという説である．患者自身に生じた片麻痺という重大な出来事から心因的に逃避しようとする防衛反応から生じるという.

表 6-7　Bisiach らの病態失認の重症度評価スケール

スコア 0：	自発的あるいは「具合はいかがですか」といった質問に対して障害を報告する
スコア 1：	患者の麻痺肢について質問した場合にのみ，患者が運動障害について話す
スコア 2：	通常の神経学的診察によって障害が明らかにされたとき，初めて自分の運動障害を認める
スコア 3：	いかなる障害も認めない

〔Bisiach E, et al：Unawareness of disease following lesions of the right hemisphere：Anosognosia for hemiplegia and anosognosia for hemianopsia. Neuropsychologia 24：471-482, 1986 より〕

2　注意障害説

病態失認を，半身に対する注意障害として説明しようとする説である．半側空間無視により左半身の情報が意識されなければ，左半身の麻痺も自覚されない可能性がある．たしかに片麻痺に対する病態失認と半側空間無視の合併率は高いが，半側空間無視を伴わない病態失認も報告されている.

3　複合要因説

病態失認は，重度の感覚障害，左半側空間無視，半側身体失認，全般的知能低下を伴うことが多く，これらさまざまな症候が複合することにより生じるという説である．一部の症例ではこのような複合的要因から病態失認が出現している可能性もある.

4　言語野離断説

知覚連合野と言語野との離断によって生じるという説である．病状について気づいているかどうかは言語で表現される．麻痺肢に異常があるという知覚入力が連合されないまま，言語野が勝手に言葉を発すると症状に無認知あるいは作話的な反応を示すという.

5 運動の監視障害説

運動の企画に基づくフィードフォワード情報と，運動の遂行に基づくフィードバック情報を比較照合する監視障害によるという説である．「動かす」という運動企画のフィードフォワード情報を送っても，麻痺があれば運動が実現していないというフィードバック情報が送り返され，その比較照合する監視能力によって自己の麻痺の状態を認識できる．しかし，この機能が障害され，意図した運動の表象が形成されると，現実の麻痺した状態との区別ができず，「動かせる」という誤った判断が生じるという．

病態失認は，運動しようとする際の，先行する計画に基づいた予測情報の優位性が病的に強調された状態と考えられ，実際の運動と予測情報との間の比較ができない状態であるとも考えることができる．

G リハビリテーション

病態失認に対するリハビリテーションは確立されていないが，現実認識を促す行動場面を設定し，自己の麻痺の気づきを促す訓練が最も重要と考えられており，それには麻痺していることを客観的に見させることが有用であると報告されている．また，病態失認は，自己の麻痺を否認するだけでなく，自己の能力を過大評価し，危険行動へ発展してしまうこともあるため，転倒・転落を防ぐ環境調整も必要である．

1 error-based training

病態失認へのアプローチとしては，麻痺を注意が向きやすい右側に持ってきて動かないことを示すフィードバックを促すことが基本的といえるが，より系統的なerror-based trainingの有用性が報告[12]されている．これは，片手動作と両手動作について，動作ごとにそれを左手のみで実行できるかどうかを口頭で答えさせたのちに実行してもらい，できると返答したのにできないことについて，なぜできないのか考えてもらうというオーソドックスな方法である．

2 ビデオフィードバック

慢性期まで病態失認が持続した患者に対して，自身の麻痺した状態をビデオ撮影して，視覚的にフィードバックしたところ，病態失認が改善したという報告[13]がある．自己の運動の監視能力に障害がある場合には有効な方法と考えられる．第三者的立場での視覚情報が，麻痺の意識化に寄与する可能性を示している．

3 前庭刺激（カロリック刺激）

患者の左耳に，冷水(20℃の冷水60 cc)を1分間注入し右脳を刺激すると，麻痺肢に対する病態失認や半側身体失認，さらに運動機能が一時的に改善することが報告[14]されている．しかし，その効果は2時間程度と持続効果に乏しい．また，このようなアプローチは医師以外の職種が行ってよいかという問題もある．よって，視運動刺激などほかの方法で前庭刺激を与えるならば実施可能と考えられるが，その持続効果は乏しいため臨床的に用いられるか今後の検討が必要である．

4 環境調整

1）人的環境整備

片麻痺に対する病態失認は，基本的に急性期の症状であり，発症より1か月くらいすると言語的に運動麻痺の存在を認めるようになることが多い．しかし，病態無関知によって自己の障害を軽く考え，その時点での能力以上に動作ができると思い込み，勝手に立ち上がり転倒するといった危険行動へと結びつくことが少なくない．歩けないのに1人で歩こうとするなど，右半球損傷患者に転倒・転落事故が起こりやすいのは，半側空間無視による車椅子の左ブレーキの掛け忘れなどに加えて，自己の能力を認識できず過大評価している影響も大きい．患者を取り巻く医療スタッフに「1人で行動してしまう」「転倒しやすい」という情報を共有し，「目が離せない（見守る）」という意識づけをしておくことも必要である．

2）物理的環境調整

医療スタッフに“見守る”という意識づけが可能となっても，日ごろ大勢の患者を少ない人数でみているために，1人の患者を常に監視することは限界がある．したがって，病室もナースステーションから観察しやすい部屋へ変更することや，「トイレへ行きたい」「水を飲みたい」「動きたい」といった欲求に基づき行動する場合には，患者の目につきやすい右側にナースコールを設置し，知らせることを徹底的に指導する．それでも危険行動を繰り返してしまう患者には，マットセンサーなど監視装置を用いた迅速な対応によって転倒・転落事故の回避につなげる必要がある．

引用文献

1）鈴木匡子：身体失認と病態失認．平山惠造，田川晧一（編）：脳血管障害と神経心理学第2版．pp282-287，医学書院，2013
2）石合純夫：B片麻痺に対する病態失認．高次脳機能障害学第2版．pp174-178，医歯薬出版，2012
3）Hécaen H：Clinical symptomatology in right and left hemisphere lesions. Mountcastle V（ed）：Interhemispheric relations and cerebral dominance. pp215-243, Johns Hopkins University Press, 1962
4）森悦郎：右半球損傷患者における片麻痺の否認と半身の認知異常—脳血管障害急性期での検討．臨床神経 22：881-890，1982
5）Hier DB, Mondlock J, Caplan LR：Behavioral abnormalities after right hemisphere stroke. Neurology 33：337-344, 1983
6）Maeshima S, Dohi N, Funahashi K, et al：Rehabilitation of patients with anosognosia of hemiplegia due to intracerebral hemorrhage. Brain Injury 11：691-697, 1997
7）Feinberg TE, Roane DM, Ali J：Illusory limb movements in anosognosia for hemiplegia. J Neurol Neurosurg Psychiatry 68：511-513, 2000
8）Cutting J：Study of anosognosia. J Neurol Neurosurg Psychiatry 41：548-555, 1978
9）Berti A, Làdavas E, Della Corte M：Anosognosia for hemiplegia, neglect dyslexia, and drawing neglect：clinical and theoretical considerations. J Int Neoropsychol Soc 2：426-440, 1996
10）Bisiach E, Vallar G, Perani D, et al：Unawareness of disease following lesions of the right hemisphere：Anosognosia for hemiplegia and anosognosia for hemianopsia. Neuropsychologia 24：471-482, 1986
11）小林俊輔：病態失認．実践高次脳機能障害のみかた．pp157-165，中外医学社，2019
12）Moro V, Scandola M, Bulgarelli C, et al：Error-based training and emergent awareness in anosognosia for hemiplegia. Neuropsychol Rehabil 25：593-616, 2015
13）Fotopoulou A, Rudd A, Holmes P, et al：Self-observation reinstates motor awareness in anosognosia for hemiplegia. Neuropsychologia 47：1256-1260, 2009
14）Cappa S, Sterzi R, Vallar G, et al：Remission of hemineglect and anosognosia during vestibular stimulation. Neuropsychologia 25：775-782, 1987

第 7 章

行為・動作の障害

学修の到達目標

- 古典的失行の種類，症状，病巣を説明できる.
- 今日の失行のとらえ方を説明できる.
- 広義の失行の種類，症状，病巣を説明できる.
- 言語聴覚士として，どのように失行に介入するか説明できる.

エピソードと臨床的推論の視点

60歳代男性のAさんは，脳梗塞で入院している．初めて言語室に入る様子をみると，独歩で，左右の手の振りも左右差はなかった．次に入室して案内された席に座ろうとして，手すり代わりに椅子の背もたれに右手を掛けた．しかしその手の掛け方(握り方)は若干不自然であった．これにより行為・動作に関する何らかの異常があるのではないかと疑った．そこで右手の動きを観察していると，机上にあったコインを裏返す場面がたまたまあった．そこでは指がなかなかコインに引っかからず，時間がかかっていた．以上より，本例では手指の動きに拙劣化が生じている可能性があると推測し，拙劣化の具体的な様態と，その原因を検索することにした．

1 行為・動作の障害と失行

ヒトは，自身の手足を随意に，そして自在に動かすことができる．単に動かせるだけではなく，その動きを介して，合図をしたり，物を移動させたり，道具を使用したりするなど，意味のある，目的にかなう行為・動作をも実現できるのである．こうした意味のある動き，目的のある動きを達成するには，さまざまな**大脳機構**が必要である．まず，行為・動作をする直前に，どこに何があるのか，それが何なのかを視覚的に把握するために，空間認知や対象の認知に関する大脳機構が必要となる．また，自在な動きのもととなる筋肉の複合的な運動能力や，その運動を外界に適合させるために，時々刻々変化していく外界や自己の状況を知るための感覚情報も入力として必要である．さらに，行いつつある行為・動作を監視し，完結させるための動作全体を統制する機構も不可欠である．これら多くの能力のうち，どれか1つでも障害されれば，行為・動作は何らかの形で影響(障害)を受ける．このうち，行為・動作専用に機能する大脳機構(行為・動作実現に特化して機能する大脳機構)が障害されて生じる行為・動作の障害を失行と呼ぶ．失行は，概念上はこのように考えられる症候であるが，この失行概念に相当する症候は，果たして本当に存在するのだろうか．

失行が，独立した症候として認められるようになったのは，1900年の**リープマン** Liepmann による最初の症例報告からである．当時「失行」という用語は，前述した定義とは異なり，「対象物を正しく使用しえない」という意味で用いられていて，対象物を正しく認知できないことに起因した二次的な行為・動作障害を指していた[1]．むろん，これは今日の意味での失行には含まれない．こうした状況のなかで，リープマンは，1人の41歳男性例を報告し，その行為・動作の障害が失認や認知症のために二次的に生じた行為・動作障害ではなく，今日的な意味での真の失行であることを示したのである[1]．具体的には以下のとおりである．

この症例の右手には異常な動きがみられ，左手は，この右手の動きに妨害されているために，結局両手ともに実用にかなわない状況にあった．たとえば，本例の前に置かれた複数の物品のなかから特定の物品を指さすように命じられたとき，また右手に一定の動作をするように命じられたとき，本例は“右手で”ほとんどすべてを間違え，特に物品の選択などはまったくでたらめであった．こうしたことから本例は言葉を理解できず，また対象物が何であるのかも理解できていないのであろうと，周囲からはみなされていた．そのために行為･動作も障害されているのだと思われていた．ところがリープマンは，こうした動作の障害は，本例が右手を使うときのみに認められていたことに気づいた．そこで彼は，本例の異常な動きを呈する右手を縛り，強制的に左手を使わせてみた．これが状況を一変させた．強制的に左手を使わせてみると，本例は自分の前に置かれた5枚のカードから，要求されたカードをその都度，左手でただちに正しく探し出したのである．すなわち右手を縛ったことで，右手に押さえ込まれていた左手の本来の動きが観察できるようになったのである．同じ試みを今一度右手で行うと，ほとんど誤反応となった．ここでここまでの状況を整理してみよう．本例は，右手では正しい動作を実現できないが，左手では正しい動作が可能であることが判明した．左手でカードを正しく選択できるのである．このことから本例は正しく対象を認知し，かつ，指示の内容も正しく理解できていたことがわかる．それにもかかわらず本例は右手で正しい動作ができない．右手の行為・動作の障害は，対象認知の障害(失認)や言語理解の障害(失語)のために生じていたのではないことになる．リープマンは，さらに右手の行為・動作の障害が，ほかの原因による副次的な障害でないことを順次確認した．その結果，かくしてリープマンは，この症例の右手の行為・動作障害が，どの副次的な原因にもよらない行為・動作の障害とみなしうると示すことに成功したのである．つまり失行といえる症候が実在していることを示したのである．リープマンのこの論調は当時から認められ，ここに今日的な独立症候としての失行の概念が確立された．そして，当時リープマンは，失行を「運動執行器官に異常がないのに，目的に沿って運動を遂行できない状態」と表現した．

引用文献

1）Liepmann H（著），遠藤正臣，中村一郎（訳）：H. Liepmann；Das Krankheitsbild der Apraxie（“Motorische Asymbolie”）and Grund eines Falles von einseitiger Apraxie.〔Monatsschrift f. Psychiatrie u. Neurologie 8：15-44, 102-132, 182-197, 1900〕-2-．精神医学 22：93-106，327-342，429-442，1980

2 行為・動作理解のための基礎知識

もちろんどの行為・動作も，行為・動作に特化した機構だけで実現できるわけではない．では行為・動作に特化した機構以外にどんな機構が必要なのだろうか．ここでは脳が感覚刺激を取り込んで，その情報をもとにして行為動作を出力するという視点から，改めてみていくことにする．図7-1に，行為・動作実現までの大脳処理の俯瞰図を示した．

A 大脳機能全体を維持する機能

すべての大脳機能に必要な，土台となるような機能がある(図7-1a)．すなわち大脳機能全体の活動を維持するための意識・注意などがそれにあたる．そのため意識がもうろうとなったり，注意を集中できなくなったりすれば，行為・動作だけでなく，すべての大脳機能が誤作動を起こしうる．またいわゆる“遂行機能障害”や，性格傾向の変化などがあると，作業を「切り替えられない」，

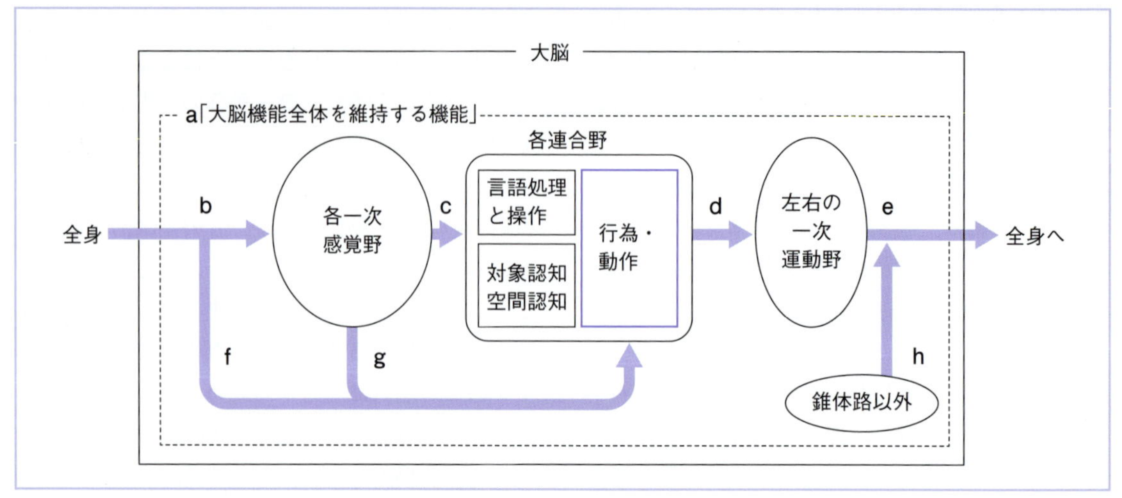

図 7-1　行為・動作実現までの大脳処理の俯瞰図

「容易に話題が脇道にそれる傾向がある」,「脇道にそれてしまうと軌道修正もできない」といった障害をきたし，重篤になると，たとえばお茶を入れて飲むような，簡単な一連の作業が障害されることもしばしば生じる．このように大脳機能全体を維持する機能の障害は，行為・動作に大きく影響するため，失行との鑑別が必要である．

B　各一次感覚野

外界から**大脳への入力情報**は，視覚，聴覚，体性感覚，嗅覚，味覚のいずれかであり，これですべてである〔脳内では，このほかに，過去の経験のなかで蓄積した記憶情報(知識も含む)も用いられる〕．これらの情報にのみ基づいて，ヒトの日常活動はすべて営まれている．ここでは主たる入力情報である視覚，聴覚，体性感覚について概説する(図 7-1)．まず各感覚は，大脳の視覚，聴覚，体性感覚などの各一次感覚野へ入力される．したがって末梢から一次感覚野に至る情報がその途中で障害された場合(たとえば図 7-1b が障害)には，以後の過程はすべてこの障害に影響を受け，やはり障害される．たとえば目が見えなくなったり物を触っても感じないといったように，感覚が障害されると外界の状況を適切に把握できなくなり，その結果，運動を空間的に正しく適合させられなくなる(➡ 143 頁参照)．

C　「言語処理と操作」と「対象認知・空間認知」

一次野からの感覚情報に基づいて，次に各連合野では言語処理・操作，対象認知，空間認知などがなされる．これらは，行為・動作からみると，いわば入力側の高次脳機能である．入力側の処理が障害されると，行為・動作も二次的に障害される．言語の理解が障害されれば，行為・動作の検査時にその指示がわからなくなるためである．また対象を別のものと誤認してしまえば，誤認したままのものとして対象を扱ってしまう．複数のものの位置関係が把握できなければ，対象を正しく配置させることはできなくなる．

D 行為・動作実現に特化した機能

こうした入力側の高次脳機能で処理された情報に基づいて，さらに行為・動作の機構(図 7-1 の青線枠の部分)によって，行為・動作が決定される．いわば出力側の高次脳機能であり，この障害が失行といえる．

失行と判定するためには，その障害が，図 7-1 における青線枠の「行為・動作」以外の機構の障害による行為・動作障害ではないこと，あるいは「行為・動作」の外で行われる情報伝達障害(離断) (図 7-1a〜h)が原因でないことを症例ごとに確認する必要がある(図 7-1a〜h については後述する)．すなわち失行をより詳細に説明すると，「運動麻痺，失調，不随意運動，筋緊張異常などの要素的運動障害や，感覚障害では説明できない，いったん獲得した，すなわち熟練した運動の遂行障害であり，患者は，実行すべき行為を十分に了解し意欲もあるのに，その熟練しているはずの目的動作または，行為を達成できない」病態となる[1)]．すなわち，ここにあげた失行以外の原因で行為・動作が障害されたのではないことを丁寧に確認作業をし，その確認がとれて初めて失行症状だといえる．

E 「左右の一次運動野から全身へ」，「錐体路以外」など

決定された行為・動作の指令が，左右大脳半球の一次運動野から出力され，錐体路経由で左右手の各筋へ伝達される(図 7-1e)．そしてこの実現される行為・動作が円滑に遂行されるように大脳基底核や小脳などの，錐体路以外の運動機構によってサポートされている(図 7-1h)．こうした出力側が障害されると，麻痺や振戦(不随意運動)などが生じる．

引用文献

1）山鳥重：神経心理学入門．医学書院，1985

3 古典的な失行の考え方(リープマンの失行論)

ここまででまず，リープマンの最初の症例報告を介して，失行という概念の始まり，考え方を紹介し，次にリープマンのころからすでに知られていた「行為・動作理解のための基礎知識」を示した．以降はこうした情報をもとにしながら，さらにリープマンが1900年ごろに考案した，古典的な失行論のアウトラインをみていきたい．**リープマンの古典的失行論**は，今日の考え方からみると不十分であったり支持されていない面もあるが，失行の考え方の歴史的変遷をたどることは，今日の失行論の基礎や問題点を理解する一助となるであろう．

当時はCTやMRIもない時代であり，脳内で起こった変化をその場で確認することはできなかった．そうした時代的な背景もあり，脳の各部位がどのように働いているのかをすぐに確認することが困難なまま，失行論は作成されたのである．

リープマンの失行論のアウトラインを図 7-2 に示す．リープマンは，行為・動作を行う際，われわれは動作をまず企画する必要があるとした．すなわち大脳(左半球)には「動作を企画し，決定する脳領域」があって，そこで①動作を企画し，決定する．この決定された運動に関する脳内情報

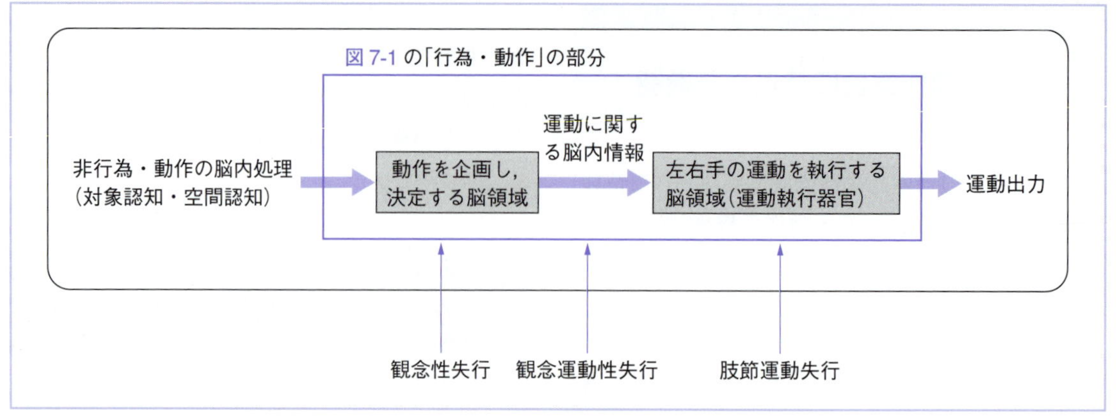

図 7-2　リープマンの失行論のアウトラインと，各失行型で想定される障害レベル

は次に，右手に関する情報は左半球の運動を執行する脳領域に，左手に関する情報は右半球の運動を執行する脳領域に②伝達される．そして最終的には③この運動を執行する脳領域(中心回領域)から，左右手の筋に対して指令を出す，という流れを想定した．この行為・動作の流れから，リープマンは3つの**古典的失行**を提案した．第1に①「企画」の障害である．彼はこれを**観念性失行**と呼んだ．第2にその情報を「運動を執行する脳領域」へ伝達するまでの②「伝達」の障害(情報の分断＝「離断」)である．彼はこれを**観念運動性失行**と呼んだ．そして第3に③運動を執行する脳領域の障害である．彼はこれを**肢節運動失行**と呼んだ．観念性失行は左頭頂葉の損傷で，肢節運動失行は，右手の場合は左中心回領域，左手の場合は右中心回領域の損傷で生じるとした．観念運動性失行は，観念性失行の生じる領域と，肢節運動失行の生じる領域との間の領域で，運動に関する脳内情報の伝達が離断されるために生じると考えた(肢節運動失行は左右手で程度差がいくらか生じるともいわれるが，説明が煩雑なため，ここでは省く)．リープマンは，3つの失行の違いは，障害の誤り方の違いに反映されると考えたのである．なお，先のリープマンの最初の症例では，一側の手のみに障害がみられた症候であったが，古典的失行論自体の中核症候である観念性失行と観念運動性失行は，左半球損傷時に左右両手に生じる障害である．

A 観念性失行のリープマンのとらえ方

動作を企画するためには，経験によって獲得した，主に視覚的に表現される空間的・時間的な運動の記憶(意味記憶と考えられる)が参照される[1]．そして先述のとおり，動作の企画は優位半球機能によると考えられた．右手を使う場合も左手を使う場合も左半球にある，この同じ機構を用いる．リープマンは，この「動作の企画」の障害を観念性失行(両側性)としたのである．また単一の機構であるので，その機構が障害されると，動作が複雑なほうが障害が顕著となるとした．つまり，単純な動作よりも物品を用いた動作のほうが複雑であり，また単一の物品の操作より，複数の物品の操作のほうが障害がより顕著となるとしたのである．そしてその主な誤り方は，操作(使用)方法の内容の取り違えである(企画の障害なので，異なる物品のように扱うという内容の誤り方になる)と考えた．

B 観念運動性失行のリープマンのとらえ方

リープマンは，決定された企画情報が，使用手の運動を執行する脳領域(中心回領域)に伝達されるまでの間で離断されると，観念運動性失行(観念-運動性の失行)が生じると考えた(図 7-2)．この障害では，表出される運動の質が劣化する．なお右半球に支配されている左手で行為・動作を行う際には，左半球で作成された情報が，右半球に移送される必要がある．この情報は脳梁を介して右半球に移送され，左手動作に供されると考えられる．そのため脳梁が障害されると，その脳梁情報が離断されて，左手一側性の観念運動性失行が生じると考えられた．

C 肢節運動失行のリープマンのとらえ方

リープマンは，運動に関する脳内情報が，運動を執行する脳領域(中心回領域)に伝達されると，そこにある肢節の「分節的な運動の記憶(いわば運動に関する記憶の断片)」を素材(部品)として，具体的に動作が組み立てられると考えた．そのため中心回領域が損傷されると，そこに貯蔵されている肢節の「分節的運動の記憶」が障害され，対側肢節(上下肢)に肢節運動失行(拙劣症)が生じると考えた．

以上，リープマンが想定した3種類の失行(観念性失行，観念運動性失行，肢節運動失行)は今日，古典的失行と呼ばれる．

引用文献

1）石合純夫：高次神経機能障害．新興医学出版社，1997

4 古典論から脱却して今日の見方へ

A 古典論からの脱却

今日では，観念性失行や観念運動性失行はリープマンの提案したような動作の「企画」の障害，運動に関する脳内情報の離断によるという考え方にとって変わり，行為・動作は，より細かな分業作業によって実現されていると考えられている．

観念性失行に関しては，リープマンが考えたように，「使用する道具や物品が単一であるよりも，複数であるほうが，その障害はより顕著になる病態」であると，数十年前までは考えられていた．したがってかつては，観念性失行の検査といえば，障害が顕著となるような複数物品の系列的操作課題(「ローソク，ローソク立て，マッチ」課題や，「湯入りやかん，茶葉の入った茶筒，急須，湯飲み」課題)が中心であった．しかし今日では，観念性失行は，複数物品ではなく，道具が使えないこと，すなわち単一で使用するような道具(たとえば，はさみなど)の使用の障害が中核とされている．これは，観念性失行は，道具使用という特殊性にかかわる障害(道具の使用に特化した機構の障害)であるというとらえ方といえる．一方，複数物品の系列的操作の障害に関しては，失行以外の要因，たとえば(行為・動作に限らず)，一貫した活動を維持するために必要な**前頭葉機能障害**の関与が推測されている．すなわち前頭葉機能障害によって，複数物品の系列的操作が障害されるのではないかという考えである．したがって，**複**

表 7-1　失行と失行関連障害(反射や不随意運動は除く)

障害のレベル		症候名	図 7-1 の対応部位
失行以外の行為・動作症状(その 1)			
1. 一側肢の運動・感覚に関連する障害	運動の障害(行為・動作の拙劣化)	麻痺	一次運動野, d
		肢節運動失行(拙劣症)(今日の考え方による)	一次運動(感覚)野
	感覚関連の障害	感覚障害による対象操作の拙劣化	a, 一次感覚野, h
		視覚失調, 視覚性運動失調	e, f
失行による行為・動作症状			
2. 失行	従来からの失行	観念性失行(今日の考え方による)	行為・動作
		観念運動性失行(今日の考え方による)	
		左手一側の観念運動性失行(観念運動失行の亜型)	
		口舌顔面失行(観念運動失行の亜型)	
	広義の失行(一側肢障害)	拮抗失行	
		間欠性運動開始困難	
		運動無視	
		道具の強迫的使用	
失行以外の行為・動作症状(その 2)			
3. 大脳の局所機能障害による二次的な行為・動作障害	空間認知障害による行為・動作障害(両側)	構成障害	空間認知
		着衣障害	
4. 人柄の変化による行動障害	(全身性)	模倣行動	大脳機能全体を維持する機能
		利用行動	

数物品の系列的操作の障害は, 今日では, 観念性失行(単一道具の使用障害)とは異なる障害として考えられている. しかしこうした前頭葉機能障害の行為・動作への影響をみる1つの課題として, 複数物品の系列的操作課題を評価しておくことは有用である.

観念運動性失行に関しては, リープマンの考えでは, 運動に関する脳内情報の伝達障害(離断)としてとらえられており, たとえば「おいでおいで」や「バイバイ」などの信号動作, あるいは道具使用といった意味のある動作の再現(パントマイム)が評価課題とされていた. しかしその後のある時期まで, 観念運動性失行は, 意味のある動作のみでなく, 意味のない動作(無意味の動作はジェスチャーと表現されることが多い)のいずれにおいても, 動作を機械的に模倣する能力の障害であると主張する臨床家が現れ, しばらく両方の考え方が混在していた. 検査をしてみれば両者の違いはすぐにわかりそうに思うかもしれないが, 実際には案外難しい. それは失語の合併など, 検査の条件をなかなか統制できないこと, また無意味の動作に関して, うまく模倣できているかの判定が, 案外難しいためである. しかしその後の研究から, 観念運動性失行は意味のある動作の再現(パントマイム)(機構)の障害と, 再びとらえられるようになっている.

肢節運動失行に関しては, 失行とする考えと, 失行としないとする考えの両方が今も存在している. それはリープマンが失行に含めていたために, 失行とする考えがある一方で, 肢節運動失行の症状に麻痺と類似した側面があることから，失行ではなく運動障害（非失行症候）とみなす考えが生まれているからである．

B 今日の見方

表 7-1 に，従来からの失行と，それ以外の失行（広義の失行），さらに失行以外の行為・動作症状をあげた．表 7-1 の失行以外の行為・動作症状として取り上げたのは，失行とかかわりの深い症状，あるいは失行と，特に鑑別を要する主要症状である．ただしすでに述べた，大脳機能全体を維持する機能の障害（図 7-1a），対象の認知の障害（対象の誤認など），錐体路以外の運動系の障害によるもの（図 7-1h）は除いた．表 7-1 に基づいて各症候を概説する．

以前から失行と称されてきた障害には，古典的失行である観念性失行，観念運動性失行，肢節運動失行に加え，構成失行，着衣失行，拮抗失行，開眼失行，歩行失行，口舌顔面失行などがある．しかしこれらのなかには，今日では失行とは呼びがたい障害がある．たとえば構成失行と呼ばれていた症候は，空間的な構成要素の強い認知的処理を，行為という出力を介してのみ検知できる障害である．そのため今日では失行という表現を回避して構成“障害”と表現されることが多い．逆にこれまで失行に含めないことが多かったが，その発現機序を鑑みると実際には失行とみなしうる障害もある．表 7-1 にあげた広義の失行（拮抗失行，間欠性運動開始困難，運動無視，道具の強迫的使用）などである．これらは，一方の手は正しく動作でき，一方の手の行為・動作が障害された病態である．その点，リープマンが失行という概念を提起した最初の症例の症状と発症様式は類似している．

5 失行と失行関連障害の今日のとらえ方

A 失行以外の行為・動作症状（その 1）—一側肢の運動・感覚に関連する障害

1 運動の障害（行為・動作の拙劣化）

どの行為・動作の実現にも，手，指を随意的に操作するための基礎的な運動能力，いわば動きの指令が手足に伝わっていて，自在に動かせるかという，運動の基礎をなす機能が必要である．その機能が障害される症候として，麻痺と肢節運動失行（拙劣症）がある．これらの症候で障害される運動の基礎をなす機能には，「筋力」と，個々の指を独立して動かす，「指分離能」が含まれる．

a 麻痺

1）症状

上位，下位運動ニューロンの支配領域ごとに，筋力と，指分離能の両方が障害される症候である．指分離能が障害されると，個々の指を分離させて動かす際に，ばらばらに動かせず，複数の指で同時に同じような動きになる．

2）評価法・判定

粗大な麻痺は，簡単な検査で判定できる．たとえば上肢に関して麻痺の有無をみる場合，まず左右上肢の手掌を上にして地面と水平に肩の高さで保持してもらう(上肢のバレー徴候 Barré sign の検査)．数十秒単位で挙上を維持できずに下がったり，あるいは水平位から回内すれば，「上肢のバレー徴候」陽性であり，麻痺がある可能性がある．逆に水平挙上位で維持ができれば，上肢については粗大な麻痺はないと判定できる．指分離能の障害については，次の肢節運動失行で説明する．動作が別の使用動作に置き換わったりすることはない．

3）責任病巣

患側の対側大脳半球中心前回から始まり，脊髄の前角に入るまでの経路である上位運動ニューロン(錐体路)，脊髄前角から，個々の筋に至るまでの経路である下位運動ニューロン(末梢神経)が損傷されると，その支配領域に麻痺が生じる．

4）発症メカニズム

大脳からの運動指令が末梢の筋に至るまでの経路の途中で，上位，あるいは下位運動ニューロンが損傷されると，その支配領域の筋に神経の指令が伝達されず(あるいは伝達される情報が不十分となり)その支配領域で麻痺が生じる．

b　肢節運動失行

古典的失行に含められてきた症候であるが，失行というよりも，その基礎をなす運動の部分的障害である．今日では，(大脳性の)**拙劣症**と呼ばれることも多い．

1）症状

運動の部分的障害，すなわち筋力は保たれるが，「指分離能」の障害をきたす症候である．そのため筋力低下がないのに，個々の指を独立して思いどおり(随意)に動かすことができない．

障害は，細かな動作にのみ生じるのではなく，粗大な動作や，つまむなどの指を分離させて行う必要のある動作で障害が顕著となる．障害は一側手に生じる．

たとえば指の場合，複数の指をそろえて一体として動かす動作と各指を個別に動かす動作があるが，肢節運動失行では，複数の指をそろえて，一体として動かすことはできるが，各指を個別に動かす動作が障害される．対象操作時にもこの指分離能力が必要であるため，対象の把持後の動作の障害として，箸やスプーンなどがうまく使えない，手袋やボタンがはめられない，ポケットに手を突っ込んでも，一部の指がポケットから出てしまうといった所見がみられる．

2）評価法・判定

筋力の低下はなく，以下の指分離に対する評価で障害がみられれば大脳性の拙劣症ありと判断できる．指分離に関する評価としては，指を1本ずつ親指から小指まで，順次ゆっくりと折り，その後，逆に小指から親指まで広げていってもらうという一連の動作を行わせる．こうした動作の様子から，個々の指を独立して動かす，指分離能力を見ることができる．麻痺との鑑別は，程度の違いによる差はあるが，麻痺では，複数の指をそろえて動かす動作課題(グーパー動作)でも，各指を個別に動かす動作課題(指折りなどの指分離課題)でも障害を認めるが，これに対し，肢節運動失行(大脳性の拙劣症)では複数の指をそろえて動かす動作課題で保たれているのに，指分離課題は障害されるという乖離を示すことが重要である．

肢節運動失行は，1)症状で述べたように，箸やスプーンの使用など，対象を操作する場合に症状として気づかれることが多いが，「対象操作の拙劣化」は，肢節運動失行のみでなく，次に述べる「感覚障害による対象操作の拙劣化」でも出現するので，対象操作の障害があったというだけで，肢節運動失行と即断できないので注意が必要である．すなわち，肢節運動失行では，対象のない「指分離課題の障害」と，「対象操作の障害」の両者がみられるのに対し，次に述べる「感覚障害による対象操作の拙劣化」では，指折りなどの，対象のない指分離課題では拙劣さを認めないので，この相違で鑑別する．

3）責任病巣

中心回領域（中心前回または中心後回）の損傷で，対側肢に出現する．中心後回損傷で生じた場合には，皮質性感覚障害を伴うことがある．

4）発症メカニズム

生後獲得した，指を分離して動かす能力が，関連領域の損傷によって障害されることによる．

2 感覚関連の障害

何らかの感覚の障害あるいは感覚情報利用の障害は，運動そのものの障害ではないが，「感覚による運動制御」の障害により，運動そのものが二次的に低下する．この「感覚による運動制御」の障害は，対象を把持するまでの「到達動作」と，把持後の「対象操作」に分けて考えると比較的理解しやすい．

a 体性感覚障害による対象操作の拙劣化

体性感覚障害による対象操作の拙劣化は，把持後の対象操作にみられる感覚による運動制御の障害である．

1）症状

筋力の低下も指分離の障害も認めない．それにもかかわらず体性感覚障害に伴って対象を手で直接扱う際に，その扱いが拙劣になる症候である．

2）評価法・判定

筋力が保たれ，指分離も保たれていることを，グーパーや，指折り動作などで確かめる．これらが保たれているにもかかわらず，強い体性感覚障害とともに，対象物品の操作が拙劣な場合には，感覚障害による拙劣化を疑う．

3）責任病巣

大脳損傷で生じる場合には中心後回損傷によって対側肢に生じる．

4）発症メカニズム

対象の操作に関しての障害である．手袋をはめてミカンの皮をむくような動作を想像してみてほしい．対象の細かな形状や状況がわからず，細かな作業ができなくなるであろう．こうした想像からもわかるように感覚障害が重篤な場合には，対象の操作に関する行為・動作の質が著しく拙劣化すると考えられる．

b 視覚失調，視覚性運動失調

視覚失調，視覚性運動失調は，対象を把持するまでの到達動作にみられる感覚による運動制御の障害である．

1）症状

注視した対象，あるいは周辺視野でとらえた対象へ手を伸ばして，触れる（つかむ）動作をするときに，手が対象からずれた位置に到達してしまう現象（到達運動の空間的位置の障害）を指す．注視下での到達動作の障害は**視覚失調** optische Ataxie と呼ばれ（視覚性運動失調とも呼ばれる），周辺視下での到達動作の障害は**視覚性運動失調** ataxie optique と呼ばれ，別の症候と考えられている．

2）評価法・判定

視覚失調の評価は，被検者と検者が向かい合い，被検者の視野内で，被検者の手の届くところへ対象を提示する．被検者にその対象を注視させ，その対象に右手あるいは左手で握るあるいはつまむように指示し，握らせる（つまませる）．その際，握ろうとする手と対象の間で空間的にずれが生じていないかどうかを判断する．ずれている場合が陽性である．被検者はずれに気づいた段階で微調整しようとするので，そうした動きにも留意する．被検者からみて左右両方の上下の空間に対象を提示して行う(次に右手というように順次両方の手を評価する)．

視覚性運動失調の評価は，向かい合って，今度は被検者に，まず検者の鼻先を注視するように指示する．次に被検者には，この鼻先を注視したままにし，被検者の右視野あるいは左視野の上下に対象を提示し，その対象を握るあるいはつまむように指示し，握らせる(つまませる)．その際，握ろうとする手と対象の間で空間的にずれが生じていないかどうかを判断する．ずれている場合が陽性である．被検者はずれに気づいた段階で微調整しようとするので，そうした動きにも留意する(周辺視下での到達動作は，被検者にとって難易度は高いため，実施不能な場合もある)．

いずれの症候においても，体性感覚障害も視野障害も通常の検査では検知されないことが前提である．

3) 責任病巣

注視下での到達動作の障害(視覚失調)は，両側頭頂後頭領域の損傷で生じるとされる．周辺視下での到達動作の障害(視覚性運動失調)は，視野ごとに出現するが，一側視野内で障害が出現する手は，左右視野で異なっている(左右半球の違いで，出現する視野と動作手の関係が異なる)[1]．これは左右大脳半球の側性化が異なるためとされる．すなわち，右半球損傷時には，左視野で両手が障害され，左半球損傷時には，原則，右視野で右手に出現するとされる．

4) 発症メカニズム

感覚は，外界に関する唯一の情報源であり，対象のある行為・動作の場合，この情報が処理されることが，高次脳機能が働き出す最初の契機でもある．そしてこの情報をもとにまず対象の認知がなされる．これが感覚情報の第一の役割である．

また感覚情報は，こうした対象認知に関する高次の脳機能に供されていくのみでなく，直接，行為･動作のための情報としても利用されている(図7-1f, g)．そこでは，実際の対象の位置を把握し，その形，傾きなどに，行為・動作を適合させるために，感覚情報(網膜外，あるいは網膜上の対象物の位置情報など)を，外界情報などに関する計測値として利用しているのである．これが感覚情報の第2の役割である．そしてその障害が，視覚失調や視覚性運動失調と考えられている(第3章4節➡85頁を参照のこと)．

B 失行による行為・動作症状

1 従来からの失行

a 観念性失行(今日の考え方による)(両側性)

1) 症状

道具を把持したあとの，使用動作が障害される．日常場面，検査場面にかかわらず，出現するため，日常生活に顕著な支障をきたし，そのため日常の様子から，その存在に気づくことができる．ほとんどの場合，次に述べる観念運動性失行を伴っている．

2) 評価法・判定

道具使用は，道具そのもの(たとえば，カナヅチ)と，道具によって作用を受ける対象(たとえば，釘)の両者によって成り立っている．観念性失行の評価においては，道具そのものを持って，該当の動作ができるかを調べる方法と，作用を受ける対象も同時に提示して，実際の使用を評価する方法がある．具体的には，日常的な道具10品目程度，あるいはその道具を使用する対象物の対10組程度で評価を行う．前者は，道具そのものを持って使用動作をさせる条件での評価に用い，後者は，道具とその使用する対象物の両方を用いて使用動作をさせる条件での評価に用いる．はさみ，ノコギリ，カナヅチ，ドライバー，鍵など，使用する対象（紙，木片，釘，ねじ，鍵穴）が明確に存在する道具を用いる．たとえば「リモコン」のような電子機器の使用については，観念性失行判定のための評価対象としてはふさわしくない．

指示は，言語的に「これを使ってください」といって使わせたり，「このはさみを使ってみてください」と，眼前にある道具が「はさみ」であることを示しながら指示する場合が考えられる．これは被検者が，対象が何かを理解していることがすでに判明していれば，どちらでもよい．検査の前にこのことは確認しておく．道具のみを把持させ，使用の対象物を用いないで使用動作を評価する課題，道具と使用の対象物をともに用いて使用動作を評価する課題のどちらの課題でもよいが，どちらの課題を施行したのかは，記録しておく必要がある．

観念性失行の有無を判断するには，麻痺や感覚障害による障害でないこと，道具が何かは理解できている（失認がない）こと，使用を命じられていること（指示）を理解していることが前提である．また人格や性格の変化や，前頭葉損傷時にみられる**“いわゆる”遂行機能障害**（保続も含む）があれば，これらも行為･動作に影響するので，こうした障害による動作の障害は，あらかじめ除外しておく．

以上のように，ほかの要因による行為・動作を除外したうえで，次の誤り方がみられた場合に観念性失行ありと判断する．すなわち道具に見合った使用法ではなく，あたかも別の道具を使うような動作（「**意味性の錯行為**」という），あるいはその動作の意図が明確でない（不定形）動作を行った場合，無反応などの場合，陽性とみなす．

観念性失行は，道具を実際に持って行う動作の障害である．「道具を単に視覚的に提示された状況下（道具を把持していない状況下）で動作を再現する」状況は，観念運動性失行の評価条件であり，観念性失行を評価したことにはならない．

3）責任病巣

左頭頂葉領域損傷によると考えられている．その際，右手，左手のいずれでの使用動作も障害される．したがってこの症候が一側手にしかみられない場合は，ほかの症候でないか吟味が必要である．

4）発症メカニズム

左右手で共用する「道具の使用に必要な能力」が左頭頂葉に存在し，その機能が障害されることで，両手に観念性失行が出現すると，概ね考えられている．

ヒトのみが獲得した，道具把持後の特定の使用動作を可能とする能力が左半球にあって，その機能障害によって道具が使えなくなると考えられるが，その発症メカニズムには，不明な点が多い．

b 観念運動性失行（今日の考え方による）（両側性）

1）症状

第1に，道具を使用する動作を，道具を把持せずにパントマイムとして再現することの障害である．また第2に，「おいでおいで」や「バイバイ」などの信号動作（何らかの意思表示のための動作）についても同様に，パントマイムとして再現することができない．パントマイムは，これら意味のある動作を再現することを指す．道具の使用動作を評価する場合には，道具そのものは，使わない，あるいは眼前に提示してもよいが，触らせないことが必要である．

2）評価法・判定

言語での指示，あるいは検者により教示された動作（やって見せられた動作）を模倣する形で，動作を再現させる．評価は，道具の使用動作と信号動作の両方のパントマイム課題を行う．

「**道具使用のパントマイム**」は，道具を持たずにその動作のみ再現させる．再現する動作内容（道具の使用動作）は観念性失行の標的動作と同じだが，道具を把持せずに再現する点で異なる．

把持させない課題という条件を満たして課題が実施されていれば，道具は視覚提示されていても(例：実物や写真を見せても)，評価として問題はない．指示には言語命令(例:「おいでおいで」をしてみてください，髪の毛を櫛ですく真似をしてください)，模倣命令(動作を提示して真似させる)の2つの方法がある．言語命令は，失語の影響を受けやすく，また模倣命令は視覚処理障害の影響を受けやすいので，両方の命令で行うことで双方の弱点を補いやすく判定しやすい．

観念運動性失行に特徴的な誤り方には2種類ある．「**運動性(空間性)の錯行為**」と，「**BPO**(body part as object)**または BPT**(body part as tool)」である．「運動性(空間性)の錯行為」は，不必要な動作の混入，あるいは動作の方向が異なる，単純化された反復動作(たとえば歯ブラシの使用動作時に，頬をグーで繰り返し叩くなど)が本来の動作箇所に近い場所で行われるなどの誤りである．「BPO または BPT」は，自身の手や足を道具の一部に見立てて動作を行う現象を指す．たとえば，「歯を磨く真似」を指示すると，人差し指を出して，歯ブラシに見立てて，歯の前で左右に動かす動作をするような反応である．これは観念運動性失行に特徴的な誤り方の1つとされる．ただし，とおりいっぺんの指示だけでは健常者でもみられるので，BPO が疑われる動作がみられる場合には，繰り返し「持ったつもりで」と，正しい把持姿位をとるようにと誤りを指摘し，それでも修正がみられない場合に BPO ありと判定する．観念運動性失行は，ほかの失行症状がない限り，命令に応じて行わせた，検査場面などでの「課題」場面に限って観察されるものであり，課題から離れて，日常的な文脈のなかで信号動作を行う場合や，道具を実際に把持している場面での動作はきわめて自然に行われる．

多くの場合，言語命令，模倣命令課題の成績は相関するが，結果として通常は，模倣命令のほうがやや良好である．もちろん動作の再現を命じられていること，指示内容が理解できていること，道具が何かも理解できている(前もって検査による確認が必要)ことが前提である．

「おいでおいで」や「バイバイ」などの「信号動作」のパントマイムも道具使用のパントマイムと同様に，言語での指示，あるいは検者により教示された動作(やって見せられた動作)を模倣する形で，動作を再現させて評価する．使用動作や信号動作のパントマイム結果のなかでいくつかの動作が障害されていれば観念運動性失行ありと判断できる．

3) 責任病巣

左頭頂葉領域損傷によって両手にみられる．また脳梁損傷時には左手一側性に生じうる．

4) 発症メカニズム

古典的には，行為・動作の指令が手指に伝達される途中で離断された結果，動作が遂行できないと考えられていたが，今日では，パントマイムという特殊な条件下で動作を再現するのに必要な機能が左頭頂葉にあり，その障害によると，考えられている．この症候は，検査場面で顕在化するため，観念運動性失行があっても日常生活上は困らないと考えられる．

(➡ Note 1)

C　左手一側の観念運動性失行(観念運動性失行の亜型)

1) 症状

先の観念運動性失行が，右手にはみられず，左手だけにみられる症候である．

2) 評価法・判定

左手一側性に，上記の観念運動性失行の症状がみられるかどうかを，両側性の観念運動性失行と同じ方法で評価し，判定する．左右手の成績を比較する際には，同じ動作を左右手交互に実施するのではなく，いくつかの動作を一側で行ったあとに，他側手で実施する．

3）責任病巣

脳梁の損傷によると考えられる．

4）発症メカニズム

左右いずれの手を使う場合でも，パントマイムの際には，左半球にあるパントマイム実現に必要な機能からの指令を受ける必要がある．そのため左手でのパントマイム時には，脳梁を介して右半球にその情報が伝達される必要がある．脳梁損傷により，この流れが途絶し，情報が右半球に伝達されない結果，左手でパントマイムが再現できなくなると考えられている．

d 口舌顔面失行（観念運動性失行の亜型）

1）症状

口舌顔面失行（口部顔面失行）は，口，舌，顔面動作をパントマイムとして再現する際にみられる障害である．いわば観念運動性失行の「口部，舌，顔面」版である．

2）評価法・判定

挺舌や，頬を膨らませるなどの動作を，検者の言語的な指示に基づいて，あるいはやってみせるという形での視覚的な教示にならって再現することができない．

口舌顔面失行の評価を行うにあたっては，舌打ちなどの動作を行ったことのない患者もいることが予想される．行ったことのない動作は，再現できなくても当然である．その点についても確認し，習熟しているのにできなくなった場合にのみ障害ありと判断する．

3）責任病巣

責任病巣は，左半球損傷で出現することが多いが，右半球損傷で出現したとする報告もあり，病巣について一定のコンセンサスはない．

4）発症メカニズム

発現機序は手の動作障害を中核とする観念運動性失行との類似性が想定されるが，手と異なって口部，舌，顔面は正中の運動器官であり，神経支配などを含め，手とは異なった側面もある．

口舌顔面失行は，失語に伴ってみられる発語失行とは別の症候である．両者を混同しないように注意する必要がある．

> **Note 1. 意図性と自動性の乖離**
>
> たとえば失語症の患者では，ある場面で，特定の人の名前や単語が思い出せないのに，その直後，ふとした拍子に口をついて，その名前が出てくることをしばしば経験する．行為・動作に関しても時に同じ動作の可否が，検査場面や日常場面の間で乖離することがある．たとえば，検査したときに，「おいでおいで」や「バイバイ」などの信号動作が障害されていることが確認され，観念運動性失行ありと判断された患者が，ある日病院の廊下で出会うと，できないはずの「おいでおいで」や「バイバイ」を，とても親しげにしてくれることがある[8]．1800年代後半，Jacksonは，「同じはずの動作が，できる・できないと，場面の違いで変化する」のは，検査場面に比べて日常場面のほうがより情動的，自動的であり，こうした情動的，自動的な動作のほうが保たれやすいためだと説明した．これは慣例的に「**意図性と自動性の乖離**」と呼ばれていて，その乖離をきたす最も代表的な障害が，観念運動性失行やその亜型である，**口舌顔面失行**といわれている．

2 広義の失行（一側肢障害）

各半球は，対側手の行為・動作に関する多くの作業を担っている．こうした作業のなかには，行為・動作内容そのものを決定していくような機能だけでなく，その動作を円滑に行うための機能，たとえば右手と左手の役割分担を決めたり，タイミングを合わせたり，あるいは一方の手が動くのを抑制しておくなど，左右手の間での統制や，あるいは連続する動作を順序よく発現するように調整するような補助的機能もある．前頭葉の運動関

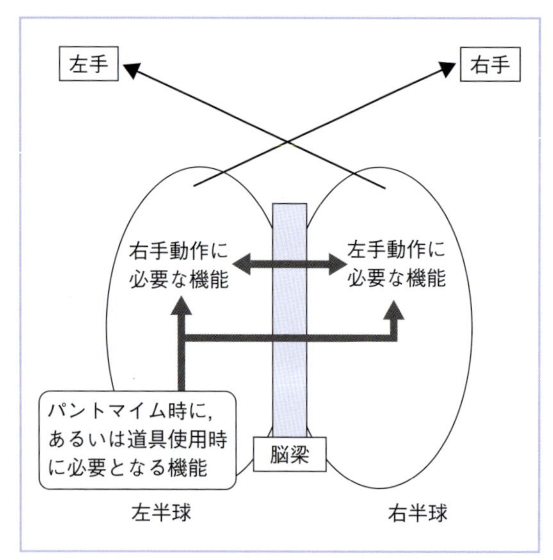

図7-3　右手一側の動作能力，左手一側の動作能力と，各手の特定動作能力の局在

連領域や，左右半球の情報交換の一翼を担う脳梁は，こうした各手間あるいは時空間的な「統制」に関与していると考えられ，それらの領域が損傷されると，種々の統制の障害が生じる(図7-3参照)．

図7-3の脳梁をまたいだ矢印が示す情報の流れや，左右それぞれの半球の内側面(脳梁に近接した前頭葉領域)が，こうした機能に関与していると考えられている．ここで紹介する統制の障害に共通するのは，障害のされ方が，できる，できないという二者択一ではなく，タイミングが悪い，正しい動作だけれども抑制できず，場違いな脈絡で出現するなどが障害の本質であり，質的な障害(誤り方)であることが最大の特徴である．これは観念性失行や観念運動性失行が，特定の動作に選択的に出現する障害であったのとは対照的である．そのためここで取り上げる障害を評価するための特別な課題は，標準的な失行検査には通常盛り込まれていない．これらの症候の存在は，日常的な多彩な動作を行う様子のなかから見出し，判定する．

a　拮抗失行

1）症状

右手動作に誘発されて生じる，左手の異常行動[2)]である．この左手の異常行動は，本人の意思による動きではなく，本人の意思から離れて勝手に動いているもので，その内容には，「右手と同一の異常行動」，「右手とは反対目的の異常行動」，「右手の行動とはまったく無関係な異常行動」や，「左手が意思どおりに動かない異常行動」がある[2)]．すなわち拮抗失行では，左手の異常行動(勝手に動くこと)により，本人の意思を反映して動かしている右手と拮抗したり，あるいは無関係に動いたりする．しかしそれのみでなく，しばらくじっとしたままでいるような場合もある．たとえば「手を伸ばして食卓上にあるナイフとフォークを取り，これらを使う」ような場面では，右手で行為・動作を遂行しようとすると，左手が勝手に動き，目的が達成できない．右手でナイフを持とうと，到達動作を始めると，左手が先取りして取ってしまい，右手から遠ざけてしまう．あるいは別の場面では左手が十分に動いてくれず，達成できない．左右の協調性や連携はきわめて悪いが，常時ではなく時には協力する場面もみられる．場面に無関係な動き，無目的な動きもみられる場合もある．本人は左手の異常行動を，自制することができず，そのためわざわざ右手を使って抑えこもうとする．左手はそれからさらに，逃げようとする場合もある．本人の自覚は左手が思うように動かないと訴え，右手を使って対処しようとしていると説明することもある．

2）評価法・判定

「右手で鍋のふたを閉めてください」のような右手でできる何らかの動作を命じる．この場合右手がふたを閉めたにもかかわらず，すぐに左手が出てきて，右手が閉めたふたを開けたり，あるいは右手がふたを閉めにいく途中で，左手がそのふたを取り上げようとして，左右の手が取り合いをする場面などがみられる．すなわち左右手が拮抗する場面や，左手が意思に反して勝手に動く様子がみられる．あるいは左右の手にそれぞれナイフとフォークを持たせ，この両者を持ち替えるような，左右手で協働して行う必要のある動作を指示すると，左手の動きが突然悪くなったりする．こうした症状があれば拮抗失行と判断できる．できれば本人が左手の異常を自覚していることを確認しておく．また後述する原始反射(把握反射や本能性把握)を伴わずに出現する．

3）責任病巣

脳梁損傷時に生じるとされている．

4）発症メカニズム

普段われわれが意図的に何かの作業をしようとする場合，その作業を開始するよりも前に，外界からの視覚や聴覚情報に基づいて種々の脳内処理をすでに開始していると考えられる．これは，いわば“先ばしり処理”であるが，この先ばしり処理は，入力側の言語処理や対象認知，空間認知における処理だけではなく，動作についても行われ，事前に行為・動作として準備されていると考えられる．そして，この“先ばしり処理”によって準備された行為・動作は，普段不必要に出現することはないように抑制されている．拮抗失行はこうした抑制のうち左手に関する抑制が，脳梁損傷によって病的に外れてしまった結果生じると考えられている．

b 間欠性運動開始困難

1）症状

運動を開始する際，あるいは，すでに開始していても，そこから，手を伸ばす，持つ，離すなど，次の動作に切り替えるような，患手の動作の節目ごとに生じる間欠性の運動開始の障害である[3]．次の動作が開始されない現象であるため，動作が停止してしまったようにも観察される．使用を開始しようとした際に，あたかも突然スイッチが切れたかのように動かなくなる，といった具合である．いったいどのような要因が運動の開始を困難にするのかについては，対象との接触が契機になって次の動作が停止してしまうといった報告はあるが[4]，すべての患者に当てはまるわけではなく，詳細はいまだわかっていない．ただし，手を動かし始めた動作(たとえば手を対象に伸ばしつつある動作)が途中で止まってしまうような事態は起こらない．

2）評価法・判定

特定の物品の操作時に，障害が顕著になるわけではなく，どのような物品が対象のときでも生じうる．一連の動作を観察するなかで，間欠性運動開始困難の特徴を検知することで判定する．把握反射や本能性把握は伴わずに出現しうる．

3）責任病巣

患手の対側半球の前頭葉内側面損傷時に生じるとされる．

4）発症メカニズム

運動の開始，タイミングなどに関与する機能障害によると考えられるが，詳細は不明である．

c 運動無視

1）症状・評価・診断

あたかも麻痺のために，患者自身が故意に一方の手を使おうとしないように観察される．そして健手のみを用いてすべての動作を完遂しようとする．ところが上肢のバレー徴候の検査のように，既存の検査手法を用いて運動能力を評価してみると，患手に想定していた麻痺，筋緊張異常はないか，あってもごく軽度であることがわかる．予想とは不釣り合いなこのような要素的に評価した運動能力と，実際の低使用との乖離が，運動無視の特徴である[5]．また多くの症例では，本人はこうした動作中には，患手の低使用に気づいておらず，検者に使用するよう励まされることで，患手動作は改善する(改善性)．症例によっては自ら気づき，自発的に動作を改善させることもある[6]．

このように運動無視は一側手の低使用が，励まされることで改善することに特徴がある．会話中の患手の身振りは減少し，また立ち上がったり，座ったりなどの動作をするときに，患手を置き去りにするような現象もみられる．たとえば，手が手すりから落ちたり，尻の下に敷かれそうになったり，あるいは，手が椅子の肘掛けから落ちたりする．しかし，これらの現象に患者本人は気づかず，そのままの状態で放置されていたり，患足が椅子の支柱に引っかかっていてもそのまま歩き通そうとする．また時には痛み刺激があっても引っ込めようとしない，歩行時の手の振りが患手で小さい，両手同時に動作をすると患手の動きが顕著に低下するといった現象もみられることがある．

2）判定

先述のとおり，本人が故意に患手を使わなかったことによって起こる，一側手の低使用は運動無視とは判定しない．したがって「こっちの手は，使わないようにしている」という内省がないことが，運動無視ありとするための前提となる．こうした本人の意図しない日常生活場面での患手の低使用と，励ましなどによる顕著な「改善(潜在的な運動能力)」がみられる場合に運動無視の存在が疑われる．こうした場合，片手ではしづらい動作，たとえば折り紙を折る，紐を結ぶなどの動作を行わせてみる．運動無視では，徐々に一側手の動きが減少することが観察され，さらにその動きの減少が励ましで改善することを観察することで運動無視ありと判定する．

3）責任病巣

多くは患手の対側半球の前頭葉内側面(補足運動野)損傷で出現するが，視床などほかの領域の損傷でも報告がある．

4）発症メカニズム

詳細な機序はいまだはっきりしていないが，動作時における左右手の役割分担を決定するのに必要な，何らかの機能が障害されて生じていると推察される．関連する脳機能に関してのサルなどの動物実験が盛んに行われ，こうした研究からも究明されつつある．

d　道具の強迫的使用

1）症状

右手が意思から離れて(反して)勝手に動き，眼前に置かれたものを勝手に使い出す．使用のほか，物品の置き場所を移動させたり，左手からその物品を遠ざけるような異常行動などもみられる．これらは拮抗失行と左右手を反転させたような障害像にみえるが，これに加えて，対象物品を使用する動作，あるいは操作する現象がさらに出現するとされる点で拮抗失行とは異なる．本人はこれを自律的に止めることができないため，左手を使って制止しようとする(右手を押さえる)．拮抗失行と異なり，右手に必ず把握反射や本能性把握を伴っている．

使用動作は，道具がある状況で，場にそぐわないまま，唐突に行われる．必ずしも使用する対象がなくても(たとえばはさみの場合，切る対象である紙がなくても)，使用動作は行われる．

2）評価法・判定

対象は，道具だけでなく，物品(ティッシュ)など，使用，操作するものなら何でもよい．評価の手順としては，まず，机上にさりげなく対象になりそうな物品や道具を配置しておいて，それらの道具や物品とは無関係な課題を実施する．その間に，その道具，物品のいずれかを使い出すかどうかを観察する．たとえば失語の検査や，ほかの失行の検査などを実施する際に，ティッシュボックスや櫛などを本人の眼前に置き，ティッシュに手を伸ばし，取るかどうか，櫛を使用してしまうかをみるなど，使用や操作できる機会を増やして使用動作が出現するかどうか確認する．もし使い出した場合には，その場で，使用しないように告げる，あるいは，その使用動作が，自身の意思から離れて勝手にしてしまっているのかどうか(内省)を確認する．使用するという現象だけでなく，右手が，本人の意思から離れて勝手に動くところに重点をおく．異常動作のなかに，使用動作などが含まれていて，左手で右手を押さえ込む様子があり，かつ把握反射や本能性把握があれば確実である．

3）責任病巣

左前頭葉内側部と脳梁の両方が障害されて生じるとされる．

4）発症メカニズム

拮抗失行のところで述べたように，どちらの手の動作も，脳は受動的に受け取った視覚や聴覚情報に基づいて，あらかじめ動作を準備していると考えられる．その動作を行う必要がないときには，発動しないように抑制されていると推測される．そしてその動作が必要なとき，適したタイミングで発動されていると考えられる．優位半球と連動している利き手では，さらに道具を使用する動作のプログラムまでも準備されていると考えられる．道具の強迫的使用は，健常時には抑制されている，こうした右手で可能な動作のプログラムが，病的にその抑制から解放されて発動してしまった結果生じると考えられている．こうしてみると，右手には道具の強迫的使用が，左手には拮抗失行がそれぞれ異なる障害として生じうるが，左右逆転してみてみると共通項が多い．左右手での差異は，道具使用に関する機能が，右手を直接支配する左半球にのみ偏在していることが関係していると推察される．

Note 2. 原始反射

原始反射は乳幼児期に確立される種々の反射的動作であるが，その後，脳の発達に伴って抑制機構ができてくるため，成人ではみられなくなる．ところが後天的な大脳損傷によってこの抑制機構が損傷され，抑制が解かれると，こうした原始反射は再び出現する．代表的な症候に，把握反射や本能性把握などがある．いずれも本来，意図から離れた動作であるが，不随意運動のような無目的な運動ではなく，対象へ到達し，把持するといった目的にかなった定型的動作が，一定の刺激を与えられる都度，繰り返し出現する．程度はさまざまであるが，一般に自身では抑制しがたい運動である．そのため他方の手で，握った手を外そうとしたりする場合も少なくない．

■1 把握反射

「手掌を遠位方向に圧迫しながらこすることによって起こる一指以上の屈曲・内転反応」[9]とされる．日常場面では掌に触れた物を勝手に握ってしまい，離さない(服の裾を握っている)，握らないようにしようと思っても意思に反して握ってしまう現象として観察される．時には本人自身がいらだって，意図的に反対の手で離そうとする．前頭葉内側面損傷により，対側手に出現する．

■2 本能性把握

本能性把握は，把握反射とは別の独立した症候で，手の部位を問わず，手への刺激を契機として生まれる，手を刺激のほうへ向け，その刺激を把握しようとする一連の運動とされる[7]．山鳥[7]によると，本能性把握では，指全体で対象を包もうとする動き(closing reaction)，指先に加えられた刺激に接触しようとする動き，次いでそれを取り込もうとする小さな把握と伸展の動きが繰り返される(climbing movement)．この結果，手掌中心部に持ち込まれた刺激対象は把握されるという(final grip)．ほかにも，刺激対象を捕捉してしまうといったん把握が緩むことがあるが，このとき刺激が動くと，急に把握動作が生じる(trap reaction)，刺激対象が把握する前に逃げてしまうと，手が逃げた方向へ磁力で引っ張られるかのように動く(magnet reaction)などがある．また刺激対象に触れず，見ただけでも，手をその方向に動かし，握る場合もある(visual groping)[1]．

Note 3.「他人の手徴候」という用語・概念について

一側性の失行に関連する用語の１つとして「他人の手徴候」がある．しかしこの「他人の手徴候」という用語・概念には，２つの混乱がある．１つはこの用語の誕生にまつわる混乱である．すなわち最初にこの「他人の手徴候」という用語が誕生したのは，1972年のフランス語の論文の，「他人の手徴候(le signe de la main étrangère)」[10]の翻訳による．ここでは「他人の手徴候」という用語は，自己所属感の障害を主とした症状を指していた．ところがその後，英語で別の意味で用いられた「他人の手徴候(alien hand syndrome)」が翻訳され，今度は自身の意思を離れて，あたかも他人が操っているかのように勝手に動く手という意味でも用いられるようになった．この２つの意味のどちらを指すのかが，この日本語における「他人の手徴候」という表現ではわからないことになる．

もう１つの混乱は，後者の英語での「他人の手徴候(alien hand syndrome)」自体に関する混乱である．この表現は拮抗失行や道具の強迫的使用など，「勝手に動く手」をきたす複数の障害を内包してしまっていて，せっかく区分されてきた症候概念間での混乱を招く原因となっている．詳細な症状記載のない症例報告もあり，また病巣についても従来の前頭葉内側面や脳梁損傷との関係に加えて，さらに大脳半球後方部損傷によって生じる障害も含められるようになり，さらに混乱を助長している．「他人の手徴候」という用語の使用は現状では避けるほうが望ましい．

C 失行以外の行為・動作症状(その2)

1 大脳の局所機能障害による二次的な行為・動作障害

空間認知障害による行為・動作障害(両側)である．

失行に分類されることのある症候として，構成障害(構成失行)や着衣障害(着衣失行)がある．

a 構成障害

構成障害では，まとまりのある形態を形成する能力の障害[7]で，図形の模写や，手指姿位パターンの模倣などをさせると，適切な模倣，模写あるいは描画ができない．構成障害は空間的な構成要素の強い認知的処理を，行為という出力を介してのみ検知できる障害である．右半球損傷でも左半球損傷でも両手に起こり，後方病巣例が多いが，前頭葉損傷でみられる場合もあるとされる[1]．

b 着衣障害

着衣動作は，日常動作のなかでも重要なものの1つである．ただ着衣に特異な機能があるのではなく，衣服に接近させる自身の身体状況や，衣服の空間的な状況の把握など，複数の空間認知的処理が関与していると考えられる．すなわち，着衣障害は複数の機能障害で生じうる現象と考えられ，今日では，着衣「失行」ではなく，着衣「障害」と称されることが多い．麻痺，半側空間無視，構成障害などに伴っても生じることが知られている．右半球損傷と関連してみられることが多い．

2 人柄の変化による行動障害

性格傾向の変化の１つには，まわりを取り巻く視覚的環境に強く影響される環境依存症候群がある．拮抗失行や道具の強迫的使用のような，本人の意思に反する行動ではなく，欲動に導かれた本人の意思に基づいた行動である．したがって身体全体で表現される障害であり，一側の手だけに生じることはなく，どちらの手でも表現される．

a 模倣行動

眼前にいる相手の行動に影響され，その行動や仕草を模倣したくなった結果生じる「模倣行動 imitation behavior」である．模倣行動を呈する患者は，対面する他人の仕草を模倣するが，その仕草が，不自然な，わざとらしい仕草であっても模倣してしまう．模倣したい，あるいは模倣してもよいという認識を伴って行動してしまう．

b 利用行動

眼前にある物品に影響され，その物品を使用したくなり，その結果生じる「利用行動 utilization behavior」である．模倣行動と同様に，欲動に導かれた本人の意思に基づいた行動である．したがって身体全体で表現される障害であり，一側の手だけに生じることはなく，どちらの手でも表現される．

引用文献

1）石合純夫：高次脳機能障害学第2版．医歯薬出版，2012
2）田中康文：拮抗失行およびその類縁症状．神経進歩 35：1015-1030，1991
3）福井俊哉，遠藤邦彦，杉下守弘，他：失書を伴わない左手観念運動失行，左手拮抗失行，左手間欠性運動開始困難症を伴った脳梁損傷の1例．臨床神経 27：1073-1080，1987
4）大槻美佳，相馬芳明，荒井元美，他：右上肢に特異な運動開始困難を呈した左前大脳動脈領域梗塞の1例．臨床神経 36：1-6，1996
5）中川賀嗣：運動無視．Clinical Neuroscience 21：778-780，2003
6）Nakagawa Y, Tanabe H, Kazui H, et al：Motor neglect following damage to the supplementary motor area. Neurocase 4：55-63, 1998
7）山鳥重：神経心理学入門．医学書院，1985
8）中川賀嗣：失行における日常的行為と検査成績．神経心理学 30：185-194，2014
9）Seyffarth H, Denny-Brown D：The grasp reflex and the instinctive grasp reaction. Brain 71：109-183, 1948
10）Brion S, Jedynak CP：Troubles du transfert inter-hémisphérique（callosal disconnection）：à propos de trois observations de tumeurs du corps calleux：le signe de la main étrangère. Rev Neurol 126：257-266, 1972

6 リハビリテーション

A 一側肢の運動・感覚に関連する障害へのリハビリテーション

患手の積極的な活用が，リハビリテーションにとって原則重要と考えられる．肢節運動失行や感覚による制御の障害の場合，その障害に対して視覚などの感覚による代償作用が寄与していることも多い．そのためリハビリテーションにおいても感覚情報を意識させたり，動作のヒントにしたりすることが動作の改善に有効である可能性がある．ただしその障害が重篤な場合には，対側肢での代用も検討する必要がある場合もある（利き手の交換など）．

B 古典的失行と呼ばれる症候のリハビリテーション

観念性失行は，道具の使用という“ヒトならでは”の行為・動作が障害される病態であり，その障害は日常生活動作（ADL）を強く低下させる．残念ながら現在に至るまで，いまだ有力なリハビリテーションの手法は確認されていないが，いくつかの提案はなされている．石合[1]は，ヒントを用いての「行為の想起と遂行」，誤反応の患者への「フィードバック」，言語化などの「代償的方略」を取り入れたリハビリテーションを示唆している．たとえば言語的に動作を教示して行為をさせる，物品を手渡して行為をさせる，手順を教示して行為をさせるなど，段階的に実施したり，あるいは誤りの指摘などを取り入れたリハビリテーションなどである[2]．

観念運動性失行も同様に，豊富な補助情報の供与下での動作訓練から，必要十分な情報量へと条件を限定していく(やさしい課題から，難しい課題へ)などの方法も提唱されている[3].

広義の失行のリハビリテーション

脳はもともと左右手対称性に左右手それぞれの動きをまかなっていたとみなすことができる．ところがこの2つのうち一方の脳部位が損傷されると，「1つの脳部位で左右2つの手の動きをまかなう必要」が生じる．すなわちたとえば左手の行為・動作に寄与していた右半球の前頭葉内側面が大きく損傷された場合，それまで右手の行為・動作にだけ寄与していた左半球の前頭葉内側面が，その後，右手だけでなく左手の行為・動作についても寄与していく必要が生じるようになる．このように考えるとリハビリテーションとしては，1つの脳領域で左右両手の動きをまかなうための機能再構築が必要となるといえる．こうした機能の再構築を考えた場合には，患手の積極的な活用が，リハビリテーションとして重要であることが予想される．

その他，近位の筋運動の訓練から遠位の訓練へ，あるいは片手動作訓練から両手動作へと徐々に訓練をしていくなどの提案がある．

引用文献

1）石合純夫：高次脳機能障害学第2版．医歯薬出版，2012
2）種村留美：動作の高次脳機能障害．機能障害別アプローチの実際．協同医書出版社，1999
3）Buxbaum LJ, Haaland KY, Hallett M, et al：Treatment of limb apraxia：moving forward to improved action. Am J Phys Med Rehabil 87：149-161, 2008

観念性失行の事例[1)]

50歳代，男性，右利き．

■ **主訴**

(失語による，重篤な発語の障害のため，聴取できず)

■ **現病歴**

X年12月，意識障害をきたし，救急搬送され，脳梗塞と診断された．

■ **神経学的所見**

意識清明，右片麻痺，右視覚性消去現象を認めた．

■ **神経心理学的所見**

言語では，「はい」程度のごく限られた単語のみが使用できた．発語失行，聴覚的理解障害を認め，文字言語も障害されていた．口舌顔面失行を認めた．右手での動作評価は麻痺のため不可．左手での立方体，雛菊の模写は可能で少なくとも顕著な構成障害はない．レーヴン色彩マトリックス検査(RCPM)の結果は20/36．

左手での指折り動作可能(肢節運動失行なし)，信号動作と道具使用のパントマイムは障害あり(観念運動性失行あり)．

道具の使用(道具を把持し，使用の対象物は用いない条件下での動作)は10道具で2個のみ可能であった．障害された道具の一部では，指示課題で正しい道具が選択できたり，道具と対になる物品の多肢選択課題で正しい物品が選べたりと，道具の知識は保たれていることが確認できた(道具の使用障害と，この所見を合わせて観念性失行あり)．動作を模倣させると，いくつかの道具で動作可能であった．

■ **結果のまとめと治療方針の立案**

右手の麻痺は重篤であり，利き手変換が必要と考えられた．観念運動性失行とともに，観念性失行を認めたが，構成障害を認めず，RCPM 20/36と，ほかの障害は重篤ではなかった．また動作の模倣で改善もみられ，道具の知識も保たれていることから，道具の使用動作の障害は，動作のエラーレス・ラーニングが有効と推察された．

■ **目標**

左手での，使用動作訓練(エラーレス)，同時に使用手としての巧緻性の向上のための訓練により，道具使用を含めた左手使用動作の改善とした．

■ **訓練計画**

言語の訓練と並行して左手動作の訓練を計画した．

■ **まとめ**

左半球損傷により，右片麻痺，失語，観念性失行，観念運動性失行を認めた症例であり，左手使用による ADL 向上を目指す必要のある例であった．失語の存在は，まわりの者とのコミュニケーションや，リハビリテーションの遂行の妨げになりやすいが，失行例に失語を伴うことは稀ではないことも事実である．リハビリテーションを開始する前に，対応を十分に検討しておくことが肝要である．

引用文献

1）中川賀嗣，大槻美佳，井之川真紀：使用失行の発現機序について．神経心理学 20：241-253，2004

第8章

記憶障害

学修の到達目標

- 記憶の処理過程について説明できる.
- 人がどのような情報を憶えることができるのかを説明できる.
- 記憶障害の種類，症状，病巣を説明できる.
- 記憶障害の訓練，指導，支援の原則を説明できる.
- 言語聴覚士としてどのように記憶障害に介入するか説明できる.

エピソードと臨床的推論の視点

Aさん(40歳代，男性)は，部屋に入ると言語聴覚士に会釈とともに挨拶をした．名前や生年月日，天候など，自由会話においては，発話に不明瞭さはなく，反応もスムーズで，会話の停滞もなかった．

しかし，その日の昼食の献立を聞くと，突如付き添いの妻に確認をして，自力で思い出すことが難しかった．さらに，先週の出来事を尋ねると，また妻のほうを笑いながら見て，聞かれてるよ，とおどけた様子をみせたが，その後，額に汗をかいて焦った表情をみせた．

ご自身にお尋ねしていることを再度伝えると，「わからないです」と小さな声でうつむき加減に答えた．

この様子をみて，Aさんは，礼節は保たれ，言語障害はないが，記憶障害があることを疑った．

1 記憶の基本概念と分類

A はじめに

私たちは時間の流れのなかで生きている．今ここで経験したことが痕跡となり，思い出は積み重なり，未来へとつながる．いつ，どこで，誰と，何をどのようにしてというエピソードや，知識，そして手技など，さまざまな事柄が記憶に基づく．つまり，記憶は多面的な側面をもつ多機能な認知機能なのである．

記憶とは，一般的に憶えることや忘れないで憶えておく，思い出すことなどをいう．憶えるためには必要な情報を取り込み，その情報を保持し，必要に応じてその情報を取り出す，という複数の過程がある．憶える情報は多種多様であり，思い出す方法や場面もさまざまである．

記憶が障害されると，日々の行動に支障をきたす．たとえば，会話の辻褄が合わなくなる，約束を守ることが難しくなる．その結果，人間関係や，学業，職業に支障をきたすなど社会生活レベルが低下する．

本章では，記憶とは何か，つまり，憶えて思い出すためには，どのような処理が行われているのか，記憶にはどのような種類があるのか，記憶はどのように障害されるのか，記憶障害ではどのような症状が出るのか，そして，記憶障害に対してどのようなリハビリテーションを行うのかについてまとめる．

B 記憶の処理過程—3つの過程

記憶とは「新しい経験が保存され，その経験が意識や行為の中に再生されること」と定義される[1]．

たとえば昨日，通りに出て駅に向かって歩き出したところ，後ろから来た自転車に追突されて，足を負傷したとする．この出来事は新しい経験である．このときの状況をあとから聞かれたときに，自身はどのように通りに出てきたのか，そのときにどのように自転車と出くわしたのかを答えることができたのは，自転車との事故という新し

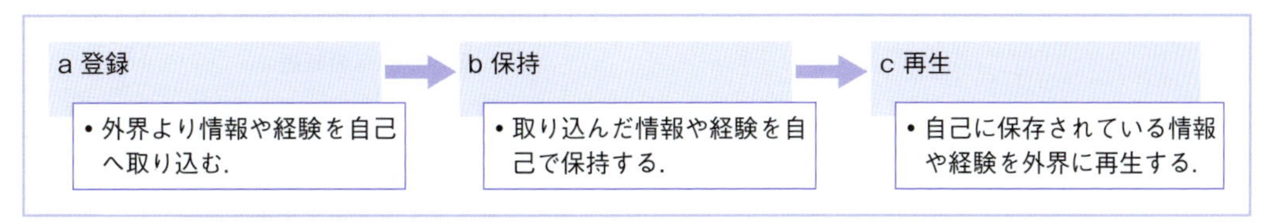

図 8-1　記憶の処理過程

記憶の処理過程には，登録，保持，再生の3つの過程がある．登録では，自己の外から情報や経験を取り込む．保持では，取り込んで登録した情報を貯蔵する．再生では，保持された情報を取り出す．

い経験を保存できていたからである．そして，その経験を尋ねられたときに，思い出そうとして思い出すことができ，さらにことばで言い表し再生できたため，答えることができたのである．

このように，記憶は，新しい経験を取り込み，保存し，思い出すという3つの過程からなる[1)]．つまり，記憶は過程で施される処理の違いにより **a. 登録** registration，**b. 保持** store，**c. 再生** recall **あるいは検索** retrieve という，3つの処理過程に分けられる(図 8-1)．

記憶の処理における第1の過程であるa. 登録は，外界より新しい情報や経験が自己に取り込まれる段階である．第2の過程であるb. 保持は，取り込んだ情報や経験を自己に保存する段階である．そして最終の第3の過程であるc. 再生は，必要なときに保存した情報や経験を外界に向けて再生する段階である(➡ Note 1)．

再生には，4つの方法がある．自然に思い出す自発的再生 spontaneous recall，特定の内容を思い出そうとして思い出す意図的再生 intentional recall，示されたヒントをもとに思い出す手がかり再生 cued recall，そして示された情報を憶えたか否か，過去に経験したかどうかを確認する再認再生 recognition がある．これらの再生の方法によって，保存や検索の状態を確認することができる．

記憶の処理における3つの過程すべてが安定していることが，記憶が正常に機能するためには必要である．言い換えれば，これらの過程のいずれかが不安定になれば，記憶の障害が生じる．

Note 1. 記憶の処理水準と脳内処理

記憶する情報は，内側側頭葉と前頭前野で登録され，海馬により固定化 consolidation され，その後，大脳新皮質で保持されるという．再生するときは，海馬は保持情報の活性化に，前頭前野は保持情報の統合や検索における監視や不要な情報の抑制，頭頂葉は検索した保持情報の焦点化に関与する可能性も示されている[4)]．

また記憶の処理に関連して，処理水準効果 levels of processing effect がある．これは，単語の記憶課題において，意味的に関連づけたほうが，音や字の形という表層的な情報を記憶するよりも記憶の成績がよかったという結果があった．つまり，意味的処理を伴うと記憶の処理は深い処理となり，表層的な字の形のみの記憶の処理より，記憶の成績がよくなる可能性がある[5)]．

C 記憶の種類と機能

1 保持時間による分類

外界から取り込んだ情報は一時的に保持される記憶と長期的に保持される記憶に分けることができる．

a 短期記憶，長期記憶

1) 短期記憶と長期記憶という2つの記憶システム

外界からの情報は，感覚登録器である視覚や聴覚などを経由して入力され，短期間の一時的な記憶である**短期記憶**と，保持時間の長い記憶である**長期記憶**にて保持，再生される．このように人は

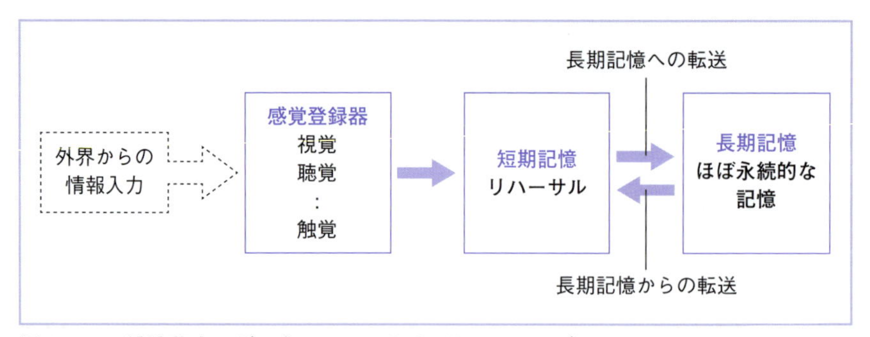

図 8-2　二重貯蔵庫モデル(Atkinson & Shiffrin's model)

外界からの情報は，視覚や聴覚などの感覚登録器を通して入力される．この段階の記憶は感覚記憶と呼ばれる場合もあり，非常に短時間の保持が想定されてる．感覚登録器を通過した情報は，短期貯蔵庫である短期記憶へ送られる．短期記憶での情報はリハーサルを繰り返すことで一定時間保持され，さらには長期貯蔵庫である長期記憶へも転送される．また，短期記憶は長期記憶からの情報の検索にもかかわると考えられている[2]．

複数の記憶の貯蔵庫をもっていることをモデルで示したのが，二重貯蔵庫モデル(あるいは多重貯蔵庫モデル)である(図 8-2)．

短期記憶における短期貯蔵庫では情報を反復，つまりリハーサルを繰り返し，一定時間の間より長く保持し続けることができる．また，短期記憶は長期記憶における長期貯蔵庫へ情報を転送する役割を果たすとも考えられている．さらに，短期記憶は長期記憶から情報を検索することにもかかわるとされる．

この2つの記憶システムは19世紀末から指摘されていたが，20世紀中ごろに再注目された[2]．そのきっかけとして症例H.M.があった．症例H.M.は，てんかん発作に対する内側側頭葉を両側で切除する手術を受けた．その後，過去の一定時期の出来事を思い出せなくなり，新たな学習はほとんどできなくなった．しかし，数字系列を即時に再生することはできた．もし記憶が単一のシステムであれば，即時の再生も新たな学習もいずれもできなくなると考えられる．

さらに，心理学の実験からも2つの記憶システムが実証された[2]．たとえば，数字列や意味のない無意味つづりを複数憶える系列学習課題では，系列の最初と終わりで成績がよくなる．前者を**初頭効果** primacy effect，後者を**新近効果** recency effect と呼ぶ．

初頭効果が起こる理由は以下のように考えられている．何も入っていない短期貯蔵庫に入った情報は十分にリハーサルされた結果，長期貯蔵庫である長期記憶に転送されやすくなる．そのため，最初に入力された情報は再生されやすくなる．一方で，系列学習としては最後に入力された情報は，再生されるまでの時間が短く，そのため情報は短期貯蔵庫内にまだある状態で再生を求められ，再生しやくなるのが新近効果である．もし1つの記憶システムしかなければ，一連の流れで記憶する際でも最初と最後での再生の成績に違いは出ないと考えられる．

症例H.M.の記憶の特徴や，系列位置による再生の成績の相違という実験の結果から，記憶のシステムは1つではなく，短期記憶と長期記憶の2つのシステムからなると考えられた．

2) 短期記憶およびワーキングメモリ，長期記憶

短期記憶とは，1分程度の保持時間による記憶である．**ワーキングメモリ** Working Memory (WM)は，作業記憶や作動記憶とも呼ばれる．ワーキングメモリは，1970年代にBaddeleyとHitchが，認知処理との関連性において短期記憶の概念を再考し，提唱した[2]．ワーキングメモリ

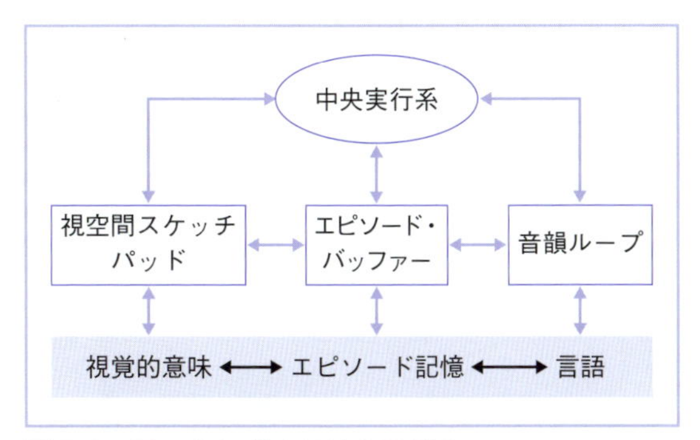

図 8-3　ワーキングメモリのモデル

ワーキングメモリは，注意制御を行う中央実行系と，視空間情報の一時的保持を担う視空間スケッチパッド，聴覚言語情報の一時的保持を担う音韻ループ，そして各サブシステムの異なったモダリティの情報を統合して一時的に保持するエピソード・バッファーからなる．それぞれのサブシステムは長期記憶と関与をもつと考えられている．

〔Baddeley A：Working memory：looking back and looking forward. Nat Rev Neurosci 4：829-839, 2003 より一部改変〕

は，注意をコントロールして，保持した情報を活性化しながら，目標に向かって処理することにかかわる機能である．つまりワーキングメモリは一時的な保持機能である短期記憶に処理の機能を併せもった働きをなし，文の理解や推論，計算などにおいて重要な役割を果たす．

ワーキングメモリは複数のサブシステムからなる（図 8-3）．これらのサブシステムは，情報の一時的な貯蔵庫として機能し，この部分が短期記憶に相当する．言語的な情報に関する音韻ループと非言語的な情報に関する視空間スケッチパッドがあり，ここで，それぞれの情報が一時的に保持される．さらには，長期記憶にある情報の検索結果やサブシステムの情報を統合するエピソード・バッファー episodic buffer も提唱されている．

これらのサブシステムをコントロールする中心的な役割を担うのが，中央実行系 central executive である．中央実行系はワーキングメモリモデルの中心で，サブシステムと異なり，記憶の場ではなく，制御機構である．注意の方向づけや高次の認知処理に必要な処理資源を確保し，サブシステムの調整や統合に関与する．

短期記憶よりも保持時間が長い記憶を**長期記憶**という．数分以上，数時間以上，数十年以上と長期間にわたる記憶が長期記憶である．後述のように，長期記憶は保持される内容によって，さまざまな種類に分けられる（詳細は後述）．

b　即時記憶，近時記憶，遠隔記憶

短期記憶と長期記憶という記憶の保持時間の分類は，認知心理学の分野で用いられることが多い．一方で臨床神経学の分野では，記憶の保持時間による分類として，即時記憶 immediate memory，近時記憶 recent memory，遠隔記憶 remote memory という分類を用いる．

即時記憶は，干渉あるいは妨害刺激がなく，すぐに再生を求められる記憶で，秒単位の記憶を指し示すことが一般的である．数唱課題の順唱は即時記憶に関する課題である．順唱では，「今から言う数をそのとおり繰り返してください」と教示し，数列を聴いてすぐに，聴いた順のとおりに数字を繰り返す．

近時記憶は数分～数日の記憶をいう．現在は夕方であるとした場合，「今日の昼ごはんは何を食べましたか」という質問においては，近時記憶を求められる．

遠隔記憶は近時記憶よりも長い記憶で，数日～年単位の記憶をいう．「昨年の夏季休暇にはどこに行きましたか」という問いでは，遠隔記憶が必要となる．

それぞれの記憶を対応して考えると図 8-4 のようになる．つまり，即時記憶と短期記憶はほぼ同程度の保持時間による記憶である．即時記憶は干渉がなくすぐに再生するが，短期記憶は 1 分程度で再生までに干渉がある場合もあることが違う点である．近時記憶と遠隔記憶は，長期記憶に相応すると考えられる．

2　情報の内容による分類

記憶の処理過程において登録され，保存される情報の種類あるいは内容は，経験した出来事であ

る場合が多い．しかし，記憶する内容は出来事以外にもあり，知識や技術なども含まれる．

記憶する情報の内容による分類は，再生するしかたによって二分できる．1つが，ことばによって表現して意識的に再生する宣言(陳述)記憶である．もう1つが，ことばによらず行動において再生する非宣言(非陳述)記憶である(図8-5)．なお，陳述記憶と非陳述記憶の区別は，短期記憶についても用いることができるが[1]，本項では長期記憶に関して説明する．また，宣言記憶は陳述記憶とも呼ばれ，本項では陳述記憶という用語を用いる．

a 陳述記憶

陳述とは，ことばで述べるという意味である．**陳述記憶** declarative memory とは，記憶した情報や経験をことばで表現して再生することができる記憶の種類をいう．

陳述記憶にはエピソード記憶と意味記憶がある．陳述記憶は意識的に想起され，再生される．

1）エピソード記憶

エピソードとは，出来事をいう．「いつ」にかかわる時間的，「どこで」にかかわる空間的な情報や経験に関する記憶をエピソード記憶という．一般

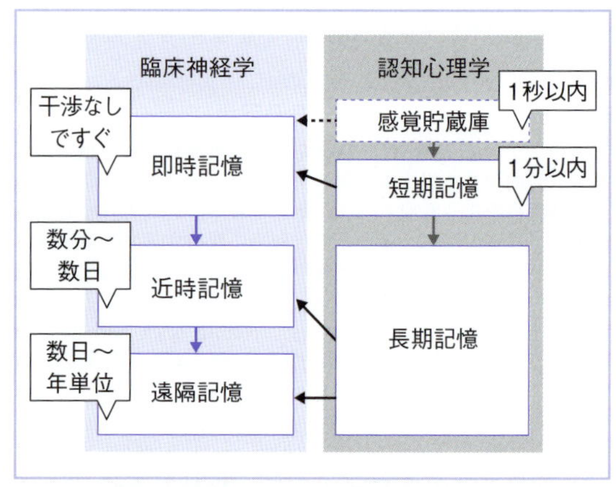

図8-4　記憶の保持時間による臨床神経学と認知心理学による分類とその対応

右側の認知心理学における記憶の分類には，保持時間が短い順より，短期記憶，長期記憶がある．感覚貯蔵庫あるいは感覚記憶は，外からの情報が視覚や聴覚など感覚器官を通じて入力されるきわめて短い記憶である．左側は臨床神経学による保持時間による記憶の分類で，即時記憶は短期記憶にほぼ対応する．近時記憶と遠隔記憶は長期記憶に対応する．

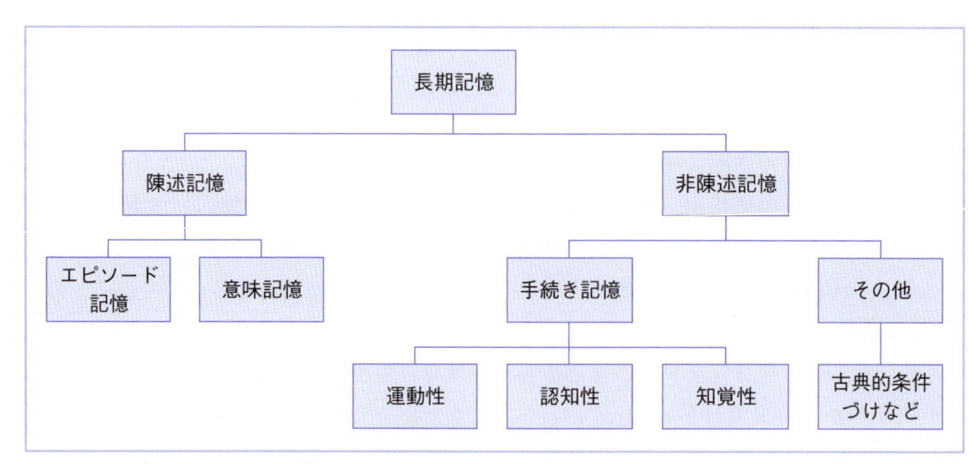

図8-5　記憶の内容による分類

記憶を内容により分類すると，陳述記憶と非陳述記憶に二分できる．陳述記憶には，エピソード記憶と意味記憶がある．非陳述記憶は手続き記憶のことを指す場合があるが，非常に幅広い内容を含むため，上図は手続き記憶とその他を分けて非陳述記憶としてまとめている．手続き記憶には，運動性，認知性，知覚性がある．その他には古典的条件づけやプライミングがある．プライミングは一般的には非陳述記憶に含まれると考えるが，陳述記憶の要素も含まれ，分類については議論がある[1]．

〔Squire LR, et al：Structure and function of declarative and nondeclarative memory systems. Proc Nat Acad Sci USA 93：13515-13522, 1996 を一部改変〕

的に「記憶」というときは，**エピソード記憶**を指すことが多い．

たとえば，「先週新しくできたおいしいと評判のチョコレート店に行ったが，大行列で買えなかった」というような出来事は，エピソード記憶に分類できる記憶である．

出来事は自分自身が直接的に経験した場合と，自分自身は直接的に経験しないが，新聞やニュースで見聞きした情報による場合がある．前者は**自伝的エピソード記憶**，後者を**社会的エピソード記憶**という．経験を直接行う出来事と，見聞きした間接的な出来事とでは，記憶の処理が異なる可能性がある．つまり，間接的な出来事に関する社会的エピソード記憶は，同じ出来事に関する記憶でも，知識（次に述べる意味記憶）の要素が強いことが示唆されている[1]．詳細は後述するが，エピソード記憶には，内側側頭葉や間脳，前脳基底部が関与するといわれている．

2）意味記憶

単語や物品，人や常識などに関する記憶のことを**意味記憶**という．いわゆる知識のことを指す．意味は，繰り返しの経験のなかから時間的，空間的情報を取り除いて，共通のイメージを抽出して成立する普遍的な知識である．

たとえば，チョコレートとはカカオの成分や砂糖，粉乳などを混ぜて練り固めた食品である，という単語の意味や，チョコレートは温度が高いと溶けることがある，といった知識などが意味記憶にあたる．意味記憶には，側頭葉前方の機能が重要といわれているが，どのように意味記憶として脳内に蓄積するかについては議論がある[3]．

b　非陳述記憶

記憶した情報や経験を行動において再生する記憶は，ことばで表現できる陳述記憶とは異なり，**非陳述記憶** non-declarative memory という．陳述記憶に対して，手続き記憶 procedural memory によって二分することもある．しかし，行動において再生する記憶は，手続き記憶以外に古典的条件づけなども含まれ範囲が広いため，より広くとらえる場合は非陳述記憶という分類を用いる[1]．

手続き記憶という名称は，この記憶が課題の手順や手段を学習することに関与する記憶であることによるという．手続き記憶は出来事とは関係なく，いったん記憶が形成されるとその情報は無意識的に想起され，再生される．手続き記憶には，主に大脳基底核や小脳が関与するといわれている．

1）運動性手続き記憶・知覚性手続き記憶・認知性手続き記憶

手続き記憶は，学習することによって当該の課題遂行に必要な手順が最適になることに関与する．その課題が運動による場合は運動性手続き記憶，特殊な読みなど知覚による場合は知覚性手続き記憶，課題解決あるいは認知的思考による場合は認知性手続き記憶と便宜的に区分される[1]．

運動性手続き記憶は，ピアノの演奏や水泳が練習ととも上達することに関与する．たとえば，鏡に映った図形を映す鏡映描写課題（図 8-6）により運動性手続き記憶が必要な運動技能を評価できる．最初は時間がかかっても，繰り返す学習によって熟達し当該の運動技能を学習すると，円滑に遂行できるようになる．

知覚性手続き記憶は，左右を反転させた鏡文字の読みのスピードが慣れととも速くなることにかかわる．上下はそのままで左右を反転させた鏡文字をすばやく読むように求める鏡映読字課題では知覚性手続き記憶が必要な知覚技能を評価できる．練習とともに知覚技能を習得すると，左右が反転した文字でも速く読めるようになる．

認知性手続き記憶は，ピースを組み合わせる図形パズルを繰り返し行うと，組み合わせる速度が速くなることにかかわる．一定のルールに従って，円盤を指定の別の場所に移動させるハノイの塔課題（図 8-7）では，認知性手続き記憶が必要な認知技能を評価できる．最初はハノイの塔課題の

図 8-6　鏡映描写課題の様子

手元は直接見えないようにして，鏡に映る様子を見て，図をなぞる．最初は書く時間がかかるが，慣れてくると速く書けるようになる．
〔Banich MT, et al：Cognitive Neuroscience. pp257-295, Cambridge University Press, 2018 を参考に作図〕

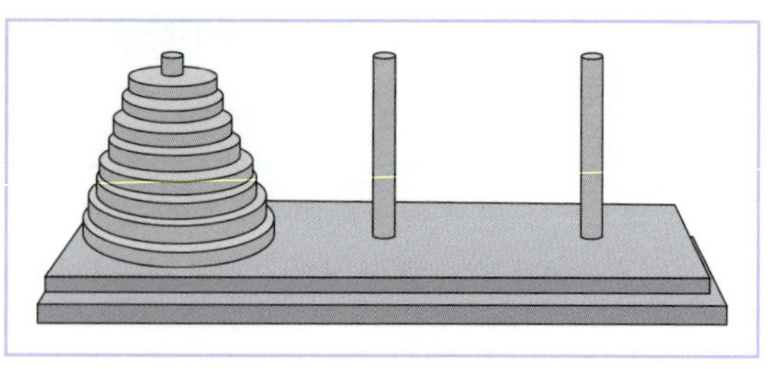

図 8-7　ハノイの塔

左側にある複数枚の円盤は，1回に1枚しか動かさない，小さい円盤は大きい円盤の下に置かないなどの一定のルールに従って，右端に移動させる．何度か実施するうちに，効率的に円盤を動かせるようになり，所要時間が短くなる．

円盤移動を試行錯誤に行っていても，練習を重ねるにつれ，移動させる回数を最小にして効率的に円盤の移動を行えるようになる．

2）その他：古典的条件づけ，プライミングなど

古典的条件づけ classical conditioning とは，パブロフ Pavlov が発見した理論である．犬は空腹のときに餌（無条件刺激）を見ると唾液（無条件反応）が出る．しかし，チャイム（条件刺激）を聞いても唾液は出ない．餌（無条件刺激）を見せる前に，チャイム（条件刺激）を聞かせることを繰り返し行う．すると，犬は餌（無条件刺激）を見なくても，チャイム（条件刺激）だけで唾液が出るようになる（条件反射）．条件刺激から唾液が出ることは本来ない現象で，繰り返しの経験によって，本来はない現象を引き起こすという行動変容が起こる．刺激–反応の連合を次第に形成し，手続きを学習すると考えられる．

プライミング priming とは，先行刺激が後続課題での反応を促進させる現象である．たとえば，語頭音を手がかりに単語を完成させる単語完成課題では，先に見た単語を憶えているという意識がなくても，先に見た単語に基づいて想起する割合が，先に見ていない場合より高くなる．このようなプライミング効果は，これまでもっている認知的操作が進歩したという点においては，手続き記憶の一種とみなせる．しかし，先行刺激が陳述記憶に属する単語の知識を活性化させる点においては，陳述記憶の一形態とみなすこともでき，プライミング効果がどの記憶に分類されるかについては議論がある[1]．

3　想起意識による分類

陳述記憶は，意識的に想起される．一方で，手続き記憶（非陳述記憶）は，無意識的に想起される．記憶は，想起する際の意識の状態によって分類することができる．

a　顕在記憶

顕在とは，はっきりと形に現れるという意味をもつ．**顕在記憶**とは，記憶された内容を，思い出しているという意識をもって思い出す記憶である．

b　潜在記憶

潜在とは，表面に現れず内に潜んでいるという意味をもつ．**潜在記憶**とは，記憶された内容を思い出しているという意識はないにもかかわらず，行動に反映される記憶である．

4 その他の分類

a 内容記憶と発生源記憶

エピソード記憶は，「いつ」，「どこ」で，「何をした」という時間的，空間的な情報を伴う出来事に関する記憶である．「何をした」という出来事の内容そのものを**内容記憶** item memory ということがある．

一方で，その事柄が「いつ」，「どこ」で発生したのかに由来する時間や場所など，出来事を経験した状況や文脈に関する記憶は，**発生源記憶** source memory（出典記憶）と呼ばれることもある．発生源記憶は特に前頭葉との関連もあるといわれている．

b 言語性記憶と視覚性記憶

言語性記憶とは，記憶する情報がことばで構成される．一方，図形や顔，風景などことば以外の情報による記憶は視覚性記憶と呼ぶ．**言語性記憶**は左大脳半球が，**視覚性記憶**は右大脳半球の果たす役割が大きいという．

c 展望記憶と回顧記憶

展望記憶 prospective memory とは，憶えておいたことを，将来のある時点で思い出し，実行するための記憶である．将来のある時点での行動を見通して憶えておくことで，予定の記憶ともいう．たとえば，授業が終わったら，宿題のための本を図書館に取りに行く，と授業中に想起する．そして，授業が終わった時点で，本を取りに行くという予定を立てたことを思い出して，図書館に行く．この一連の流れのなかで，授業中という時点において，図書館に本を取り行くのは未来のことで，その時点になったときに予定に関する記憶を取り出して，その内容を実行する．これが展望記憶である．

展望記憶には，2つの要素がある．1つは「何かをしないといけない」と予定を実行する時点で予定に関する記憶を思い出す存在想起である．もう1つは，予定を実行する時点で，「何をするか」という実行する内容そのものを思い出す内容想起である．予定の円滑な実行には，内容想起も存在想起も両方とも必要である．展望記憶には前頭葉の関与が強いという．

展望記憶は予定の記憶で，未来に対する記憶であるが，現在より以前である過去に起こった出来事を思い出すことを回想記憶，あるいは**回顧記憶**と呼ぶこともある．

引用文献

1）山鳥重：記憶の神経心理学．医学書院，2002
2）苧阪満里子：脳のメモ帳―ワーキングメモリ．新曜社，2002
3）種村純，白山靖彦，種村留美，他(編)：やさしい高次脳機能障害用語事典．ぱーそん書房，2019
4）Banich MT, Compton RJ：Cognitive Neuroscience. pp257-295, Cambridge University Press, 2018
5）Craik FIM, Tulving E：Depth of Processing and the Retention of Words in Episodic Memory. J Exp Psychol Gen 104：268-294, 1975

2 記憶障害の原因疾患と症状

記憶にはさまざまな区分や種類があり，それぞれにおける記憶の障害がある．記憶する内容においてはエピソード記憶障害，意味記憶，手続き記憶障害などがある．記憶の処理過程においては，保持の障害，再生の障害などがある．さらに原因によっての分類もあり，器質的に脳損傷を受けることによって記憶障害が発現する器質性記憶障害と，心因などにより記憶障害が出現する機能性記

Note 2. 一過性全健忘と全生活史健忘

一過性全健忘 transient global amnesia とは，急性に発症する一過性の前向性健忘ならびに逆向性健忘を呈する病態で，通常は24時間以内に症状が回復する．両側内側側頭葉の一過性機能性低下の可能性が示されている．

全生活史健忘とは，選択的に逆向性健忘を呈するもので機能性記憶障害である解離性健忘に認められることがあるが，病巣が確認される場合もある[1]．

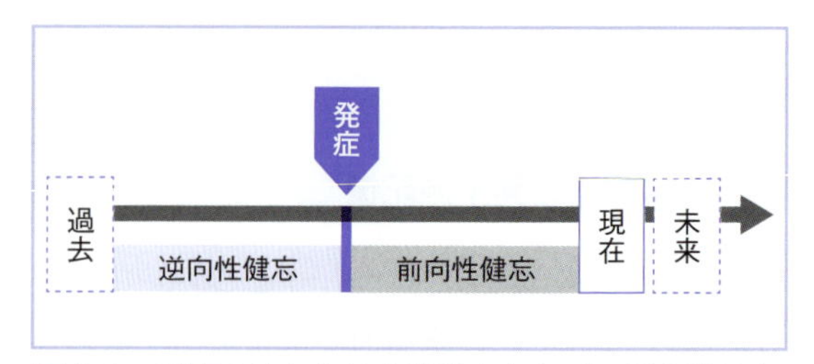

図 8-8　時間の流れと前向性健忘ならびに逆向性健忘

過去から現在，未来へという時間の流れのなかで，発症を基点に発症よりあとの出来事を記憶できない状態を前向性健忘という．発症より前の出来事を想起できない状態を逆向性健忘という．

憶障害としては解離性健忘がある．その他に，一過性全健忘や全生活史健忘などもある(➡ Note 2)．

言語聴覚療法を行う臨床現場で多く対応するのは器質性記憶障害で，エピソード記憶や意味記憶の障害である．特に臨床現場で記憶障害という場合は，脳損傷に由来し，知的機能の保存，即時記憶の保存，意味記憶や手続き記憶が保存される一方で，エピソード記憶が障害され，前向性健忘や逆向性健忘を呈する**健忘症候群**を指し示す．

本項では，主にエピソード記憶が障害される健忘症候群について，脳病変との関連や記憶障害の症状について説明する．

なお，アルツハイマー病では病初期からエピソード記憶を主とした記憶障害を認める．しかし，記憶障害以外にも進行とともに，知的障害や言語障害など多彩な障害が併合し変化するために，ここでの説明には含めない．認知症における記憶障害は，第11章5節(➡ 235頁)を参照されたい．

A 記憶障害の症状

健忘症候群において現れる記憶障害の症状を解説する．

1 前向性健忘と逆向性健忘(図 8-8)

a 前向性健忘

健忘症候群を引き起こす原因である脳損傷の発症を起点に，脳損傷が起こった時点以降の新しい事柄を記憶できない状態を**前向性健忘** anterograde amnesia と呼ぶ．

b 逆向性健忘

健忘症候群を引き起こす原因である脳損傷の発症を起点に，脳損傷が起こった時点以前の事柄を思い出せない状態を**逆向性健忘** retrograde amnesia と呼ぶ．

逆向性健忘では，発症時点により近い最近のことが思い出しにくく，発症時点からより遠い昔のことは思い出しやすい．また，発症以前のことを想起できない期間は，数年〜数十年に及ぶ場合がある．

逆向性健忘は，**時間的勾配** temporal gradient を特徴とする．時間的勾配とは，遠い過去のことのほうが最近のことよりも思い出しやすい現象である．この現象はリボーの法則 Ribot's law とも呼ばれ，記憶された情報は時間の経過とともに固定化され統合されることによる．発症時点に近い記憶は脳損傷によって，固定化される機会が少なくなった結果，思い出しにくくなるといわれている(➡ Note 3)．

逆向性健忘は，発症よりも以前の年単位の記憶

Note 3. エビングハウスの忘却曲線

Ebbinghaus(1885)は，人の記憶は時間が経つと減衰することを，時間経過と忘却という観点から忘却曲線を示して説明した．この忘却曲線によると憶えたすぐあとは忘却の割合は大きいが，時間が経つにつれて，忘却はなだらかになるという．しかし，繰り返し何度も憶え直すと，記憶の固定化につながり，より強固に保持される．

である遠隔記憶の障害を示すことが多い[1]．ただし，遠隔記憶の障害は必ずしも逆向性健忘であるとは限らない．つまり，発症後の新たな記憶の形成障害である前向性健忘があった時期が時間の経過とともに過去になった場合には，記憶の区分としては遠隔記憶であっても，遠隔記憶の想起ができないことは必ずしも逆向性健忘によらない可能性もあり，逆向性健忘と前向性健忘の区別は慎重にする必要がある[2]．

2 作話

作話 confabulation とは，事実ではないことを話すことである．ただし，事実でないことを話すという意図はない．健忘症候群における作話は思い出せない事柄を，確信なく場当たり的に話すものである．作話の生起には，保続 perseveration との関連も指摘されている．

a 当惑作話

尋ねられた内容を思い出せず，思い出せないことを補うように事実と異なることを話すことを**当惑作話**という．本人は思い出せないという自覚はなく，会話の穴埋めをするように事実でないことを話すことがある．誘発性作話ともいう．

b 空想作話

会話の穴埋め以上に，実際には起こっていないことを，起こっているかのように想像して話すことを**空想作話**あるいは自発作話という．空想作話には前頭葉病変が重要とされている．

3 記憶錯誤

自分が経験した出来事を，その出来事が関連する場面とは違う別の場面で思い出すことを**記憶錯誤**という．記憶錯誤は，実際に経験したことを誤って想起するが，作話は自身では経験していない出来事でもって，記憶を補う点が異なる．

4 見当識障害

見当識 orientation とは，時や場所など周囲の環境に関する認識のことである．今はいつであるか，季節，日付，曜日，時間帯がわかることが時間見当識である．場所見当識は，自分はどこにいるかについてわかることである．

見当識障害は，情報を保持できずに，移り変わる時間や環境に関する自身の認識を絶えず更新できないことが原因と考えられている．見当識障害 disorientation は記憶障害と関連が深いが，記憶障害があっても必ずしも見当識障害があるとは限らない．

5 病識欠如

病識とは，自身の病態を認識することである．記憶障害における**病識欠如**とは記憶障害に対する病態の洞察欠如で，自身に起こっている記憶障害に自覚がない状態である．

B 健忘症候群を引き起こす脳部位

健忘症候群を引き起こす主な脳部位としては，内側側頭葉，間脳，前脳基底部が重要である(図8-9の各図)．

内側側頭葉には，海馬および海馬傍回，扁桃体

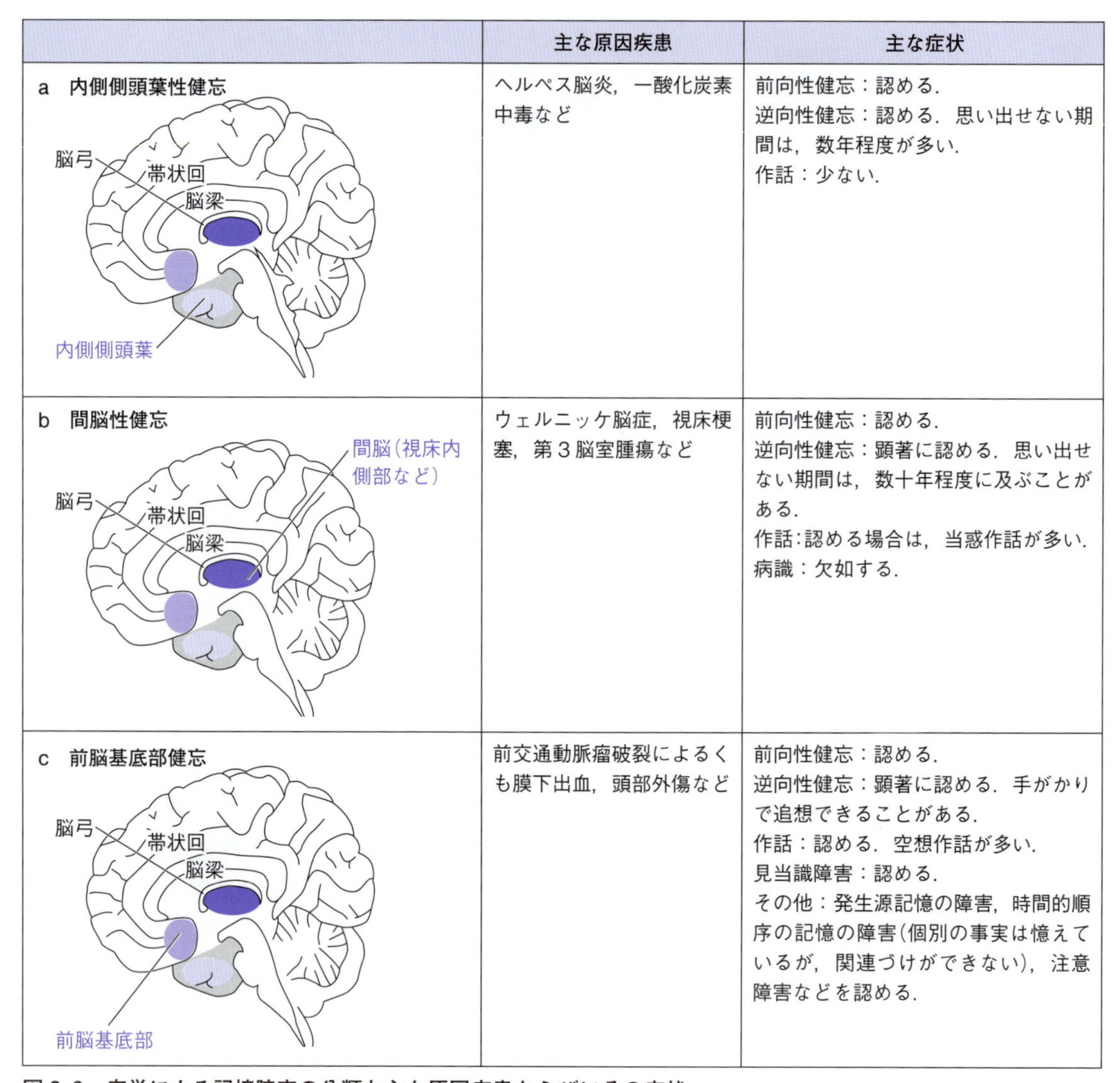

	主な原因疾患	主な症状
a　内側側頭葉性健忘	ヘルペス脳炎，一酸化炭素中毒など	前向性健忘：認める． 逆向性健忘：認める．思い出せない期間は，数年程度が多い． 作話：少ない．
b　間脳性健忘	ウェルニッケ脳症，視床梗塞，第 3 脳室腫瘍など	前向性健忘：認める． 逆向性健忘：顕著に認める．思い出せない期間は，数十年程度に及ぶことがある． 作話：認める場合は，当惑作話が多い． 病識：欠如する．
c　前脳基底部健忘	前交通動脈瘤破裂によるくも膜下出血，頭部外傷など	前向性健忘：認める． 逆向性健忘：顕著に認める．手がかりで追想できることがある． 作話：認める．空想作話が多い． 見当識障害：認める． その他：発生源記憶の障害，時間的順序の記憶の障害（個別の事実は憶えているが，関連づけができない），注意障害などを認める．

図 8-9　病巣による記憶障害の分類と主な原因疾患ならびにその症状

などが位置する．**間脳**には，視床，乳頭体，脳弓などがある．**前脳基底部**は，前頭葉底部の後端，脳梁膝部下方にあり，マイネルト基底核や嗅皮質など，前頭葉腹内側後方から大脳基底核の前方の領域である．

これらの3つの部位は，**内側辺縁系回路**（**パペッツ Papez の回路**）と**腹外側辺縁系回路**（**ヤコブレフ Yakovlev の回路**）をなし，部位間は関係する（図 8-10）．

パペッツの回路は，海馬体-脳弓-乳頭体-視床前角-帯状回後部-帯状束-海馬傍回-海馬体という閉鎖回路である[3]．Papez は当初この閉鎖回路を情動の回路としたが，現在では記憶の回路として認識されている．海馬体は歯状回，固有海馬，海馬台をまとめて呼ぶ名称である．

ヤコブレフの回路は，扁桃体-視床背内側核-帯状回前部-前頭葉眼窩皮質後方-側頭葉前方-扁桃体という閉鎖回路である[3]．パペッツの回路と同じように，この回路も情動の回路として提唱されたが，記憶との関連が強いといわれている．特に扁桃体は，記憶と感情の橋渡しをするといわれている．

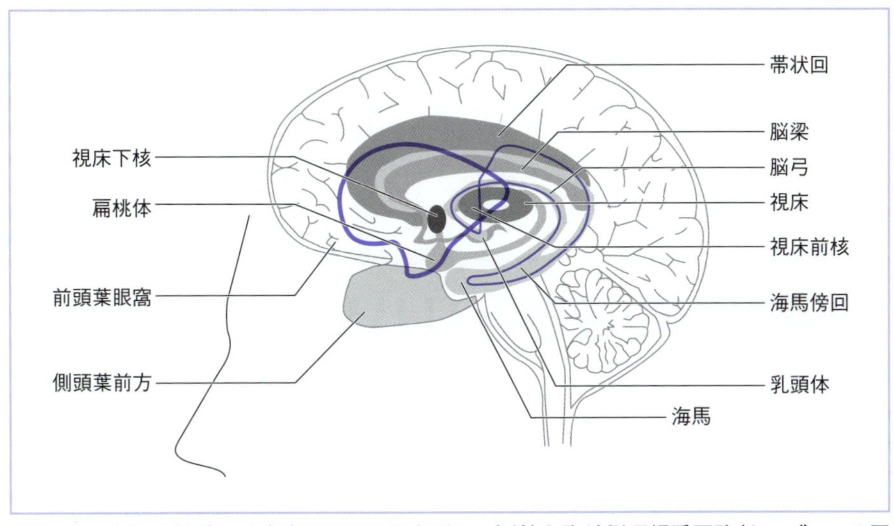

図 8-10 内側辺縁系回路(パペッツの回路：細い青線)と腹外側辺縁系回路(ヤコブレフの回路：太い青線)

健忘症候群においてその他の重要な脳部位としては，脳梁膨大部後方領域がある．最後方には帯状回，深部には帯状束，最後尾は海馬傍回へとつながる．また，前頭前野外側面も視床を経由して内側側頭葉と密な関係があるとされている．

C 原因疾患

健忘症候群を引き起こす原因疾患として，脳梗塞や脳内出血，くも膜下出血，脳外傷，脳腫瘍，脳炎，脳変性疾患などがあげられる．

内側側頭葉へ関連する疾患としては，**ヘルペス脳炎，低酸素脳症**，後大脳動脈閉塞などがある．

間脳に関連する疾患としては，**ウェルニッケ脳症**(➡ Note 4)や**視床梗塞**，脳腫瘍(第3脳室底および壁)などがある．**コルサコフ Korsakoff 症候群**は，前向性健忘ならびに逆向性健忘，病識の欠如などを呈する病態で，その病因には，ウェルニッケ脳症，脳腫瘍，脳梗塞などがある．

前脳基底部には関しては，**前交通動脈破裂によるくも膜下出血**，前交通動脈クリッピング術後などがあげられる．

> **Note 4. ウェルニッケ脳症**
> ビタミンB_1(チアミンあるいはサイアミン thiamin)の欠乏による中枢神経系の疾患である．アルコール多飲，妊娠悪阻，胃切除術後など低栄養の状態が慢性的に続くことによって，乳頭体，視床背内側面，第3脳室周囲などに病変をきたす．意識障害，眼球運動障害，運動失調がウェルニッケ脳症の3徴候とされるが，それらが軽快したあとに，ウェルニッケ-コルサコフ症候群に移行することもある[4]．

D 記憶障害の種類—病巣による健忘症候群の分類

健忘症候群は，内側側頭葉，間脳，前脳基底部という病巣に基づいて分類される(図 8-9)．

内側側頭葉性健忘では，前向性健忘が顕著で，逆向性健忘の程度は比較的軽い．エピソード記憶障害以外の障害は伴わないことが多い．間脳性健忘は，前向性健忘および逆向性健忘に加えて，見当識障害，作話，病識欠如を認める．前脳基底部健忘は，前向性健忘や逆向性健忘を呈するが，エピソードを時系列につなぎ合わせることが困難になることが特徴とされている．

引用文献

1）加藤元一郎：記憶とその病態．高次脳機能研究 28：206-213，2008
2）山鳥重：記憶の神経心理学．医学書院，2002
3）石塚典生：大脳辺縁葉の神経結合と細胞構．神経進歩 50：7-17，2006
4）種村純，白山靖彦，種村留美，他(編)：やさしい高次脳機能障害用語事典．ぱーそん書房，2019

3 記憶障害の評価とリハビリテーション

評価では，情報を収集し，集めた情報を分析，統合して，対象者の全体像を把握する．そして，問題点を抽出し，問題点の解決方法に対する仮説を設定し，リハビリテーションにおける訓練実施に向けての目標設定を行う．

情報収集では，対象者の年齢や利き手などの基本的情報，原因疾患や現病歴などの医学面の情報，教育年数，職業歴，生活状況などの社会面の情報，言語や記憶などの言語・認知面の情報などを集める．

検査に加えて対象者のふるまいや行動を観察して，記憶障害がある対象者であっても記憶のみを評価するのではなく，対象者の生活や人生をとらえる．

本節では，記憶障害の評価の手順とその内容，そして機能回復訓練，代償訓練，環境調整，心理的支援など記憶障害に対するリハビリテーション方法について解説する．

A 記憶障害の評価の流れ

1 記憶の各側面の検査の前の確認

健忘症候群は，知的機能，即時記憶，手続き記憶，意味記憶が保存される一方で，前向性健忘や逆向性健忘を認め，エピソード記憶における近時記憶障害や遠隔記憶障害を認める．この定義に基づき，記憶障害の評価ではその保存機能と障害機能を見極めていく．

記憶の各側面の検査を始める前に，日常での記憶やその他の機能に基づく**行動の観察**や，記憶以外の高次脳機能の障害の有無，つまり注意機能，言語機能，遂行機能など高次脳機能に関する神経心理学的症状，視覚や聴覚，運動機能などの神経学的症状についてもスクリーニング検査を行う．記憶障害以外の障害を合併する場合は，記憶の各側面の検査への影響の程度も把握する．

本人との会話や家族とのやりとりを観察するなかで，日付や場所が曖昧である，出来事を尋ねたときに辻褄が合わない，経験していないことを経験したかのように話す，同じことを何度も言う，言われたことをすぐに忘れるなど，特徴的な反応の有無を確認する．

これらの反応は記憶障害に起因すると考えられる一方で，その他の障害，たとえば失語症での錯語や聴覚的理解障害による反応とも解釈できる．つまり，記憶は正確であっても，それを表現する言語処理の障害で，結果的には反応が誤りになる．そのため，記憶障害で予想される反応と同様の反応を引き起こす可能性があるほかの障害については，詳細な記憶の検査の前のスクリーニング検査において概況を把握し，合併している障害の影響が少ない方法で質問のしかたを変えるなどの工夫をする．

たとえば，見当識について時間，場所について「今日は何年何月何日ですか」「ここはどこです

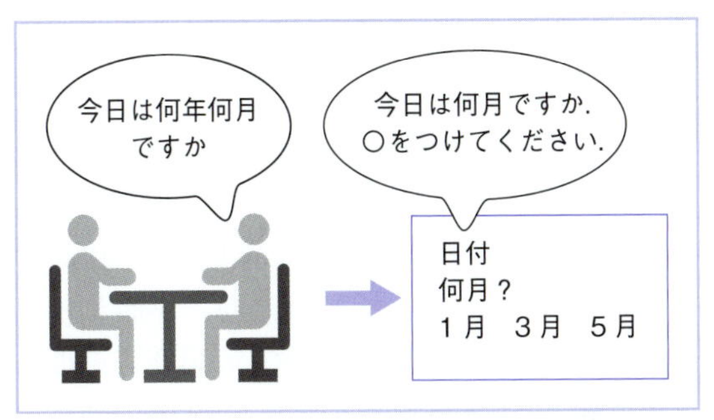

図 8-11　スクリーニング検査での言語障害を合併している場合の教示の1例

見当識に関する問いでは，まず口頭で教示をし，失語症による聴覚的理解障害や錯語などが疑われる場合は，視覚提示で選択肢を示しながら教示を行い，反応における失語症の影響を判断する．

か」など，口頭による質疑応答を行うことがある．その際，失語症などの言語障害の疑いがあり，聴覚的理解障害や錯語，音の不明瞭さなどによって意図どおりに表出できないことを疑った場合は，教示を視覚提示にし，日付，場所についての問いを選言質問の形式で行う（図 8-11）．視覚提示として用紙に示す内容は，1ページに複数の事柄を提示すると，注意が逸れて反応しづらい可能性があるため，質問内容が変わる都度に用紙を新たにするほうが望ましい．

聴力や視力について，聴力検査や視力検査などの定量的な検査が実施できない場合は，行動観察によって推定する．たとえば，話しかけると身体を傾けて耳を相手に近づける行動や，文字を見るときに顔をしかめて，用紙を近づけたり離したりするような行動がある場合は，聴こえにくい，見えにくい可能性を窺い知ることができる．

知的機能の障害の有無の確認も，記憶の各側面の検査の前に行うことが重要である．知的機能の障害を合併する場合もあるが，原則健忘症候群では知的機能は保存されていると定義される．知的機能のスクリーニング検査と合わせて，状況判断や文脈の理解など非言語情報のやりとりを通して，日常における知的機能に基づく行動も観察する．

Note 5. 短期記憶の限界 Magical Number Seven, Plus or Minus Two

Miller は短期記憶の限界を「Magical Number Seven, Plus or Minus Two」と報告した．順唱のように一連の数字列を一時的に憶える場合は「7 ± 2」，つまり5～9つの数を憶えるのが限界で，平均すると7つであると示した．Magical Number といった理由は，憶える単位が数字1桁ずつになったり，語呂合わせで数字列をひと塊にしたり，単語になったりと，その時々によって意味知識を利用しながら項目の単位を変えられるためであるという[14]．

2　記憶の各側面の検査

健忘症候群では，即時記憶の課題は原則正答できる．前向性健忘については，近時記憶の課題での成績が低下するか否かを評価する．逆向性健忘については，発症以前の遠隔記憶の課題で，成績が低下するか否かを評価する．

a　即時記憶の検査

順唱は，**言語性の即時記憶（短期記憶）課題**である．数唱 digit span は，順唱 digit span forward と逆唱 digit span backward がある．このうち順唱は即時記憶を評価するとされる．一方，逆唱はワーキングメモリを測定するとされる．一般的には逆唱はワーキングメモリの要素がより強い課題とされるが，対象者の認知機能や年齢によっては，逆唱においても即時記憶の要素のほうが強いとする報告もある[1]．

順唱では，ランダムな数字列を，1数字あたり1秒の速度で読み上げ，すべての数字を提示した直後に対象者は提示されたとおりに数字を繰り返す．結果はスパンあるいは桁で表される．たとえば，3つの数字列「9，4，7」を正しく繰り返すことができれば，順唱は3桁となる．順唱の正常の目安となるスパンは，7±2桁（5～9桁の範囲）といわれている（➡ Note 5）．

3単語あるいは5単語の直後再生課題も，言語性の即時記憶課題である．たとえば，「コップ，自転車，はさみ」という3つの単語のすべてを聴覚的に提示したすぐあとに，聴いた単語のすべてを再生する．

Corsiブロック課題(図8-12)は，**視空間性の即時記憶課題**である．次から次へとブロックに検者が触る順と同じ順で触れることを求める．聴覚言語性の即時記憶課題である数唱のほうが，Corsiブロック課題のスパンより2桁程度多いといわれている[2]．

b 近時記憶の検査

標準言語性対連合学習検査(S-PA)[3]は，**言語性の近時記憶課題**で，対連合学習課題である．対になった単語を10セット連続して聴覚的に提示したあと，提示された対のもう一方の単語を再生する課題である．対は意味的関連がある有関係対語と意味的には関連がない無関係対語からなる．

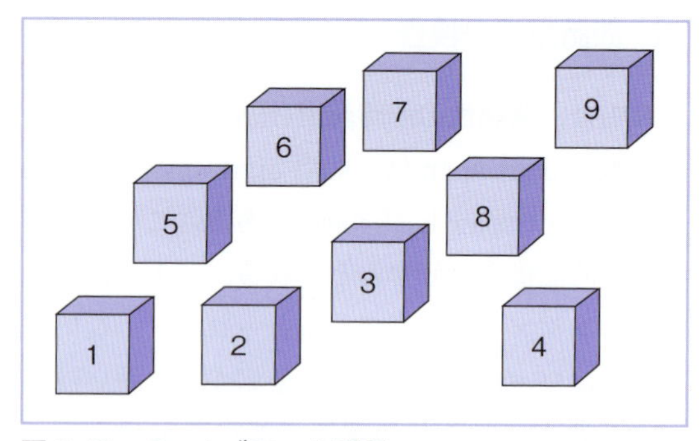

図8-12　Corsiブロック課題

視空間性の即時記憶課題である．同順序課題では，検者が次から次へとブロックに触る順を被検者は見ていて，検者がすべて触れ終わったあとに，被検者に検者が触れた順と同じように触れることを求める．数字は検者のみに見える．

それぞれ合計で3回聴覚的に提示される．有関係対語の場合は3回目で10対全問再生するのが正常とされている．一方，無関係対語では，3回目にまったく再生できない場合は異常とされている．

Reyの聴覚言語性学習検査Rey's Auditory Verbal Learning Test(AVLT)[4]は，単語リスト15語の単語を続けて聴覚提示した直後に，再生を求める．これを5回繰り返す．その後，別単語リスト15語を妨害刺激として聴覚提示してから，最初の単語リストでの15語の単語の再生を求める．さらに一定時間経過後に再度遅延再生を求め，再認再生を行う．5回目の再生で最初の単語リスト15語のなかから5語以下しか再生できないときや，最初の単語リストの5回目の再生数に比べて，別単語リストの妨害刺激後の再生や遅延再生において3語以上の低下がある場合は，言語性近時記憶が異常である可能性が示されている．

3単語あるいは5単語の遅延再生課題も，言語性近時記憶課題である．即時記憶課題として先述した3単語の直後再生ののち，数分〜数十分後に遅延再生を求める．

Reyの複雑図形検査Rey-Osterrieth Complex Figure Test(ROCFT)は，**視覚性の近時記憶課題**である．複雑な図形を視覚提示し，模写や即時再生を行ったあと，妨害刺激を挟んだ一定時間後に，記憶を頼りに模写した図形を遅延再生させる．

c 遠隔記憶

遠隔記憶は遠い過去の出来事の記憶によって評価する．遠隔記憶課題として，自伝的エピソード

表8-1　自伝的記憶検査

人生時期	質問項目				
子ども時代 (〜15歳)	学校	買い物	家族	病気	遊び
成人期初期 (16〜40歳)	買い物	旅行	結婚/旅行	子ども/病気	仕事/家事
成人期後期 (41歳から現在)	買い物	仕事/家事	病気	家族	旅行

〔吉益晴夫，他：遠隔記憶の神経心理学評価．失語症研究18：205-214，1998より一部改変〕

と社会的出来事に関する評価がある．

自伝的出来事課題は，個人の出来事に関する自伝的出来事記憶を評価する課題である（表 8-1）[6]．幼少期である子ども時代，青年期～壮年期である成人期初期，最近までの成人期後期と人生時期を3つに区切って評価するために，時間的勾配における逆向性健忘の程度も把握できる．

price test は，**社会的出来事記憶**に関する検査で，現在の特定の品物の価格を問う．たとえば，缶ジュース1本，切手代など特定のものの現在の物価を尋ねるが，文化的背景や生活様式によるばらつきもある．

dead/alive テストも社会的出来事に関する検査で，現時点においての有名人の存亡を問う検査である．実際には10年前に他界した有名人を生存していると答える場合は，さかのぼって10年程度の逆向性健忘があると推定できる．

社会的出来事については，個人的出来事よりも，より客観性が高く，真偽の判断がつきやすい．しかし，社会的出来事は，個人的出来事に比して，エピソード記憶よりも意味記憶の要素が強くなる[5]．また，再学習の機会が多い出来事については，時間的勾配に関する解釈も難しい[6]．

3　記憶のテストバッテリー

記憶の各側面における検査以外に，複数の課題を組み合わせて記憶を多面的に評価する記憶のテストバッテリーとして，ウェクスラー記憶検査改訂版 Wechsler Memory Scale Revised（WMS-R）やリバーミード行動記憶検査 The Rivermead Behavioural Memory Test（RBMT）がある．

a　ウェクスラー記憶検査改訂版（WMS-R）

WMS-R 日本版[7]は，適応年齢の範囲は16～74歳で，記憶の各側面を評価することができる．記憶障害の評価のみならず，健常者の記憶を測定することも想定されている．13の下位検査からなり，結果は記憶指標として表され，言語性記憶，視覚性記憶，それらを合わせた総合的な一般的記憶，注意/集中力，遅延再生の5つの指標を得ることができる．指標は，平均が100，標準偏差が15となっている．所要時間は45～60分程度である．遅延再生は30分程度の間隔を空けてから実施するように設定されている．短縮版として遅延再生を除いた項目の実施では30分程度で実施できる．

WMS-R は記憶の各側面を詳細に分析でき，記憶指標を得ることができる．また，遅延再生の指標は日常生活における行動と関連があることが示されている[8]．一方で，記憶障害が重度で誤答が多くなると，記憶指標が50以下と示されるため，重度の場合は，得点から特徴を把握しづらい場合がある．

b　リバーミード行動記憶検査（RBMT）

RBMT 日本版[9]は，成人を対象とし，日常に準じた状況で日常生活に必要な記憶を総合的に評価することができる．9の検査項目からなり，遅延再生や再認再生，展望記憶課題を含む．同様の検査項目で4パターンの並行検査があるため，練習効果を避けることができる．結果は，スクリーニング点と標準プロフィール点が算出され，3つの年代別のカットオフ値が設定されている．所要時間は30分程度である．

RBMT は日常に近い状況での検査項目になっているため，教示や状況がなじみやすく，日常生活における記憶障害を予測することにも役立つ．

c　日常における記憶に関する質問紙

観察や面接，検査以外，効果的に日常生活における記憶障害の特徴を把握する方法として，**質問紙**がある．**日常記憶チェックリスト** everyday memory checklist（EMC）[9]は，日常生活で記憶障害によって支障をきたす可能性が高い13の質問項目に対して，「全くない（0）」から「常にある（3）」の4段階評価で，39点満点である．得点が高いと，日常における記憶による困難が強いと考えられる．質問項目として，「昨日あるいは数日前に言われたことを忘れており，再度言われないと思い出せないことがある」「誰かが言ったことの細部を忘れたり，混乱して理解していることがありますか」などが問われる．

EMCは，家族や介護者など周囲の人々の評価に加えて，記憶障害をもつ本人も自己評価することが望ましい．病識欠如があり，記憶障害による日常生活の困難を適切に認識していない場合は，自己評価としては問題がないという結果で表されても，周囲の人による評価は問題が多いという結果になる．

本人の評価と周囲の人々による評価結果とを比較することは，リハビリテーションの導入や，社会復帰を困難にする要因を把握する手がかりになる．これらを把握することは，リハビリテーションの方針や立案に役立つ．一方で，病識欠如のみが障害を適切に認識しづらい原因ではない場合がある．自己に生じた障害に対して否認や自己防衛があると考えられる時期には心理的問題が背景にある場合も考えられ，慎重に対応する必要がある．

B リハビリテーション

リハビリテーションでは，WHO(世界保健機関)による**ICF**(International Classification of Functioning, Disability and Health；国際生活機能分類)の示すように，心身機能のみのならず，**活動や参加を含めた生活機能の向上**を目指す．記憶障害を含めた高次脳機能障害では，訓練場面の結果を日常生活に般化することは難しい場合が多い．また，記憶障害においては障害を受けた機能を元どおりにすることは難しく，回復はごく初期に限定されるともいわれている[10]．

記憶障害のリハビリテーションにおいては，記憶障害のみならず，それをもつ人の生活や人生における活動や参加を含めて評価をし，生活における不便さを少しでも便利に変える視点をもつ．記憶障害の全体像に基づき，訓練，指導，支援を行うことが重要で，実践的かつ主体的なプログラムを導入し，日常生活あるいは社会生活において活動や参加を拡大することを目指す．

本項では，記憶障害に対する介入方法や理論について解説する．いずれの方法も適用する際には，先述のとおり各種評価によって，対象者の記憶の各側面についての残存機能と障害機能，記憶障害以外の障害の有無など，全体像を把握しておく必要がある．

1 環境調整

環境調整では，記憶に対する処理過程の負荷を軽減する．周囲の物理的環境や人的環境を変え，生活に適応しやすくする．物理的環境，人的環境いずれにおいても，情報量を少なく簡潔にし，記憶の処理過程への妨害要因を減らすことが原則である[10]．

物理的環境調整として，部屋に多くのものを置かない，手順を視覚的に掲示する，ものの設置場所を一定にする，などがあげられる．

人的環境調整としては，周囲の人々に記憶障害の特性や対象者とのかかわり方を具体的に伝え，日常で実践するように助言し，実践の指導もする．たとえば，情報伝達においては，一度に多くの内容を伝えない，伝え方は順を追ってシンプルに伝えるなどである．

2 代償手段

代償とは，あることに代わって働きをなすことを意味する．記憶障害における**代償手段**とは，障害を受けた記憶の代わりになり，その働きを補う手段をいう．

年齢が若く，最重度でなく，ほかの高次脳機能障害を合併しておらず，発症前に当該の手段になじみがあるほうが，代償手段への適応が高くなるといわれている[10]．

a 代償手段の種類—外的補助手段と内的補助手段

1）外的補助手段

外的補助手段 external memory aids とは，カレンダー，メモ，メモリーノート，手帳などのベーシックな手段 basic aided system，携帯電話，スマートフォン，タブレット端末機器などのハイテクな手段 high-tech aided system がある．発症前から携帯電話やタブレットの使用経験があれば，ハイテクな手段でも代償手段として活用できることが増加する．

ハイテクな手段は，実行を忘れていても適切なときに行動を促すように知らせる機能がついていて便利なこともある．また，従来ベーシックな手段であったものを，コンピュータと組み合わせて使用することも増えている．

メモリーノートは，予定の記憶を含めたスケジュール帳形式のものを記憶障害のリハビリテーションでは指すこと多い．メモリーノートは，単なる備忘録ではなく，約束や予定を自己管理することを目指す．

いずれの方法も自律的に行動管理を促すように，使用訓練と併せて導入することが重要である．

2）内的補助手段

内的補助手段 internal memory aids とは，憶えるために，特別な方略をとる手段である．具体的には，視覚的イメージ法，PQRST 法，頭文字手がかり法などがある．内的補助手段は，記憶の処理過程において単に表層的に情報を羅列して憶えるより，意味的な関連づけや理解を伴いながら憶える深い処理をしたときに有効となるといわれている．

視覚的イメージ法では，憶える人名を自分がなじみのあることばに置き換えて，顔のイメージと結びつけて憶えると，新規の人名を憶えるのに効果的だったとの報告がある[10]．

PQRST 法は，予習：Preview（P），要点に関する質問：Question（Q），精読：Read（R），内容の叙述：State（S），質問の答えの検討：Test（T）を行い，憶える内容をじっくりと，整理しながら，まとめて憶える．

頭文字手がかり法とは，たとえば「コンソメ，焼きそば，クッキー」という単語を記憶するのに「こんやく」と各単語の頭文字をとって，ひとまとまりの単語にして，思い出すときに手がかりにする方法である．

このような内的補助手段の記憶障害例への適応は難しい場合が多いが，前頭葉損傷による軽度記憶障害の対象者において PQRST 法は効果を認めたという報告がある[11]．

b 代償手段の獲得訓練と代償手段の使用訓練

記憶障害のある対象者の残存機能と障害機能を把握したうえで，適用できる代償手段を選定する．メモや憶えるための方略は，非脳損傷者にとっては一般的で，その有効性を説明さえすれば，自力で自身の日常に取り入れることは可能なことも多い．しかし，代償手段を取り入れて日常で使い，なじみのある行動として定着するまでは，意識して想起することが求められる．意識的想起はエピソード記憶によることが多く，そのため，健忘症候群ではメモをとってもあとからの行動には活用できない，メモの内容が時系列にまとまらずわかりにくいなど，手立てなしに日常生活において代償手段を使用することは難しいことが多い．

代償手段に関する記憶障害のリハビリテーションとしては，単に特定の代償手段を紹介するのみならず，その手段を獲得する場面を設定し，**代償手段を獲得する訓練**を行う．そして，獲得した手段は，言語聴覚士などの専門職との一対一の個別の特定場面でのやりとりのみならず，その他のより社会生活に近い場面を設定して**代償手段を使用する訓練**を行う．

いきなり社会で実践するよりも，社会集団に近いグループ訓練などの場面を一段階経たほうが，困難に遭遇した際の対処方法を事前に知ることができるために，日常への般化に向けても望ましい．

代償手段獲得訓練も代償手段使用訓練いずれにおいても，次に示す記憶障害の特性に着目した学習法を併用して行うとより有効である．

3 学習法

学習とは，経験を積み重ねることで自身の行動が変化する過程である．非脳損傷者の場合，成功や失敗という経験を通して学習し，次は失敗を少なくするような方法を見出すことも可能なことが多い．このような試行錯誤によって目指す行動が達成できるのは，先の経験での失敗や成功を，次の行動に反映できているのである．つまり，先の出来事を記憶して，整理して統合し，次の行動を行う際の指標となるように，必要に応じて意識的に想起できるからである．

脳損傷による健忘症候群ではエピソード記憶の障害があるため，先の経験を出来事として記憶し，次の行動を行う際に意識的に想起することが困難で，そのため試行錯誤に基づいた学習の効果が難しいと考えられる．さらに，健忘症候群では潜在記憶は保たれているため，試行錯誤により失敗した体験が潜在記憶に残り，次の行動へ無意識的に影響を与える可能性もある．

ここでは，健忘症候群に対する効果的な学習法として，誤りを強化しないエラーレス・ラーニングと，段階的に想起するまでの時間を延ばす間隔伸張法について述べる．

a エラーレス・ラーニング

エラーレス・ラーニング errorless learning（誤りなし学習）とは，誤り（エラー）を起こさずに学習することである．

脳損傷によるエピソード記憶障害患者では，誤りを排除した状況で効果的な学習成績を認めた．一方，試行錯誤しながら学習すると，誤りが潜在記憶に残り，排除できずに誤りが強化される可能性が示された[12]．

新しい事柄を憶える場合は，試行錯誤によって誤りを伴う学習より，誤りを起こさずに学習するエラーレス・ラーニングのほうが効果的であると考えられている．この効果は，特に記憶障害が重度な患者において，より一層認められるという．

さらに日常への般化を考えると，エラーレス・ラーニングは次に示す間隔伸張法などを合わせて，学習してから再生までの時間を延ばすことも大切である[10]．

b 間隔伸張法

間隔伸張法 expanded rehearsal は space retrieval ともいわれ，記憶した内容の再生時間の間隔を少しずつ延ばす方法である．具体的には，情報を提示した直後に再生を求め，その後 10 秒保持してから再生，さらに 20 秒保持してから再生というように，保持時間を少しずつ延ばす．再生時間を延ばすことで誤反応が生じたら，正しい情報を再提示して，正しく再生した時間間隔まで戻してから，改めて再生までの保持時間を延ばしていく[10]．

c その他の学習法

分散練習 distributed practice では，一度に多くのことを憶えず，細分化して少しの量を多くの回数で学習する[10]．

手がかり漸減法 method of vanishing cues は，潜在記憶を利用した方法で，手がかりを段階的に少なくして，最終的に手がかりをなくしても想起することを目指したものである．この方法は，領域特異的な知識の学習には効果的であったが，般化は認められず，かなりの時間と努力を要する学習であったとの報告もある[10]．

運動コード化 motor coding は，動作しながら運動のイメージを利用して記憶する方法である．

その他，記憶の訓練の前段階として，標的文字や記号の探索課題などの注意機能に対するリハビリテーションを行うことにより，記憶の基礎となる全般的な注意機能の賦活化を目指して行う場合もある．

4　心理的支援

記憶は経験を残し，人の行動を方向づける．これが当然のようにできなくなるということは，人の営みの根底を揺るがしうることで，さまざまな場面で困難をきたす．その困難は記憶障害の症状から生じるのみならず，記憶障害の症状によって引き起こされる不安，焦燥，不全感，抑うつなどの心理的問題からも生じる．

記憶障害の症状に対する介入は，先述のとおりさまざまな方法がある．心理的問題を含めて多面的に介入することは，生活や社会における活動や参加を目指すうえで欠かせない．

障害のために困難になっていることを認識できていれば，見通しを立てて不測の事態に備えることもできる．しかし，自身の病態を認識できない場合，障害によって実行が困難になっているにもかかわらず，自身はできると思い，その結果失敗することがある．そのような状況が連続するとストレスや不全感が募る．一方で障害を認識しすぎる場合も，当たり前にできていたことができなくなるという悲哀や，うまくできなかったことに対する不安を生み，社会的ひきこもりにつながる場合もある．

家族もまたさまざまな心理的問題を抱える．本人に起こった障害を家族が認識できていない場合，本人の以前とは違う印象にとまどい，困難な行動の背景を理解せずに対応するため，本人を取り巻く状況がさらに悪くなることもある．

このような状況には，記憶障害とそれに起因する**心理社会的問題**に包括的に介入する全人的アプローチ holistic approach が効果的とされている[10]．

包括的な全人的アプローチは，個別あるいはグループ訓練形式で，記憶障害の特性に合わせた目標指向型のプログラムにおいて実施する．たとえば，スケジュール管理を行うという目標に向かって，外的補助手段であるスマートフォンに自分でスケジュールを入力して，アラームが鳴ったらそのとおりに行動するというプログラムを行うとする．包括的な全人的アプローチでは，一連のプログラムを通して外的補助手段の使用状況についてのみならず，スケジュールの入力やそれに基づく行動がうまくいかなかった際の本人の気持ちや反応などを本人と家族などその周囲の介護者を含めて共有し，本人の強みや弱みを一緒に検討する．代償手段の使用やそれによって生じる心理社会的問題を本人と周囲の人々とで共有し検討することで，より現実的な解決策を協働で探索でき，日常生活での活動や参加の拡大につながる[10,13]．

心理社会的問題に対しては，心理療法やカウンセリングなど心理専門職による対応も考えられるが，このように記憶などの認知面と心理社会面の問題を組み合わせた目標指向型の全人的アプローチは記憶障害のリハビリテーションも有効であると報告されている[10]．

障害には，本人自身に生じる苦しみと，社会から負わされる苦しみがあるという．社会受容とは，家族や社会などの周囲が本人の状況をありのまま心から受け入れることによって，社会から負わされる苦しみや悲しみから本人が解き放たれることを意味するという．周囲の人々への積極的な介入は，本人の社会的統合や社会参加への重要な要素となる．

引用文献

1）St Clair-Thompson HL：Backwards digit recall：A measure of short-term memory or working memory？ Eur J Cogn Psychol 22：286-296, 2010
2）Corsi PM：Human memory and the medial temporal region of the brain. pp1-78, McGill University, 1972
3）日本高次脳機能障害学会 Brain Function Test 委員会新記憶検査作製小委員会：標準言語性対連合学習検査

(S-PA). 新興医学出版社, 2014
4) 田中康文:記憶障害の神経心理学的検査法. 後藤文男, 高倉公朋, 木下真男, 他(編):Annual Review 神経. pp50-58, 中外医学社, 1998
5) 山鳥重:記憶の神経心理学. 医学書院, 2002
6) 吉益晴夫, 加藤元一郎, 三村將, 他:遠隔記憶の神経心理学評価. 失語症研究 18:205-214, 1998
7) 杉下守弘:WMS-R ウェクスラー記憶検査日本版. 日本文化科学社, 2001
8) 數井裕光, 武田雅俊:健忘症候群の診かた. 高次脳機能研究 29:304-311, 2009
9) 綿森淑子, 原寛美, 宮森孝史, 他:日本版 RBMT リバーミード行動記憶検査 RBMT. 千葉テストセンター, 2002
10) Wilson BA:Rehabilitation of memory deficits. Wilson BA(ed):Neuropsychological rehabilitation:theory and practice. pp71-87, Swets & Zeitlinger Publishers, 2003
11) Ciaramelli E, Neri F, Marini L, et al:Improving memory following prefrontal cortex damage with the PQRST method. Front Behav Neurosci 9:1-9, 2015
12) Baddeley A, Wilson BA:When implicit learning fails: Amnesia and the problem of error elimination. Neuropsychologia 32:53-68, 1994
13) 種村留美:前頭葉損傷による高次脳機能障害の全人的認知リハビリテーション—頭部外傷例の生活の視点から, 高次脳機能研究 32:375-383, 2012
14) 苧阪満里子:脳のメモ帳—ワーキングメモリ. 新曜社, 2002

4 記憶障害の事例[1)]

50歳代, 男性, 右利き, 教育年数16年, 会社員(営業職), 妻と子ども(2人)と同居.

■ **主訴**

仕事に戻りたい.

基礎データ

■ **原因疾患**

心筋梗塞, 無酸素脳症

■ **現病歴**

胸痛を訴え, 意識不明となり, 救急搬送された. 急性心筋梗塞による心原性発作と診断され, 心肺停止による無酸素脳症を発症した.

■ **合併症**

高血圧症

■ **既往歴**

特になし

■ **画像所見**

発症より3か月後のMRI T2強調画像にて, 両側内側側頭葉(海馬および海馬傍回)の軽度萎縮(低酸素による影響). 両側レンズ核(特に淡蒼球)に高吸収域を認めた. SPECTにて海馬, レンズ核, 前頭頭頂葉皮質の血流低下を認めた.

■ **神経学的所見**

四肢や口腔顔面に麻痺などの運動障害なし, 体性感覚障害なし, 聴覚障害なし, 視覚障害なし.

■ **神経心理学的所見**

健忘症候群(重度前向性健忘あり, 見当識障害あり, 逆向性健忘なし).

■ **検査結果のまとめ(解釈)と治療方針の立案**

初回面接において, 自由会話場面では, 入室時にアイコンタクトをとり, 挨拶を交わすことはできた. 検者が名乗ると, 自らも氏名を笑顔とともに名乗った. 発話は流暢で, 喚語困難はなく, 会話レベルの聴覚的理解も良好で, 会話は円滑に遂行できた. しかし, 入院までの経緯を尋ねると, とまどった様子で, 同伴の家族の方を見て返答内容を確認した. 返答できないときに, 作話は認めなかった. 会話や課題においては, 協力的で, 集中して取り組めた.

初回スクリーニング検査では, 聴覚機能, 視覚機能ならびに言語や記憶, 注意などについて評価を行った. 聴力についてはスクリーニング検査である囁語(じご)検査において囁き声の聴取に問題はなかった. 視力について, 新聞の文字を30 cmの距離から判読することに問題はなかった. 言語機能として発話の流暢性, 視覚性呼称障害, 単語や短文の聴覚的理解, 読字ならびに書字課題において問題なく反応できた．レーヴン色彩マトリックス検査(RCPM)は33/36点正答であった．言語流暢性課題について，カテゴリー流暢性は動物8語，果物6語，乗り物4語，文字流暢性は「し」3語，「い」1語，「れ」3語であった．FABは11/18であった．

鑑別診断検査として，ウェクスラー成人知能検査改訂版(WAIS-R)では，VIQ 106, PIQ 86, FIQ 95であった．慣習的動作の模倣や道具の使用，対象物の視覚的認知，聴覚的認知，触覚的認知は良好であった．

記憶の各側面の検査について，視覚性近時記憶課題であるBenton視覚記銘検査は，即時再生4/10，遅延再生2/10，模写は10/10であった．言語性近時記憶課題であるAVLTの5回目提示後の直後再生は4/15で，妨害刺激後の自発再生は0/15であった．遠隔記憶については，個人的出来事ならびに社会的出来事に関する質問には，ほぼ正答した．

記憶のテストバッテリーであるRBMTでは，スクリーニング得点は0点，プロフィール得点は2点であった．特に遅延反応や展望記憶がかかわる課題で困難を示した．

日常における記憶に関する質問紙であるEMCでは，本人12/39，家族24/39であった．

以上の結果より，高次脳機能障害について失語症，失行，失認はなかった．知能障害も認めなかった．一方で重度の健忘症候群による前向性健忘を認め，近時記憶障害，展望記憶障害，見当識障害を認めたが，作話や逆向性健忘は認めなかった．即時記憶は正常であった．前頭葉症状も認めた．

本人は課題ができないことや日常での約束が守れない，言われたことを忘れる，家族がそのことを指摘することが積み重なると激怒するなど，記憶障害によって家族とのコミュニケーション関係が不安定になることがあった．このような出来事があった直後には落ち込むことがあったので，そのときは自身の状態を認識できていると考えた．しかし，しばらくするとその出来事そのものを忘れていた．また，発症後はすべての行動に家族が付き添っていた．

現状では，現職の営業職への復職は困難と考えたが，本人と家族は配置転換を含めて復職を希望していた．言語聴覚療法での方針は，記憶障害によって引き起こされる本人と家族や周囲の人々とのやりとりや日常におけるコミュニケーションの躓(つまず)きを少なくし，自宅のみならず社会での活動範囲を広げることを方針とした．

■目標

【長期目標】

家族に促されることなく，自分で最低限の日常生活のスケジュール管理をし，家族と円滑にコミュニケーションをとることができる．

【短期目標】

1. 補助手段；①外的補助手段としてメモをとることを習慣として，状況に応じてメモを参照して行動できる．②内的補助手段を獲得する．2. 環境調整；①部屋の特定の場所にスケジュール帳や身支度に必要なものを設置する．②家族が本人の障害特性を理解し，家族が日記をつけることで，日常で遭遇する困難な場面を整理する．

■訓練計画

週1回の個別訓練，月1回のグループ訓練，自主訓練(宿題)．

訓練方法(発症3か月目～6か月)：短期目標の1. 補助手段の獲得を中心に示す．

1. 自由会話において，宿題として記入した過去1週間の新聞記事の見出しと日付を確認しながら，1週間を振り返る．
2. 注意機能を賦活化するために，新聞コラムから抜粋した3段落程度の文章から標的語の仮名文字を選択する課題を行う．
3. 視覚的イメージ法と運動コード化を用いた領域特異的訓練：施設名，担当者名を憶える．
4. 上記手順2で使用した文章にてPQRST法を実施する．想起や要約の際には，エラーレス・ラーニングにより，誤りを起こさないように，文章の該当箇所やヒントを示す．

5. 外的補助手段の獲得訓練として，訓練の最初と最後にアラームを鳴らす．最初では，前回伝えた本日の予定を述べてもらう．最後には，次回の予定を質問して，メモをとる．

宿題：毎日，新聞の日付と見出し1行をノートに書き写す．

■ まとめ

本例は壮年期に重度の健忘症候群を発症した．前向性健忘を主症状とする内側側頭葉性健忘であった．記憶障害が重度の場合は，日常生活における環境調整が優先順位として高かったが，壮年期で比較的若く，発症間もない時期であったため，代償手段の獲得も主な訓練内容に含め，内的補助手段と，メモとアラームなどの外的補助手段を獲得することによって日常生活においてある程度自立した活動を行えるようにスケジュール管理を目指した．

訓練の経過として，視覚的イメージ法と運動コード化を組み合わせた領域特異的訓練では，直後では名前を再生することはできたが，しばらくすると再生は困難となることが多かった．PQRST法は，課題そのものにおいては内容を保持，再生できることもあったが，日常での自発的活用は難しかった．

外的補助手段のメモの使用は，開始当初は書き取ることはできても，内容が整理できず，あとからみてもわからないことが獲得訓練を実施することで判明した．そのため，メモ帳を線で区切って，各内容に見出しをつけるなど段階的に導入した．

日常では本人が出来事や予定を忘れた際に家族が指摘すると本人が激怒するものの，本人はしばらくすると激怒したことや自身が思い出せなかったことをまったく忘れることが続くと，家族がストレスを訴えることもあった．これに対しては，障害特性とその対処方法について家族指導をしたが，日常生活へ指導内容を応用することが困難な様子も窺え，指導した対処方法の実践の場が必要であると感じた．

個別訓練での内容を活動や参加につなげる目的で行ったグループ訓練では，獲得した代償手段の使用訓練と家族指導や環境調整など心理社会的問題を含めた包括的なアプローチを目指した．個別訓練のみならず，グループ訓練による包括的なアプローチを取り入れることで，代償手段の使用の実践の場を設定するとともに，実使用に伴って生じた心理社会的問題にも介入でき，有効であると考えた．

謝辞　記憶の神経基盤や原因疾患について貴重なご助言を賜りました国立長寿医療研究センターの大沢愛子先生に深謝いたします．

引用文献

1）Osawa A, Maeshima S, Yoshimura T：Amnesia caused by cerebral hypoxia after cardiogenic shock：a case report. Curr Trends Neurol 2：69-71, 2006

第 9 章

前頭葉と
高次脳機能障害

学修の到達目標

- 前頭葉症状の種類，症状，病巣を説明できる．
- 注意障害を詳しく説明できる．
- 遂行機能障害を詳しく説明できる．
- 社会的行動障害を詳しく説明できる．
- 遂行機能障害と社会的行動障害の訓練，指導，支援の原則を説明できる．

エピソードと臨床的推論の視点

A さん(70 歳代，男性)は，数年前から，パーキンソン病と診断され，薬を内服している．当初あった歩行障害は，内服薬を開始してから改善し，現在は，歩行や日常動作に支障はない．ただ，最近，「言われたことを忘れる」と家族が感じ，「認知症」になってきたのではと相談された．A さんは，やや小声であったが，氏名や住所を正しく返答し，昨今の国際的な話題などについても詳しかった．また，先週，孫と会った話も詳細に話していた．本人の話では，「暗算がめっきりできなくなった」とのことであった．書字では，文字が小さく，書くにつれて，さらに小さくなっていく傾向がみられた．

以上より，A さんは，エピソード記憶自体には大きな問題はなく，作動記憶障害，小字症が疑われ，認知症ではなく，パーキンソン病に伴う前頭葉機能低下の可能性を考えた．

1 前頭葉の構造と機能

前頭葉は，大脳の中心溝から前方の部分を指す．ヒトでは，全皮質表面の 24～33% と算定されており，これはほかのどの高等猿類よりもはるかに広い[1]．また，系統発生学的に最も遅い領域でもある．前頭葉は大きく 4 つの領域に分類できる(図 9-1)[1,2]．①運動野：ブロードマンの脳地図(以下，B)の 4 野，②運動前野：B6 野，B6 野内側面(補足運動野)，B8 野，B44 野，③傍辺縁系領域：B24 野(帯状回前部)，B32 野，B25 野(嗅覚野)，B12 野(眼窩脳後方部)，④前頭前野：B9～12 野，広義には B44～47 野を含む場合もある．

これらの部位が担っている機能は“前頭葉機能”と総称されることがあるが，前頭葉の機能は 1 つのまとまった機能ではない．前頭葉の機能は，まず大きく 2 種類に分類される．1 つは言語，認知，行為，記憶の一部など，その機能のみが独立

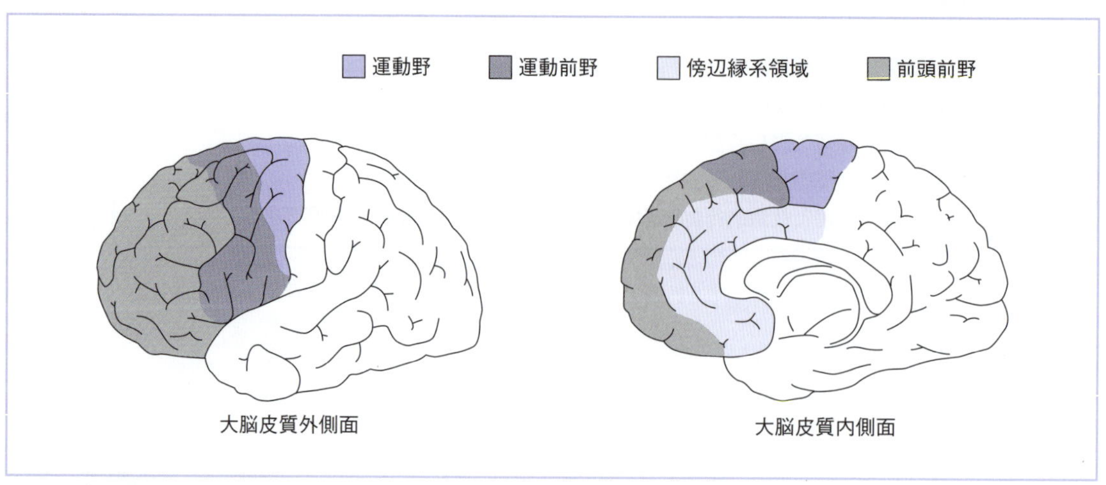

図 9-1　前頭葉の 4 つの領域

〔Gazzaninga M, et al(eds)：Cognitive Neuroscience(2nd ed). W. W. Norton & Company，2002 より〕

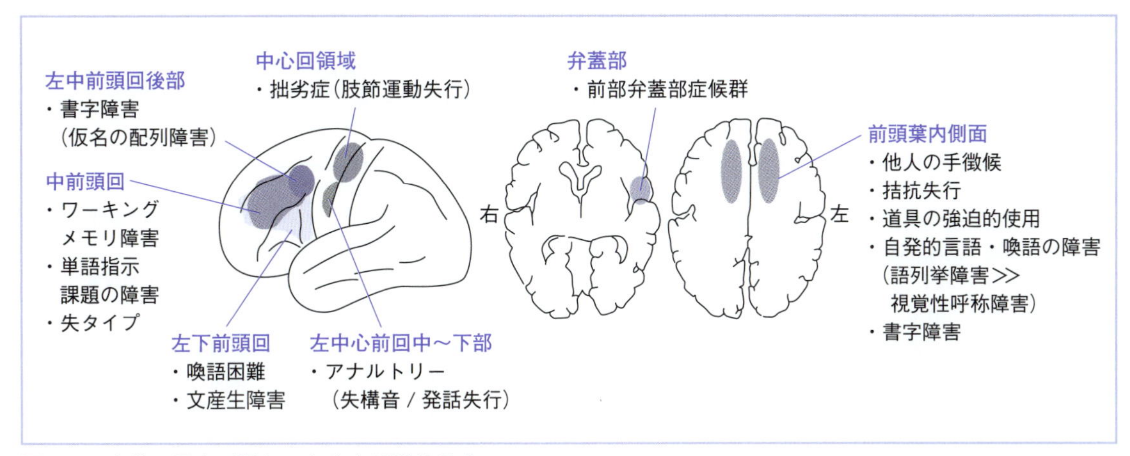

図 9-2　病巣の局在が明らかな高次脳機能障害

して機能しうる，言い換えれば，独立して障害されうる「特異性のある機能」である．2つ目はこれらの「**特異性のある機能**」のすべてに大なり小なりかかわる「**汎用性のある機能**」で，注意，記憶の一部などの機能である．

「特異性のある機能」の障害の多くは，**要素的症候**（現時点で，臨床的に分離しうる最小単位と考えられている症候）に分解され，その責任病巣がある程度明らかになっている（図 9-2）[3,4]．したがって，要素的症候の評価を適切に行うことによって，前頭葉のなかで，どの機能系にあるいはどの部位に機能低下があるかをある程度推測することができる．一方，「汎用性のある機能」の障害には，注意機能障害，遂行機能（実行機能）障害，記憶障害の一部などが含まれる．また，前頭葉の損傷で，社会的行動障害が出現することも指摘されている．これらの障害は，その出現に複数の要因が重なっており，障害メカニズムや機能局在の全貌はまだ十分に明らかではない．

引用文献

1）Stuss DT, Benson DF：The Frontal Lobes（2nd ed）. Raven Press, 1986
2）Gazzaniga M, Ivry R, Mangun GR（eds）：Cognitive Neuroscience（2nd ed）. W. W. Norton & Company, 2002
3）大槻美佳：コミュニケーション障害とその機能局在―臨床と fMRI の知見から．コミュニケーション障害 24：29-34，2007
4）大槻美佳：言語機能の局在地図．高次脳機能研究 27：231-243，2007

2 前頭葉損傷による主要な高次脳機能障害

1 前頭葉機能障害の原因

前頭葉機能障害の原因疾患（表 9-1）にはさまざまなものがあるが，多くの高次脳機能障害の原因と同様，脳血管障害が多い．前頭葉に灌流している血管は，前大脳動脈系と中大脳動脈系である．脳血管障害のほかには，前頭葉を含む部位を病巣の首座とする変性疾患がある．代表的なものに，前頭側頭葉変性症 frontotemporal lobar degeneration（FTLD）がある．これは画像上，“葉性萎縮”（➡ Note 1）と呼ばれる特異な萎縮所見が前頭葉～側頭葉にみられることで定義されている一

表 9-1　前頭葉の機能低下を起こす可能性のある疾患

1）脳血管障害（脳梗塞，脳出血，くも膜下出血，動静脈奇形，その他血管系の障害）
2）脳腫瘍，頭蓋骨腫瘍
3）感染症（単純ヘルペス脳炎，その他脳炎，脳膿瘍）
4）変性疾患
・前頭側頭葉変性症（前頭側頭型認知症，進行性非流暢性失語，意味性認知症）
・パーキンソン病
・進行性核上性麻痺
・大脳皮質基底核変性症
・運動ニューロン疾患（筋萎縮性側索硬化症など）
・ハンチントン舞踏病
5）脱髄疾患（多発性硬化症）
6）低酸素脳症
7）脳外傷
8）その他

Note 1. 葉性萎縮

特定の脳葉に限局した萎縮を指す．特に，前頭側頭葉変性症（FTLD）において，前頭葉と側頭葉に限局した萎縮を示す場合に用いられる．この場合，前頭葉と側頭葉はともに萎縮する場合が最も多いが，側頭葉のみに萎縮が強い場合もある．顕微鏡では，神経細胞の脱落と，皮質および皮質下にグリオーシス（神経膠症：星状膠細胞の増殖）がみられる．

群である．これはさらに3型の臨床症状に分類される．前頭側頭型認知症 frontotemporal dementia (FTD)，進行性非流暢性失語 progressive nonfluent aphasia (PNFA)，意味性認知症 semantic dementia (SD) である．運動ニューロン疾患の一部にも，このタイプの前頭葉機能低下がみられることが指摘されている．その他の変性疾患のなかにも，前頭葉が一義的な病巣ではないが，前頭葉の機能低下をきたす種々の疾患もある．たとえば，パーキンソン病は，黒質緻密部のドパミン産生ニューロンが変性する疾患で，運動障害が前景に立つが，認知症の症状がなくても病初期から前頭葉の機能低下が認められる[1]．また，前頭葉は外傷による影響を受けやすい部位でもある．

また，基底核や小脳は，前頭葉と機能的な線維連絡があることが知られており，基底核障害や小脳障害で，前頭葉機能障害をきたすことがある．

表 9-2　前頭葉の損傷で出現する症候と責任病巣

運動・動作・行為に関係する症候	責任病巣
a. 拙劣症	対側中心回領域
b. 運動の枠組みの障害	
1）運動開始困難	一側または両側前頭葉内側面
2）運動維持困難	右半球
3）自発性低下	一側または両側前頭葉内側面
c. 把握現象	
1）把握反射	対側または同側前頭葉内側面
2）本能性把握反応	（同上）
d. 行動の抑制・制御の障害	
1）道具の強迫的使用	左前頭葉内側面＋脳梁膝部
2）環境依存性の亢進	—
e. 前部弁蓋部症候群	一側または両側弁蓋部〜島
言語に関係する症候	**責任病巣（左半球）**
a. 失構音／発語失行	中心前回
b. 単語指示課題の障害	中前頭回
c. 書字障害	中前頭回後部
d. 失タイプ	中前頭回
e. 喚語障害	下前頭回
f. 自発的言語喚起の障害	前頭葉内側面（補足運動野）
注意に関係する症候	**責任病巣**
a. 注意機能障害	前頭前野背外側面および／または内側面
b. 注意機能を支える機構の障害	（同上）
1）ワーキングメモリ障害	（同上）
2）セットの変換障害	（同上）
3）いわゆる遂行機能障害	（同上）
感情・性格・情動に関係する症候	**責任病巣**
a. 感情失禁	—
保続	**責任病巣**
a. 間代性保続	—
b. 意図性保続	—
社会的行動障害	**責任病巣**
別記（表 9-3 ➡ 192 頁）	—

—：責任病巣は一定していない

2 前頭葉の損傷で出現する症候

前頭葉の損傷によってさまざまな症状が出現する(表9-2). 大きく分類すると「運動・動作・行為に関係する症候」,「言語に関係する症候」,「注意に関係する症候」,「感情・性格・情動に関係する症候」,「保続」,「社会的行動障害」に分けられる. 以下に概略を整理する.

3 運動・動作・行為に関係する症候

a 拙劣症(肢節運動失行)(詳細は7章参照)

(1) 症状

手指の動作に拙劣さを呈する. 具体的には, 個々の指に筋力低下がないにもかかわらず, 指折り動作で1本ずつ指が折れずに, 数本ずつ一緒に動いてしまう現象(指分離能の障害)がみられる. その他, 手指のパターン模倣(キツネの形など)でもぎこちなくなり, クリップがうまくつまめない, ボタンのはめ外しができないなどの症状がみられる.

(2) 評価・診断

診断には, 個々の指の筋力低下も感覚障害(深部覚障害を含む)もないのに, 1本ずつの指分離が不良であるというコントラストが重要である. 評価は, 1本ずつの指折り・指開きの動作などで行う. クリップつまみやボタンのはめ外しなどの“対象がある動作”における拙劣さは, 拙劣症以外の病態でも生じることがあり, これのみから拙劣症の診断はできない. 一方, 筋力低下がないのに, 指折りのように“対象のない動作”で障害が出るのはこの拙劣症のみであり, 特異性がある.

(3) 病巣

中心回領域〔中心前回(および/あるいは)中心後回〕の損傷で対側手に出現する.

(4) 発症メカニズム

一般には, 習熟した, 個々の指を分離し, 滑らかに動かす運動(記憶のパターン)に関与する機構の障害とされているが, 感覚情報処理との関係や, 運動麻痺の不全型とする立場もあり, 発症メカニズムに十分なコンセンサスは得られていない.

b 運動の枠組み(開始・維持)の障害

(1) 症状

ある運動・動作をしようと意図し, 運動を開始し, 維持し, 終了するという一連の過程には, 前頭葉内側面が大きくかかわっている. 前頭葉内側面が損傷されると, このような運動の枠組みを適切に遂行する機能に障害が生じ,「運動開始困難」「運動維持困難」, 運動全般の「自発性低下」などがみられる.「運動開始困難」や「自発性低下」の場合には, たとえば,「手を上げてください」と指示しても, 手を上げることができず, 受動的に手を持ち上げても, 手を落としてしまう場合もあり, 麻痺や筋力低下と間違われることもある. しかし, たとえば「この赤いところに触ってください」などのように, 手を上げる運動自体を具体的に指示せずに, ほかの目標(この場合は視覚的指標)による指示を与えると, それを触ろうとして, 結果として手を上げることができることもある. また,「運動維持困難」は, 開始した運動を維持することができない症候で, 閉眼・開口・挺舌などで報告がある.

(2) 評価・診断

さまざまな動作の開始・維持・終了を観察する. あるときはできて, あるときはできないなど, 動作としては同じでも, 開始や目的の契機を変え, それらの間に乖離があれば診断できる.

(3) 病巣

運動開始困難や自発性低下は, 一側または両側の前頭葉内側面損傷で出現する. 運動維持困難は, 右半球の前方病巣で出現すると報告があるが, その他の部位でも報告があり, まだ十分なコンセンサスがない.

(4) 発症メカニズム

前頭葉内側面は, 動作や言語に関しての自発的な活動に関与しているとされており, それらとの関係が示唆されるが, 詳細は明らかではない.

c 把握現象

(1) 症状

本人の意思とは関係なしに，手に触れたものを握ってしまったり，触れなくても，見えただけで手を伸ばして，対象を握ってしまう現象を指す．把握反射と本能性把握反応の2種類の現象がある．

(2) 評価・診断

把握反射は，手掌を近位から遠位へこする刺激によって，指が屈曲する反応を指す．本能性把握反応は，手掌でも手背でも，触覚刺激があると，触ったものを握ろうとする反応である．視覚刺激でも誘発されることがある．

(3) 病巣

把握反射は，一般には対側の前頭葉内側面損傷で出現する．

本能性把握反応は，対側の前頭葉内側面，特に前部帯状回・補足運動野の損傷が関与していることが指摘されている[2]．時に，同側性に出現することもある(同側性本能性把握反応)．

(4) 発症メカニズム

両者とも，もともと原始反射として存在していたが，発達に伴って抑制経路ができ，顕在化しなくなる．しかし，前頭葉内側面損傷によりその抑制が解除されたことで出現すると考えられている．

d 行為の抑制・制御の障害

1) 道具の強迫的使用

(1) 症状

眼前に置かれた道具や物品を，意図に反して強迫的に右手が使用してしまう現象である．右手の意図に反した使用行為を左手が止めようとする．右手には必ず強い把握反射や本能性把握反応を伴う．

(2) 評価・診断

眼前に，患者が病前によく使用したと推測される道具・物品を提示し，使うように言わなくても，勝手に使用してしまうか観察する．このとき，使用しようとした場合，必ず「使用しないように」と命じ，それでも使用してしまうかを確認する．

(3) 病巣

左前頭葉内側面と脳梁膝部の損傷で出現する．

(4) 発症メカニズム

行為に関する運動の情報(道具を使用するというまとまった行為のプログラム情報)は左半球に存在しており，この発現は通常，同側と対側の前頭葉から抑制を受けている．ここで，左前頭葉と脳梁膝部が損傷されると，損傷のある左半球からも，また脳梁損傷のため右半球からも，両側性に抑制を欠くことになり，本人が意図しないのにその行為が開始されてしまうと考えられている．このような障害は，習熟行為の解放現象と呼ばれている．

2) 環境依存性の亢進[3,4]

(1) 症状，評価・診断

利用行動，模倣行動，環境依存症候群などと呼ばれる症候を指す．利用行動とは，患者の前に物品や道具を置き，何の指示も与えないのに患者がその物品・道具を使う現象を指す．模倣行動とは，検者が患者の前で，動作や物品使用をすると，患者はまねするように言われたわけでもないのにそれを模倣する現象である．環境依存症候群とはさらに広い範囲で，たとえば，窓が見えると開けてしまったり，スイッチがあると押してしまうなど，外的な刺激・情報に反応して行動してしまう現象を指す．これらについて，意図による抑制がどの程度働くのか，強迫性があるのかなどは，いまだ議論がある．

(2) 病巣

たとえば模倣行動で，模倣を禁止してもその行為が出現してしまう現象は，前頭側頭型認知症にみられ[5]，前頭葉の機能に関係することが推測されている．

(3) 発症メカニズム

外的な刺激によって誘発される動作に対しての

抑制の低下が推測されている．

e 前部弁蓋部症候群

(1) 症状

前部弁蓋部症候群 anterior operculum syndrome[6)]（Foix-Chavany-Marie 症候群）は，構音障害や嚥下障害などの偽性球麻痺に類似した症状を呈する症候群である．一般に顔貌は弛緩し，開口気味で，流涎がみられる．

(2) 評価・診断

顔面筋，咀嚼筋，咽頭筋，舌筋などが両側性に障害される．偽性球麻痺様の症状を呈するが，偽性球麻痺とは以下の点が異なる．1つには，筋緊張低下が顕著であること，2つ目は，日常場面に応じて，笑う，あくびする，場合によっては嚥下なども，自然の流れでは可能な場合，すなわち，いわゆる"意図性と自動性の乖離"がみられる点である．ただし，重症になると，可能な動作の検出は困難であることも少なくない．

(3) 病巣

古くから両側の弁蓋部の前方部とされているが，画像診断の発達により，弁蓋部より島が重要ではないかという指摘もあり，未解決の部分がある．また一般には両側病変で生じるとされているが，一側病変でも報告がある．

(4) 発症メカニズム

顔面筋，咀嚼筋，咽頭筋，舌筋などの高次の障害と考えられるが，詳細は明らかではない．

4 言語に関係する症候

a 失構音／発語失行

(1) 症状

構音の歪み，音の連結不良，強勢（アクセント）/抑揚（プロソディ）の障害を呈する発語障害である[7, 8)]．失構音，発語失行の用語があるが，ほぼ同じ現象を指している．

(2) 評価・診断

いつどの音に異常が出現するか，また異常はどのような形で出現するかなど，異常が一貫せず，変動する形でみられる点が特徴である．たとえば，あるとき「ゆきだるま」を /yuki njaruma/ と言っても，別の機会には /jyukina ruma/ などとなる．

(3) 病巣

左中心前回の中～下部後壁側の損傷によって出現する[7, 8)]．

(4) 発症メカニズム

発語の制御の障害，あるいは，構音に際してのプログラミングの障害が推測されている．

b 単語指示課題の障害

(1) 症状

左中前頭回損傷によって，単語の指示課題での障害[9)]が出現する．これは，言われた単語に該当する対象を選択肢から選んで指さす課題（単語指示課題）において，誤った選択肢を指してしまう現象である．すなわち，「犬はどれですか？」と聞かれ，眼前の図版にある選択肢から，誤って「ミカン」を指さすような反応である．

(2) 評価・診断

単語指示課題で評価する．

(3) 病巣

左中前頭回損傷によって出現する．

(4) 発症メカニズム

後方領域損傷における単語理解障害との相違が指摘されている[9)]．「単語指示課題で低下」するという点では，前頭葉損傷でも，後方領域損傷でも共通しているが，前頭葉損傷の場合には，はい-いいえ課題のように，「図版から選択する」のではない課題では良好であることから，本来の意味での理解障害とは異なる機序が推測されている．すなわち，単語指示課題において，「提示された単語を把持しつつ，目の前の選択肢のなかから対象を選択して，そのなかから合致するものを指さす」という一連の反応には，その単語の意味の理解のみでなく，言われた単語を把持したり，目の前の選択肢図版を見て，合致するものを探すという，複数の作業が必要であり，その「複数作業の障害」が，前頭葉損傷による単語指示課題の低下と推測されている．

c 書字障害

(1) 症状

漢字・仮名両者の文字想起障害と，仮名文字における錯書が中心になる．仮名の錯書では特に，前後が入れ替わるような誤り，たとえば，「あられ」が「あれら」になるような誤りがみられる．

(2) 評価・診断

上記の特徴がみられれば，前頭葉性の失書を疑う．この場合，文字形態の乱れなどはみられない．

(3) 病巣

左中前頭回の後部の損傷で出現する．この部位は"Exner の書字中枢"（➡ Note 2）と呼ばれており，この部位の損傷で書字障害が生じることが古くから指摘されていた．一般には，病巣がこの部位に限局せずに広がっていることが多いので，失語症状と合併することが多い．

(4) 発症メカニズム

想起した仮名文字を適切な順序に配列する機構の問題が指摘されている[10, 11]．

> **Note 2. Exner の書字中枢**
>
> Exner がその著書(1881)のなかで，左中前頭回後部が書字障害に関係することを述べ[19]，Gordinier がそれを裏づける症例を報告した[20]．以後，この部位は書字に重要な中枢の1つとして，"Exner の書字中枢"と称されるようになった．ただし，本病巣での純粋失書報告は少なく，ここが書字に特化した部位として機能しているのかは議論がある．一方で，わが国での報告は比較的多く，特に仮名の錯書を呈したという報告が多い．また，仮名の入れ替え(例：えんぴつ → えんつぴ)などが特徴の1つとして指摘されている[11]．

d 失タイプ[12]

(1) 症状

キーボードでの打ち込みに障害を生じる現象である．

(2) 評価・診断

ほかの症候，たとえば失語や失書，失行がない，もしくは，それが原因とは考えにくい，独立した症候としてキーボード打ちの障害が認められた場合に疑われる．

(3) 病巣

前頭葉損傷による失タイプでは，左中前頭回が責任病巣である．この前頭葉性の失タイプのタイピング誤りの内容は，言語的に近い音への置換，たとえば'se'と打ち込むところを'ke'や'sa'と打ち込むような誤りであることが特徴である．

これは，健常者でよくみられる空間的なミスタイプ，たとえば'se'を'sr'や'dr'など，キーボード上の隣接するキーへ誤って打ち込んでしまう誤りとは異なる．

(4) 発症メカニズム

キーボード上で語を打つのには，ターゲットとする語，音の想起，その把持，語・音をキーに合致する文字に変換，そして，キーボードを打つという一連の過程が必要である．このうち，ターゲット語の把持・文字への変換過程の障害である可能性が示唆されている．

e 喚語障害

(1) 症状

単語を想起することの障害である．

(2) 評価・診断

評価としては，目の前に対象(実際の物品でも，絵でもよい)を提示し，その名称を言ってもらう方法(視覚性呼称)や，提示した条件(たとえば，「か」で始まるとか，「動物」のカテゴリーに入るなど)に従って語を想起してもらう課題(語列挙)などで評価する．

(3) 病巣

左下前頭回のなかで，特にブローカ野と称されてきた部位（下前頭回の三角部後半と弁蓋部）の損傷で喚語障害（語の想起障害）が生じる．

(4) 発症メカニズム

語の想起機構に問題があることが推測されるが，その詳細は不明である．

f 自発的言語喚起の障害

(1) 症状

単語の想起の方法には，視覚性呼称と語列挙などがある．このうち，視覚性呼称に比較して，語列挙，すなわち，自発的に対象を思い起こしての名称列挙のみが障害される現象を指す．

(2) 評価・診断

視覚性呼称と語列挙を比較し，前者はほぼ保たれているか軽度の障害であるのに，後者で大きく低下するというコントラストで診断できる．

(3) 病巣

左前頭葉内側面のなかでも特に補足運動野を含む領域の損傷でこの症状が出現する．このような症状を呈する症候は，補足運動野失語と称されている[13]．補足運動野失語は厳密に失語とするべきなのかは議論があるが，これは失語の定義いかんによるのでここでは立ち入らない．この失語型は，古典的失語分類では超皮質性運動失語の一亜型とされる．自発話の顕著な低下，語想起の障害が前景に立つが，それに比して，復唱や音読，視覚性呼称など，外的な刺激による発語は良好であるのが特徴である[14]．

(4) 発症メカニズム

前頭葉の内側面は，行為・動作に関して，その開始や維持，終了など，その枠組みの発動に関与している．言語活動も，行為の一環であり，前頭葉内側面のもつ，このような基本的な機能の影響を受けている可能性が示唆される．

5 注意に関係する症候

a 注意機能障害

(1) 症状

注意という言葉は日常用語にもあり，広い意味をもつため，学術用語として逆に曖昧で混乱して用いられやすい．注意機能は，①持続性注意，②選択性注意，③注意の配分などに分類される．①持続性注意は文字どおり，注意を持続させる能力である．ヴィジランス vigilance とも呼ばれている．②選択性注意とは，複数の刺激のなかから，目標とする刺激を選択して注意を向ける機能である．たとえば，Stroop テスト（➡ 194 頁）で評価されるような能力を指す．③注意の配分とは，複数の作業を同時に行う場合に，最適な注意の配分を采配する能力である．これは，ワーキングメモリの中央実行系（➡次頁）の機能に相当する．すなわち，ワーキングメモリの概念は，注意機能の裏打ちが必要なもので，注意機能と表裏一体であるといえる．さらに，これら①～③を支える意識水準を一定に保つというべき注意機能の障害がある．この障害は，(acute) confusional state と呼ばれている．わが国では，（急性）錯乱状態と訳されるが，錯乱という語にしばしば含まれる行動の異常を必ずしも指すわけではないので，注意が必要である．これは意識障害と覚醒状態の中間の状態と位置づけられており，上述の①～③の機能が低下し，特に覚醒レベルも変動し，十分に覚醒しているかと思えば傾眠傾向を示したりと変化することが特徴である．この現象は，脳血管障害のみでなく，てんかん発作後，外傷などのほか，代謝疾患，中毒症状でもみられる．脳血管障害では，右半球の広範な損傷での報告が多い．発症から数週間以内には改善するとされている．

(2) 病巣

①の持続性注意は，右半球が優位という報告が多い．右半球のなかでも，前頭前野，前頭葉内側面などの関与が推測されている．②の選択性注意

も右前頭葉が関与するとされているが，前頭葉のどこかは明らかではない．③の注意の配分に関しては，言語性の課題では左前頭葉が，非言語性の課題では右前頭葉が関与するとされている．

(3) 発症メカニズム

注意機能はすべての機能に関与する汎用性のある機能であるが，そのメカニズムはまだ十分明らかにはなっていない．

b 注意機能を支える機構の障害

(1) ワーキングメモリとは

ワーキングメモリ working memory（作業記憶）[15]は，複数の作業を同時に行う場合に必要な記憶システムを指す．ワーキングメモリの概念のなかには，①言語情報を秒単位で憶えておく能力（音韻性ループ），②見たものの形や場所を秒単位で憶えておく能力（視覚性スケッチパッド），③情報の取捨選択，注意の配分，個々の作業情報の把持・消去などの機能（中央実行系あるいは中央遂行系 central executive）が含まれている．①は言語性把持力，言語性短期記憶ともいわれ，たとえば，数唱などのような単純な言語性の把持を担う．②は視覚性把持力，視覚性短期記憶ともいわれ，たとえば，数唱の視覚版ともいえる視覚性記憶範囲課題などのような視空間性の把持を担う．③の中央実行系は Baddeley のワーキングメモリのモデルの中心にあり，①，②の下部システムの処理に対し，注意を配分したり，モダリティ（様態）変換（例：視覚というモダリティの情報を音声聴覚言語というモダリティに変換する）や，それらの処理の間，必要な情報を把持させたり，処理が終了して情報が不必要になれば消去したりする．

日常生活における“音韻性ループ”の把持能力は，複数のことを言われてメモに書きつけるような場合に必要な能力である．中央実行系のシステムに負荷がかかるのは，特に作業が複数になるような場合である．たとえば，暗算のように「50円のものを3つと，80円のものを2つ買うと，合計いくらになるか」と言われた場合，50×3＋80×2という課題自体の把持は“音韻性ループ”でまかなうが，それと同時に，別途，掛け算と足し算がなされなくてはならない．このような場合に，中央実行系の機能が，“音韻性ループ”の把持と，計算機能へのアクセスなどのマネジメントを行う．

(2) 病巣

ワーキングメモリの神経基盤は，前頭葉のなかでも，特に前頭前野背外側部と尾状核頭部背側部（ここは頭頂葉と線維連絡がある）と解釈されており，特に言語に関する場合には，左前頭葉の関与が示唆されているが，まだ明確なコンセンサスは得られていない．

(3) 発症メカニズム

単純な言語音の把持障害は音韻性ループの障害，視空間的な位置や視覚情報の把持障害は視空間性スケッチパッドの障害，複合した二重課題などの障害やモダリティ変換の障害などは中央実行系の障害と考えられている．

c セットの変換障害

(1) セットの変換とは

「セット」とは，一連の行動パターンを指す．「構え」と訳されることもある．われわれは，既存の情報をもとに，ある種の「構え」（セット）をもって外界に対峙し，反応している．ここに新しい情報が加わると，既存の情報が更新され，それまでの行動パターンを変化させる必要が生じる場合もある．このパターンの変化能力は，包括して“セットの変換機能”と称される．変換の契機となるのが，外界の変化に対応する注意の変化であり，その視点からみると，注意の転導性とも表現される．また，変動しうる能力という観点からは“柔軟性”という用語で表現されることもある．

(2) 病巣

前頭前野の背外側部損傷で出現しやすい．

(3) 発症メカニズム

保続やワーキングメモリ障害その他さまざまな機能障害の関与が指摘されている．

d いわゆる遂行機能障害

(1) 遂行機能とは何か

前頭葉機能のなかで日常生活に大きな影響を与える機能として，“遂行機能 executive function”と称されている機能がある．これには，目的にかなった一連の行動をとるのに必要なすべての機能[16]が含まれる．具体的には，自ら目標を立て，計画し，外界から入力され認知された情報を適切に取捨選択し，注意を配分し，それらの情報を必要なモダリティに変換し，それらの情報に基づいて古い情報を更新し，既存の計画・方向を変更(セットの変換)し，目標を遂行するまでの機能すべてを指す．

(2) 病巣

前頭前野の背外側面の損傷で，いわゆる“遂行機能障害”が出現しやすいと報告されている．以前から“前頭葉機能”と総称されてきた機能は，このいわゆる“遂行機能”を指していることも少なくないが，脳に局在する機能としての“前頭葉機能”という用語と，社会生活を送るうえでの能力という視点の“遂行機能”は，区別して用いられるべきであろう．

(3) 発症メカニズム

いわゆる遂行機能には，さまざまな能力が含まれる．たとえば，前述のワーキングメモリ，セットの変換能力，その他に種々の方策を思いつく発想能力ともいうべき発散的思考・思考の流暢性(柔軟性)と呼ばれるような機能などである．すなわち，遂行機能とは，特定の脳機能を指す用語ではなく，さまざまな機能が総動員されてなしうる問題解決能力[17]というべきものである．ただし，それはワーキングメモリ，セットの変換機能，発散的思考・思考の流暢性など，ある程度，個々の機能として，検査で検出しうる機能の集合と解釈されるべきなのか，それらの機能を制御し統合する“より高次の”指令部が存在するのかは明らかではない．

6 感情・性格・情動に関係する症候

a 感情失禁

前頭葉損傷によって感情失禁が出現することが報告されている．これは，通常，泣いたり笑ったりするほどではない刺激でも，泣き出したり，笑い出したりする現象である．類似の用語に強迫泣き，強迫笑いがあるが，これらは情動のきっかけがなくても出現するものとして感情失禁とは区別されている．

7 保続

以前と同じ運動や感覚が生じる現象である．運動性の保続と，感覚性の保続がある．運動性の保続には，間代性保続と意図性保続がある．間代性保続は，同じ行為・反応が終了できず繰り返される現象である．意図性保続は，いったん行為・反応が終了したにもかかわらず，ほかの新たな行為・反応を起こそうとすると，以前の行為・反応が繰り返して出てくる現象であり，前頭葉損傷で出現しやすい．

感覚性保続には，視覚性，聴覚性，触覚性など，感覚入力様式に応じた症状があり，これらはそれらの感覚の連合野，すなわち頭頂-側頭-後頭葉が関与する．

8 社会的行動障害

1) 社会的行動障害とは

社会生活上，問題となる症状を総称して，社会的行動障害という．したがって，脳の特定のシステムの障害を指す用語ではない．この社会的行動障害は大きく2つに分類できる[18]．1つは，ある認知機能障害の結果として二次的に生じた社会的行動障害で，2つ目は，脳損傷の結果として直接出現した社会的行動障害である[18]．特に，後者が前頭葉に関係する．

2）具体的症状

国立障害者リハビリテーションセンターが作成している「高次脳機能障害診断基準ガイドライン」には，社会的行動障害として，a. 意欲・発動性の低下，b. 情動コントロールの障害，c. 対人関係の障害，d. 依存的行動，e. 固執があげられている(表9-3)．

a. は，意欲や自発的な活動が乏しくなる現象を指す．例として，一日中ベッドから出ないで過ごしたりする．b. は感情的反応や行動をコントロールすることができない現象である．脱抑制，易刺激性なども含まれる．脱抑制は，自らの欲求，衝動や感情を抑えることができない症候である．易刺激性は，通常は軽微と思われるきっかけに，過剰に反応することを指す．前頭葉の眼窩面(腹内側部)の損傷では，脱抑制，易刺激的で特徴づけられる人格変化がみられるとされている．c. はさまざまな認知機能低下により，対人関係を円滑に行うことができなくなることを指す．たとえば，脱抑制的な発言や行動，相手に合わせたり，相手の意向を読み取る能力の低下と，自己表現の困難なども含まれる．d. は退行を示し，周囲に依存する生活をする．e. 固執は，認知や行動の柔軟性が失われ，その変化を受け入れたり，対応できないので，前のこと，行動などに固着することを指す．

表9-3　前頭葉損傷に関連する社会的行動障害

a. 意欲・発動性の低下
b. 情動コントロールの障害
c. 対人関係の障害
d. 依存的行動
e. 固執

〔国立障害者リハビリテーションセンター：高次脳機能障害診断基準ガイドライン．2008より〕

引用文献

1）大槻美佳：パーキンソン病の高次脳機能障害．Med Reha 76：21-29，2007
2）田中康文，吉田あつ子，橋本律夫，他：拮抗失行と脳梁失行．神経進歩 38：606-624，1994
3）Lhermitte F：'Utilization behaviour' and its relations to lesions if the frontal lobe. Brain 106：237-255, 1983
4）Lhermitte F：Human autonomy and the frontal lobes. Part I；Imitation and utilization behaviour. A neuropsychological study of 75 patients. Ann Neurol 19：326-334, 1986
5）Shimomura T, Mori E：Obstinate imitation behaviour in differentiation frontotemporal dementia from Alzheimer's disease. Lancet 352：623-624, 1988
6）Mao C-C, Coul BM, Golpher LAC, et al：Anterior opercular syndrome. Neurology 39：1169-1172，1989
7）Lecours AR, Lhermitte F：The "pure form" of the phonetic disintegration syndrome (pure anarthria)：Anatomo-clinical report of a historical case. Brain Lang 3：88-113, 1976
8）大槻美佳：Anarthrieの症候学．神経心理学 21：172-182，2005
9）大槻美佳，相馬芳明，青木賢樹，他：単語指示課題における前頭葉損傷と後方領域損傷の相違—超皮質性感覚失語の検討．脳神経 50：995-1002，1998
10）大槻美佳：書字の神経機構．臨床神経学 46：919-923，2006
11）大槻美佳：書字の神経機構．岩田誠，河村満(編)：神経文字学—読み書きの神経科学．pp179-199，医学書院，2007
12）Otsuki M, Soma Y, Shoji A, et al：Dystypia；Isolated typing impairment without aphasia, apraxia or visuospatial impairment. Eur Neurol 47：136-140, 2002
13）Benson DF：Aphasia. Heilman KM, Valenstein E (eds)：Clinical Neuropsychology(3rd ed). Oxford University Press, 1993
14）大槻美佳，相馬芳明，青木賢樹，他：補足運動野と運動前野の喚語機能の比較—超皮質性運動失語の語列挙と視覚性呼称の検討．脳神経 50：243-248，1998
15）Baddeley AD, Hitch G：Working memory. Bower GH (ed)：The psychology of Learning and Motivation；Advances in Research and Theory(vol 8). pp47-89, Academic Press, 1974
16）Lezak MD：The problem of assessing executive functions. Int J Psychology 17：281-297, 1982
17）三村將：遂行機能．よくわかる失語症と高次脳機能障害．pp387-395，永井書店，2003
18）村井俊哉，生方志浦，上田敬太：社会的行動障害のリハビリテーションの原点とトピック．高次脳機能研究 39：5-9，2019
19）Roux FE, Draper L, Kopke B, et al：Who acrually read Exner? Returning to the source of the frontal "writing centre" hypothesis. Cortex 46：1204-1210, 2010
20）Gordinier HS：A case of a brain tumour at the base of the second frontal convolution. Am J Med Sci 117：526-535, 1899

3 前頭葉機能障害の評価とリハビリテーション

A 評価・診断

本項では，前頭葉機能障害の評価・診断方法を概説する．個々の運動・動作・行為の障害，言語障害，書字障害はそれぞれの項に記載した．前頭葉機能検査のまとまったテストバッテリーとしては，注意機能の評価には標準注意検査法 Clinical Assessment for Attention(CAT)，遂行機能全般の評価には，遂行機能障害症候群の行動評価 Behavioral Assessment of Dysexecutive Syndrome (BADS)がある．簡便なバッテリーとして Frontal Assessment Battery(FAB)などもある．

バッテリーには，必要な検査が網羅されており，評価の見落としの可能性を減じることができる反面，合計点数のみからは障害内容はわからないので，必ず下位検査の成績も確認し，保たれている機能と障害されている機能のコントラストに留意すべきである．簡便な検査と主な評価対象を図 9-3 に示した．

1 抹消・検出課題

CAT に入っている検査で，視覚性と聴覚性がある．視覚性は，幾何学的な形，模様，数字，文字などが一様に並んでいる図版から，特定の指定された形や数字，文字に線を引いて抹消する課題である．聴覚性は，意味のない言語音を一音ずつ持続して聞かせ，前もって提示してある特定の言語音が聞こえた場合に合図する課題である．これによって，主に持続性注意および選択性注意を評価できる．

検査	セット変換	ワーキングメモリ			注意機能		
		音韻性ループ	中央実行系	視空間性スケッチパッド	持続性注意	選択性注意	注意の配分
抹消・検出課題					■	■	
Stroop テスト						■	
WCST	■						
TMT-A						■	
TMT-B		■	■			■	■
数唱(順唱)		■			■		
逆唱		■	■		■		
PASAT		■	■		■		■
SDMT			■	■			
pointing span				■	■		

図 9-3　前頭葉機能の検査と主な評価対象

注)■は主に関与する機能

WCST：Wisconsin Card Sorting Test，TMT：Trail Making Test，PASAT：定速聴覚的連続加算，SDMT：符号数字モダリティ検査，pointing span：視覚性記憶範囲(WMS-R 9)

〔大槻美佳：パーキンソン病の高次脳機能障害．Med Rehabil 76：21-29，2007 より〕

2 Stroop テスト

Stroop テストでは，「赤」という文字が緑色で，「青」という文字が黄色で印刷されているような図版が順次提示される．被検者は，その図版を見て，その文字が印刷されている色を呼称しなければならない．すなわち，「赤」という文字があっても，その文字の色が緑色であれば，「緑」と答えなければならない．このような場合に，文字の読みに対する注意は抑制され，色に対して，注意が選択される必要があるため，この検査では主に，選択性注意の評価ができる．

3 Wisconsin Card Sorting Test (WCST)

セットの変換・保持の機能を評価する．わが国では128枚のカードを使用する原法を修正し，48枚のカードを用いる慶應版[1]が普及している．これは，「色」「形」「数」の異なる図版のカードを，「色」「形」「数」という属性によって分類する課題である．どの属性で分類するかはあらかじめ決められているが，それは被検者には告げられず，被検者は自分が選択した分類が，検者の意図した分類と一致したか否かのみを知らされる．そこで一致したと告げられた場合には，その分類を継続し，一致しないと告げられた場合には，ほかの分類を試みることになる．このような試行錯誤の末に，被検者は分類すべき属性を見出し，その分類ルールに従って，カード分類を継続する．しかし，6回連続した正反応が続いたあとは，検者は分類基準をほかの属性に予告なしで変更する．したがって，一致する分類方法を見出し，その分類方法を続けていた被検者は，あるときから突然，その分類では「一致しない」ことを告げられる．ここで，被検者は分類属性が変化したことを察知し，それまでのルールを変更(新しい分類方法を見出す)しなければならなくなる．

このように，WCST では，告げられた内容に応じて，方針を変更する(セットの変換)能力をみる．ただし，この検査の結果を評価するには，先に述べたような「特異性のある機能」の障害，たとえば失語症，半側空間無視，視覚性失認，あるいは明らかな全般的な知的機能低下(認知症)などがないことが前提になる．

また，課題そのものは，セット変換のほかに種々の機能をも要求する複雑な検査でもあるので，この検査が「良好であった」場合には，さまざまな機能に問題がないことの保障になるが，逆にこれが「低下していた」ということの原因は多彩であり，その意義の吟味が必要となる．

4 Trail Making Test (TMT)

A 課題とB 課題の2つで1セットとなっており，わが国で標準化されている検査である．A 課題は，A4の大きさの紙に，1～25までの数字がランダムに配置され，1～25までを線で単純に結ぶ作業をし，その時間を計測する．B 課題は，A4の大きさの紙に，数字1～13，仮名文字(50音)「あ」から「し」までが，ランダムに配置され，被検者は数字と50音を順に，しかも交互に線で結ぶ作業をし，その時間を計測する．すなわち，1-あ-2-い-3-う-…という順序である．

A 課題とB 課題に共通するのは，結ぶべき数字・文字を探すという視覚性の探索能力である．B 課題は，数字と文字に交互に反応しなければならず，前述したワーキングメモリ・注意の配分に負荷がかかる．したがって，単純な作業速度低下や，視覚性の探索障害のみであれば，A 課題とB 課題の両方に低下がみられ，この場合には前頭葉機能低下の有無は判断しにくい．一方，A 課題とB 課題の成績に乖離がみられた場合，すなわち，B 課題で有意な低下がみられた場合には，前頭葉機能低下が推測される．したがって，A 課題とB 課題のコントラストが重要であるので，この課題は両者行う必要がある．

5 Paced Auditory Serial Addition Test(PASAT，定速聴覚的連続加算テスト)

数字を順次聞かせ，今聞いた数字とその1つ前に言われた数字を足した答えを言う検査である．たとえば，3, 2, 4, 8……と検者が言うと，被検者は(3＋2＝)5，(2＋4＝)6，(4＋8＝)12……などと答える〔(　)内は言わず，答のみを言う〕．これは，聴覚的に注意を向けて数字を聴き，把持するという作業と，順次足していくという二重課題を行うもので，ワーキングメモリに大きな負荷がかかる．これはさまざまな注意機能・ワーキングメモリ検出にも活用されており，わが国では標準化されたテストバッテリーとして，CATのなかにある．

6 符号数字モダリティ検査(SDMT)

符号数字モダリティ検査Symbol Digit Modality Test(SDMT)は，1～10までの数字と対応する記号が決まっており，その対応表を見ながら，記号の下に対応する数字を書いていくものである．これもCATのなかにある．

7 数唱(順唱・逆唱)，視覚性記憶範囲(pointing span)

WMS-Rの下位検査として入っているので，それを利用する．数唱は左半球が，視覚性記憶範囲では右半球の関与が示唆される．

B リハビリテーション

1 時期によるかかわり方・評価・留意点

(1) 急性期

原疾患による神経症候・全身状態が安定していることを確認する．意識レベルは，JCS 1桁以上でリハビリテーション開始の指標とする．この時期は，ベッドサイドであることも多いので，制約も多いが，声かけ，聴覚・触覚・視覚などの刺激を与え，覚醒レベルの向上に努める．

(2) 亜急性期～慢性期

車椅子で数分間でも座位が保てるようになったら，全般の意識状態を確認し，評価を開始する．リハビリテーションのスタートは評価である．適切な評価なしに，適切なリハビリテーションも援助もできない．また，スタート時のみではなく，リハビリテーションがうまく進んでいるかの指標も，評価によってみえてくる．

手順としては，一般には，指示が入るか否かが重要になるので，最初に言語機能を大まかに確認する．具体的には，会話での質問とその応答(例：「お年はいくつですか？」「入院したのはいつでしたか？」など)，指示とその反応(例：「口を開けてみてください」「窓を見てください」など)，物品呼称能力などをみて判断する．ここで，言語理解，喚語などに問題があれば，失語症評価バッテリーを進める．言語機能が概ね良好の場合には，注意機能の評価に進む．具体的には数唱・視覚性記憶範囲などから行う．

また，一般知的機能も確認しておく必要がある．レーヴン色彩マトリックス検査が簡便で使用しやすい．これらののち，必要に応じて図9-3で示した検査を行っていく．また前頭葉機能低下がある場合には，把握現象や行為の抑制障害がないか，出現しうる可能性のある諸症状がないかを確認する必要がある(表9-2 ➡ 184頁)．

2　遂行機能障害，社会的行動障害に対するリハビリテーション

前述したように，遂行機能は，1つのまとまった機能ではなく，さまざまな機能によって支えられている機能である．したがって，そのリハビリテーションや支援には，いわゆる遂行機能障害のどの部分に問題があるのかを検討し，その部分にアプローチする必要がある．たとえば，ワーキングメモリの障害による遂行機能障害であれば，ワーキングメモリのリハビリテーションを行う．

社会的行動障害も，社会生活上の問題として括られた概念であるため，その障害内容はさまざまであり，個別の要因を明らかにして，アプローチする必要がある．認知行動療法の試みなどもあるが，一定の条件を満たす群において有効とされている．

引用文献

1）鹿島晴雄，加藤元一郎：前頭葉機能検査―障害の形式と評価法．神経進歩 37：93-110，1993

4 ワーキングメモリ障害の事例

36歳，右利き，女性．

■主訴

①物事の時間配分がうまくできない，②料理ができない，③何をしようとしていたのかすぐに忘れてしまう，④お釣りの計算ができない，⑤乗り物を乗り換えて目的地へ行けない．

■現病歴

交通事故にて，ICU搬入．骨盤骨折，手術施行，数日後に一般病棟に移った．その後リハビリテーション病院に転院し，6か月後に退院したが，上記の訴えのため来院．

■神経学的所見

特記すべきことなし．

■画像所見

MRIで明らかな異常なし．

■神経心理学的所見（表9-4）

発語など言語の問題はなく，失語症検査でも異常なし．患者は，検査にも協力的で，数唱などで注意・集中良好，対連合学習でも問題なく，記銘力にも検査で検出できる異常は認めなかった．ただし，逆唱，TMT-B，仮名ひろいテストなど，前頭葉機能に負荷がかかる検査で低下を示した．

本例では，前述の①～⑤に関して具体的には以下に要約される訴えがあった．

①に関しては，たとえば，外出するのに，2時間くらい前から準備にかからないとできず，少し早めに出発するとなると，何をどうしたらよいのかわからずに当惑するとのことであった．

②に関しては，料理の段取りを考えることができなくなったというものであった．

これらの症状は，いわゆる“遂行機能障害”と総称される問題と推測される．

③に関しては，具体的には，何かを買おうと思って買い物に出るのに，スーパーマーケットまでの数分の道のりで，何を買うのかわからなくなってしまい，別のものを買ってきてしまうこともたびたびであるとのことであった．これは，買おうと思ったことを，スーパーまでの数分の間も把持できず，また道中のほかのことに注意が配分されてしまい，もともとの目標を忘れてしまうためと推測された．これも注意の障害，短期記憶の問題なども関与していると考えられた．

⑤に関しては，どこで降りて，どこで何に乗って，どこまで行って…というような複数の作業の把持ができないためと推測された．これも，いわゆる遂行機能障害，特にワーキングメモリ障害の

表 9-4 症例の神経心理学的所見

		来院時(発症6か月)	1年	1.5年	3年
数唱(WMS-R 8)	順唱	7桁(9点)	7桁(9点)	5桁(6点)	6桁(6点)
	逆唱	3桁(2点)	4桁(5点)	3桁(3点)	3桁(4点)
レーヴン色彩マトリックス検査(36)		28	31	−	31
TMT	A(秒)	60	−	59	36
	B(秒)	不可	−	180	133
仮名ひろいテスト	無意味仮名(60)	34	30	36	34
	有意味仮名(61)	10	13	13	15
対連合学習	言語性(WMS-R 6)(24)	21	−	−	16
	視覚性(WMS-R 5)(18)	18	−	−	−

	来院時～1年	1.5～3年
日常生活	種々の問題(共同生活)	自立
仕事	いろいろ試みるが長続きせず	自分のペースでできる単純作業
診察場面	特に問題なし	特に問題なし

関与が考えられた.

■ **検査結果のまとめと治療方針の立案**

本例は，画像診断で明らかな病巣は認めず，その症状は，包括的な用語ではいわゆる“遂行機能障害”とまとめられる．しかし“遂行機能障害”とまとめてしまうと，その概念はあまりに広く，リハビリテーションや日常生活の援助には，もう少し障害内容の本質を検出する必要がある．

本例の場合には，逆唱やTMT-B，仮名ひろいテストで低下を示しており，日常の困難と合わせて推測すると，ワーキングメモリ障害がメインにあると考えられた．

■ **目標**

ワーキングメモリを改善することで，遂行機能障害を改善し，日常生活に反映させることを目標とした．

■ **訓練計画**

逆唱や暗算などの複数タスクをこなす訓練を計画した．また，作業が複数になることが問題であることに留意させ，単純で変化のない作業に就労することを助言し，日常生活上の組み立てに並列作業を入れないよう助言した．

■ **まとめ**

交通事故により，日常生活にさまざまな支障をきたした事例であった．種々の神経心理学的検査で，ワーキングメモリの障害が根底にあることがわかり，そこをターゲットとした訓練を行ったところ，数か月後ワーキングメモリは改善し，料理や買い物，乗り物を使った外出も可能になった．このように，障害の内容を明確にしてアプローチすることは，リハビリテーションにとって重要と考えられた．

第10章

脳梁離断症状

学修の到達目標

- 人の行動における大脳機能の側性化と脳梁の関係を説明できる.
- 大脳機能の側性化と行為の実行における脳梁の役割を説明できる.
- 脳梁離断症状の種類，症状，病巣を説明できる.
- 脳梁が関連する障害について，日常における行動から介入や支援の必要性を判断できる.

エピソードと臨床的推論の視点

脳梗塞で入院をしたAさん(50歳代，男性)に生活上で困ったことを尋ねると，「左手がいうことをきかない」「何をするのにも時間がかかる」と言う．Aさんの前には鉛筆と紙が置いてあったが，自分から字を書くことはなかった．「お名前を書いてください」と鉛筆を手渡すと，右手で書き始めたが，途中で左手が鉛筆を取り上げた．次に，絵画配列の説明をし，正しい順に並べてもらうようにお願いすると，口頭で正しく内容を説明しながら右手で並べようとしているが，左手が順番を逆にしてしまい，口頭で説明している順番にはならなかった．それを見て，「これは間違っている」と話された．

これらの様子から，言語聴覚士は，Aさんには拮抗失行があり，道具の強迫的使用はないと推測した．

1 脳梁の構造と機能

A 脳梁とは

左右の大脳半球を連絡する最大の**交連線維**束を脳梁といい，約2億本以上の神経線維が通っている．脳梁は，**吻部** rostrum，**膝部** genu，**幹部** truncus(体部 body)，**膨大部** splenium に分けられ(図10-1)，交連線維には脳梁のほかに前交連，脳弓交連(海馬交連)などがある．交連線維のほとんどを含む脳梁は，両半球の対応する皮質を連絡している(表10-1)，前交連は第三脳室前方で左右側頭葉前部を連絡し，脳弓交連は左右の海馬体を連絡している．

Geschwind は，同一半球内もしくは，左右半球の大脳皮質間を連絡する神経線維が切断された結果生じる高次機能の障害を，離断症候群 disconnexion syndrome[1]と表した．

脳梁が損傷を受け左右の大脳半球の連絡が絶たれ，それぞれの半球情報が対側に伝達されなくなったことにより現れるさまざまな症候の総称を**脳梁離断症候群**という[2]．

B 大脳機能の側性化と脳梁の役割

側性化とは，神経機能が脳の一側に偏在してい

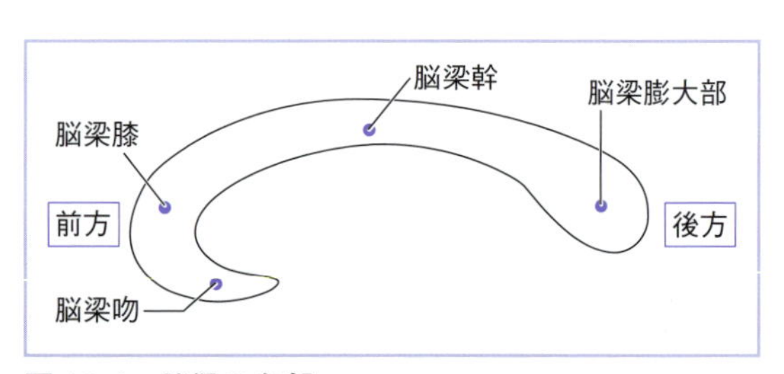

図10-1　脳梁の各部

表10-1　脳梁部位と対応する皮質領域

脳梁部位	皮質領域
脳梁膝，脳梁吻	前頭葉前方領域，眼窩領域
脳梁幹	前頭葉後方領域，頭頂葉
脳梁膨大	後頭葉，側頭葉

〔Bhatnagar SC：Neuroscience for the study of communication disorders(3rd ed). Lippincott Williams & Wilkins, 2008. 舘村卓(訳)：中枢神経系の全体解剖．神経科学—コミュニケーション障害理解のために原著第3版．p56，医歯薬出版，2009を参照にて作成〕

ることを意味し，高次脳機能が左右大脳半球のどちらかに局在していることをいう．一般的には，左半球に側性化されている**言語機能**，右半球に側性化されている**構成・視空間性機能**などがある．表 10-2 には，厳密な意味での側性化ではないが，ある高次脳機能が左右大脳半球のどちらに，より偏っているかを示している．一側の大脳半球に損傷を受けた右利き患者の症状を示したもので，言語機能，慣習的動作などの行為については，左半球にその機能がより偏っており，構成能力や方向性注意などの構成・空間性機能，相貌認知機能などは，右半球に偏っていることがわかる．

脳梁は，左右の大脳半球を連絡しているため，一側の大脳半球に入力された情報は脳梁を介して対側の大脳半球にも情報が伝達され，両手，両視野においてそれらの情報は処理が可能となる．脳梁に損傷が起きた場合には，一側に入力された情報は対側へ伝達されないため，情報が届かなかった半球の対側上肢や対側視野における情報処理に障害が発生することとなる．また，両側の大脳半球に入力された情報の異同判断や，情報の対側への転移に障害が発生することも確認されている．さらには，両手の協調運動が必要なときに，適切な運動を喚起したり不適切な運動を抑制したり，運動を調節制御する機能に障害が発生する．

表 10-2　高次脳機能症状と病巣半球の関連（右利き）

機能	左半球	右半球
言語	失語症 失書 失読失書 失読 色名呼称障害	
行為	観念失行 観念運動失行	着衣失行
計算	失算	
構成・空間	構成障害※1	構成障害※2 半側空間無視 道順障害
身体認知	身体部位失認	病態失認
視覚認知	物体失認	街並失認 相貌失認

※1, 2は，障害の質，重症度などが異なる．

引用文献

1）Geschwind N：Disconnexion syndromes in animals and man. Brain 88：237-294, 585-644, 1965
〔河内十郎（訳）：高次脳機能の基礎―動物と人間における離断症候群．新曜社，1984〕

2）吉澤浩志，岩田誠：脳梁離断症候群．神経内科 57：203-211，2002

2　脳梁離断症状の原因疾患

脳梁離断症状を表す疾患には，①手術による脳梁切断，②脳梁腫瘍，③脳血管障害，④多発性硬化症，⑤ Marchiafava-Bignami 病，⑥脳梁無形成，⑦外傷などがある．

3　脳梁離断症状の分類

脳梁離断症状を表 10-3 に示す．

表 10-3　脳梁離断症状の分類

1．左半球優位症状 • 左手の失行 • 左手の失書 • 左手の触覚性呼称障害 • 左手の触覚性読字障害 • 左視野の視覚性呼称障害 • 左視野の視覚性読字障害 • 左耳の聴覚性消去現象
2．右半球優位症状 • 右手の構成失行 • 右手の半側空間無視 • 右視野の相貌認知障害
3．左右半球間連合症状 • 感覚情報の異同判断障害 　• 左右手の位置覚性（指パターン）異同判断障害 　• 左右手の触覚性（触点）異同判断障害 　• 左右手の触覚性（物品同定）異同判断障害 • 感覚情報の転移障害 　• 交叉性位置覚性（指パターン）転移障害 　• 交叉性触覚性（触点）転移障害 　• 交叉性触覚性（物品同定）転移障害 • 交叉性視覚性運動失調（視覚運動連合障害）
4．左右半球間抑制症状 • 拮抗失行 • 意図の抗争 conflict of intentions

A　左半球優位症状

言語機能が左半球に側性化されていることと，左右大脳半球間の連絡が絶たれたことが主な原因となり生じる症状である．以下，1～2 は左半球の情報が右半球に伝達されなくなり左手の運動が困難となることから生じ，3～7 は右半球に入力した感覚情報が左半球へ伝達されなくなり，感覚情報を言語化することが困難となることから生じると考えられる．

1　左手の失行（図 10-2）

口頭命令による動作（敬礼，歯磨き，櫛で髪をとかすなど）を右手では正しく行えるが，左手で

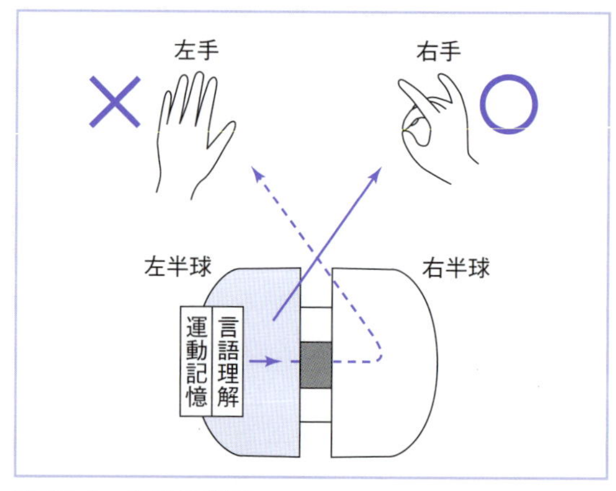

図 10-2　左手の失行
右手での慣習的な動作などの行為はできるが，左手ではできない．

は行えないという症状を示す．その発症メカニズムについては，大きく 2 つの考え方がある．1 つは，慣習的動作などの学習された運動の記憶が左半球に存在しているため右手での動作は可能であるが，運動記憶が右半球へは伝達されないため左手での慣習的動作は口頭命令下および模倣ともに困難となるという考え方である．もう 1 つは，左半球で理解された言語指示情報により右手での慣習的動作は可能であるが，言語指示情報は右半球へは伝達されず口頭命令下では左手での動作は困難となるというものである．

責任病巣は脳梁幹後方部といわれている．

2　左手の失書（図 10-3）

右手では正しくできる書字が，左手では行えないという症状を示す．発症メカニズムは，左半球に喚起された書字に必要な情報が右半球へは伝達されず，左手での書字は困難となると考えられている．

責任病巣は脳梁幹後方部といわれている．

3　左手の触覚性呼称障害（図 10-4）

右手で触れたものの呼称は正しくできるが，左

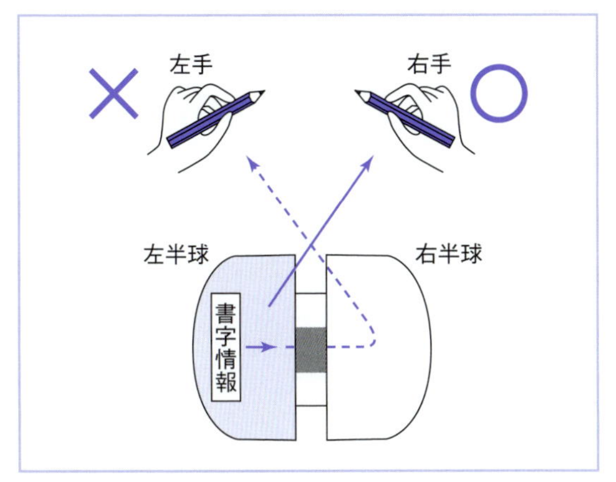

図 10-3　左手の失書
右手での自発書字や書き取りはできるが，左手ではできない．

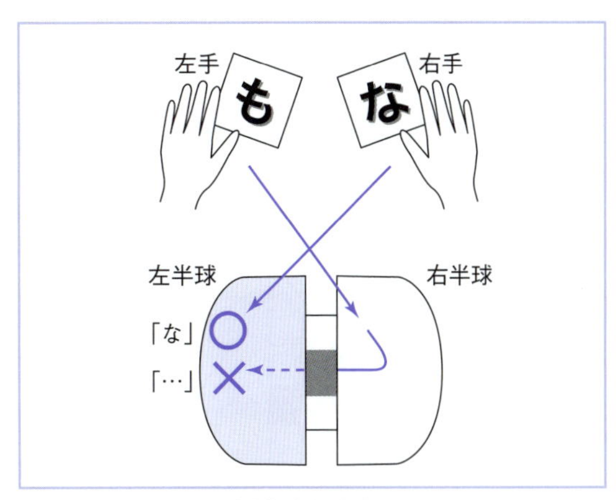

図 10-5　左手の触覚性読字障害
右手で触れた文字ブロックの音読はできるが，左手で触れた文字ブロックの音読はできない．

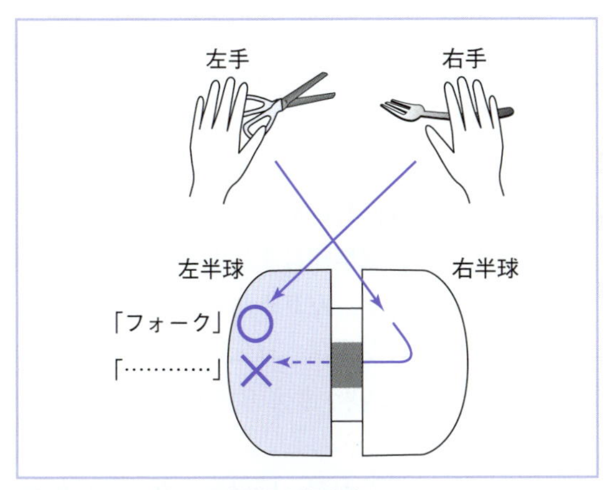

図 10-4　左手の触覚性呼称障害
右手で触れた物品の呼称はできるが，左手で触れた物品の呼称はできない．

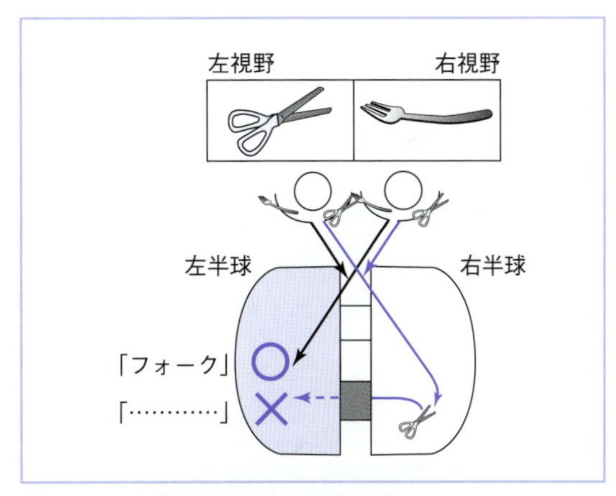

図 10-6　左視野の視覚性呼称障害
右視野の物品呼称はできるが，左視野の物品呼称はできない．

手で触れたものの呼称はできないという症状を示す．発症メカニズムは，右手からの触覚情報は言語中枢が存在する左半球へ入力されるため，正しく言語化されるが，左手からの触覚情報は右半球へ入力され左半球へは伝達されないため言語化できなくなると考えられている．

責任病巣は脳梁幹後方部といわれている[1]．

4　左手の触覚性読字障害（図 10-5）

右手で触れた文字は正しく音読できるが，左手で触れたものは音読できないという症状を示す．発症メカニズムは，右手からの触覚情報は言語中枢が存在する左半球へ入力されるため，正しく言語化（音読）されるが，左手からの触覚情報は右半球へ入力され左半球へは伝達されないため，言語化（音読）できなくなるというもの．

責任病巣は脳梁幹後方部であるといわれている[1]．

5　左視野の視覚性呼称障害（図 10-6）

右視野に提示された物品や絵などの呼称はできるが，左視野に提示された場合には呼称できない

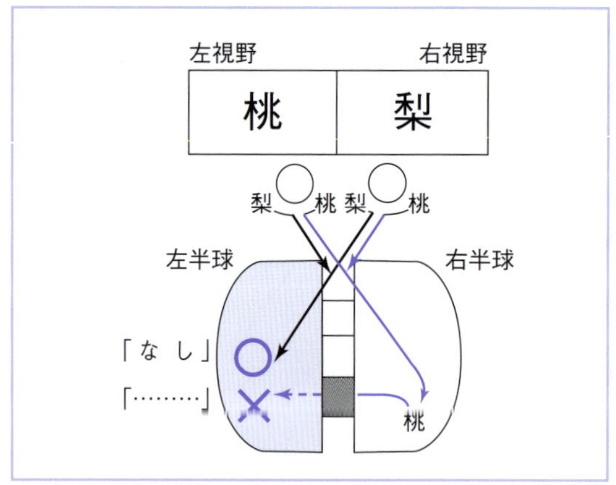

図 10-7　左視野の視覚性読字障害

右視野の文字の音読はできるが，左視野の文字の音読はできない．

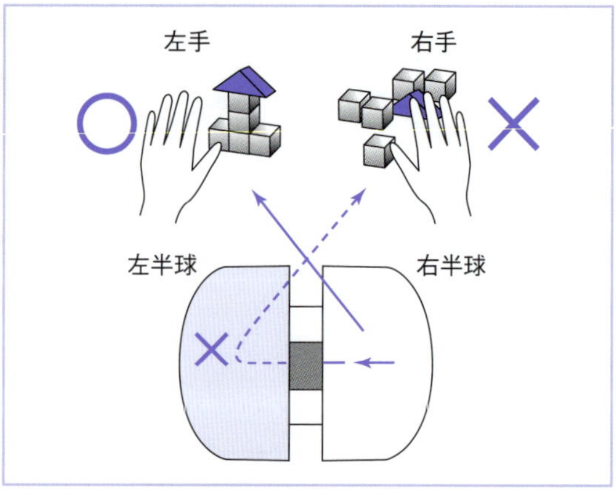

図 10-8　右手の構成失行

左手では積木を組み立てられるが，右手では組み立てられない．

という症状を示す．発症メカニズムは，両眼の右視野からの視覚情報は左半球へ入力され正しく言語化されるが，両眼の左視野からの視覚情報は右半球へ入力され左半球へは伝達されないため言語化できなくなるというもの．

責任病巣は脳梁幹後方部＋脳梁膨大部であるといわれている．

6　左視野の視覚性読字障害（図 10-7）

右視野に提示された文字の音読はできるが，左視野に提示された文字の音読はできないという症状を示す．発症メカニズムは，両眼の左視野からの視覚情報は右半球へ入力され左半球へは伝達されないため言語化できなくなると考えられている．

責任病巣は脳梁膨大部であるといわれている．

7　左耳の聴覚性消去現象

レシーバで両耳同時に言語音を聞かせると，右耳からの音は正しく復唱できるが，左耳からの音には答えられないという症状を示す．片耳で音を聞くときには，音は聴覚伝導路によって一部は同側性，一部は交叉性に両大脳半球に伝達される．これに対して，両耳で異なる音を同時に聞くときには，同側性伝導路は抑制され，交叉性のほうが優位であるといわれている．したがって，発症メカニズムは，両耳同時に異なる言語音を聞かせると，右耳からの聴覚情報は主に左半球へ入力され言語化されやすいが，左耳からの聴覚情報は主に右半球へ入力され左半球へは伝達されないため言語化されにくいという考え方に基づくことになる．

責任病巣は脳梁膨大部，脳梁膨大部＋脳梁幹後方部であるといわれている．

B　右半球優位症状

右半球で優位であると考えられている構成機能，視空間機能，相貌認知機能が左右大脳半球間の連絡が絶たれたことによって生じる症状である．

1　右手の構成障害（図 10-8）

積木の構成や立方体の模写は左手ではできるが右手では困難となるという症状を示す．その発症メカニズムは，左半球より優れている右半球の構成情報が左半球に伝達されなくなり，左半球が支配する右手での構成が困難になると考えられている．

脳梁幹後方部の損傷で出現すると報告されている．

2 右手の左半側空間無視(図 10-9)

左手では図形，数字列の模写などはできるが，右手では左側を無視した模写となるという症状を示す．発症メカニズムは，左半球は主に右空間に対する注意機能をもち，右半球は左右両空間に対する注意機能をもつため，左半球より優れている右半球の注意機能が左半球に伝達されなくなることにより，右手での模写などの操作を行う場合には右空間に対する注意が働き，左半側空間無視の症状が表れると考えられている．

脳梁前部から後部にかけて広範な損傷で出現すると報告されている．

3 右視野の相貌認知障害

右視野に提示された顔と同じ顔を複数の選択肢のなかから右手で選ぶ課題では，左視野に提示された顔を複数の選択肢のなかから左手で選ぶよりも，低下する．この症状は，右視野からの相貌情報は左半球に入力され右半球へ伝達されないため，相貌認知機能で優位な右半球へ入力した左視野からの相貌情報に比べ，正しく選択されにくいためだと考えられている．

C 左右半球間連合症状

左右大脳半球間の連絡が絶たれたことが原因となる．機能の優位性には関連しない両側に現れる症状である．

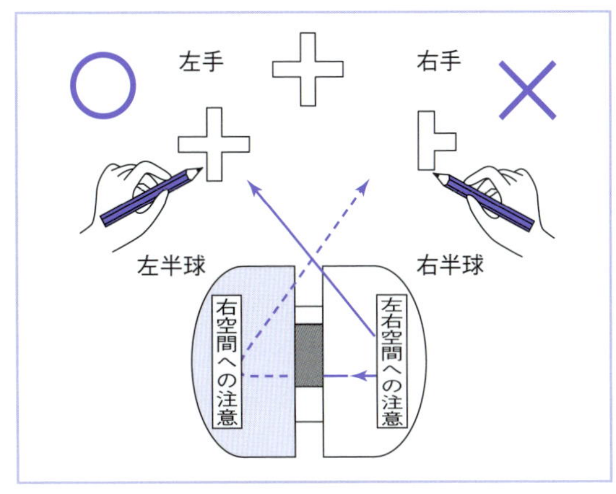

図 10-9 右手の左半側空間無視
左手では十字の模写ができるが，右手では十字の左半分を無視してしまう．

1 感覚情報の異同判断障害

左右それぞれの大脳半球に入力した体性感覚情報が対側へ伝達されなくなり，両者の異同判断が困難となることから現れる症状で，脳梁幹後方部，背側部損傷で生じると報告されている[2)]．

a 左右手の位置覚性(指パターン)異同判断障害

目隠しをした状態で，検者が被検者の両手にそれぞれ一定の形(指パターン)をつくると，被検者はその形が同じか異なっているかを判断することができない．

b 左右手の触覚性(触点)異同判断障害

目隠しをした状態で，検者が被検者の両手指にそれぞれ触れると，触れられた指が左右で同じか異なっているかを判断することができない(図 10-10)．

c 左右手の触覚性(物品同定)異同判断障害

目隠しをして，左右の手でそれぞれ物品を触ると，触っている左右の物品が同じ物か異なっている物かの判断が困難となる(図 10-11)．

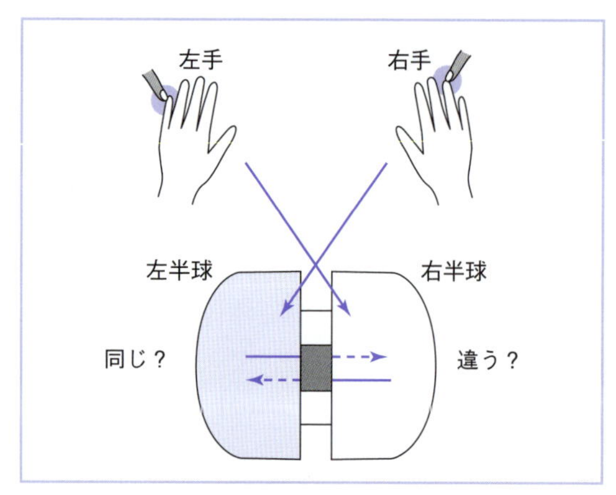

図10-10　左右手の触覚性(触点)異同判断障害
触れられた指が左右で同じか違うかわからない.

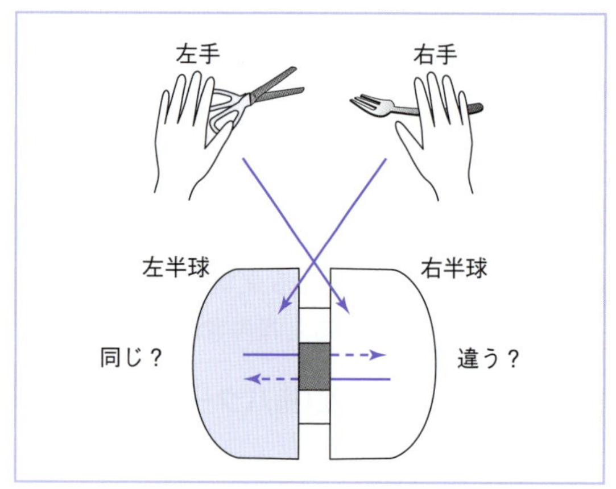

図10-11　左右手の触覚性(物品同定)異同判断障害
触った物品が左右で同じか違うかわからない.

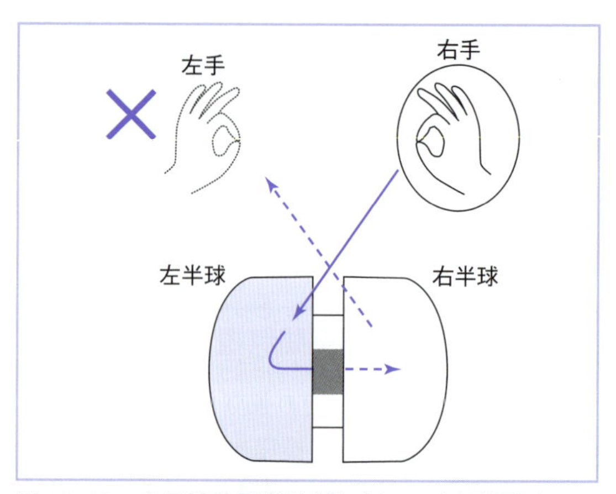

図10-12　交叉性位置覚性(指パターン)転移障害
右手と同じ形を左手でつくることができない(左手から右手へも同様にできない).

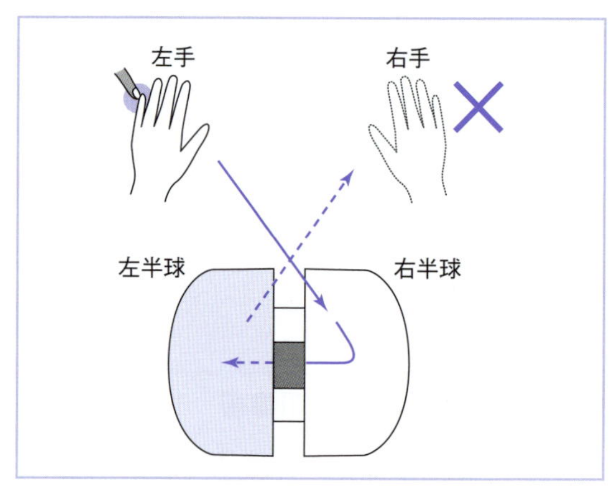

図10-13　交叉性触覚性(触点)転移障害
左手指と同じ指を右手指で示すことができない(右手指から左手指へも同様にできない).

2 感覚情報の転移障害

左右それぞれの大脳半球に入力した感覚情報を対側へ伝達することが困難となることにより，呈する症状で，脳梁幹後方部損傷で生じると報告されている[1)].

a 交叉性位置覚性(指パターン)転移障害

目隠しをした状態で，検者が被検者の一側手に一定の形(指パターン)をつくると，被検者は対側の手で同じ形をつくることができない(図10-12).

b 交叉性触覚性(触点)転移障害

目隠しをした状態で，検者が被検者の一側手指に触れると，被検者は対側の同じ指を示すことができない(図10-13).

c 交叉性触覚性(物品同定)転移障害

目隠しをして一側の手で品物に触り，対側の手でいくつかの物品のなかから同じ物品を選択することができない(図10-14).

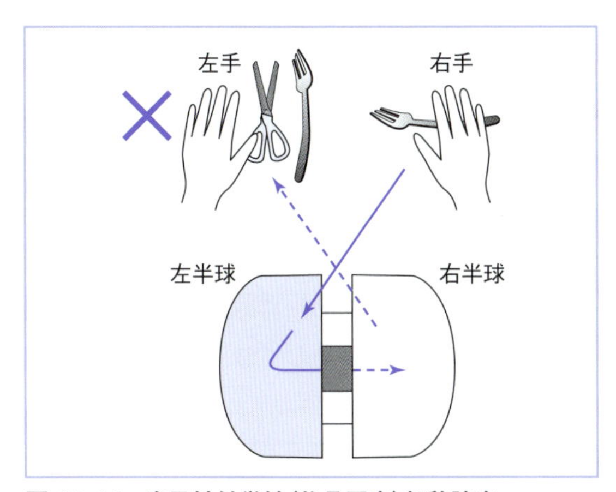

図 10-14 交叉性触覚性(物品同定)転移障害

右手で触れた物品と同じ物品を左手で選べない(左手から右手へも同様にできない).

3 交叉性視覚性運動失調(視覚運動連合障害)

右視野にあるものを右手で，左視野にあるものを左手でとらえることはできるが，右視野にあるものを左手で，左視野にあるものを右手でとらえることができないという症状を示す．その発症メカニズムは，以下と考えられている．左半側視野内に提示された対象物の位置に関する視覚情報は，右半球に入力され，右頭頂葉の体性知覚情報と統合される．さらにその情報は，右半球から左手に連絡されるため，左手は左半側視野内に提示された対象物に届く．しかしながら，脳梁が損傷されていると対象物の位置に関する視覚情報が左半球へ伝達されないため，右手は左半側視野内へは届かない．

責任病巣は脳梁幹後方部といわれている[3]．

D 左右半球間抑制症状

1 拮抗失行

右手の随意的意図あるいは随意運動に触発されて，左手に右手とは反対目的の行動，もしくは関連のない行動(異常行動)が起こることを拮抗失行 diagonistic dyspraxia といい，右手で服のボタンを留めようとすると，左手がボタンを外すような症状がみられる．発症メカニズムは，健常では，左半球の運動関連領域の活動時に脳梁を介して右半球の運動関連活動を調節制御しているが，脳梁離断によって，左半球の運動調節情報が右半球へ伝達されず，右半球の活動を制御できなくなることによって起こるのではないかと考えられている．

責任病巣は脳梁幹後方部が重視されている．

2 意図の抗争

脳梁離断によって患者自身が意図した全身の行動を別の意図が生起するために遂行できないという症候を「意図の抗争 conflict of intentions」という．両手間抗争や道具の強迫的使用の消失とともに症状が現れる[4]．「脚立に登っていて降りようと思うと反対の気持ちが出てきて決心がつくまで脚立から降りられない」などの症状を示す．発症メカニズムは，十分に明らかにはされていないが，自覚的な意図性をもつ左半球と，直感的な反応性による右半球の意図が個別に産生され，意図の抗争が生じているのかもしれない．

引用文献

1）Ihori N, Kawamura M, Fukuzawa K, et al：Somesthetic disconnection syndromes in patients with callosal lesions. Eur Neurol 44：65-71，2000
2）吉澤浩志，岩田誠：脳梁離断症候群．神経内科 57：203-211，2002
3）平山惠造，髙橋伸佳：Bálint 症候群と視覚性運動失調．平山惠造，田川皓一(編)：脳卒中と神経心理学．pp42-52，医学書院，2006
4）西川隆：意図の抗争(conflict of intentions)と前頭葉内側面．神経心理学 26：35-46，2010

脳梁離断症状の評価

ここでは脳梁損傷による症状の評価について記載するが，多くの場合，日常生活で困ることは少ない．なぜなら，通常の生活では必要な情報が両半球に同時に入るからである．そのため，日常生活においては下記の症状に気づかない人も多い[1]．検査の実施にはその必要性など，丁寧な説明を行う必要がある．

左半球優位症状

1 左手の失行

左手で，敬礼・おいでおいで・じゃんけんのチョキなどを口頭命令下で行い，できないときには模倣で実施する．また，歯ブラシや櫛，カナヅチを(持ったつもりで)使う真似の動作を口頭命令下で行い，できないときには模倣で実施する．実際に道具を使用する場合には，口頭命令，模倣のあとに行う．左手の検査終了後，同様に右手で実施する．検査順を間違えないように気をつける．

2 左手の失書

左右それぞれの手による，自発書字および書き取りを行う．書字困難，もしくは誤りがあるときには，それらの写字を行い，写字の具体的な様子を観察する．見本があればすぐに書けるのか，一画一画写し取るように書くのかなどを記録する．

3 左手の触覚性呼称障害

閉眼にて実施．左右それぞれの手で触れた物品の呼称を行う．検査は左手から実施する．左手の呼称障害が感覚障害によるものではないことを示すために，左手で触れて呼称できなかった物品を閉眼のまま，いくつかの物品のなかから左手のみで選択できることを確認しておく．

4 左手の触覚性読字障害

閉眼にて実施．左右それぞれの手で触れた文字ブロックの音読を行う．検査は左手から実施する．左手の読字障害が感覚障害によるものではないことを示すために，左手で触れて音読できなかった文字ブロックを閉眼のまま，いくつかの文字ブロックのなかから左手のみで選択できることを確認しておく．

5 左視野の視覚性呼称障害

左右それぞれの視野に瞬間的に提示された物品の呼称を行う．検者は，被検者が両眼で画面(スクリーン)中央の注視点を見つめる間に，注視点から2〜3°離した左右の視野に物品を0.1秒以下で提示する．あらかじめ，左視野の半盲や半側空間無視がないことを確認しておく．

6 左視野の視覚性読字障害

左右それぞれの視野に瞬間的に提示された文字の音読を行う．検者は，被検者が両眼で画面(スクリーン)中央の注視点を見つめる間に，注視点から2〜3°離した左右の視野に物品(文字)を0.1秒以下で提示する．あらかじめ，左視野の半盲や半側空間無視がないことを確認しておく．

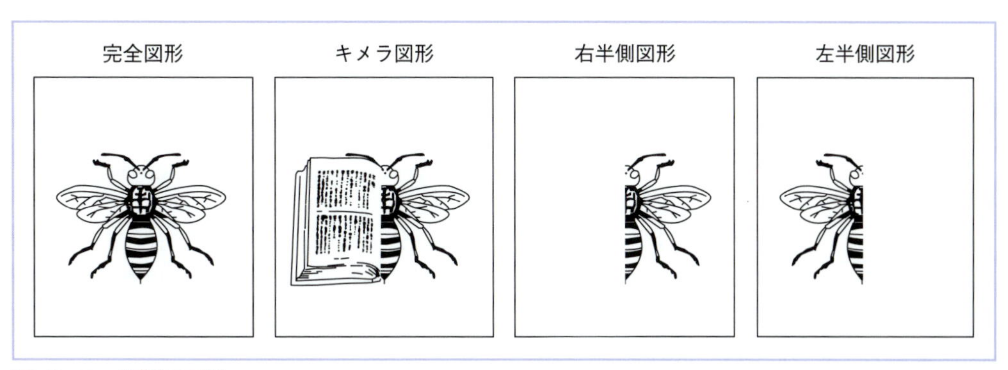

図 10-15 図形の呼称

〔Kashiwagi A, et al：Hemispatial neglect in a patient with callosal infarction. Brain 113：1005-1023, 1990 を参照にて作成〕

7 左耳の聴覚性消去現象

dichotic listening test（両耳分離聴検査）とは，耳につけたレシーバから左右同時に聞こえる言語音（単音など）の復唱をしてもらう検査法である．このとき，左右の言語音の長さと音量は同じにしておかなければならない．

あらかじめ，左右の聴力に差がないことを確認しておく．

B 右半球優位症状

1 右手の構成障害

左右それぞれの手で，見本に合わせた積木の組み合わせを行う．また，立方体・家の絵などの模写を実施する．完成までの時間測定を行い，左右手の差を確認する．検査は右手から実施する．

2 右手の左半側空間無視

①左右それぞれの手による絵の模写，数字列の模写，線分二等分，線分抹消を行う．検査は右手から実施する．

②図形の呼称を行う．完全図形（左右対称の図

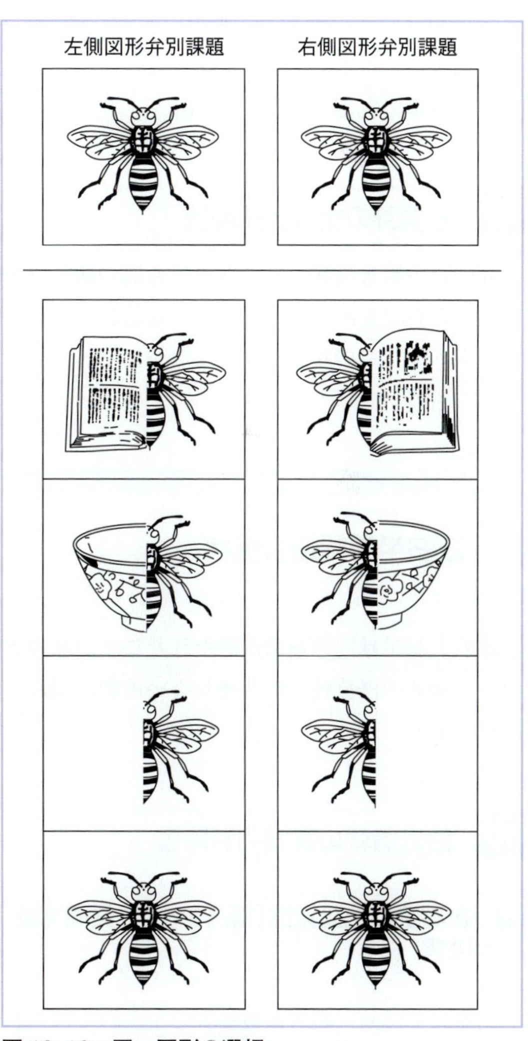

図 10-16 同一図形の選択

〔Kashiwagi A, et al：Hemispatial neglect in a patient with callosal infarction. Brain 113：1005-1023, 1990 を参照にて作成〕

形)，キメラ図形(2つの異なる絵を半分に切り，片方ずつを正中で合わせた図形)，右半側図形(左半分が欠如している図形)，左半側図形(右半分が欠如している図形)を用いて呼称課題を実施する(図 10-15).

③同一図形の選択課題を行う．モデル図は，左右対称の完全図形であり，左側図形弁別課題として，右半分がすべてモデル図と同じである4枚の図形を準備し，モデルと同一の図形を4枚のなかから選択し，一側手によるポインティングを行う．右側図形弁別課題では，左半分がすべてモデル図と同じである4枚の図形を準備し，モデルと同一の図形を4枚のなかから選択し，一側手によるポインティングを行う．左右それぞれの手で実施する(図 10-16).

3　右視野の相貌認知障害

顔の正中線を境界にして別々の人間の顔写真を合成したものを瞬間的に提示し，言語化せず，いくつかの顔写真のなかから見えた顔を指してもらう.

C　左右半球間連合症状

左右大脳半球間の連絡が絶たれたことが原因となる．機能の優位性には関連しない両側に現れる症状である.

1　感覚情報の異同判断障害

a　左右手の位置覚性(指パターン)異同判断障害

閉眼にて実施．検者は被検者の左右の手にそれぞれ一定の形(指パターン)をつくり，両手の形が同じであるか異なっているかを被検者に答えてもらう．異同の判断困難が知覚障害によるものではないことを示すために，同側の手で同じ形を再現できることを確認しておく.

b　左右手の触覚性(触点)異同判断障害

閉眼にて実施．検者は被検者の左右の手指に触れ，触れられた指が左右で同じであるか異なっているかを被検者に答えてもらう.

c　左右手の触覚性(物品同定)異同判断障害

閉眼にて実施．左右の手でそれぞれ物品を触ってもらい，左右の物品が同じであるか異なっているかを被検者に答えてもらう．異同の判断困難が知覚障害によるものではないことを示すために，触れていた物品と同じ物をいくつかの物品のなかから同側の手で選択できることを確認しておく.

2　感覚情報の転移障害

a　交叉性位置覚性(指パターン)転移障害

閉眼にて実施．検者は被検者の一側手に一定の形をつくり，被検者に対側の手で同じ形をつくってもらう.

b　交叉性触覚性(触点)転移障害

検者は被検者の一側手指に触れ，被検者に対側の手の同じ指を示してもらう.

対側手への転移障害が知覚障害によるものではないことを示すために，同側の手指で触れられた指を示すことができることを確認しておく.

c　交叉性触覚性(物品同定)転移障害

一側の手で物品に触れてもらい，対側の手でいくつかの物品のなかから同じ物品を選択してもらう．対側手への転移障害が知覚障害によるものではないことを示すために，触れていた物品と同じ物をいくつかの物品のなかから同側の手で選択できることを確認しておく.

3 交叉性視覚性運動失調(視覚運動連合障害), 交叉性の ataxie Optique

被検者に正面の１点を注視してもらい，周辺視野内の対象物を(見えていることを確かめたうえで)手でつかんでもらう．左右の上中下の視野で左右の手それぞれについて行う[2]．はじめは，同側での実施とし，右視野の対象物を右手でつかみ，左視野内の対象物を左手でつかむよう指示する．次に，交叉性での実施とし，右視野の対象物を左手でつかみ，左視野の対象物を右手でつかむよう指示する．周辺視野内の対象物は視野の外側から動かしてくるようにする．またあらかじめ，視覚性運動失調(optische Ataxie)がないことを示すために中心視野に対象物を置き，それをとらえることができることを確認しておく．

D 左右半球間抑制症状

1 拮抗失行

右手による物品使用や扉の開閉，両手を使用するさまざまな動作(傘をさす，電話をかける，服のボタンを留める，ペットボトルや瓶のふたを開ける)を行う．また，日常生活動作の観察によって症状を確認する．

2 意図の抗争

意図の抗争 conflict of intentions は，患者の自発的行動に際して出現し，十分に自動化された行動や他者の命令や指示による行動では出現しないため，指示による評価では問題は現れない．そのため，本人・家族からの聞き取りや，観察などによって症状を確認する必要がある．

引用文献

1）Bogen JE：The callosal syndrome. Heilman KM, Valenstein E(eds)：Clinical neuropsychology(3rd ed). Oxford University Press, 1993
〔阿部晶子(訳)：脳梁症候群．杉下守弘(監訳)：臨床神経心理学．p227，朝倉書店，1995〕
2）平山惠造，高橋伸佳：Bálint 症候群と視覚性運動失調．平山惠造，田川皓一(編)：脳卒中と神経心理学，pp292-297，医学書院，2006

5 拮抗失行に対するリハビリテーション

拮抗失行は，右手が実行しようとしている行為を左手が邪魔をする，または，左手が無関連な動きをするという症状であり，日常生活においても目的の動作を完結できない，できても時間がかかるなど，支障をきたす場合がある．

そのため，拮抗失行を呈する患者からは，「左手(右手のこともある)がいうことをきかない」，「左手(右手のこともある)が思うように動かず，右手の邪魔をする」，「左手が勝手に動く」などの訴えがある．いくつかのリハビリテーション例を表 10-4 に示した．

運動行為を自分で**言語化**することが改善につながっており，これから行おうとしている運動を明確に表すこと，また，「左手押さえて！」と具体的

表10-4　拮抗失行を示した患者のリハビリテーション例

著者	病変部位	主訴	拮抗失行の症状	リハビリテーション
種村ら[1]	左前頭葉内側面 頭頂葉 後頭葉 tapetum	字が書けない 左手がいうことをきかない	ADL • 右手が箸を取ると左手が取って机に置く • 右手がズボンをはこうとすると，左手がおろす • 入浴時，右手で湯を汲むと左手がこぼす	• 運動行為の言語刺激による調整 自分に言い聞かせながら行動 「右手で持つ」「左手押さえて」 • 運動企画の明確化
渡邉ら[2]	脳梁：吻部と膝部の一部を残した全域 左帯状回の一部	左右の上肢が異なる運動をするので困る	ADL/観察 • タオルが手から離れない • ズボンのベルトを締めようとすると左手が抜く • 新聞を読んでいると左手がページをめくる	• 動作時，リラクセーションをはかる • 左手で机の柱を握る • 習熟した動作を中心にする • 視覚的フィードバックを重視
杉山ら[3]	右中脳～橋 両側基底核 脳梁膝部，幹部，膨大部	右手がいうことをきかない (右手の拮抗失行)	• 積木模様:左手で作ったものを右手が壊す • 電話のボタンを押そうとしても手が動かない • 左手で靴下をはいても右手でおろす	• 行為実現の前に運動をイメージ
宮崎ら[4]	脳梁膝部から膨大部全体 左前頭葉上部内側面 左後頭葉	しゃべりづらい 歩けない 箸が使えない	• 左手が右手に先んじて動作を行う • 右手がしている動作の途中に左手が道具を奪って作業する (右手に本態性把握反応，運動開始困難)	(右手に対するリハビリテーション) • 特定の動作パターンの繰り返し 教示と見本ありでオセロのコマ並べ 左手の抑制

に自分に言い聞かせることにより，行動が調整される．また，まずは，動作時に**リラクセーション**をはかり，左手で机の脚を握ることにより，行動のコントロールを行う．視覚的フィードバックを活用することにより，運動行為に改善がみられている．ほかにも，目的の運動をイメージしてから，行為・動作を行うことで，症状が改善した例など，個人に適したプログラムが実施されていることがわかる．大まかには，事前のリラクセーションから，**運動企画**や**運動イメージ**を明確にすることで，行動の調整を行い，自らの言語刺激や行動で，目的外の動きをする上肢を抑制し，次に起こる動きを改善に導いている．対象者の病前の生活や現在の生活の困難度から，必要なリハビリテーションを決定することとなる．

引用文献

1）種村留美，種村純，重野幸治，他：離断症候群の症例に対する言語的行動調整の試み．作業療法 10：139-145，1991
2）渡邉修，宮野佐年，杉下守弘，他：脳梁梗塞患者のリハビリテーション．リハ医 38：465-470，2001
3）杉山あや，三村將：運動イメージの利用が拮抗失行の改善に有効であった脳梁損傷の1例．神経心理学 23：58-65，2007
4）宮崎晶子，森俊樹，加藤元一郎：脳梁損傷および左前頭葉内側面損傷により左手の拮抗失行と右手の間欠性運動開始困難を呈した1例―認知リハビリテーション的アプローチの試み．認知リハ 14：51-57，2009

第11章

認知症

学修の到達目標

- 生涯発達における正常加齢の特性を説明できる.
- 複数の認知機能の統合に基づいて，人の知的機能が発揮されることを説明できる.
- 認知症における社会生活の水準低下を説明できる.
- 認知症の種類，症状，病巣を説明できる.
- 認知症の訓練，指導，支援の原則を説明できる．特に，局在病変や脳卒中によるリハビリテーションと認知症のリハビリテーションが異なることを説明できる.
- 家族指導の方法と重要性を説明できる.
- 言語聴覚士として認知症にどのように介入するかを説明できる.

エピソードと臨床的推論の視点

Cさん(70歳代，女性)は，にこやかに挨拶をされ，付き添いの夫とともに部屋に入ってきた．気候や病院までの経路について伺うと丁寧な言葉で流暢に話をされた．しかし主訴を伺うと，「特に困っていることはないんですけど……」と言葉を濁し，日付についての質問には，「さあ，今朝はたまたま新聞を読んでこなかったから……」と明確に答えられなかった．

また，夫が「数年前からもの忘れが目立つようになり，最近では頼まれた用事を忘れることが増えたので心配だ」と述べると，「あなただってもの忘れが多いじゃない」と反論した．さらに夫は，料理の「レパートリーが減った，部屋を片づけられなくなった」と訴えるが，本人は「子どもが独立して凝った料理を作っても張り合いがないし，部屋も汚れないし」と述べた．

本人と夫の言うことが矛盾しているようだが，病識の欠如または病態の否認によるものと考えた．見当識や記憶の問題が確かにあり，IADLの低下も疑われることから認知症があると推測した．

1 正常な加齢と認知症による社会生活水準の低下

A 認知症を取り巻く背景

世界的に高齢化が進むなか，加齢に伴う疾患が注目されるようになってきた．わが国の65歳以上における**認知症**の有病率は15%で有病者数は462万人[1)]，**軽度認知障害** mild cognitive impairment (MCI)の有病率は13%で有病者数は400万人と推計され[2)]，高齢者の3割近くが何らかの認知機能低下を有すると考えられている．認知症は今なお増え続け，平成28年の厚生労働省「国民生活基礎調査」では，65歳以上の要介護者の原因の第1位が脳血管障害に代わって認知症となった．医療現場においても介護現場においても，認知症を有する人と頻繁に接するようになり，認知症はもはや医療者にとっては身近で日常的な病態となっている．

多くの場合，認知症は，身体的な不調をきたす内科的疾患と異なり，発症初期には身体機能が保たれ，認知機能低下に起因する生活障害が主な症状となる．このため，本人も家族も認知症の初期症状を“歳のせい”と考え，長期間にわたって放置し，認知症が進行するまで医療機関を受診しない場合も多い．また，認知機能の低下をきたす可逆性の疾患を放置し，悪化させてしまうことも少なくない．このため，認知症の診断や理解にあたっては，認知機能の低下をきたす疾患についての理解と，正常な加齢による認知機能の低下や身体機能の低下による生活障害との区別が大切となる．

B 生理的な加齢と認知症の違い

加齢による記憶能力の低下はよく知られており，認知症のない75歳以上の地域高齢者の1/3以上が，記憶の問題を“しばしば”または“常に”経験すると回答したという報告もある[3,4].

記憶に影響を与える要因としては，基本的な記憶の容量に加えて，記憶の方略や，個人の記憶行動や記憶現象にかかわる認識，知識，視界，経験などを含むメタ記憶が関与するとされている[5,6]．メタ記憶は，事象やものなどが自分の記憶のなかにあるかどうかという知識のことで，学習や問題解決場面でどのような方略を用いるかといった知識や判断も含まれる．このメタ記憶がかかわると考えられる知識や経験の積み重ねで身につけた記憶方略は歳をとっても低下しにくく，高齢者でも記憶方略が使いやすい記憶材料や環境のもとでは，その使用能力が比較的保たれているという[7]．言語性聴覚性記憶課題を用いた検討では，正常高齢者やMCIに比べ，認知症患者の学習能力が低下していることが示されており[8]，この学習能力の低下とメタ記憶の低下，記憶方略の利用の困難さにより，認知症患者では，何度も同じことを聞いたり，物を置き忘れたり，予定を忘れたりすることを繰り返すものと考えられている．一方，自分が対象を認知(思考，知覚，行為)している状態を客観的に認知する能力のことをメタ認知といい，こちらは病識に関与する(➡ Note 1)．

生理的な加齢によるもの忘れと，アルツハイマー型認知症 Alzheimer's disease(AD)に代表される病的なもの忘れ(**病的健忘**)との違いに関して，認知症では，加齢によるもの忘れ(**生理的加齢による健忘**)と異なりメタ記憶も障害されているため，自己が体験したエピソードを忘れてしまう．また，エピソードや約束の内容を忘れるだけでなく，出来事の存在そのものを忘れてしまう[9](図 11-1)．そのため，認知症の人にヒントを与えても正しいことを想起できず，メタ認知の低下により病識も乏しくなるため，記憶方略やほかの代替手段の必要性を自覚せず，日常生活に大きな障害をきたす．一方，生理的な加齢によるもの忘れでは，メタ認知は保たれ病識があるため，メモをとる，カレンダーに書く，薬を食卓に置くなど，記憶機能の低下に対するさまざまな方略を講じることができ，社会生活には少々の困難があっても，日常生活上で大きく困ることは多くない(表 11-1)．

> **Note 1. メタ認知**
> メタ認知とは，記憶や思考などの認知過程を自ら認知する，より高次の認知機能のことである．自分自身が行う認知的な処理を自己評価したり，モニタリングしたりする機能であり，この機能が低下すると認知的な処理の誤りや問題に気づくことが難しくなる．このため，病識も低下し，自分自身では思考や行動を修正することが困難になる．

C 認知症と軽度認知障害(MCI)・フレイル

軽度の認知障害を認めるものの認知症の診断には至らないものが，MCIである．多くの被検者を用いて，その概念を最初に確立したのはPetersenであり，最初の診断基準も1995年に発表された[10]．その後，さまざまな診断基準が発表されている(表 11-2)[11,12]が，①以前と比較して記憶，遂行，注意，言語，視空間認知のうち1つ

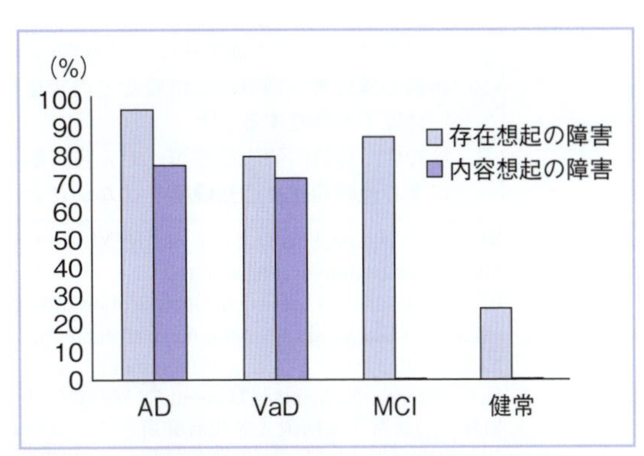

図 11-1 展望記憶における存在記憶と内容記憶の障害

AD：アルツハイマー型認知症，VaD：血管性認知症，MCI：軽度認知障害．
〔前島伸一郎，他：高齢者における展望的記憶の検討．リハ医 43：446-453，2006 より引用〕

表11-1　生理的健忘と病的健忘の違い

	生理的健忘	病的健忘
もの忘れの内容 一般的知識の忘れ 自己エピソードの忘れ	 あり ないかわずか	 あり あり
内容想起の障害	ないかわずか	あり
存在想起の障害	なし	あり
ヒントによる想起	容易	困難
症状の進行	ないか緩やか	年～数か月単位で進行
もの忘れの自覚(病識)	あり	なし・否定
学習能力	あり	乏しい
意欲低下	ないかわずか	あり
記憶方略・代替手段の活用	可能	困難

表11-2　MCIの診断基準

NIA-AAによるMCIの診断基準
1. 以前と比較して認知機能の低下がある．これは本人，情報提供者，熟練した臨床医のいずれかによって指摘されうる． 2. 記憶，遂行，注意，言語，視空間認知のうち一つ以上の認知機能領域における障害がある． 3. 日常生活活動は自立している．昔より時間を要したり，非効率であったり，間違いが多くなったりする場合もある． 4. 認知症ではない．
ICD-10によるMCIの診断基準
1. 2週間以上のほとんどの間，認知機能の障害が存在し，その障害は下記の領域におけるいずれかの障害による． ①記憶(特に早期)，あるいは新たなことを憶えること　②注意あるいは集中力 ③思考(問題解決や抽象化における緩徐化)　④言語(理解，喚語など)　⑤視空間機能 2. 神経心理検査や精神状態検査などの定量化された認知評価において，遂行能力の異常あるいは低下が存在すること 3. 認知症，器質的健忘症候群，せん妄，脳炎後症候群，脳震盪後症候群，精神作用物質使用による他の持続性認知障害ではないこと

NIA-AA：National Institute on Aging(NIA)-Alzheimer's Association(AA) workgroup
MCI：mild cognitive impairment
ICD：International Statistical Classification of Disease and Related Health Problems
〔Mckhann GM, et al：The diagnosis of dementia due to Alzheimer's disease：recommendations from the National Institute on Aging-Alzheimer's Association workgroups on diagnostic guidelines for Alzheimer's disease. Alzheimers Dement 7：263-269, 2011. 荒井啓行(訳)：アルツハイマー病を背景にした軽度認知障害の診断―米国国立老化研究所/アルツハイマー病協会合同作業グループからの提言．Cognition Dementia 11：19-27, 2012 および World Health Organization：International Statistical Classification of Disease and Related Health Problems. 10th Revision. 1993 より〕

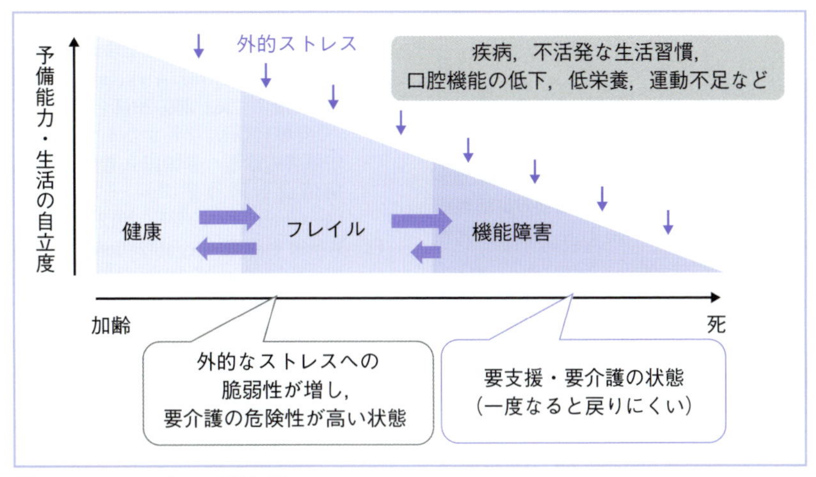

図 11-2 フレイルの概念図

〔荒井秀典：フレイルの歴史，概念，診断，疫学．フレイルハンドブック―ポケット版．pp2-4，ライフ・サイエンス，2016 より引用改変〕

以上の機能低下があるが，②日常生活は自立して行え，③認知症ではないことが，ほぼ共通した内容である．**Clinical Dementia Rating（CDR；臨床的認知症尺度）**[13]（➡表 11-12，231 頁）では概ね 0.5 に相当する状態と考えられている．MCI は認知症の前段階の人を一定の割合で含んでいると考えられており，地域住民における MCI から認知症への移行率はおおよそ 5～15％とされている[14]．MCI から認知症への移行をいかに予防するかは，医学的にも介護福祉的にも重要な課題であり，多くの介入研究が実施されている．

認知症の診療においては，予防的な介入が期待できるステージとして MCI が注目されているが，老年医学の世界では，同様に予防的な介入が期待できるステージとして，新たに「**フレイル**」という概念が提唱されている．フレイルは，「加齢に伴う予備能力低下のため，ストレスに対する回復力が低下した状態」を表し，ストレスに対する恒常性の回復が低下した脆弱な状態で，転倒や身体障害，死亡を含む健康障害の危険が高い状態である“frailty”[15, 16]の日本語訳として，日本老年医学会が提唱した用語である．フレイルは，感染や転倒，低栄養などの些細なストレスで，そのストレスの大きさにまったく見合わない車椅子生活や寝たきりなどの重篤な機能障害に至りやすい状態であるが，医学的な介入の際の十分な配慮や適切な予防策を講じることにより，健康に向かう可逆性があるとされている（図 11-2）[17]．フレイルは，非常に多面的な要素を含有しており，身体的脆弱性を主体としながらも，精神・心理的側面，社会的側面における脆弱性をも含む考え方が主流である[18]．これらの各側面を「身体的フレイル」，「精神・心理的フレイル」，「社会的フレイル」と呼ぶこともあるが，統一された定義はまだない．ただし，近年は精神・心理的フレイルのなかで，認知機能低下を伴う一群を，独立した「認知的フレイル cognitive frailty」として扱う立場があり，認知的フレイルは①高齢者で，②身体的フレイルと軽度の認知機能障害（CDR＝0.5）があり，③認知症ではないもの，と定義されている[19]．

フレイルも MCI も，“正常ではないが病気でもない状態”を示すものであるとともに，両者の関連も指摘されており[20]，MCI から認知症への移行の予防を考える際には認知的フレイルの存在も視野に入れ，身体的側面と認知的側面の両方向に向けたアプローチを行うことが重要である．

引用文献

1）二宮利治：日本における認知症の高齢者人口の将来推計に関する研究．厚生労働科学研究費補助金・厚生労働科学特別研究事業：平成26年度総括・分担研究報告書．2015
2）厚生労働省科学研究費補助金認知症対策総合研究事業：都市部における認知症有病率と認知症の生活機能障害への対応．平成23年度～平成24年度総合研究報告書．2013
3）Riedel-Heller SG, Matschinger H, Schork A, et al：Do memory complaints indicate the presence of cognitive impairment? Results of a field study. Eur Arch Psychiatry Clin Neurosci 249：197-204, 1999
4）Craik FIM, Anderson ND, Kerr SA, et al：Memory changes in normal ageing. Baddeley AD, Wilson BA, Watts FN(eds)：Handbook of Memory Disorders. pp211-241, John Wiley & Sons, 1995
5）清水寛之：メタ記憶．太田信夫，多鹿秀継(編)：記憶の生涯発達心理学．pp48-52，北大路書房，2008
6）桐村雅彦：記憶力．高野陽太郎(編)：記憶．pp169-187，東京大学出版会，1995
7）竹田和也，中村光，徳地亮：加齢と言語性記憶—検査語リストの構造化の影響．日老医誌55：117-123, 2018
8）大沢愛子，前島伸一郎，種村純，他：もの忘れ外来を受診した高齢者の言語性記憶に関する研究．高次脳機能研究26：320-326，2006
9）前島伸一郎，種村純，大沢愛子，他：高齢者における展望的記憶の検討．リハ医43：446-453，2006
10）Petersen RC, Smith GE, Waring SC, et al：Mild cognitive impairment clinical characterization and outcome. Arch Neurol 56：303-308, 1995
11）Mckhann GM, Knopman DS, Chertkow H, et al：The diagnosis of dementia due to Alzheimer's disease：recommendations from the National Institute on Aging-Alzheimer's Association workgroups on diagnostic guidelines for Alzheimer's disease. Alzheimers Dement 7：263-269, 2011
〔荒井啓行(訳)：アルツハイマー病を背景にした軽度認知障害の診断—米国国立老化研究所／アルツハイマー病協会合同作業グループからの提言．Cognition Dementia 11：19-27，2012〕
12）World Health Organization：International Statistical Classification of Disease and Related Health Problems. 10th Revision. 1993
13）目黒健一：認知症早期発見のためのCDR判定ハンドブック．医学書院，2008
14）日本精神神経学会(監修)，「認知症疾患診療ガイドライン」作成委員会(編)：認知症疾患治療ガイドライン2017．医学書院，2017
15）Freid LP, Tangen CM, Waltson J, et al：Frailty in older adults：evidence for a phenotype. J Gerontol A Biol Sci Med Sci 56：146-156, 2001
16）Clegg A, Young J, Iliffe S, et al：Frailty in elderly people. Lancet 381：752-762, 2013
17）荒井秀典：フレイルの歴史，概念，診断，疫学．フレイルハンドブック—ポケット版．pp2-4，ライフ・サイエンス，2016
18）日本老年医学会：フレイルに関する日本老年医学会からのステートメント．2014〔https://www.jpn-geriat-soc.or.jp/info/topics/pdf/20140513_01_01.pdf(2020. 9. 30 アクセス)〕
19）Kelaiditi E, Cesari M, Canevelli M, et al：Cognitive frailty：rational and definition from an (I.A.N.A./I.A.G.G.) international consensus group. J Nutr Health Aging 17：726-734, 2013
20）Cruz-Jentoft AJ, Annweiler C, Ayers E, et al：Motoric cognitive risk syndrome：multicountry prevalence and dementia risk. Neurology 83：718-726, 2014

2 認知症の基本概念と分類

A 認知症の概要・定義・医学的診断手順

一般的に，病気の名前は1つの疾患を指すが，「認知症」は1つの疾患の名前ではなく，複数の認知機能の低下を示す「症候群」を意味する病態のことであり，病的な認知機能低下をきたす疾患のなかには可逆性のものも多くある(表11-3)．これらの知識がないと「認知機能の低下＝認知症」と安易にとらえてしまい，治療できる疾患を見落とすこととなり治療の機会を逃してしまう．なかでも正常圧水頭症や脳卒中，甲状腺機能低下症などは臨床上遭遇する可能性も高く，合併する神経症状の有無や血圧，脈拍などのバイタルサイン，体重減少や倦怠感の有無などの確認が大切である．アルコールの多飲や偏った食事などによるビタミン欠乏症なども記憶力低下の原因となるため，食生活や社会生活などの情報も必要となる．また，高齢者でよくみられるのが，薬剤の多剤併用(ポリファーマシー)である．降圧薬や抗糖尿病薬などで低血圧や低血糖をきたし意識がもうろうとしてしまうことや，睡眠薬の常用で日中傾眠になったり，せん妄をきたしたり，昼夜逆転を起こすこともある．このような理由から，認知症の診断に際しては，症状の内容と経過，症状の変動の有無，随伴症状，食事や活動などの生活状況，家族歴，併存症，薬剤の使用状況などに関し，全身状態の評価に加えて詳細な面接を行い，正確な診断と治療に結びつけるべきである(図 11-3)．

表 11-3 NIA-AA による認知症の診断基準

1. 仕事や日常生活の障害
2. 以前の水準に比べ遂行機能が低下
3. せん妄や精神疾患ではない
4. 病歴と検査による認知機能障害の存在
   1) 患者あるいは情報提供者からの病歴
   2) 精神機能評価あるいは神経心理検査
5. 以下の２領域以上の認知機能や行動の障害
   a. 記銘記憶障害
   b. 論理的思考，遂行機能，判断力の低下
   c. 視空間認知障害
   d. 言語機能障害
   e. 人格，行動，態度の変化

NIA-AA：National Institute on Aging-Alzheimer's Association workgroup
〔Mckhann GM, et al：The diagnosis of dementia due to Alzheimer's disease：recommendations from the National Institute on Aging-Alzheimer's Association workgroups on diagnostic guidelines for Alzheimer's disease. Alzheimers Dement. 7：263-269, 2011. 荒井啓行(訳)：アルツハイマー病を背景にした軽度認知障害の診断—米国国立老化研究所／アルツハイマー病協会合同作業グループからの提言. Cognition Dementia 11：19-27, 2012 より抜粋引用〕

認知症は「いったん正常に発達した精神機能・認知機能が慢性的に減退・消失することで日常生活や社会生活に障害が生じる状態」と定義されている．重要なのは，一度は正常に発達した精神機能・認知機能が低下することであり，もともと苦手でできなかったことや発達遅滞で低下している機能などについては評価の対象外である．また認知症は一般的には年の単位で緩やかに機能が低下することが多く，数日や数週間，数か月などの短い期間で機能が低下する場合は別の疾患を疑うべきである．特に内科的疾患や外科的疾患の一部は治療可能であり，このような **treatable dementia**(治療可能な認知症)(➡ Note 2)を見逃さず，早期の診断と適切な治療や処置を行うことが重要である．あるときを境に明らかに機能が低下したような場合は脳卒中も疑う．認知症と診断するためには，これら認知症以外の疾患を除外したうえで，「認知機能の低下により日常生活や社会生活が障害されている」ということが最も重要な要件であり，たとえ認知機能の低下があっても日常生活や社会生活の障害がなければ，年相応の認知機能低下や MCI を考える．

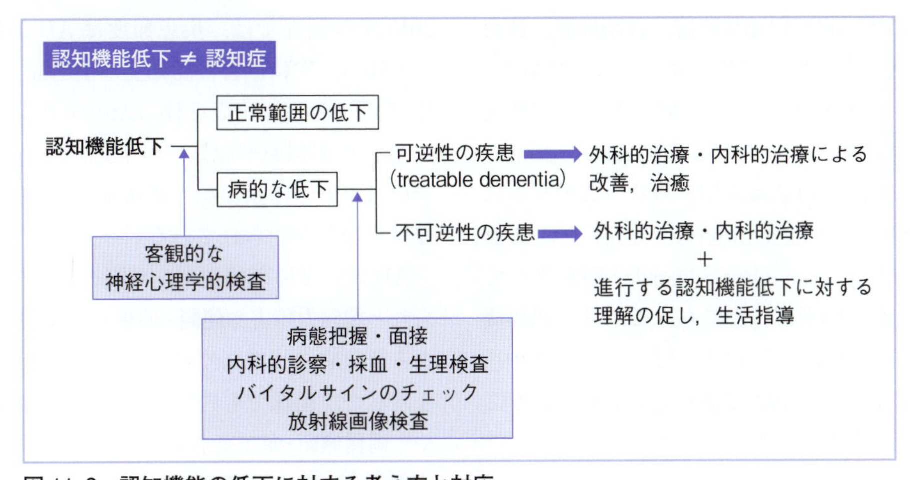

図 11-3 認知機能の低下に対する考え方と対応

Note 2. treatable dementia

軽度の認知機能低下や意識障害あり認知症と思われていたものが，脳機能の精査や画像検査を行うと治療可能な疾患であることがある．代表的なものに脳血管障害(脳卒中)，正常圧水頭症，慢性硬膜下血腫，甲状腺機能低下症，うつ病，ビタミン B_1 欠乏症，てんかん，脳炎・髄膜炎などがある．これらは“treatable dementia”と呼ばれ，適切な時期に適切な診断・治療を行うと，症状の改善が望めることが多い．“dementia”の名がついているが，アルツハイマー型認知症(AD)のような，いわゆる神経変性疾患としての認知症ではなく，治療可能で症状の可逆性が見込めることがポイントである．このため，認知機能が低下しているからといって，安易に認知症と診断し放置することのないよう心がけるべきである．

B 認知症の診断基準

診断基準として絶対的な基準は示されていないが，概ね表11-3，4にあげるような基準が用いられている．要約すると，認知症は「通常，慢性あるいは進行性の脳疾患によって生じ，記憶，思考，見当識，理解，計算，学習，言語，判断など多数の高次脳機能障害からなる症候群」[1]である．以前はほかの高次脳機能障害に比べ記憶障害に重みがおかれていたが，年代を経るごとにその重みが少なくなり，記銘力・記憶障害と，遂行機能障害，注意障害，視空間認知障害，言語機能，社会的行動障害などを同等に扱うようになっている．最も新しい診断基準であるDSM-5では，認知症dementiaの代わりに，神経認知障害neurocognitive disorderという表現が用いられ，このなかに認知症major neurocognitive disorderや軽度認知障害mild neurocognitive disorderが含まれている[2]．しかしいずれにしても，これらの認知機能障害(高次脳機能障害)によって，日常生活や社会生活が阻害されて初めて認知症と診断されることは一定して維持されている．

表11-4　DSM-5による認知症の診断基準

A. 1つ以上の認知領域(複雑性注意，実行機能，学習および記憶，言語，知覚-運動，社会的認知)において，以前の行為水準から有意な認知の低下があるという証拠が以下に基づいている：
　(1) 本人，本人をよく知る情報提供者，または臨床家による，有意な認知機能の低下があったという懸念，および
　(2) 可能であれば標準化された神経心理学的検査に記録された，それがなければ他の定量化された臨床的評価によって実証された認知行為の障害

B. 毎日の活動において，認知欠損が自立を阻害する(すなわち，最低限，請求書を支払う，内服薬を管理するなどの，複雑な手段的日常生活動作に援助を必要とする)．

C. その認知欠損は，せん妄の状況でのみ起こるものではない．

D. その認知欠損は，他の精神疾患によってうまく説明されない(例：うつ病，統合失調症)．

〔日本精神神経学会(日本語版用語監修)，髙橋三郎・大野裕(監訳)：DSM-5 精神疾患の診断・統計マニュアル．p594，医学書院，2014〕

C 認知症の病型と認知症に間違われやすい病態

認知機能低下をきたす疾患は多くあるが(表11-5)，認知症のなかでも複数の病型があり，主な進行性の疾患には，**アルツハイマー型認知症**(AD)，**血管性認知症**，**レビーLewy小体型認知症**，**前頭側頭型認知症**(➡ Note 3)などがある．2013年の調査では，疾患頻度はADが最も多くて67.6%，次に血管性認知症の19.5%，レビー小体型認知症／認知症を伴ったパーキンソン病が4.3%，前頭側頭型認知症が1.0%となっており[2]，そのほかにも嗜銀顆粒性(しぎんかりゅうせい)認知症，大脳皮質基底核変性症などが知られている．

ADは，海馬や側頭葉内側面の障害によるもの忘れと記銘力障害や側頭・頭頂・後頭領域の障害による語健忘や視空間性障害，失行症などが特徴的な症状で，画像でも内側側頭葉，特に海馬の萎縮や，両側側頭・頭頂葉および帯状回後部の血流や糖代謝低下がみられる．ほかにも，脳出血や脳梗塞

表 11-5 認知機能障害をきたす主な疾患

1. **神経変性疾患**
   アルツハイマー型認知症，ピック病，パーキンソン病，ハンチントン病，進行性核上性麻痺，脊髄小脳変性症，大脳皮質基底核変性症など
2. **脳血管障害**
   血管性認知症：脳梗塞，脳出血，くも膜下出血，内頸動脈狭窄など
3. **頭部外傷**
   外傷性脳損傷，脳内出血，慢性硬膜下血腫など
4. **悪性腫瘍**
   脳腫瘍(原発性，転移性)，癌性髄膜炎など
5. **感染症**
   髄膜炎，脳炎，脳膿瘍，クロイツフェルト－ヤコブ病など
6. **代謝・栄養障害**
   ウェルニッケ脳症，ペラグラ脳症，ビタミンB_{12}欠乏症，肝性脳症，電解質異常，脱水など
7. **内分泌疾患**
   甲状腺機能低下症，副甲状腺機能亢進症，副腎皮質機能亢進症，副腎皮質機能低下症など
8. **中毒性疾患**
   薬物中毒(向精神薬，ステロイドホルモン，抗癌剤など)，アルコール中毒，一酸化炭素中毒，金属中毒(アルミニウム，水銀，鉛など)
9. **その他**
   正常圧水頭症，てんかん，低酸素脳症など

の既往を有する血管性認知症や，比較的鮮明な幻視やパーキンソニズム，自律神経障害などを特徴とするレビー小体型認知症，感情の抑制障害や社会行動障害をきたしやすい行動障害型前頭側頭型認知症 behavioral variant frontotemporal dementia(bvFTD)(➡ Note 3)など，それぞれの病型で特徴的な症状や画像所見があり，代表的な診断基準を表 11-6～8 [2~4]に示す．血管性認知症 vascular dementia(VaD)は，NINDS-AIREN の診断基準(1993)[5]では，多発梗塞性認知症，戦略的な部位の単一病変による認知症，小血管病性認知症，低灌流性血管性認知症，出血性血管性認知症に分類されているが，いずれにしても，画像に有意な脳血管病変があり，認知機能低下と脳血管病変の間に時間的関連があることが，診断の条件となる．

これとは別に，AD では，加齢に伴う正常な認知機能低下(生理的健忘)やせん妄，うつ病などとの判別も重要である．**せん妄**は覚醒水準に動揺があり，夜間に悪化することが多い(夜間せん妄)．また，疼痛や睡眠の異常，過度の安静や拘束，薬剤の変更，社会的ストレスなどで比較的急激に発症することが多く，それらの要因が改善されると症状も軽減する．**うつ病**は自責的な感情が特徴的であり，食欲低下や不眠などに加え，自分を責めるような言動が多いことが認知症と異なっている点である．

Note 3. FTLD と bvFTD

前頭側頭型認知症 frontotemporal dementia (FTD)，または前頭側頭葉変性症 frontotemporal lobar degeneration(FTLD)は，臨床的には行動障害型前頭側頭型認知症 behavioural variant FTD (bvFTD)と意味性認知症 semantic dementia(SD)，進行性非流暢性失語 progressive non-fluent aphasia (PNFA)に分類される．

bvFTD は早期からの脱抑制的な行動が特徴的で，他者への異常な馴れ馴れしさや暴言・暴力，マナーや礼儀作法の欠如などの社会行動障害がみられ，万引きや重大な自動車事故などの犯罪に至る場合もある．SD では意味記憶が障害されており，その診断には物品呼称の障害や単語理解の障害が必須である．PNFA は発語における失文法と不規則な音韻の歪みや誤りなどの発語失行が特徴的で，努力性の発話となり，発話の開始困難も伴う．SD も PNFA も失語の症状は進行性で(表 11-10)，症状の進行とともに，徐々に言語以外の高次脳機能障害(失行や失認など)が出現する．

D 認知症でみられる認知機能障害

表 11-4 に示したように，認知症では複雑性注意，遂行機能，学習及び記憶，言語，知覚-運動，社会的認知のなかから 1 つ以上の認知機能が以前の行為水準から有意に低下し，それによって日常生活の自立が阻害されることが，DSM-5 [2]による診断基準の骨子である．これらの認知機能の障害は“**認知症の中核症状**”と呼ばれ，認知症そのも

表 11-6　DSM-5 によるアルツハイマー型認知症(major neurocognitive disorder due to Alzheimer's disease)の診断基準

A. 認知症または軽度認知障害の基準を満たす.
B. 1つまたはそれ以上の認知領域で，障害は潜行性に発症し緩徐に進行する(認知症では，少なくとも2つの領域が障害されなければならない).
C. 以下の確実なまたは疑いのあるアルツハイマー病の基準を満たす：
　認知症について：
　確実なアルツハイマー病は，以下のどちらかを満たしたときに診断されるべきである.そうでなければ**疑いのあるアルツハイマー病**と診断されるべきである.
　(1)家族歴または遺伝子検査から，アルツハイマー病の原因となる遺伝子変異の証拠がある.
　(2)以下の3つすべてが存在している：
　　(a)記憶，学習，および少なくとも1つの他の認知領域の低下の証拠が明らかである(詳細な病歴または連続的な神経心理学的検査に基づいた).
　　(b)着実に進行性で緩徐な認知機能低下があって，安定状態が続くことはない.
　　(c)混合性の原因の証拠がない(すなわち，他の神経変性または脳血管疾患がない，または認知の低下をもたらす可能性のある他の神経疾患，精神疾患，または全身性疾患がない).
　軽度認知障害について：
　確実なアルツハイマー病は，遺伝子検査または家族歴のいずれかで，アルツハイマー病の原因となる遺伝子変異の証拠があれば診断される.
　疑いのあるアルツハイマー病は，遺伝子検査または家族歴のいずれにもアルツハイマー病の原因となる遺伝子変異の証拠がなく，以下の3つすべてが存在している場合に診断される.
　(1)記憶および学習が低下している明らかな証拠がある.
　(2)着実に進行性で緩徐な認知機能低下があって，安定状態が続くことはない.
　(3)混合性の病因の証拠がない(すなわち，他の神経変性または脳血管疾患がない，または認知の低下をもたらす可能性のある別の神経疾患，全身性疾患または病態がない).
D. 障害は脳血管疾患，他の神経変性疾患，物質の影響，その他の精神疾患，神経疾患，または全身性疾患ではうまく説明されない.

〔日本精神神経学会(日本語版用語監修)，高橋三郎・大野裕(監訳)：DSM-5 精神疾患の診断・統計マニュアル．pp602-603，医学書院，2014〕

表 11-7　Lewy 小体型認知症(DLB)の診断基準

DLB の診断には，社会的あるいは職業的機能や，通常の日常生活活動に支障をきたす程度の進行性の認知機能低下を意味する認知症であることが必須である．初期には持続的で著明な記憶障害は認めなくても良いが，通常，進行とともに明らかになる．注意，遂行機能，視空間認知の検査によって著明な障害がしばしば認められる.

1. **中核的特徴(最初の3つは典型的には早期から出現し，臨床経過を通して持続する)**
   - 注意や明晰さの著明な変化を伴う認知の変動
   - 繰り返し出現する構築された具体的な幻視
   - 認知機能の低下に先行することもあるレム期睡眠行動異常症
   - 特発性のパーキンソニズムの以下の症状のうち1つ以上：動作緩慢，寡動，静止時振戦，筋強剛
2. **支持的特徴**
   - 抗精神病薬に対する重篤な過敏性．姿勢の不安定性：繰り返す転倒：失神または一過性の無反応状態，高度の自律機能障害(便秘，起立性低血圧，尿失禁など)．過眠：嗅覚鈍麻．幻視以外の幻覚：体系化された妄想．アパシー．不安：うつ
3. **指標的バイオマーカー**
   - SPECT または PET で示される基底核におけるドパミントランスポーターの取り込み低下
   - MIBG 心筋シンチグラフィでの取り込み低下　他
4. **支持的バイオマーカー**
   - CT や MRI で側頭葉内側面が比較的保たれる
   - SPECT または PET による後頭葉の活性低下を伴う全般性の取り込み低下

Probable DLB
a. 2つ以上の中核的臨床的特徴が存在する　または
b. 1つの中核的臨床的特徴が存在し，1つ以上の示唆的バイオマーカーが存在する

Possible DLB
a. 1つの中核的臨床的特徴が存在するが，示唆的バイオマーカーの証拠を伴わない
b. 1つ以上の示唆的バイオマーカーが存在するが，中核的臨床的特徴が存在しない

〔McKeith IG, et al：Diagnosis and management of dementia with Lewy bodies：Fourth consensus report of the DLB Consortium. Neurology 89：1-13, 2017 より抜粋引用〕

表 11-8　行動障害型前頭側頭型認知症(bvFTD)の診断基準(抜粋)

bvFTD の診断のための必須項目：進行性の異常行動と認知機能障害の両方またはいずれか一方を認める

Possible bvFTD の基準を満たすためには次の行動／認知症症状(A～F)の３項目以上を認めなければならない.
これらの症状は持続もしくは繰り返しており，単一もしくは稀なイベントではないことを確認する必要がある.

A. 早期の脱抑制行動(以下の症状のうちいずれか１つを満たす)
　1. 社会的に不適切な行動　2. 礼儀やマナーの欠如　3. 衝動的で無分別や無頓着な行動
B. 早期の無関心または無気力(以下の症状のうちいずれか１つを満たす)
　1. 無関心　2. 無気力
C. 共感や感情移入の欠如(以下の症状のうちいずれか１つを満たす)
　1. 他者の要求や感情に対する反応欠如　2. 社会的な興味や他者との交流，または人間的な温かさの低下や喪失
D. 固執・常同性(以下の症状のうちいずれか１つを満たす)
　1. 単純動作の反復　2. 強迫的または儀式的な行動　3. 常同言語
E. 口唇傾向と食習慣の変化(以下の症状のうちいずれか１つを満たす)
　1. 食事嗜好の変化　2. 過食，飲酒や喫煙行動の増加　3. 口唇的探求または異食症
F. 神経心理学的検査：記憶や視空間認知機能は比較的保持されているにも関わらず，遂行機能障害が見られる(以下の症状のうちいずれか１つを満たす)
　1. 遂行課題の障害　2. エピソード記憶の相対的な保持　3. 視空間技能の相対的な保持

Probable bvFTD の基準を満たすためには次のすべての項目を認めなくてはならない
1. Possible bvFTD の基準を満たす
2. 有意な機能低下を呈する
3. bvFTD に一致する画像所見(以下の症状のうちいずれか１つを満たす)
　a. 前頭葉や側頭葉前部に MRI/CT での萎縮
　b. PET/SPECT での代謝や血流の低下

bVFTD の除外診断基準：bVFTD では A と B は必ず否定される
A. 障害パターンは，他の非神経系変性疾患のほうが説明しやすい
B. 行動障害は，精神科的診断のほうが説明しやすい

〔Rascovsky K, et al：Sensitivity of revised diagnostic criteria for the behavioural variant of frontotemporal dementia. Brain 134：2456-2477, 2011 より抜粋引用〕

表 11-9　認知症でみられやすい認知機能障害

認知機能	特徴的な症状
複雑性注意	物事を処理する速度が遅くなる，誤りが増える，複数の刺激のある環境ではより難しい，複数のものや複数の場所に注意を向けることができない，注意の切り替えが困難である.
遂行機能	複数のことを同時進行できない，物事の整理や計画を立てることなどが難しくなり疲れやすくなる，変化についていけず対応できない，不測の事態に対して柔軟で臨機応変な対応が難しい.
学習と記憶	新しいことを憶えられない，記憶方略が使えない，忘れたことを忘れてしまう.
言語	言葉や漢字が思い出せない，文法の誤りがある，複雑な会話についていけない，話の筋を理解できない.
知覚・運動	道に迷う，組み立てなど空間的作業が困難である.
社会的認知	他者への共感が減少する，行動を抑制することができない，人格変化が見られる，反社会的行動を行ってしまう.

のに伴う症状であると考えられている．このような中核症状により日常生活や社会生活上，顕著に現れる特徴的な症状を表 11-9 に示す．初期の段階では多少の認知障害があっても日常的に慣れた生活は可能という場合が多い．しかし，いつもと違うことや，行うべき内容がほんの少し変化しただけで，うまく対処することができず，急に問題が顕在化する．この時期には，認知機能の低下について周囲にあまり気づかれないことも多いが，社会的認知が低下し，記憶や視空間認知機能の低下が進行すると日常生活でも失敗を繰り返すようになり，容易に気づかれる．さらに症状が進行すると失行症も出現し，リモコンなどの機械操作が難しくなるだけでなく，髭剃りや歯磨きなどの整容や更衣，トイレ動作などが困難となり，介護負担を増大させる．一般的な AD では食事を摂る機能や言語機能は比較的最後まで保たれることが多いが，最終的には捕食や咀嚼，意思疎通なども困難となり，尿意，便意なども消失して日常生活

活動(ADL)は全介助となる．

変性性認知症のうち，失語症で発症し，経過を通じて失語症が症状の前景に立つ一群は**原発性進行性失語** primary progressive aphasia(PPA)と呼ばれている[7]．PPAは病理学的背景(認知症の病型)とは関係なく，あくまでも臨床症候的概念であり，PPAを示す認知症の病型はさまざまである．PPAの定義としては，①言語の困難さが最も顕著な症状であること，②失語が日常生活における障害の主たる要因であること，③発症時，病初期の主たる症状が失語であることの3つの基準を満たすものをいう[6]．以前は，「少なくとも発症2年以内は言語以外の障害は目立たない」という考え方があったが[7]，実際の臨床では2年を待たずにほかの認知機能障害や行動異常を呈することが多く，現在は2年の縛りは重要視されていない．最近は，失語症の臨床的特徴から，PPAを進行性非流暢性失語 progressive nonfluent aphasia(PNFA)，意味性認知症 semantic dementia(SD)，Logopenic型進行性失語 logopenic progressive aphasia(LPA)の3亜型に分類している[6]．この3亜型の症状の特徴を表11-10[6,8]に示す．

PNFAは発話や理解における文法の障害と発語失行が特徴的であり，不規則な音の歪みをもつ努力性の発話と文の聴覚性の理解障害を呈する．SDは名詞の想起や理解障害が中核症状であり，ものや知識などの意味記憶の障害がみられる．「時計の絵を描いてみてください」と指示したときに「時計って何ですか？」などと聞き返すのが典型的な症状である．LPAは，自発話は流暢で単語程度の復唱も可能だが，単語の想起障害があり，呼称も困難である．句や文になると復唱も障害され，音韻性錯語が目立つのが特徴である．これらの症状を診断するために，自発話の流暢性(発話時の努力性の有無と程度，構音の歪みなど)や単語や文レベルでの聴覚性理解，復唱，呼称などを確認する必要があり，その評価としては，標準失語症検査やWAB失語症検査などが実施される．

前述のように，PPAは特定の病型を示すものではなく，典型的な3つの亜型に当てはまらないものもあるが，障害されている症状によって言語訓練のターゲットとすべきものが変わるため，1

表11-10　原発性進行性失語(PPA)の分類

	進行性非流暢性失語(PNFA)	意味性認知症(SD)	Logopenic型進行性失語(LPA)
中核的特徴	失文法 失構音，発語失行	呼称能力低下 語義理解障害	語想起障害 短文復唱障害
支持的項目	統語理解の障害 単語理解の保存 対象物知識の保存	対象物知識の障害 表層失読／失書 復唱能力の保存 発話表出能力の保存	音韻性錯語 単語理解の保存 発話表出能力の保存 統語表出能力の保存
診断基準	中核特徴1個以上 支持項目2個以上	中核特徴2個とも 支持項目3個以上	中核特徴2個とも 支持項目3個以上
画像診断	臨床診断に合致し以下の1つ以上	臨床診断に合致し以下の1つ以上	臨床診断に合致し以下の1つ以上
MRI(顕著な萎縮)	左前頭葉後部〜島	左側頭葉前部	左シルヴィウス裂領域後部および頭頂葉
SPECT/PET(血流／代謝低下)	左前頭葉後部〜島	左側頭葉前部	左シルヴィウス裂領域後部および頭頂葉

PNFA：progressive nonfluent aphasia，SD：semantic dementia，LPA：logopenic progressive aphasia

〔Gorno-Tempini ML, et al：Classification of primary progressive aphasia and its variants. Neurology 76：1006-1014, 2011および小森憲治郎：原発性進行性失語―その症候と課題．高次脳機能研究32：393-404，2012より引用改変〕

つの目安となる．しかし，いずれの病型も言語障害のみでとどまっていることは多くはなく，徐々にほかの認知機能障害も合併し，PPA 以外の症状から始まるほかの認知症と同様の経緯をたどることが多い．リハビリテーションの際に，本人や家族から「うちは言語障害だけだから言語の訓練のみをやってください」と言われることも多いが，慢性的に進行し，ほかの認知機能障害や ADL 障害が出現することをよく理解し，本人や家族に対しても疾患教育と全体的な認知機能訓練，ADL 訓練などを実施すべきである．

引用文献

1）World Health Organization：International Statistical Classification of Disease and Related Health Problems. 10th Revision. 1993
2）American Psychiatric Association：Diagnostic and Statistical Manual of Mental Disorders, Fifth Edition：DSM-5. American Psychiatric Association, 2013
3）McKeith IG, Boeve BF, Dickson DW, et al：Diagnosis and management of dementia with Lewy bodies：Fourth consensus report of the DLB Consortium. Neurology 89：1-13, 2017
4）Rascovsky K, Hodges JR, Knopman D, et al：Sensitivity of revised diagnostic criteria for the behavioural variant of frontotemporal dementia. Brain 134：2456-2477, 2011
5）Roman GC, Tatemichi TK, Erkinjuntti T, et al：Vascular dementia：diagnosis criteria for research studies. Report of the NINDS-AIREN International Workshop. Neurology 43：250-260, 1993
6）Gorno-Tempini ML, Hillis AE, Weintraub S, et al：Classification of primary progressive aphasia and its variants. Neurology 76：1006-1014, 2011
7）Mesulam M：Slowly progressive aphasia with generalized dementia. Ann Neurol 22：533-534, 1987
8）小森憲治郎：原発性進行性失語―その症候と課題．高次脳機能研究 32：393-404，2012

3 認知症性疾患の薬物療法と非薬物療法の概要

認知症の治療において重要なことは，①正しく診断し経過を予測したうえで治療を行うこと，②**薬物療法**や**非薬物療法**を含む**診断後支援**を長期的に継続して行うこと，③それらの支援はパーソン・センターであること（パーソン・センタード・ケア），④介護者への支援も合わせて実施することの 4 点である．

a 認知症の診断後支援

診断についてはすでに述べたが，認知症と診断されたあとも新たな合併症を発症することもある．予期せぬ症状の増悪や，新たな症状が生じた際には，再度，面接や診察をやり直し，新たな疾患を合併していないかを検討すべきである．

次に診断後の支援について，早い段階から，認知症の人とその介護者に対して認知症がどのような病気で今後どのような経過をたどるかについての理解を求めることが大切である．そのなかで，今後さらに生じうる認知機能低下や日常生活上の問題について教育し，あらかじめ心の準備や環境調整をしておくことで，新たな問題が生じても落ち着いて対応できるように指導する．認知症は慢性的に緩やかに進行する疾患であるため，本人も家族も長期的に認知症と付き合い，向き合っていく必要がある．そのため，認知症においては，診断のみならず，その後の支援 post-diagnostic support を行うことがきわめて重要である．

b 認知症の薬物療法

認知症の治療は，薬物療法と非薬物療法に大別される．薬物療法は薬を用いる治療で，非薬物療法は薬を用いない治療であるが，認知症の治療では，認知機能の改善と生活の質 quality of life（QOL）向上を目的として，薬物療法と非薬物療法を組み合わせて実施する[1]．現在，日本では 4 種類の抗認知症薬が承認されているが，薬剤の種類としてはコリンエステラーゼ阻害薬とNMDA受容体拮抗薬の2種類がある．ADに対してはその両者が，レビー小体型認知症に対してはコリンエステラーゼ阻害薬の使用が認められている．いずれの薬剤も特効薬ではないため，薬を内服するだけで疾患が治癒することはなく，症状が劇的に改善することも少ない．特に高齢者の場合，高血圧や糖尿病，慢性心不全などほかの合併症に対する薬物療法が行われている場合も多く，薬剤を追加することで多剤併用になりかねない．また，記銘力障害などがあれば自分自身が決めた治療方針に従って内服を継続するという服薬アドヒアランスも低下しているため，本当に薬物療法が必要か本人や介護者とよく相談し，過剰投与にならないよう血液検査などを随時実施しながら薬物量を調整する．服薬回数を減らしたり，口腔内崩壊錠や貼付剤を処方したり，薬剤の一包化をはかったりして，認知症の人にも服用しやすい薬剤の工夫を行うべきである．

C 認知症の非薬物療法

一方，認知症の非薬物療法は，認知機能の改善だけでなく**認知症の行動・心理症状 behavioral and psychological symptoms of dementia (BPSD)**や生活機能の維持・改善を目指すところに特徴があり，BPSDの対処法としては，薬物療法よりも非薬物療法を優先的に行うことを原則とする．中核症状が認知症そのものに起因する症状であるのに対し，BPSDは認知機能障害を基盤として身体的要因，心理的要因，環境的要因などの影響を受けて出現すると考えられており，焦燥性興奮や易刺激性，脱抑制，幻覚，妄想，不安，うつ，アパシー，意欲低下などが含まれる．認知症に対する主な非薬物療法を表11-11[1, 2]にあげる．このなかのどの治療法を選択するのかについては，詳細な神経心理学的検査や面接などに基づいて選択するが，その際には，認知症の人を，“機能が低下しており，いろいろなことができなくなっている人”ととらえるのではなく，“一部の機能が低下していても残存している機能がたくさんあり，たくさんのことができる人”ととらえることが大切である．

表11-11　認知症の非薬物的介入

認知症の人に対する介入	認知機能訓練，認知刺激，経皮的電気指摘療法(経頭蓋刺激，抹消刺激)，運動療法，音楽療法，回想法，ADL訓練，マッサージ，レクリエーション療法，光療法，多感覚刺激療法，支持的精神療法，バリデーション療法，鍼治療，ストレッチ訓練など
介助者に対する介入	心理教育，スキル訓練，介護者サポート，ケースマネジメント，レスパイトケア，介護者のセルフケア，認知行動療法など

ADL：activities of daily living
〔日本精神神経学会(監修)，「認知症疾患診療ガイドライン」作成委員会(編)：認知症疾患治療ガイドライン2017．医学書院，2017および大沢愛子，他：認知症に対する非薬物療法とそのエビデンス．日老医誌57：40-44，2020より引用，一部改変〕

前者の考え方では，治療者からの働きかけは「なんとかしてやろう」という上から目線になってしまい，機能低下を改善させることのみに主眼がおかれることが多い．しかし，認知症は緩やかであっても徐々に進行し，さまざまな症状や障害が持続的に出現する病態であるため，その時々の本人の状態をよく観察し，本人の思いをよく理解したうえで，できることをいかに見つけて生活能力や精神機能を維持・向上させるかが治療のポイントとなる．その際，さまざまな提案が医療従事者からの一方的な押しつけにならないよう，認知症の人や家族から多くのことを学び，ともに成長する姿勢で治療を行うことが大切である．このような本人中心の治療やケアを**“パーソン・センタード・ケア”**と呼び，1人ひとりの生活歴や習慣，趣味や性格などの背景に着目し，その人を理解しながらケアを行い，認知症をもつ人を1人の人として尊重し，その人の視点に立って考えるアプローチすることをいう．

そのためには生まれ故郷の様子，両親や兄弟姉妹のこと，学生生活から仕事の内容，家族とのエピソード，趣味など，これまで本人を形作ってきた人生について理解することが重要であり，本人の気持ちや考え方を尊重したうえで，その人らしさを活かしたテーラーメードのリハビリテーションを実施することが肝要である．加えて介護者へのアプローチも重要である．前述のように，BPSDの発現や悪化は周囲の不適切な環境や介護者からの不用意な働きかけによるところも大きい．認知症が進行すると自己認識能力が低下し病識も低下する．このため，認知症の進行とともに，本人は認知障害だけでなくますます自身の行動の誤りや失敗を否定するようになり，家族との溝が広がることになる．このため家族は何とかして本人に失敗を認めさせ，よりよい方向に強引に導こうとする．また，長い人生をともにした家族が人間性を失っていくことに対して，拒否反応を抱く家族も少なくない．“なぜ私たちだけがこんな目にあうのだろう”と悲観的にとらえ状況を悪化させる家族も多いが，このような状態は誰もが経験することであり，認知症患者に携わる医療従事者は，ともに寄り添う姿を明確に示しながら，家族の心理や精神状態に常に配慮して治療や生活上のアドバイスを行っていく必要がある[3]．

引用文献

1）日本精神神経学会(監修)，「認知症疾患診療ガイドライン」作成委員会(編)：認知症疾患治療ガイドライン2017．医学書院，2017
2）大沢愛子，前島伸一郎：認知症に対する非薬物療法とそのエビデンス．日老医誌 57：40-44，2020
3）大沢愛子，前島伸一郎，植田郁恵，他：認知症における家族指導．Geriat Med 57：723-726，2016

4 認知症に対するアプローチの今後の展望

2015年に提言された**新オレンジプラン**(厚生労働省)では，認知症の人を単に「させられる側」として考えるのではなく，認知症の人の意思が尊重され，住み慣れた地域のよい環境で，自分らしく暮らし続けられる社会の実現に向け，①認知症への理解を深めるための普及・啓発の推進，②認知症の容態に応じた適時・適切な医療・介護等の提供，③若年性認知症施策の強化，④認知症の人の介護者への支援，⑤認知症の人を含む高齢者にやさしい地域づくりの推進，⑥認知症の予防法，診断法，治療法，リハビリテーションモデル，介護モデル等の研究開発の推進，⑦認知症の人やその家族の視点の重視，を認知症に対する施策の7つの柱とした．これらをさらに発展させた**認知症施策推進大綱**(2019)では，5つの柱として，①普及啓発・本人発信支援，②予防，③医療・ケア・介護サービス・介護者への支援，④認知症バリアフリーの推進・若年性認知症の人への支援・社会参加支援，⑤研究開発・産業促進・国際展開，があげられ，認知症の人が，そのときの容態に最もふさわしい場所で適切なサービスを受けることができるよう，医療と介護が連携した循環型の仕組みを構築することを目指している．認知症施策のキーワードは「共生」と「予防」であり，予防は発症予防のみならず，認知症診断後の症状の悪化や進行予防の意味も含んでいる．したがって，今後の認知症に対する医療・福祉の流れとしては，認知症の発症やフレイルの進行予防，MCIから認知症への移行予防などを目的とした地域社会全体への啓発と治療法の確立，ならびに，認知症と診断されたのちも適切な治療やケアを受けながら，認知症の人とその介護者が長く地域で生活を継続できるよう，医療と福祉の連携が進むことを期待されている．

そのためには医療やケアに関する科学的根拠(エビデンス)を構築する必要があるが，パーソン・センタード・ケアやテーラーメードのリハビリテーションは，そもそも大規模研究になじまない背景がある．このような事情から認知症の治療やケアはエビデンスを出しにくい分野ではあるもの，何の根拠もない会話や一方的な押しつけの治療やケアをよしとするのではなく，なるべく根拠に基づいた治療やケアを選択しながらも，個々の人間性を活かしたアプローチを実施すべきである．

認知症の評価とリハビリテーション

認知症の評価

1 評価の目的

認知症では診断基準にもあるように，記憶や注意など複数の認知機能の低下（すなわち高次脳機能障害）が重なり，結果として判断力や推理力などの知的機能の低下が起こる．これにより日常生活能上のさまざまな問題が引き起こされる障害である（➡ Note 4）．ゆえに評価においては，脳の病変部位との対応でどのような機能低下が起こっているかを特定し，それらが日常生活上の支障とどのように関連しているかについてみていく視点が重要である．認知症の評価の目的を3点あげた．

> **Note 4. 高次脳機能障害と認知症**
>
> 認知機能と高次脳機能はほぼ同義である．cognitive function を心理学的に（情報処理のプロセス）という側面からみると認知機能といい，脳の病変部位との対応からみると高次脳と呼んでいる．認知症の主症状として認知機能の低下があげられるが，これはすなわち高次脳機能障害があるということである．つまり認知症は高次脳機能障害の複合型と呼べる状態である．リハビリテーション臨床において最近「高次脳機能障害はないが，認知機能の低下がある」という表現を聞くことがあるが，これは明らかに不適切な表現である．

a 鑑別診断のための評価

いわゆる「**もの忘れ外来**」と呼ばれるような外来を担当する医師から，認知症か否かの鑑別診断のための評価を依頼されることがある．この場合，加齢による認知機能の低下との鑑別，特に MCI，タイプ診断の根拠となる資料の提供が望まれる．

b 障害構造の検索のための評価

特に脳血管疾患の患者の場合，複数の高次脳機能障害が合併しているために，結果としてスクリーニング検査の成績が低下する．明らかに重度の認知症の場合を除いては，全般的な認知機能の低下という表現ではなく，まずは脳の病変部位との対応でどのような機能に問題が起こっているかを特定し，障害構造をひもといていくことが求められる．

c 介入のターゲットを求めるための評価

認知症の原因疾患の多くが進行性の経過をたどるため，認知機能の低下は徐々に進行し，生活面ではできないことが増えていく．特に中等度以上の患者の検査を実施する際は，認知機能の低下をとらえるだけでなく，「できていること（保たれている機能）」を探すことがもう1つの目的となる．たとえば改訂版長谷川式認知症スケール（HDS-R）で 5/30 となると重度の認知機能の低下があるとみなされるが，5点分のできていることを探すことから，その患者の**強み** strength を見つけ，それを介入のターゲットとしていく方略のヒントとする．

2 評価における留意点

a 検査実施前

感覚，運動レベルの問題の影響：認知症者の多くは高齢者であり，加齢性難聴や，白内障・緑内障などの視力・視野の問題がある場合も少なくない．検査実施の前に確認し，必要であれば，補聴器や眼鏡の使用を促す．

薬物，うつの影響：服薬している薬やうつ症状が検査成績を見かけ上，悪くすることがあるので，検査前には服薬状況や既往歴の確認が必要である．脳血管疾患後にうつ症状がみられやすいことは広く知られているが，認知症の前駆症状としてもうつ症状がみられることがある．また健常高齢者でもうつ症状が高頻度でみられるので，必要があればうつ尺度〔うつ性自己評価尺度 Self-rating Depression Scale（**SDS**）[1]，うつ病（抑うつ状態）自己評価尺度 The Center for Epidemiologic Studies Depression Scale（**CES-D**）[2]〕などを用いて確認しておく．

b 検査実施時

インフォームドコンセント：言語理解の能力や状況判断能力が低下している人であっても，その人に合わせたコミュニケーション手段で検査の目的や概要を説明し，本人の同意を得てから検査を開始する．またこのプロセスのなかで意識や意欲の問題の有無を確認し，ラポール（信頼関係）を形成する．

検査拒否・検査が実施できない場合の対応：認知症者は「病識がない」といわれるが，実際にはかなり病期が進んでも自分の状態に異常感・違和感をもっている場合が少なくない．ゆえに検査に抵抗感を示す人も多く，拒否や「わかりません」という反応がしばしばみられる．また，いわゆる**立ち去り行動**や常同反復的な反応が出現する場合もある．表面的な反応を鵜呑みにせず，その人の能力を最大限に引き出せるような丁寧な対応が求められる．

検査の手続きはマニュアルどおりでなければならないが，教示の理解が不十分な場合や注意の維持が困難と判断する場合には，患者の反応を見ながら適宜追加の説明や例を示す．

c 結果の解釈

病前の知能や読み書き能力：教育歴や職歴などの情報から，病前の知的能力を推測して成績を判断する．多くの検査は障害の有無の判定に教育歴の影響がないように補正されている．しかし，たとえば WAIS-Ⅲで IQ 100 であれば平均的な知能とみなされるが，その人の病前の IQ が 130 であった場合には明らかに知的機能が低下しているとみなさなければならない．

加齢による認知機能の低下との鑑別：患者の高齢化が進み，80 歳代，90 歳代の人を評価することが少なくないが，各種検査の標準値は 70 歳代ぐらいまでのものが多い．筆者らの研究[3]では，80 歳代になると健常者でも加齢による各種機能の低下が起こり，神経心理学的検査の結果も有意に低くなる傾向を示した．そのため，加齢による影響を割り引いて評価するとともに，単なる老化によるものとはいえないような生活機能低下がないかどうか，慎重に情報収集していく必要がある．

B 認知症の評価の流れと情報収集，検査

1 認知症における評価の流れ

認知症については，失語症における鑑別診断検査のような総合的な検査はほとんど作成されていない．なぜなら認知症ではあらゆる高次脳機能障害が起こる可能性があり，それらのすべてを網羅する検査を実施するのは患者の負担やコストを考慮しても非現実的であるからである．そのためまずは**スクリーニング検査**を的確に実施し，その結

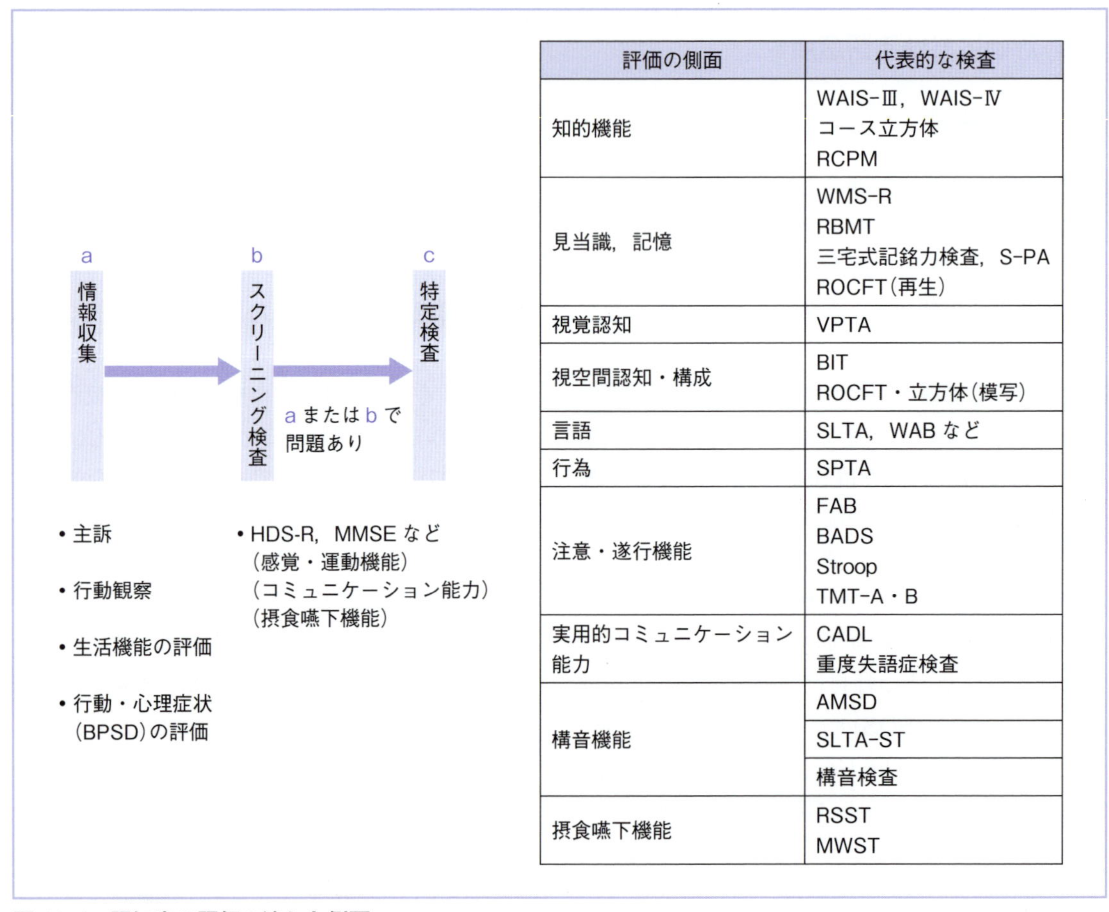

評価の側面	代表的な検査
知的機能	WAIS-Ⅲ，WAIS-Ⅳ コース立方体 RCPM
見当識，記憶	WMS-R RBMT 三宅式記銘力検査，S-PA ROCFT(再生)
視覚認知	VPTA
視空間認知・構成	BIT ROCFT・立方体(模写)
言語	SLTA，WABなど
行為	SPTA
注意・遂行機能	FAB BADS Stroop TMT-A・B
実用的コミュニケーション能力	CADL 重度失語症検査
構音機能	AMSD
	SLTA-ST
	構音検査
摂食嚥下機能	RSST MWST

図 11-4　認知症の評価の流れと側面

果と生活面の問題とを双方向的にみて，問題点を絞り込んだうえで必要な追加の検査を実施していく．

認知症の評価の流れと側面を図 11-4に示した．外来では患者本人，家族などから，入院患者であれば，他職種やカルテからの情報収集(図 11-4a)を通じて，主訴，行動面，日常生活面の評価を行う．また並行してスクリーニング検査を実施する(図 11-4b)．これらの結果から必要があれば各種掘り下げ検査(神経心理学的検査)を実施する(図 11-4c)．

2　情報収集

図 11-4aに該当する．他職種やカルテからの情報収集を通じて，行動面，日常生活の評価を行う．

a　行動観察による重症度評価

対面で行うスクリーニング検査に対し，本人および家族からの病歴聴取や行動観察により，認知症の重症度を判定する行動観察尺度を併用する．Clinical Dementia Rating(**CDR**)[4](表 11-12)は，記憶，見当識，判断力と問題解決などの6項目から構成され，健康(CDR 0)～重度(CDR 3)まで，5段階で重症度を判定する．Functional Assessment Staging(**FAST**)[5]は，アルツハイマー型認知症 Alzheimer's disease(AD)の重症度をみる目的で作成された7段階の尺度である．

N式老年者用精神状態尺度(**NMスケール**)と

表 11-12　臨床的認知症尺度(CDR)の判定表

CDR	0	0.5	1	2	3
	障害				
	なし 0	疑い 0.5	軽度 1	中等度 2	重度 3
記憶 (M)	記憶障害なし 軽度の一貫しないもの忘れ	一貫した軽いもの忘れ 出来事を部分的に思い出す良性健忘	中程度記憶障害 特に最近の出来事に対するもの 日常生活に支障	重度記憶障害 高度に学習したもののみ保持，新しいものはすぐに忘れる	重度記憶障害 断片的記憶のみ残存する程度
見当識 (O)	見当識障害なし	時間的関連の軽度の困難さ以外は障害なし	時間的関連の障害中程度あり，検査では場所の見当識良好，他の場所で時に地誌的失見当	時間的関連の障害重度，通常時間の失見当，しばしば場所の失見当	人物への見当識のみ
判断力と問題解決 (JPS)	日常の問題を解決 仕事をこなす 金銭管理良好 過去の行動と関連した良好な判断	問題解決，類似性差異の指摘における軽度障害	問題解決，類似性差異の指摘における中程度障害	問題解決，類似性差異の指摘における重度障害	問題解決不能
			社会的判断は通常，保持される	社会的判断は通常，障害される	判断不能
地域社会活動 (CA)	通常の仕事，買物，ボランティア，社会的グループで通常の自立した機能	左記の活動の軽度の障害	左記の活動のいくつかにかかわっていても，自立できない 一見正常	家庭外では自立不可能	
				家族のいる家の外に連れ出しても他人の目には一見活動可能にみえる	家族のいる家の外に連れ出した場合生活不可能
家庭生活および趣味・関心 (HH)	家での生活，趣味，知的関心が十分保持されている	家での生活，趣味，知的関心が軽度障害されている	軽度しかし確実な家庭生活の障害 複雑な家事の障害，複雑な趣味や関心の喪失	単純な家事手伝いのみ可能 限定された関心	家庭内における意味のある生活活動困難
介護状況 (PC)	セルフケア完全		奨励が必要	着衣，衛生管理など身の回りのことに介助が必要	日常生活に十分な介護を要する 頻回な失禁

〔Morris JC：The Clinical Dementia Rating(CDR)；Current version and scoring rules. Neurology 43：2412-2414, 1993. 目黒謙一：痴呆の臨床— CDR 判定用ワークシート解説. p104, 医学書院, 2004 より〕

N 式日常生活動作尺度(**N-ADL**)[6]は，両者を併用し，認知症高齢者の生活面を総合的にとらえる目的で作成された．各 5 項目からなり，それぞれの合計得点で「正常」～「重度」まで 5 段階で重症度を判定する．

「認知症高齢者の日常生活自立度判定票」(表 11-13)は，認知症高齢者の重症度を表す尺度で，**「障害老人の日常生活自立度(寝たきり度)判定基準」**とともに要介護認定の主治医意見書の必須項目となっている．

b 日常生活活動 ADL の評価

日常生活活動 ADL には階層性がある(図 11-5)．最も基本的な起居動作や整容，入浴などの基本的 ADL(basic ADL)，金銭管理や交通手段を使った活動などの手段的 ADL(instrumental ADL)，仕

表 11-13　認知症高齢者の日常生活判定基準

ランク	判定基準	みられる症状・行動の例
Ⅰ	何らかの痴呆を有するが，日常生活は家庭内および社会的にほぼ自立している	
Ⅱ	日常生活に支障をきたすような症状・行動や意思疎通の困難さが多少みられても，誰かが注意していれば自立できる	
Ⅱa	家庭外で上記Ⅱの状態がみられる	たびたび道に迷う，買物や事務，金銭管理などそれまでできたことにミスが目立つなど
Ⅱb	家庭内でも上記Ⅱの状態がみられる	服薬管理ができない，電話の対応や訪問者との対応など 1 人で留守番ができない，など
Ⅲ	日常生活に支障をきたすような症状・行動や意思疎通の困難さがときどきみられ，介護を必要とする	
Ⅲa	日中を中心として上記Ⅲの状態がみられる	着替え，食事，排便・排尿が上手にできない・時間がかかる．やたらに物を口に入れる，物を拾い集める，徘徊，失禁，大声・奇声をあげる，火の不始末，不潔行為・性的異常行為，など
Ⅲb	夜間を中心として上記Ⅲの状態がみられる	ランクⅢa に同じ
Ⅳ	日常生活に支障をきたすような症状・行動や意思疎通の困難さが頻繁にみられ，常に介護を必要とする	ランクⅢa に同じ
M	著しい精神症状や問題行動あるいは重篤な身体疾患がみられ，専門医療を必要とする	せん妄，妄想，興奮，自傷・他傷などの精神症状や精神症状に起因する問題行動が継続する状態など

〔厚生省(現厚生労働省)，1993〕

事や趣味活動などのさらに高いレベルの活動である拡大 ADL(advanced ADL)である．認知症で最初に気づかれるのは IADL レベルの変調であるが，さらに軽度の場合や MCI の場合には，AADL のレベルで気づかれることも少なくない[7]．

IADL の評価には Lawton らの **IADL**[8] が広く使用されている．電話，買い物，食事の準備，家事など 8 項目からなり，最高点は女性 8 点，男性 5 点とされている．AADL をみる指標として，**老研式活動能力指標**[9] がある．これには地域で生活する高齢者の生活機能をもとに作成されており，IADL に加えて社会的役割や知的能動性の項目が含まれている．また老研式の現代版ともいえる **JST 版活動能力指標**[10] も作成されている．これには，ATM の操作や詐欺への対応など，より現代的かつ社会活動的な質問項目が加えられている．しかし高次の活動になればなるほど，生活スタイルの多様性や地域性の影響が大きくなるので，「もともとやっていた活動からの水準の低下」に着目してとらえることが重要である．また「で

	日常生活活動	活動の例	
高次	拡大 ADL (AADL)	仕事のマネジメント，町内会の役員としての活動	MCI
	手段的 ADL (IADL)	電話の利用，金銭管理，買い物，食事の支度，遠方への外出など	認知症 軽度 中等度
低次	基本的 ADL (BADL)	移動，入浴，着脱衣，食事，排泄など	重度

図 11-5　ADL の階層性と生活機能の評価

きる」,「できない」は連続線上のものであり，どのようにできないのか，何ができないのかを丁寧に聞き取っていくと，リハビリテーションの方向性の決定の際にも有用な情報となる．また摂食嚥下面の問題の有無についても介護者から聞き取っておく．

c 認知症の行動・心理症状(BPSD)の評価

認知症の行動・心理症状(**BPSD**)の評価は家族などの介護者からの聞き取りによって行う．behavioral pathology in Alzheimer's disease (**BEHAVE-AD**)[11]はADに特異的な精神症状を中心に7つの下位尺度25項目から構成され，0〜3の4段階で重症度を判定する．the neuropsychiatric inventory(**NPI**)[12]は構造的インタビューを用いて，妄想，幻覚，興奮，うつなど10項目の症状の有無と重症度および頻度について評価する．いずれも日本語版が作成されている．

3 スクリーニング検査

図11-4bに該当する．認知症の評価の入口として必ず行う検査である．スクリーニング検査は合計点数をもとに認知症の有無や重症度を探ることを目的として実施する．加えて検査中の態度や反応の特徴から対象者の高次脳機能障害を大まかに把握し，特定検査の必要性の有無と選択の判断材料とする．なお，スクリーニング検査と並行して，視知覚や運動機能の問題の有無，コミュニケーション能力を確認する．

重症度に関係なく一般的に広く使用されている検査，軽度認知症やMCI検出のための検査，そして一般的な検査が難しい中等度〜重度患者向けのものに分けて概説する．

a 一般的なスクリーニング検査

わが国で使用されている一般的なスクリーニング検査には，Mini-Mental State Examination (**MMSE**)と改訂版長谷川式簡易知能評価スケール(**HDS-R**)がある．これらは診察室やベッドサイドにおいて短時間で実施できることから，医療だけでなく介護の領域でも広く使用されている．MMSEは口頭命令や書字，図形の模写などの課題を含み，軽度の患者のスクリーニングにおける鋭敏度はそれほど高くないが，中等度以上の患者の経過をみるのに適している．他方，HDS-Rは記憶に関する項目の比重が高いため，記憶以外の領域は比較的保たれている軽度患者のスクリーニングに役立つ．

いずれも最高得点は30点であり，一般的には，MMSEは23/24点，HDS-Rは20/21点が認知症のカットオフ値とされている．しかし，MCIやごく軽度の患者の場合は20点台後半の成績になることも少なくないので注意が必要である．MMSEに関しては教育歴16年以上ではカットオフ値を26/27点に設定すると感度・特異度が高かったという報告もある[13]．

b 軽度認知症およびMCI検出のためのスクリーニング検査

近年では，MCIや軽度患者のためにMMSEやHDS-Rよりも難易度の高いスクリーニング検査が使用されるようになってきている．Montreal Cognitive Assessment(MoCA)は，視空間/実行系，抽象概念(類似問題)などの課題を含む．**日本語版MoCA-J**が公開されておりダウンロードして使用することができる[14,15]．

Addenbrooke's Cognitive Examination-Ⅲ (**ACE-Ⅲ**)日本語版[16]は，MoCA-Jよりも幅広い領域を網羅していて総得点は100点となっている．15〜20分と検査時間がやや長くなるが，視知覚課題はレビー小体型認知症の，また熟字訓の読みなどを含む言語課題は原発性進行性失語primary progressive aphasia(PPA)の意味型(PPA意味型)〔意味性認知症semantic dementia(SD)とも呼ぶ〕の検出にも有用である．原著者のWebサイト[17]からダウンロードして使用することが可能である．

また最近発売された**日本語版 Cognistat Five**[18]は，単語記憶，見当識，構成，記憶：遅延再生からなる検査であるが，実施時間が数分程度であり，「健常か，MCI～認知症か」を大まかに判定するMCI Index スコアが算出できるのが特徴である．

c 中等度から重度患者のスクリーニング検査

一方，HDS-R や MMSE では1桁台になってしまうような重症度が進んだ患者のためのスクリーニング検査として，severe impairment battery(**SIB**)[19]や severe cognitive impairment rating scale(**SCIRS**)[20]などが使用されることもある．SIB は注意，見当識，記憶，言語，視空間構成などに加え，名前への反応，社会的交流などが含まれた40項目の質問から構成されており，30分程度かけて評価していく．**SCIRS** は見当識，記憶，色名や時計の呼称課題からなる11項目，30点満点の課題で，記憶課題が検査者の名前，見当識は「昼か夜か」程度のよりやさしい内容になっている．

d その他の検査

アルツハイマー病評価尺度日本語版 Alzheimer's disease cognitive subscale Japanese version (**ADAS-Jcog**) は AD の臨床試験の効果判定のために作成された検査であり，点数の幅が広いので経時的な変化をみるには適しているが，スクリーニング検査としては煩雑であり，総合的な検査ともいいがたい．

時計の文字盤を描く，文字盤に指定された時間の針を書き入れるといった**時計描画課題**もよく使用されている．しかし，採点法が標準化されていない点，感度は高いが特異度(➡ Note 5)は低い点など，スクリーニング検査としての有用性には議論がある．

e スクリーニング検査の実施法と解釈における留意点

スクリーニング検査は簡便な検査であるが，それゆえに実施者の知識や技量，対象者の状態，検査場面の状況などにより点数の変動が大きいことに注意が必要である．覚醒度の低下がある場合，失語や失認・失行がある場合には，得点の解釈には特に留意する．

1）失語・失行・失認の有無を確認しながら実施する

質問を適切に理解できるか，口頭で答えられるか，発話の内容は適切か，などを通して失語の有無を確認する．たとえば HDS-R の5物品を並べる際に1つずつ呼称してもらうと，「物品に注意を向けられるか」(注意障害の有無)，「正しく認識できているか」(視覚性失認や半側空間無視の有無)，「喚語障害があるか」(失語症の有無)を確認できる．

2）結果の解釈

検査実施後は各検査の手引きに従って採点する

Note 5. 感度・特異度

検査のマニュアルには「○点以下の場合，障害ありとみなす」という得点が設定されていることがある．これをカットオフ値(カットオフポイント)と呼ぶ．カットオフ値を決める際の指標の1つに感度(敏感度)sensitivity と特異度 specificity がある．感度は，「障害あり」の人を正しく「障害あり」と判定した割合(真の陽性率)であり，特異度は，「障害なし」の人を正しく「障害なし」と判定した割合(真の陰性率)である．このほかに「障害なし」の人を誤って「障害あり」とした割合(偽陽性率)と「障害あり」の人を誤って「障害なし」とした割合(偽陰性率)がある．

感度と特異度はトレードオフの関係にあり，感度が上がると特異度は下がり，特異度が上がると感度は下がる．つまり，高い点数をカットオフ値に設定すると，偽陰性率は下がるが，偽陽性率が高くなり，逆に低い点数に設定すると，真の陰性率は上がるが真の陽性率が下がってしまう[28]．

が，その際正答できなかった項目については，「なぜできなかったのか」の解釈が求められる．たとえばHDS-Rの「5物品」課題で上述のような手続きを経て実施すると，注意や視覚認知，言語の問題が除外され，成績低下は純粋な記憶の問題によるものと判断できる．検査結果の報告の際には，合計点数だけでなく，コメントとしてこのような解釈を記載するとよい．

4 特定検査（各種神経心理的検査）の適用

図11-4cに該当する．収集した各種情報とスクリーニング検査の結果より，必要に応じて詳細な神経心理学的検査を実施する．以下に重症度別の掘り下げ検査の目的と手順を列挙する．

① MCIやごく軽度の場合：スクリーニング検査では検出できなかった軽微な障害を検索したり，保たれている機能をより詳細に把握したりする目的で，各種神経心理学的検査を実施する．

②軽度～中等度の場合：機能維持・拡大につなげられる残存機能を探す目的で，スクリーニング検査にはなかった項目などについて追加検査を実施する．

③重度の場合：一般的なスクリーニング検査ではほとんどできる項目がなかった場合は，重度認知症者向けのスクリーニング検査を行うか，行動観察や収集した情報から評価を行う．また実用的コミュニケーション能力や摂食嚥下機能，感覚・運動機能もみておく．

なお図11-4において「aまたはbの場合（cに進む）」と記載しているのは，軽微な症状を見逃さないためということを意図している．たとえばMMSEで28点であっても，主訴が記憶障害であり，それによって生活上問題が生じているということであれば，スクリーニング検査では検出できない軽度の障害がある可能性がある．その場合には記憶に関する詳細な検査を実施すべきである．

認知症の進行やタイプ別に出現しやすい症状と各種検査の適用方法について述べる．

a 知的機能

認知症者では，知的機能（全般的な認知機能）の低下は初期にはあまり目立たないが，疾患の進行に伴い徐々に目立つようになる．

知的機能を詳細に把握することができるウェクスラー成人知能検査（**WAIS-Ⅲ**，**WAIS-Ⅳ**）は，就労中のMCIやごく軽度の患者において，職務遂行能力に問題がないかなどの判断材料として使用する場合には有用である．しかし認知症者一般に適用するには，対象者への負荷が大きいわりに得るものが少ないと思われる．「知識」，「単語」，「類似」の課題を，抽象的思考の検査や意味記憶の検査として抜粋して使用することは有用である．通常は抜粋して使用するものではないが，患者の負担軽減のために一部のみ使用することもある．この場合，各下位検査の平均値・標準偏差などがマニュアルに記載されている場合は，それを判断材料とする．

レーヴン色彩マトリックス検査（**RCPM**）は，判断や推理能力の低下をみる簡便な検査として，比較的重症度が進んだ場合でも使用が可能である．**コース立方体組み合わせ検査**も知能検査としてよく用いられる検査であり，IQが出せるという利点がある．しかし認知症の場合は構成障害も比較的早期から出現しやすくその影響が否めない．また実施に時間がかかり，疲労を生じやすい．

b 見当識，記憶

記憶障害と見当識障害はあらゆるタイプの認知症で出現する．両者は密接につながっており，見当識が保たれているということは，刻々と更新される時間，自分の居場所に合わせ，自己の記憶も更新されていくということであるが，このことが認知症者では困難となる．

一般に，重症度が進むと日付→年→曜日→月→季節の順で見当識の質問に正答できなくなる傾向がある．見当識や記憶はあらゆるADLと関連が深い．たとえば記憶障害のみが目立つ初期のADにおいても，約束の日時を間違える，期限までに支払いを済ませられないなどの金銭管理上の問題が生じる．

エピソード記憶の障害はADではごく初期から出現する症状であり，ADに移行する例が多いとされる**健忘型MCI**でもよくみられる症状である．また疾患の進行に伴い意味記憶の障害も徐々に出現してくるが，**原発性進行性失語**の意味型(**意味性認知症**)のように事物の概念や知識が重篤に障害されることはない．数唱のような即時記憶や手続き記憶は比較的後期まで保たれる．

見当識は，日付や場所に関する口頭での質問や行動観察から判断する．記憶は一般に単語記銘検査，物語の再生検査などが用いられる．簡易検査としては**三宅式記銘力検査**や標準言語性対連合学習検査(**S-PA**)があるが，ウェクスラー記憶検査改訂版(**WMS-R**)やリバーミード行動記憶検査(**RBMT**)などの検査から物語や対連合学習などを抜粋して使用してもよい．ADでは，遅延再生の成績低下が特に重要視されるが，簡便な遅延再生能力の評価法として，HDS-Rの5物品を検査終了時に再度想起させることも有用である．

視覚性の記憶検査としては，**ベントン**Benton**視覚記銘検査**，**レイ**Rey**の複雑図形(ROCFT)**などが使用される．このうちROCFTは，構成障害と記憶障害を同時にみられるため，認知症者に使用するのに適している．図11-6に重症度別の模写と直後再生，30分後の遅延再生の結果例を示す．軽度AD患者は，模写では健常高齢者との間に差が認められないが，直後再生，遅延再生の成績は非常に低下している．また中等度になると，構成障害が出現し模写も困難になる傾向がみられる．

即時記憶の評価には数唱digit spanを用いる．手続き記憶は，鏡映描写課題などを実施して，学習効果をみる方法があるが，対象者が長く続けてきた活動を実際に行ってもらい，それが維持されているかどうか判断するほうがより臨床的には役に立つ．

C　視覚認知，視空間認知・構成

ADでは構成障害が比較的早期から起こりやすい．重症度が進むと，図形模写の課題において見本の図形の上に重ねて描いてしまう**クロージング**

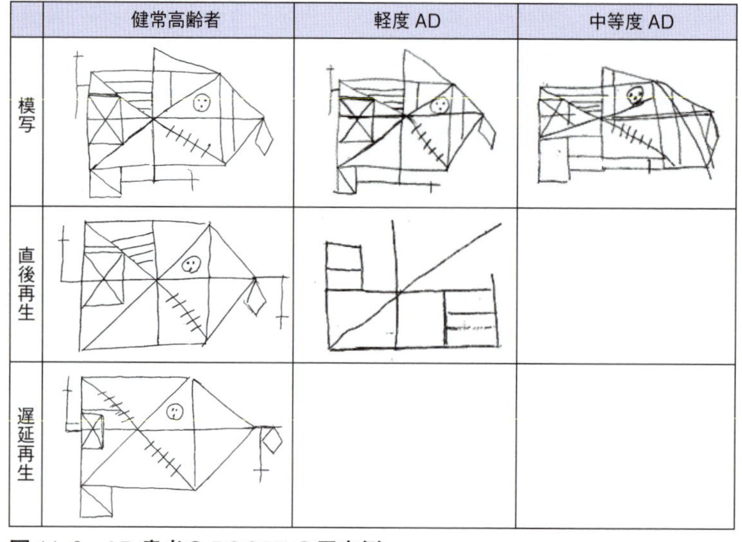

図11-6　AD患者のROCFTの反応例

イン closing-in 現象もみられる．**DLB**では代表的な症状に幻視があるが，それに関連して視覚認知の障害が出現しやすい．スクリーニング検査において記憶などの症状がそれほど重篤ではないのに模写の成績低下がみられる場合にはDLBの疑いがある．

視覚認知全般については，標準高次視知覚検査(**VPTA**)から必要な検査を抜粋して用いる．構成障害の検索には，ROCFTの模写，立方体の模写，時計描画なども使用できる．MMSEの図形模写も構成障害のスクリーニングに有用である．

d 言語

1) 特徴

病因による差や個人差があるが，喚語困難はどのタイプでも比較的初期から出現しやすい．

ADでは，喚語困難，漢字の読み書き障害，聴覚的理解の障害が比較的早期から出現する．他方，音韻に関する側面は比較的後期まで保たれ，中等度になっても，流暢で文法的には正しい文を話し，仮名の文章であれば音読できる．しかし発話の内容は空疎で，読める文章でも内容は理解できていないといった乖離が生じる．疾患の進行に伴い，発話量は徐々に減り，最終的には理解も発話もまったくできないといった全失語に近い状態となる．

前頭側頭葉変性症の臨床型の1つであるPPAでは，語義失語や意味記憶の障害が早期から出現するタイプ(PPA意味型)やブローカ失語に類似した表出面の障害が初期から前景に出るタイプ(PPA非流暢/失文法型)も稀にあるので，面接やスクリーニング検査での反応を見落とさないようにしたい．

検査には標準失語症検査(SLTA)などの一般的な言語機能検査を用いる．意味面の検査は，標準化されたものはないため，WAIS-Ⅲ/Ⅳの「単語」や「類似」課題，失語症語彙検査(TLPA)の類義語判断検査，意味カテゴリー別名詞検査を援用するか，または同一単語に対し，絵，文字，実物，音声などの刺激を組み合わせ，呼称，語想起，音読，読解などを実施して症状を把握することも可能である．

e 行為

ADでは中等度になると視空間障害によって服のパーツと自身の体との位置関係がわからなくなり，着衣失行が出現しやすい．また皮質基底核変性症 corticobasal degeneration(**CBD**)では初発症状が左右差の観念性失行，観念運動性失行，肢節運動失行であることが知られている．

失行症状の有無を確認するためには，スクリーニング検査に加えて，標準高次動作性検査(SPTA)から必要な検査を抜粋して用いるとよい．

f 注意・遂行機能

注意障害はタイプにかかわらず早期から出現する症状である．DLBでは，覚醒度や注意機能に変動がみられることが特徴の1つにあげられており，検査成績にも影響がみられるので注意が必要である．

遂行機能障害については，CBDや進行性核上性麻痺 progressive supranuclear palsy(**PSP**)では前頭葉機能検査 Frontal Assessment Battery(**FAB**)やウィスコンシンカード分類テスト Wisconsin Card Sorting Test(**WCST**)での成績低下がほかの機能に比べ早期からみられるという報告がある．しかし遂行機能は，各種の認知機能が下支えをしている統合能力であるため，あらゆるタイプの認知症で比較的早期から障害される．日常生活上では，料理はできるが時間がかかる，長く続けてきた仕事が手際よくできなくなるなど，まったくできないわけではないが，質の低下や所要時間の延長がみられ，周囲に気づかれることも少なくない．そのため遂行機能障害の有無の判定には，検査だけでなく本人や家族から日常生活のエピソードをくわしく聞くことが望ましい．

単純な注意機能をみるには，標準注意検査法

clinical assessment for attention(**CAT**)の抹消・検出課題などが適している．分配機能やワーキングメモリの関与を含むやや複雑な注意課題としては，**Stroopテスト**，**Trail Making Test**，CATのPASAT，上中下検査，WAIS-Ⅲ/Ⅳの符号問題などを用いる．

遂行機能については，**BADS**を実施すると多くの認知で成績低下がみられる．しかしこれは先述のように純粋な前頭葉機能の低下を反映しているものとはいえない．WCSTは認知症者では課題の理解が難しく，適切に実施できないことが多い．

C 認知症のリハビリテーション

本項では，まず認知症のリハビリテーションにおける原則について述べる．次にいわゆる**非薬物療法**にあたる認知症患者への代表的な介入方法について，言語聴覚士の行う評価を活かした介入の例について紹介する．重症度やタイプ別の専門的介入について述べる．

1 認知症のリハビリテーションの原則

a パーソン・センタード・ケア

パーソン・センタード・ケア person-centered careは，認知症者の言動や行動を解釈する際に，認知機能障害のみから考えるのではなく，その人を取り巻く心理・社会的状況も含めた個別性を重視するという認知症ケアの理念である．1990年代に英国の心理学者キットウッド Kidwoodにより提唱され，水野[21]によりわが国に紹介された．認知症の医療・介護にかかわる人が留意すべき共通の理念として国際的に普及している．言語聴覚士もこの理念に則って認知症者への介入を行うことが望まれる．

認知症者の場合，病識や意欲の低下のために主訴やHOPEを引き出すことが難しいこともあり，ケアやリハビリテーションの方針決定に本人の意思が反映されにくい．言語聴覚士は適切なコミュニケーション手段を用いて丁寧に患者の意思を確認し，他職種と共有して患者にとって最適な介入を行いたい．

b リハビリテーションの目標設定

ほかの高次脳機能障害とは異なる認知症特有の問題として，その多くが進行性の疾患であることがあげられる．そのためできなくなることが徐々に増えていく，一時的に改善しても効果が継続しないということが生じる．加えて十分な学習効果が見込めない，病識の欠如や意欲・関心の低下が起こるという特徴ももつことから，機能訓練の導入には限界がある．また認知症者の多くは高齢者であり，加齢による心身機能の低下の影響も考慮に入れる必要がある．ゆえに認知症のリハビリテーションでは，新たな学習に重きをおくのではなく，残された機能を最大限に活用し，できている活動を維持することによって，患者のQOLを確保していくことが主たる目標となる．

c 介入の原則と介入の側面

1）介入の原則

認知症者を対象とした介入は，シンプルであること，具体的であること，誤らせないこと(**エラーレス・ラーニング**)，メンバーや手続き，教示などを変えないことが望ましい．これらは重症度が上がれば上がるほど重視されるべきである．

2）目的の明確化

機能訓練に限らず何かしらの介入を行う場合は，常に評価の結果を根拠に目的を明らかにする．記憶検査の成績低下があるから記憶訓練，注意障害があるから注意の訓練という短絡的な発想に陥らないことが大切である．また市販のドリル集などを用いてもよいが，導入にあたっては，何のために行うのか，どのような効果が期待できるのかを明らかにするとともに，本人が楽しんで取り組めるかという視点も大事である．

3）多面的な支援

認知症に関しては直接的な介入だけでなく，関連する多職種と連携しながら，高次脳機能の評価結果を日常的なケアの方法や工夫に活かすこと，介護保険などの社会資源の活用を促すことなど，多面的に支援していくことが必要である．

d 介入の効果判定の方法と留意点

一定期間介入したら適切な方法で効果判定を行う．しかし認知症の場合は効果が得られにくいだけでなく，介入して効果がみられてもいずれ消失してしまうという特徴があり，効果判定にはいくつかの留意点がある．

1）検査成績を用いた効果判定

MMSEやHDS-Rなどのスクリーニング検査を介入前後に実施し，その点数を比較する場合，その点数の変化の解釈について注意が必要である．先に述べたように，これらの検査は容易に実施できるが，検者の力量や検査時の種々のコンディションにより，点数の変動が大きい．したがって，仮に介入前より3点上昇したからとして，それがすぐに介入の効果と判定するのは拙速である．一方で，何もしなければ時間の経過とともに症状が重篤になり，検査成績が下がるという仮説も立てられる．つまり介入前後で点数がほとんど変化しなかった場合には，「低下しなかった＝維持できた」と解釈することも可能である．

2）日常生活面における効果判定

記憶障害のある患者にアラーム機能の利用を促す訓練など，代償手段の導入訓練を行った場合は，生活面での評価が中心となる．自力では困難になってきていた活動について，代償手段を導入したことでその活動を維持できたのであれば，数値で表すことはできないが，十分な効果とみなすことができる．加えて導入した手段が実生活のなかで使えているか，行動観察や情報収集を行い，使えていない場合はその原因を探り，修正を加えていく．

認知症の場合にはQOLの向上や情緒面での変化も重要な評価の指標となる．行動観察やBPSDの量・質の変化などについて介護者に評価してもらうとよい．

3）グループ単位での介入の場合の効果判定

グループ単位での介入を実施した場合に，実施前後の検査成績などを比較し「全体で有意に成績が改善した」とみなすことがある．しかし1人ひとりのデータをみていくと，点数が下がった人や不変の人も含まれることがある．改善した人としなかった人の違いについて丁寧に分析すると，介入の内容や手続きについてのさらなる検討材料が見つかる．

ある介入法が有効か否かの判定には，対象を無作為に抽出し，介入群と非介入群に分けて実施する**ランダム化比較試験（RCT）**が最も厳密であるといわれる．しかし認知症者に対して介入を行う臨床領域では，介入群と非介入群を立てて厳密に比較したり，日常生活におけるさまざまな変数をコントロールしたりするのは現実的には困難である．限界を述べつつも効果を抽出していく，あるいは**単一事例研究**の手法を用いて個人内の変化を数値化するなどの手法を用いて効果判定を行うのが妥当である．

2 代表的な非薬物療法

認知症者への介入は一般的に**薬物療法**と**非薬物療法**に分けられる．薬物療法以外の認知症への介入を総称して非薬物療法と呼び，この二分法に従えば言語聴覚士の介入は非薬物療法の一種と位置づけられよう．

患者を対象とした代表的な非薬物療法として，リアリティ・オリエンテーション，回想法，音楽療法，認知機能訓練などが知られている．これらは言語聴覚士が独自に行う手技ではないが，これらを実施する際に評価の結果を活かす，あるいは言語聴覚士が行う専門的な介入に既存の非薬物療法のエッセンスを用いるなどが可能である．

a リアリティ・オリエンテーション(RO)

現実見当識訓練(リアリティ・オリエンテーション；RO)は，認知症者の混乱状態の原因は見当識障害にあるとの考えに基づいており，日付や場所などの見当識について反復訓練をし，再確認・再学習することによって，認知症者が安心して生活できるようになるという発想から生まれた技法である．わが国では，1990年ごろより入所施設などで導入されるようになった．ROは，時間と場所を設定して定期的に行われる「クラスルームRO」と，日常生活のなかで常に見当識に注意を向けられるように環境を整備する「24時間RO」に分けられるが，一般には前者をROと呼ぶことが多い．最近，ROから派生した認知活性化(刺激)療法cognitive stimulation therapy(CST)がわが国にも導入された[22]．見当識訓練だけでなく，ゲーム的要素や運動，回想なども含んだ技法である．

ROの効果については，認知機能および行動面，主観的QOLの改善に有効であったという報告がいくつかあるが，その効果の持続については，異なる意見がある．たとえ正しい見当識が得られなくても，介護スタッフと高齢者が密接なかかわりをもつ機会を通して，情緒面の安定をはかれるようになるという効果も期待される．

クラスルームROは，言語を用いたコミュニケーションがある程度可能である，中等度ぐらいまでの患者が対象となるが，24時間ROは重症度にかかわりなく，また在宅でも医療機関や施設でもすべての認知症者にとって有用である．

b 回想法

回想法もROと並んで広く用いられている技法である．1960年代に米国の精神科医バトラーButler[23]は，高齢者のライフレヴュー(回想)について，単なる老いの繰り言ではなく，過去を肯定的に振り返ることにより，老化や死を受け入れられるという積極的な意味をもつと述べたが，回想法はこの考えに基づき発展してきた．認知機能との関連で考えれば，認知症者でも比較的後期まで保たれている遠隔記憶を手がかりに，新規の学習ではなく，憶えていることを利用して納得のいく自分史を再構築し，精神的な安定をはかろうとするものである．

回想法では，季節の行事，結婚式，戦争，子どものころの遊びなど，テーマに合わせた写真やビデオ，実物などを用いて，グループワークを行う．五感への刺激を伴うさまざまな小道具や材料を用いることも特徴である．また，本人の思い出や写真，雑誌や新聞の切り抜きなどを集めてファイルを作成し，それをもとに会話を行う個人回想法という技法もある．メモリーブック(➡ Note 6)を本人と一緒に作成し，個人回想法に用いることもできる．

回想法の効果として，情動機能の回復，意欲の向上，発語回数の増加，集中力の増大，支持的・

Note 6. メモリーブック

認知症者のためのコミュニケーション支援ツールとしてBourgeoisによって開発された「メモリーブック」[29]がある．本人の生活史，家族，趣味，日々のスケジュールなどを写真やイラストを使って冊子(ファイル)にまとめて作成するが，その際，できるだけ患者本人から情報を収集し，それをもとに本人にとってわかりやすい写真や単語を用いるようにする．メモリーブックは，介護担当者が本人について理解するのに役立つほか，会話の手段や服薬や整容などの日々の活動をスムーズに行うのに役立つ．また繰り返し眺めることで，見当識を助け，大事な思い出を忘れないようにするといった効果も期待できる．日本語版は出版されていないが，飯干[30]が作成方法などについて詳細に解説している(➡ 295頁)．

共感的な対人関係の形成などがあげられている．一定時間刺激に注目できる，言語を用いたコミュニケーションがある程度可能であるということを考えると，重度の患者にはあまり適さない方法である．

c 認知機能訓練

注意や記憶に対する機能訓練など，高次脳機能障害患者に対して行う認知リハビリテーションの技法を認知症者に適用するものである．ADに対して記憶障害の訓練がよく用いられるが，試行錯誤的な学習よりも**エラーレス・ラーニング**や，**間隔伸張法**などの自動的で受動的な学習プロセスを導入するほうがよい．

効果については，特定の顔と人の名前を憶えるといった学習では効果が得られたという報告が散見されるが，般化は見込めないことが多い．そのため実際に日常生活で困っている事柄に絞って憶えるというアプローチになる．また対象は新たな学習が可能なMCIから軽度の患者に限られる．

d 代替手段・補助手段の獲得

記憶障害があるために日常生活に支障が出てきた患者にノートやカレンダー，ICレコーダーなどの使用法を指導する．予定を専用のノートに記入して確認する，重要事項はICレコーダーに録音する，「やること(To Do)リスト」を活用するなどである．

導入に際しては，検査の成績だけでなく，スマートフォン，タブレット型PCなどのIT機器を病前から使っていたか，手帳やメモをとる習慣があるか，家族などの協力はどの程度期待できるのか，などの情報も収集し，導入の可否や導入の手続きについて検討する．

新たな手段の実用化には訓練室での指導だけではなく毎日の生活のなかで使用を定着させる練習が必要であり，周囲の人の見守りや協力が欠かせない．目標設定は，独力で使用できるようになるというよりは，手伝ってもらいながら一部を習慣化できるということにおく．MCIや軽度の新しい学習が可能な段階での導入が有用である．

3 認知症の重症度別・タイプ別の介入

認知症では，病期が進むにつれて症状が変化していくため，求められる介入法の種類も異なってくる．最も患者数の多いADを中心に重症度別の状態像と介入法について述べたあと，AD以外の主なタイプへ介入法のポイントについても述べる．

図11-7にADの病期と対応する重症度，各時期に出現しやすい症状，生活像を整理した．また，リハビリテーションの目標と具体的な介入方法の例および言語聴覚士の専門的介入について記載した．

a 重症度別の介入

1）健康〜前認知症(MCI)期の特徴と介入・対応方法

(1) 状態像

MMSEの得点でいえば25点前後より高い点数の段階である．健忘型MCIでは，記憶障害や遂行機能障害が出現し始める．記憶障害は年齢相応の記憶力の低下とは明らかに異なる特徴を示し，数日前のことを忘れていることに気づき，メモなどの工夫を用いようとしても，健常者ほど十分には使いこなせなくなる．また，日常生活においては，仕事上のミスが増える，調理に時間がかかる，料理のレパートリーが減る，初めての場所へ行けないということが起こり始める．

しかしながら，この段階では知的機能や記憶以外の認知機能は健常者と同程度に保たれている．記憶障害に関してもまったく新しいことを憶えられない，数分前のことを忘れてしまうということはまだ少なく，場所や時間の見当識も保たれている．

(2) 言語聴覚士の役割

この段階での言語聴覚士の役割は，診断に役立つ適切な評価を行うことと，評価結果に基づく介入である．神経心理学的検査の結果に基づき，介

病期	健康～前認知症期	発症初期	症状多発期	終末期
重症度	健忘型 MCI	軽度	中等度	重度～最重度
症状	記憶障害，遂行機能障害	日付の見当識障害や思考・判断の障害が加わる． 抑うつ，不安など．	場所の見当識障害，視空間認知の障害，失語・失行・失認などが加わる． 妄想，混乱，興奮，徘徊など．	多発していた症状はみられなくなり，有意味な発話は減少，やがて緘黙状態に． 感情表現は徐々に減少．
日常生活活動	仕事や趣味に支障が生じ始める．	仕事や趣味が継続困難になり，家事や金銭管理などに援助が必要になる．	日常生活の多くに援助が必要になる．	身体症状や合併症が多発し，臥床時間が増える．
リハビリテーションの目標	社会活動継続のための支援→ 機能の維持・拡大→ 残存機能の活用→			
介入方法	補助的手段・代替手段の適用→ 認知機能訓練→ 回想法→ 生活環境の整備→	RO→		
医療 介護保険 その他	かかりつけ医　⇔　専門医（認知症疾患医療センターなど） 通所リハビリ（デイケア） 成年後見制度 当事者の会	グループホーム 家族の会	訪問介護 訪問リハビリ　ショートステイ 通所介護　介護老人保健施設（デイサービス） 介護老人福祉施設（特別養護老人ホーム）	
言語聴覚士の介入				
高次脳機能の評価	評価に基づく指導・助言 認知機能訓練の実施 代替・補助手段の提供			
活動・ケアへの応用	評価結果の活動・ケアへの応用 コミュニケーション技術の提供			
摂食・嚥下障害への対応			評価に基づく指導・助言	

図 11-7　AD の病期（重症度）と言語聴覚士の介入

RO：リアリティ・オリエンテーション

入のターゲットとなる認知領域と介入方法を決める．具体的には，職務上や日常生活上において最低限必要な事柄を徹底して憶えるといった領域特異的な記憶訓練や，メモなどの代替手段の使用方法の獲得に向けた認知リハビリテーションの手法を用いた訓練などの適用が考えられる．Baylesら[24]は，言語病理学者の立場から神経心理学的評価に基づくMCIや軽度患者への直接的・間接的介入法について詳細に紹介している．

スマートフォン，タブレット型PCなどを使い慣れている患者の場合は，アラーム，メモ，写真，メッセージなどの機能を使う練習をこの時期に十分しておくと手続き記憶として定着し，疾患が進行した場合でもある程度まで使い続けられる．

2）発症初期（軽度）の特徴と介入方法

(1) 状態像

MMSEの得点でいえばおおよそ20点前後の段階である．軽度ADの場合は，記憶障害や遂行機能障害に加え，日付の見当識障害が生じ，さらに思考や判断など知的機能の低下も始まる．記憶障害はさらに重篤となり，数分前のことさえ忘れ，約束を間違えるということも生じるようになる．もの忘れについての自覚が乏しくなることも特徴である．加えて生活面では，交通機関の利用や金銭管理などにも問題は広がり，仕事や趣味の活動を継続するのは困難となり，次第に周囲の手助けなしには生活ができなくなると考えられる．

(2) 言語聴覚士の役割

新たな学習はかなり困難になるため，認知機能訓練の効果は期待できない．しかしメモや買い物リストなどの代替手段の活用はまだ可能であり，これらを工夫して用いることにより，簡単な買い物などは継続できる場合がある．単身や夫婦2人世帯での生活は困難となってくるので，この段階でデイサービスやグループホームの利用を検討する必要が出てくる．

3）症状多発期（中等度）の特徴と介入方法

(1) 状態像

MMSEの得点でいえば10点前後の段階である．中等度ADでは，種々の高次脳機能障害が生じるとともに，徘徊や妄想などのBPSDも出現しやすく，最も介護が困難な時期である．新しい事柄の学習はきわめて困難となるため，新たな代替・補助的手段などの導入も難しい．日常生活では，料理や金銭管理，買い物などは1人ではできなくなってくる．

しかし，長年続けてきた習慣的な家事は，少し見守りや援助があればまだ行うこともできる．そこで，これらの活動を部分的であっても継続できるような環境整備を行う．また，昼夜逆転を防ぎ，生活リズムを整えるように，デイサービスなどを積極的に利用して日中の活動を促すことも重要である．

(2) 言語聴覚士の役割

この時期には，指示が通らない，意思の確認ができないといったことが，家族や介護担当者の悩みとなる．言語聴覚士には，コミュニケーション障害の原因を明らかにし，適切な対応法や代替手段を提案することが求められる．対応法としては，抽象的な表現を避け，会話中にキーワードや絵，写真，実物など具体物を提示しながら簡潔な文で話す（重文や複文を使用しない）のがよい．また，「さっき言った」とか，「前にやった」などという表現は記憶障害がある患者の混乱を招くので，会話の内容のスパンは短く，現前のこと，これからすぐあとにやることについて話すようにする．本人の意思を引き出す場合は，はい–いいえで答えられる形式や1/2選択で答えられる質問を用いる．

4）終末期（重度～最重度）の特徴と介入方法

(1) 状態像

MMSEの得点でいえば1桁ないし施行不能の段階である．重度～最重度になると，もはや特徴的な高次脳機能障害はみられなくなる．また身体症状や合併症により臥床時間が長くなり，やがて寝たきりとなって肺炎などで死に至る時期である．感情表現も減り，快･不快の表出のみになる．

デイサービスやショートステイは利用可能ではあるものの，食事，排泄，入浴の介護を受けるのみでアクティビティへの参加は困難となる．対応は生活全般における介護や医療的管理が中心となる時期である．

(2) 言語聴覚士の役割

この時期の言語聴覚士の役割は，摂食嚥下機能面への働きかけの比重が高くなる．AD患者では食事動作は全介助になっても食べる機能そのものは比較的末期まで保たれる例が多い．食事場面の観察評価を行い，安全な食形態や食事介助の方法を提案して誤嚥性肺炎の防止に努める．一方，コミュニケーション面についての介入は限定的となる．表出は叫声や独語に限られ，簡単な会話の理解も困難になる．表情や行動の観察から，本人の意思や体調の変化を読み取り，関係職種間で共有していく．

b AD以外の認知症への介入法

1) 前頭側頭型認知症(FTD)

①常同行動を活かす：**FTD**でみられる**常同行動**を逆手にとった**“ルーティン化療法”**[25]と呼ばれるユニークな介入法がある．毎日同じ時間に同じ活動を行うという特徴を活かし，日課を固定したところ自発的に行動を開始し，長時間集中できたという報告がある．

また，入ってきた刺激に即座に反応してしまう**被刺激性の亢進**を利用し，リハビリテーションで使用する道具や材料を目につくところに並べておくと作業への導入が容易になったという報告もある．

②原発性進行性失語：前頭側頭葉変性症(FTLD)のなかには，行動面の障害が前景に出るFTDのほかに，PPAのうち非流暢/失文法型または意味型(意味性認知症)の症状を伴うタイプもある．初期にはPPAであっても次第に行動面の障害が出現してFTDに移行していく例もあるので，適宜言語機能の評価も実施し，コミュニケーション面への介入も行う．

③食行動の異常への対応：FTD患者では早期から食欲の亢進と嗜好の変化が高頻度でみられることが知られている．濃い味つけ，甘い味つけを好むようになる．また同じものを大量に購入したり，万引きや盗食をしたりということもある．糖尿病などの健康上のリスクにもつながるこのような症状は，広い意味での摂食・嚥下障害にあたり，言語聴覚療法の対象となる．行動パターンを把握・分析し，問題となる行動を未然に防ぐための環境調整や家族への指導を行う．

2) レビー小体型認知症(DLB)

DLBをターゲットにした介入の報告例はまだ少ないが，覚醒度や注意障害による生活上のリスクを取り除くことや幻視についての説明や対処法など介護者への説明が大切であると考えられる．また**パーキンソニズム**が出現することから，**運動低下性構音障害**の症状による発話面の障害，歩行障害などの運動障害への対応が求められる．

3) 血管性認知症(VaD)

失語症や運動障害性構音障害，摂食嚥下障害を伴うことが多く，言語聴覚療法の対象になりやすい．病巣によりさまざまな高次脳機能障害が出現するため，それぞれの障害に応じた介入が求められる．また感情失禁や意欲の低下などへの配慮も必要である．VaDは生活習慣病の管理や投薬により再発を予防することが可能であり，残存機能の維持・拡大が期待できる．しかしなかには多発梗塞性のように再発を繰り返すたびに徐々に新たな症状が加わり，認知機能の低下が進行していく場合もあるので，この場合は神経変性疾患によるタイプと同様に対応していく．

4 高次脳機能障害の評価結果の応用例

評価結果から導き出される専門的な視点は，ほかのスタッフや家族が行う介入に応用することが可能である．認知症者はできないことが増えていくストレスを日々感じている．そのなかで本人のできることを見つけること，また集団で同じ活動を行う場合でも個別に有効な手続きや介助の範囲や方法などを考案して適用することで，情緒面の安定やBPSDの予防にもつながる．

a 個別の特性に合わせた活動の選択と手続き

同じ材料を使った活動でも，個人の特性に合わせた目的や手続きを用いる．

- **貼り絵や塗り絵**：どこまでやったのか到達点がわかりやすいので，記憶障害があっても比較的導入しやすい課題である．しかし，数分前のことを忘れてしまうような重度の記憶障害がある対象者では，混乱してしまうため適用が難しい．また，視覚認知の障害，視空間障害が生じている人には不適切な課題である．
- **書道**：高齢者にとって幼少期より慣れ親しんだ活動である．しかし，手本，筆，紙などの複数の材料が目の前に並べられ，手順も複雑であるため，観念性失行のある高齢者などにとっては困難な課題となる．その場合には，紙と筆だけを用意し，長年書き慣れた自分の名前や住所を書くことをすすめてもよい．あるいは簡単な文字や絵を「なぞり描き」するなどであれば，比較的重症度が進んでも実施可能である．
- **歌唱**：重度失語症者でしばしばみられるように，認知症者でもわらべ歌や懐メロは，メロディを聴けば自然に歌詞が出てきやすい．歌詞カードなどを用いて正しい歌詞で歌うことを強要せず，音楽を聞いたり，リズムをとったりして楽しむことを優先させる．
- **音読**：ADでは言語の意味面の低下により，本や雑誌を読んで内容を理解することは徐々に困難になる．しかし比較的後期まで保たれる音韻面を活用することができる．意味理解を伴わないにしても仮名文字で書かれた文章の音読は可能である．またそれを聞いて，褒めてくれる対象がいるという場面を設定すれば，さらなる情緒面の安定への効果も期待できる．

b 手続き記憶を利用したアプローチ

手続き記憶はどのタイプの認知症でも比較的後期まで保たれる．ただし，新しい技術の導入は一般的に難しいので，本人が趣味や仕事で長く行ってきた活動を活かすとよい．たとえば調理は多くの女性が何かしらの役割をもてる．その他，大工仕事や畑での作業など作業療法士ら他職種と協力して1人ひとりの機能を活かすような役割を見つけ，参加を促すとよい．

手遊びやおはじき，お手玉などは，手続き記憶が保たれていれば比較的容易に導入できる活動である．また具体的な物品が目の前にあり，触る，つかむという動作が加わるので導入しやすい．本人が慣れ親しんだものであれば，重度になっても比較的保たれやすく，楽しむことができる．

グループ訓練などにおいて，毎回同じメンバーで同じプログラムを実施するのは，実施するほうにとっては抵抗があるかもしれないが，特に重度の患者ではこの“マンネリズム”がむしろ有用である．何をやったかは憶えていなくても“なじみの関係”がつくられ安心して参加できるようになる．大枠は変えることなく，少し季節感が感じられる材料を加えていくようにするとよい．簡単な体操・運動も毎回続けると潜在記憶として蓄積されて徐々に慣れ，上手にできるようになる．

c 環境調整

人的・物的環境の整備にも高次脳機能面の評価結果を活かしていく．家族や介護職員に評価結果を説明し，症状の理解を促し適切な対応方法を提案する．施設においては季節感のある飾りつけ，時計やカレンダーなどは見当識障害の改善に役立つ．その際，対象となる人に合わせた文字サイズや表記形態に留意する．

家庭においてはできるだけ住み慣れた環境を変えないようにすることが大切であるが，不要なものを整理して紛失や事故などのトラブルを防止する．また，できている活動を可能なかぎり維持できるようにするためにはどのようなサポートが必要か，家族から情報を得ながら指導を行う．

5 各種社会資源の利用と言語聴覚士の役割

地域包括ケアシステム（➡ Note 7）が導入され，認知症になっても「住み慣れた地域での自立した生活」が求められるようになってきた．言語聴覚士も医療機関以外の場で認知症者にかかわる機会が今後ますます増えることが予想される．認知症にかかわる各種の地域サービスについて熟知しておき，必要に応じて本人や家族に紹介できるようにしておきたい．

a 認知症の医療体制

認知症疾患医療センターは，かかりつけ医や地域包括支援センターと連携をとりながら，認知症の鑑別診断，BPSDや身体合併症，困難事例への対応，入院・救急医療，教育・研修などを行う．基幹型（総合病院など），地域型（単科の精神科病院など），検査や入院の機能はもたない診療型の3種がある．

もの忘れ外来，認知症外来，メモリークリニックなどの名称で認知症に対応する外来が多数ある．各種画像検査，神経心理検査などを用いた鑑別診断を行う精神科，脳神経内科などの専門医からスクリーニング検査のみのところまでさまざまである．そのほか精神科病院にはBPSDの症状が著しい患者を受け入れる**重度認知症治療病棟**や重度認知症デイケアがある．

b 介護保険のサービス

介護保険では，身体機能が自立した軽度患者が受けられるサービスは少ないが，通所リハビリテーション（デイケア）や通所介護（デイサービス）を利用した機能維持・改善が期待できる．最近は若年性認知症の人に特化したデイサービスも設立されてきている．認知症対応型共同生活介護（グループホーム）は，5～9人の認知症者が家庭的な雰囲気のなかで家事などを分担して共同生活を行うサービスであり，より個別的なかかわりができる．

c 当事者団体など

当事者団体として，**一般社団法人認知症の人と家族の会**（日本アルツハイマー協会）や一般社団法人日本認知症本人ワーキンググループがある．また若年性認知者のための「彩星（ほし）の会」などもある．また本人，家族，その他の人たちが集える場所作りの場としての「**認知症カフェ**」や，一般の人たちに認知症に関する正しい知識をもってもらい地域で理解と支援を広げる「**認知症サポーター**」の養成も進んでいる．

d 成年後見制度

なお最近は高齢者をターゲットにした詐欺事件が多発しているため，**成年後見制度**の利用が増えている．成年後見制度は，判断能力の低下している高齢者の代わりに（高齢者を手伝って）財産の維

Note 7. 地域包括ケアシステム

地域包括ケアシステムとは，要介護状態となっても，住み慣れた地域で自分らしい生活を人生の最後まで続けることができるように住まい・医療・介護・予防・生活支援が一体的に提供される体制のことをいう．いわゆる団塊の世代が75歳以上の後期高齢者となる2025年を目途に，市町村や都道府県などが中心となり，地域の自主性や主体性に基づき，地域の特性に応じてサービス体制を構築していくことが目標とされる[31]．認知症サポーターの養成や認知症初期集中支援チーム，認知症カフェなどの認知症者のための既存の組織・サービスの充実化をはかることも，このシステムを構築するうえでの重点課題の1つにあげられている．

持・管理を行う制度である．法定後見と任意後見があり，前者には本人の判断力の程度に合わせて，後見，補佐，補助の三段階がある．後見人には親族のほか，弁護士や社会福祉協議会がなる場合もある．

6 認知症予防の試み

2019年に公表された国の認知症施策の指針にあたる「**認知症施策推進大綱**」には，「予防」が基本的考えとして明記されている．ただしここで取り上げられている**認知症予防**は「認知症にならない/認知症の進行を緩やかにさせる」という意味で用いられるものである．

「認知症予防」は，介護保険では要支援1，2に該当する人が対象となる予防給付，非該当になったものの認知症の発症のリスクが高い人のために市区町村が行っている介護予防事業などにおいて行われている．

リハビリテーションの領域でも認知症に対する予防的介入が試みられている．最近では，**認知予備能** cognitive reserve（CR）という考え方が採用され，認知症予防の根拠として用いられている（➡ Note 8）．ただし現段階では，栄養と運動は疫学的に予防効果が期待できるものとして認められつつあるが，その他の活動の有効性についてはまだ十分検証されてはいない．また，介入の技法や効果判定の方法についても試行錯誤が続けられている段階である．

Note 8. 認知症予防と認知予備能

近年，高齢になって亡くなった人の剖検において，脳内に明らかなADの所見がみられたにもかかわらず，生前認知症の症状を示さなかった例が多数報告されるようになった．このことから大脳には脳の病理学的変化の認知機能への影響を軽減させるような力があるのではないかという仮説が出てきた．これを認知予備能 cognitive reserve（CR）と呼ぶ．CRは高齢期に至る前の大脳への刺激によって神経ネットワークや神経シナプス数が増加し，それが認知機能の低下を防ぐという考え方であり，若年期の脳のトレーニングの有効性について述べられたものである．最近では高齢者を対象とした認知症予防のための各種プログラムがCRを維持したり，向上させたりする効果があるのではないか，ということで期待が高まっている．

D 認知症の事例

中等度AD，70歳代，女性．

数年にわたり，もの忘れ外来での評価と指導を実施した事例をもとに神経心理学的検査の結果と日常生活上の問題および言語聴覚士の介入について具体的に紹介する（表11-14）に初診時から6年後までの検査結果を，図11-8に3年後と5年後の構成課題の結果を示した．

夫と10年前に死別し，その後，娘家族と同居．外で働く娘に代わり，家事一切を切り盛りしていた．数年前よりもの忘れが目立つようになり，約束を忘れたり，薬を飲み忘れたりすることが増えた．また料理のレパートリーが減って同じおかずを何日も作ったり，洗濯機の使い方を間違えたりするようになった．心配した娘に連れられて受診した．

スクリーニング検査に続けて記憶，遂行機能を中心とした掘り下げ検査（MCIS）[26, 27]を実施した．IADL，ADLについては娘から聴取した．

a 初診時

〔評価結果〕見当識は，時間については日にちなど細部を誤る．場所については保たれていた．重篤なエピソード記憶の障害を認め，遅延再生を促しても検査を実施した事実を想起することもできなかったが，単語の再認は比較的良好であった．その他，軽度の遂行機能の障害があったが，ROCFTの模写は可能で，視空間・視覚認知機能に問題はなく，行為，知的機能も比較的保たれていた．会話では「あれ，それ」が増え，記憶障害の影響で内

表 11-14　事例：中等度アルツハイマー型認知症(70歳代，女性)の経過

	MCIS		初診時	3年後	5年後	6年後
	HDS-R [30] MMSE [30] RCPM [36]		20 19 30	12 17 13	6 10 3	5 10 実施不能
記憶	数唱	順唱・逆唱	5桁・3桁	5桁・4桁	5桁・3桁	6桁・2桁
	10単語 [10]	学習 遅延再生 遅延再認 [10]	2-3-3-2-2 0 7	1-2-3-4-2 0 4	1-1-1-0-1 0 1	実施不能
	物語 [15]	直後→遅延	5→0	2→0	2→0	実施不能
	ROCFT [36]	模写→直後→遅延	36→8→2.5	20.5→中止→中止	7→中止→中止	実施不能
注意	TMT	A施行 B施行	183秒 245秒	323秒 中止	実施不能	実施不能
	Stroopテスト	色名呼称 漢字不一致	20秒 29秒	35秒 34秒	57秒 中止	実施不能
一般知能	NM[50] N-ADL[50]		41 50	33 49	33 46	27 46

MCIS：Mild Cognitive Impairment Screen

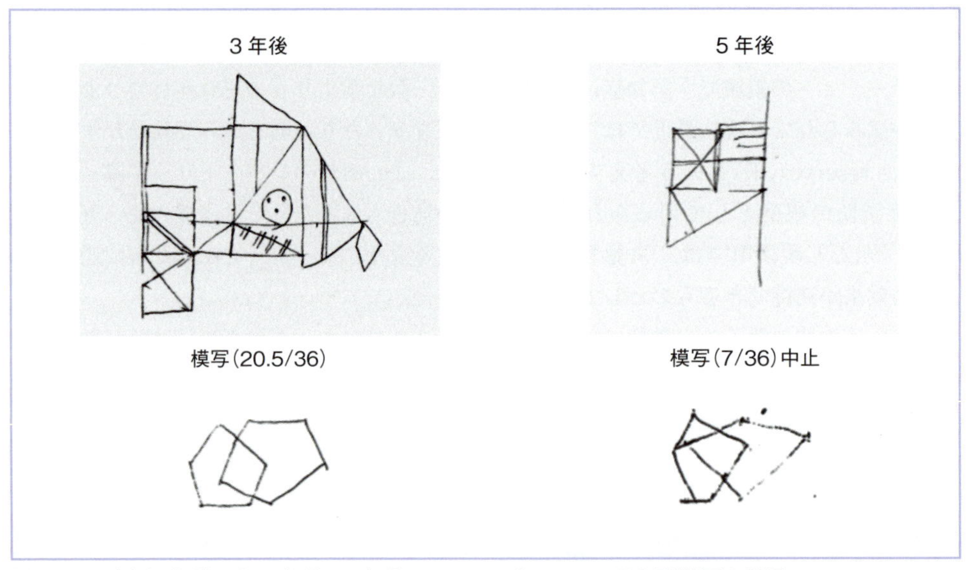

図 11-8　事例の初診から3年目，5年目のROCFTとMMSE五角形模写の結果

容の誤りはあるものの，コミュニケーション上の大きな支障はなかった．基本的ADLはほぼ保たれていたが，IADLについて食事の準備や服薬管理が自力では困難であった．家族の話では財布や診察券をしまい忘れて探し出せなくなり，「誰かが盗った」というようなもの盗られ妄想様の発言もあった．

〔本人・家族への指導〕重度の記憶障害については，メモやアラーム機能などを単独で活用することは困難であったが，家族の協力を促し，スマートフォンで服薬時間や夕食の支度の時間にアラームと文字が出るように設定してもらった．

また再認が保たれていることを活用して，会話の際には選択肢を示して想起を促しながらコミュニケーションをとる方法を家族にアドバイスした．加えて個人回想法の要素を取り入れ，アルバムから抜粋した本人の写真や思い出の品を1冊のファイルにまとめて一緒にみる時間を設けてもらった．

記憶以外の機能は概ね保たれており，簡単な料理や片づけなどの家事は可能であったので，危険がないことを家族が見守り，一部手伝いながら継続してもらった．また機能維持やコミュニケーションの機会の確保のためデイサービスの利用を提案し，介護保険の申請方法についてもアドバイスした．

b 3年後

〔評価結果〕日付は季節のみ何とか正答できたが，それ以外は誤る．場所は「病院」と答えられる程度であった．記憶障害はさらに重篤になり，再認も不確実になった．構成障害が顕著になり，初診時には可能であったROCFTの模写は困難となった．しかしMMSEの五角形の模写はかろうじて可能であった．注意・遂行機能もさらに低下し，TMT-Bは実施方法が理解できず中止に，Stroopテストは実施できたが誤りが増え，所要時間の延長がみられた．知的機能の低下も顕著となった．コミュニケーション態度は変わらず良好だが，自発話は減って，辻褄を合わせるようなうなずきや短い返答のみであった．IADLは家族と一緒に買い物に行ったり，料理の一部を手伝ったりということは可能であったが，独立して行える活動はなくなった．食事は整えてもらえば自力摂取が可能，入浴では順序がわからなくなってしまうため，声かけと一部介助が必要となった．排泄や起居動作には問題がなかった．近所へ出かけていって道に迷って帰れなくなることが何度かあったため，家族の見守りが欠かせなくなった．

〔本人・家族への指導〕抽象的な物事の判断は難しくなったが，視覚認知機能は保たれており，実物が目の前にあれば選択することは可能であった．それを活かして買い物に行って品物を選ぶ，レシピ集の写真を見ながら献立を一緒に考えるということを続けてもらった．写真ファイルは自発的にみることは減ったが家族が声をかけながら一緒に眺める際には，楽しそうに集中して見ることができた．料理の全工程を行うのは難しくなったが，切ったりかきまぜたりといった簡単な調理は安全に継続してもらうようにして機能維持を促した．検査の結果と経過はケアマネジャーを通してデイサービスの言語聴覚士にも引き継いだ．

c 5年後

記憶，遂行機能，視空間障害，複数の高次脳機能障害のために実施できる検査はほとんどなくなった．新たな学習はほぼ困難で，スクリーニング検査でも復唱課題が何とかできる以外は困難であった．ROCFTの模写は描き始めるも完成せず，以前は描けていた五角形も形態の崩れがみられた．受診時の態度は変わらず良好で，にこやかに対応するが自発話は減少し，会話時の反応もうなずき程度であった．ADLについては，入浴は1人では困難になり，トイレでの排泄も間に合わなかったり，後処理が不十分だったりするようになった．家族からは夜中に大声を上げたり起きて歩き回ったりして日中はうとうとしている日が増えたという訴えがあった．食事は自力摂取できていたが，手づかみで食べる，一口量が多すぎてむせるなど，見守りと声かけが欠かせなくなった．

〔本人・家族への指導〕できないことが増えたが，歩行や食事動作は可能であった．昼夜逆転を起こさないこと，運動機能維持，五感への刺激や会話による認知機能の維持を目的として引き続き散歩や買い物には一緒に行くこと，デイサービスの継続利用をすすめた．また自発話は減っていても簡単な応答は可能であったので，はい-いいえで答えられるような質問形式の活用を指導した．併せて介護量が増えて疲弊している家族のストレス軽減のためにショートステイの利用を提案した．

本事例では家族が積極的であり，また介護に使う時間も確保できたのでこのような取り組みを提案し，診察の際に状況を聞きながら微調整を行っていった．できないことが徐々に増えていったものの，定期的な評価と生活全般へのアドバイスがあったこと，介護保険などの社会的資源を早期から活用できたことにより，本人も家族も比較的安定した生活を数年間送ることができたと考える．

引用文献

1）福田一彦，小林重雄：自己評価式抑うつ性尺度の研究．精神経誌 75：673-679，1973
2）島悟，鹿野達男，北村俊則，他：新しい抑うつ性自己評価尺度について．精神医学 27：717-723，1985
3）植田恵，高山豊，小山美恵，他：MCI・軽度 AD 検出のための検査バッテリー；Mild Cognitive Impairment Screen（MCIS）の 17 年間における検査成績の検討．神経心理 25：298，2009
4）Morris JC：The Clinical Dementia Rating（CDR）；Current version and scoring rules. Neurology 43：2412-2414, 1993
〔目黒謙一：痴呆の臨床—CDR 判定用ワークシート解説．p104，医学書院，2004〕
5）Reisberg B：Functional staging of dementia of Alzheimer type. Ann N Y Acad Sci 435：481-483, 1984
6）小林敏子，播口之朗，西村健，他：行動観察による痴呆患者の精神状態評価尺度（NM スケール）および日常生活動作能力評価尺度（N-ADL）の作成．臨精医 17：1653-1668，1988
7）植田恵，高山豊，小山美恵，他：ごく軽度アルツハイマー病および MCI における手段的日常生活活動の低下の特徴—もの忘れ外来問診表への回答の分析．老年社会科学 29：506-515，2007
8）Lawton MP, Brody EM：Assessment of older people；Self-maintaining and instrumental activities of daily living. Gerontologist 9：179-186, 1969
9）古谷野亘，柴田博，中里克治，他：地域老人における活動能力の測定—老研式活動能力指標の開発．日公衛誌 34：109-114，1987
10）岩佐一，吉田祐子，稲垣宏樹，他：地域高齢者における新たな生活機能指標の開発　JST 版活動能力指標の測定不変性ならびに標準値．厚生の指標 65：1-7，2018
11）朝田隆，本間昭，木村通宏，他：日本語版 BEHAVE-AD の信頼性について．老年精医誌 10：825-834，1999
12）博野信次：日本語版 Neuropsychiatric Inventory —痴呆の精神症状評価法の有用性の検討．脳と神経 49：266-271，1997
13）O'Bryant SE, Humphreys JD, Smith GE, et al：Detecting Dementia With the Mini-Mental State Examination in Highly Educated Individuals. Arch Neurol 65：963-937, 2008
14）鈴木宏幸，藤原佳典：Montreal Cognitive Assessment（MoCA）の日本語版作成とその有効性について．老年精医誌 21：198-202，2010
15）鈴木宏幸（作成），藤原佳典（監修）：日本語版 MoCA（MoCA-J）教示マニュアル〔https://www.mocatest.org/pdf_files/instructions/MoCA-Instructions-Japanese_2010.pdf（2020. 7. 4 アクセス）〕
16）Takenoshita S, Terada S, Yoshida H, et al：Validation of Addenbrooke's Cognitive Examination III for detecting mild cognitive impairment and dementia in Japan. BMC Geriatrics 19：123, 2019
17）岡山大学 精神神経病態学教室 老年精神疾患研究グループ：ACE-Ⅲ〔https://sites.google.com/site/okayamaneuropsy5/ace-iii（2020. 7. 4 アクセス）〕
18）高山敏樹，高山豊，柴田展人，他：日本語版 Cognistat Five 作成に係る信頼性，妥当性および有用性の検討．老年精医誌 30：785-793，2019
19）新名理恵，本間昭，須貝佑一，他：SIB 日本語版および改訂 ADCS-ADL 日本語版の信頼性・妥当性・臨床的有用性の検討．老年精医誌 16：683-691，2005
20）田中寛之，植松正保，永田優馬，他：重度認知症者のための認知機能検査　Severe Cognitive Impairment Rating Scale 日本語版の臨床的有用性の検討．老年精医誌 24：1037-1046，2013
21）水野裕：認知症ケアに携わるすべての人のために—パーソンセンタードケアの理念．看護学雑誌 69：1212-1217，2005
22）山中克夫，河野禎之（日本版著）：認知症の人のための認知活性化療法マニュアル—エビデンスのある楽しい活動プログラム，中央法規出版，2015
23）Butler RN：The life review：An interpretation of reminiscence in the aged. Psychiatry 26：65-76, 1963
24）Bayles K, McCullough K, Tomoeda C：Cognitive-communication disorders of MCI and dementia；definition, assessment, and clinical management（3rd ed）. Plural Publishing Inc, 2020
25）繁信和恵，池田学：前頭側頭葉変性症のケア．老年精医誌 16：1120-1126，2005.
26）植田恵，高山豊，笹沼澄子：早期アルツハイマー型痴呆疑い患者における記憶障害—エピソード記憶検査の結果を中心として．神経心理 12：178-186，1996
27）Takayama Y：A delayed recall battery as a sensitive screening for mild cognitive impairment：follow-up study of memory clinic patients after 10 years. J Med Dent Sci 57：177-184, 2010
28）植田恵：臨床データの解釈．藤田郁代（監修），深浦順一，植田恵（編）：標準言語聴覚障害学—言語聴覚療法評価・診断学．pp15-21，医学書院，2020
29）Bourgeois MS：Memory books and other graphic cuing systems；Practical communication and memory aids for adults with dementia. Health Professions Press，2007
30）三村将，飯干紀代子（編著）：認知症のコミュニケーション障害，その評価と支援．医歯薬出版，2013
31）厚生労働省老健局：持続可能な介護保険制度及び地域包括ケアシステムのあり方に関する調査研究事業報告書．2013

第12章

脳外傷による高次脳機能障害

学修の到達目標

- 脳外傷を説明できる.
- 脳外傷による高次脳機能障害の種類，症状，病巣を説明できる.
- 脳外傷による高次脳機能障害の訓練，指導，支援の原則を説明できる.
- 言語聴覚士として脳外傷による高次脳機能障害にどのように介入するのかを説明できる.

エピソードと臨床的推論の視点

Aさん(30歳代，男性)は，付き添いの妻とともに，言語聴覚療法室に入室し，言語聴覚士と机を挟んで着座した．意識清明で運動障害は認められず，入室や着座の動作に問題はなかった．言語聴覚士の挨拶に応じ，そのまま初回面接が開始された．氏名，住所など，自身に関する情報にはよどみなく応答したが，今日の通院後の予定を尋ねると「昼食を食べる」，今週の予定について問うと「役所に行く」というような，最低限の受け答えであり，まとまった内容の発話には至らないことが言語聴覚士には気になった．スクリーニング検査を実施したところ，失語，失行，失認を疑わせる所見はなかったが，連続7減算で低下を示した．妻に自宅での様子を伺うと，ゲームやインターネットに興じて，ほかに何もしようとしないとのことであった．初回面接前に確認していた，脳外傷受傷後の脳CTでは，前頭葉の脳損傷が認められていた．翌週以降の言語聴覚療法において，まず，注意に関する検査を実施したところ，分配性注意の低下が明らかとなった．

以上から，言語聴覚士は脳外傷による高次脳機能障害として注意障害があると推測し，それ以外の高次脳機能障害について検査を行う必要を感じた．

A 脳外傷とは

脳外傷 brain injury とは，その名のとおり，脳が外傷を被ることである．多くの場合は外傷を受けた組織は非可逆的な器質的損傷を受けることになる．外傷性脳損傷 traumatic brain injury(TBI)も同義であるが，本章においては，脳外傷という名称を用いることとする．頭部外傷 head injury という用語も，脳外傷・外傷性脳損傷と同義に使用されることもあるが，こちらは，脳実質の損傷を含まないような場合(たとえば，頭蓋骨骨折)を含むこともある．

脳外傷においては，脳が器質的な損傷を受けるため，その結果として，損傷を受けた脳部位の機能に対応する形で，さまざまな神経学的・神経心理学的障害が引き起こされる．つまり，脳外傷は，本書の他章で扱われているさまざまな高次脳機能障害の原因疾患の1つである．しかし，脳外傷による高次脳機能障害は，その発症メカニズムにより，脳血管障害とは異なる独特の病態像を示すことがある．

脳損傷の原因疾患として最も割合が高いのは脳血管障害であるが，東京都の調査によれば，高次脳機能障害者のうち，30歳以上では脳外傷に比べて脳血管障害を原因疾患とする者が多いが，30歳未満ではこの割合が逆転し，脳血管障害に比べて脳外傷のほうが割合が高いことが報告されている[1]．このように，脳外傷は若年者の高次脳機能障害の発生原因として代表的であることが特徴の1つであるが，40歳未満の患者は介護保険サービスを受けることができず，自治体の実施する社会福祉サービスの利用が求められるため，こうしたサービスに対する理解も必要である．また，復学・復職といった参加面の支援の重要性も増大する．以上のことから，脳外傷による高次脳機能障害に対するリハビリテーションは，原因疾患が脳血管障害である場合とは異なる対応が求められる場合がある．

B 脳外傷の病態

脳は頭蓋骨や脳脊髄液による保護を受けている

が，これらの保護力を超えるような強い衝撃を頭部に受けた際に，脳実質が損傷され，これを一次的脳損傷と呼ぶ．一次的脳損傷は，その後に，脳虚血や脳浮腫などを生じさせることもあり，これが二次的脳損傷を招くこともある．

一次的脳損傷においては，衝撃を受けた部分の脳実質が損傷されるが，さらに，衝撃により，脳全体が慣性により揺り動かされ，その結果，衝撃を直接受けた部位とは異なる脳実質が損傷されることもある(図 12-1)．たとえば，前頭部に強い衝撃を受けると，まず，脳が前方へと揺り動かされ，脳前頭部が頭蓋骨内部に圧迫されて脳実質の損傷を引き起こす．次に，前方へと揺り動かされた脳は，反動により，後方へと揺り動かされ，脳後頭部が頭蓋骨内部に圧迫され，脳実質の損傷を引き起こす．前者は同側損傷・直撃損傷 coup injury，後者は対側損傷・反衝損傷 contrecoup injury と呼ばれる．前島[2]によれば，一般には，殴打では直撃損傷が，墜落・転倒では反衝損傷が生じやすく，前方からの打撃では直撃損傷が，後方からの打撃では反衝損傷が生じやすいとされる[2]．また，脳外傷による一次的脳損傷として，前頭葉底面と側頭葉底面・先端に脳挫傷が生じやすいという指摘がある[3]．

こうした結果，脳外傷においては，後頭葉，前頭葉，側頭葉損傷の症状が同時生起するということがある．脳血管障害は，大脳皮質に関しては，前大脳動脈・中大脳動脈・後大脳動脈といった血管系単位で障害が発症するため，通常，後頭葉・前頭葉・側頭葉損傷の症状が同時生起することはない．一方で，脳外傷の病態の特殊性の1つは，脳血管系という単位を超えた形で脳損傷が生じ，さまざまな神経学的・神経心理学的症状が生起しうるということにある．

脳外傷を特徴付けるものとして，びまん性脳損傷 diffuse brain injuries，びまん性軸索損傷 diffuse axonal injury(DAI)がある．びまん性軸索損傷は，脳に衝撃が与えられた際に，回転加速度が生じ，これにより，神経線維の軸索部が損傷を受け，神経学的障害が生じるという病理学的概念である．Gennarelli は頭部外傷の分類を①頭蓋骨骨折，②脳実質の局所性損傷，③脳実質のびまん性損傷とし，さらに，びまん性脳損傷を軽症脳震盪，古典的脳震盪，びまん性軸索損傷に区分した(表 12-1)[5]．びまん性軸索損傷は，顕微鏡レベルでは損傷を見出すことが可能であるが，CT では必ずしも損傷が認められないことに注意が必要

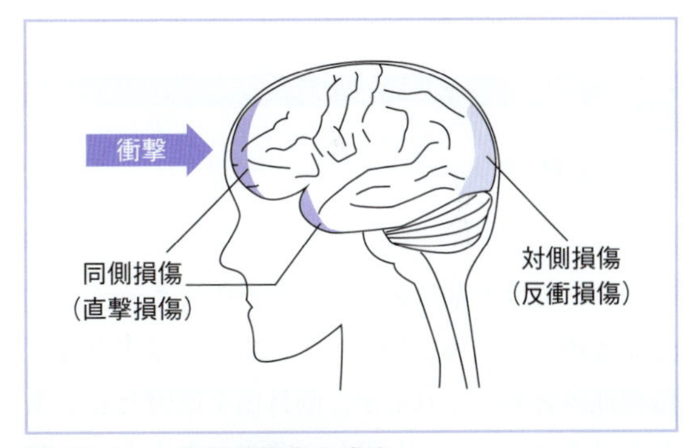

図 12-1 一次的脳損傷の成立

表 12-1 Gennarelli の頭部外傷の分類

頭蓋骨損傷			頭蓋骨骨折
頭蓋内または脳実質の局所性損傷(硬膜外血腫，硬膜下血腫，脳挫傷，脳内出血)			画像所見あり，または，局所神経症状ありの，頭蓋内・脳実質の局所性損傷
脳実質のびまん性損傷	軽症脳震盪		意識消失のない，一時的な意識障害
	古典的脳震盪		6 時間以内の意識消失
	びまん性軸索損傷	軽症型	6 時間以上 24 時間以内の意識消失
		中等症型	24 時間以上の意識消失だが脳幹症状なし
		重症型	24 時間以上の意識消失で，脳幹症状あり

〔Gennarelli TA：Emergency department management of head injuries. Emerg Med Clin North Am 2：749-760，1984〕

である．道免[6]によれば，びまん性軸索損傷は，大脳白質を中心に脳の広い範囲で断線が起きた状態であり，受傷直後から意識障害が強く，何か月も遷延する場合が多い一方で，長期にわたり徐々に改善が続く特徴的な経過をたどるとされる[6]．

脳外傷に限らず頭部外傷ではあるが，その原因についての頭部外傷データバンクの調査によれば，救急病院搬送時，Glasgow Coma Scale(GCS)が8点以下の重症例を対象とすると，1998〜2000年の調査では交通事故が最多であったが，2009〜2011年の調査では転倒・転落が交通事故を上回った．また，年齢別の重症頭部外傷発生頻度をみると，近年の調査では15〜29歳の若年者層での発生頻度が減少する一方で，60〜84歳の高齢者層での上昇が顕著となっている．転倒・転落による受傷は高齢者の頻度が高くなっていることも示されており，つまり，近年においては，交通事故による若年者の受傷よりも，転倒・転落による高齢者の受傷割合が増加傾向にあることが示されている．

C 症状

損傷を受けた部位の担う機能が障害されることとなるので，本書で扱われているさまざまな高次脳機能障害のいずれもが，脳外傷を原因として生じる可能性がある．しかし，前述したように，脳外傷による一次的脳損傷として，前頭葉と側頭葉底面・先端に脳挫傷が生じやすいことを反映し，脳外傷による高次脳機能障害として，記憶障害，注意障害，遂行機能障害が生じやすいといえる．また，過去の調査においては，社会行動障害(対人技能拙劣，依存性・退行，意欲・発動性の低下，固執性，感情コントロール低下)や，興奮・抑うつ状態が生じやすいことが報告されている[1,9]．

なお，原[10]は，急性期における意識障害の改善の後，亜急性期にはせん妄，さらに興奮性せん妄，挿話性脱衝動制御症候群 episodic dyscontrol syndrome を生じることがあり，さらに見当識障害，注意障害などの全般的な認知機能障害へと続くという傾向を指摘している[10]．挿話性脱衝動制御症候群とは，辺縁系を含む側頭葉内側面に損傷を受けた例において，誘因なく突然，激しい情動興奮，破壊行動が生じることがある症状を指すとされる[11]．

脳外傷により，高次脳機能障害を含め，多種多様な障害が出現するが，注意障害・遂行機能障害・意欲の低下といった前頭葉機能障害や，記憶障害といった側頭葉底部の障害が前景に出やすいというのが，脳外傷による高次脳機能障害の特徴像であり，その前段階として，急性期の意識障害，亜急性期のせん妄症状などが出現する．こうした諸症状の出現の解釈にあたって，ニューヨーク大学 Rusk 研究所で提案された神経心理ピラミッドが参考になる(➡図 13-1，271頁)[12]．これはさまざまな認知機能が階層性を有していることを示しているものであり，より底面にある機能が，上段の機能の基盤となることを表している．日常生活を送るうえで必要とされる問題解決には，論理的思考や遂行機能が十分に発揮されることが必要とされるが，注意障害や集中困難，記憶障害が，論理的思考や遂行機能の阻害要因となりうることが，この神経心理ピラミッドからは示唆されている．

D 評価・診断

1 事前の情報収集

初期評価に先立ち，事前にすべき医学面の情報収集として，現病歴の把握が重要である．一次的脳損傷に加えて，二次的脳損傷がある場合には，患者の病態は複雑なものとなる．現病歴を調査し，二次的脳損傷を有する場合には，その出現時

表 12-2 Japan Coma Scale (JCS)

Ⅲ桁：刺激しても覚醒しない	
300	まったく動かない
200	手足を少し動かしたり顔をしかめる(除脳硬直を含む)
100	払いのける動作をする
Ⅱ桁：刺激すると覚醒する	
30	かろうじて開眼する
20	痛み刺激で開眼する
10	呼びかけで容易に開眼する
Ⅰ桁：覚醒している	
3	名前，生年月日が言えない
2	見当識障害あり
1	清明とはいえない

R：不穏，I：糞尿失禁，A：自発性喪失

表 12-3 Glasgow Coma Scale (GCS)

E：開眼 eye opening	
4	自発的に開眼する
3	呼びかけで開眼する
2	痛み刺激を与えると開眼する
1	開眼しない
V：言語反応 verbal response	
5	見当識の保たれた会話
4	会話に混乱がある
3	混乱した発語のみ
2	理解不能の音声のみ
1	なし
T	気管挿管 / 気管切開
M：運動反応 best motor response	
6	命令に従う
5	合目的的な運動をする
4	逃避反応としての運動
3	異常な屈曲運動
2	伸展反応
1	まったく動かない

期や経過を把握することが，複雑な病態をひもとくうえでの大きな鍵となる．また，脳損傷の有無について，CT・MRI画像の読影を行うことが望ましい．びまん性軸索損傷は，Gennarelliの頭部外傷の分類においては，CTでは病巣が見出されていないにもかかわらず，神経症候(特に意識障害)が生じていることを説明する概念であるが，近年，MRIの技術発展により，磁化率強調画像susceptibility weighted image (SWI)が開発され，脳の微小出血の検出能が高まり，びまん性軸索損傷の同定が可能となってきており，今後の発展と普及が期待される．また，拡散強調画像diffusion weighted image (DWI)を応用した拡散テンソル画像diffusion tensor image (DTI)により，神経線維の状態を定量的に評価可能であり，今後，知見の蓄積が期待される．

2 検査

初期評価にあたっては，前述したように，広範かつ散在的に脳損傷を受けている可能性があるので，脳画像所見を念頭におきながらも，幅広い機能を網羅的に検討可能なスクリーニング検査を実施して障害を選別し，その後，詳細な鑑別診断検査を実施することが求められる．また，会話や生活場面での行動観察から高次脳機能障害の有無を選別することも重要である．なお，前述したように頭部外傷の分類においては意識障害の有無ならびに時間がもととなっているため，意識障害の指標に関する理解が求められる．わが国においては，Japan Coma Scale (JCS)，ならびにGlasgow Coma Scale (GCS)が頻用されている(表12-2, 3)．急性期においては，軽度ながらも意識障害を伴っていることが少なくないので，毎回の訓練開始時には，まずは，JCS，GCSによる意識状態の評価を行うべきである．

また，患者の全体像を把握するうえで，ランチョ認知機能レベル The Rancho Levels of Cognitive

表 12-4　ランチョ認知機能レベル(The Rancho Levels of Cognitive Functioning；RLOCF)

認知レベル		
Ⅰ	無反応	どのような刺激にも反応しない.
Ⅱ	一般的反応	感覚刺激に対し，不特定的な反応を示す(呼吸数の増加，血圧の上昇，うめき声，粗大な運動など).
Ⅲ	限定された反応	単純だが特定的な反応が生じ始める(音の方に向く，痛みから逃れようとする，周囲の動きに目を向ける). 遅延し，また，一貫性が欠如しながらも，簡単な指示に従う.
Ⅳ	混乱し，興奮	現在の出来事を理解し，注意を向けることに制限があり，混乱している. 注意の容量は小さい. 不適切であったり，落ち着きがなかったり，攻撃的であったり，気まぐれな行動を示す. 単純な身の回り行動を行うにも，最大限の介助を必要とする.
Ⅴ	混乱し，不適切だが，興奮状態ではない	覚醒し，単純な指示に反応するが，単純で慣れ親しんだ課題の遂行であっても，細かな援助が必要とされる.
Ⅵ	混乱しているが，適切	目標指向的な行動を呈する. 自己，家族，基本的欲求への認識が生じ始める. 非常に注意散漫で，新しい情報の学習に顕著な困難を示す.
Ⅶ	自動的だが，適切	毎日のようにしている行動であれば，日常生活活動を実行可能. 注意，記憶，問題解決といった認知機能の障害が，慣れていない状況や時々刻々と変化する状況下での安全な行動を阻害する. 安全な行動の達成に援助が必要とされる.
Ⅷ	合目的的で適切	過去や最近の出来事を想起し，統合することが可能. 記憶やストレス耐性，遂行機能の障害は残存しているが，新たな技能の学習が可能. 独力で代償的な方略の使用が可能. 自己能力の過剰評価・過小評価は残存する.

〔Hagen C, et al：Levels of cognitive functioning. Rehabilitation of the Head Injured Adult；Comprehensive Physical Management. Professional Staff Association of Rancho Los Amigos National Rehabilitation Center, 1979〕

Functioningが有用である(表 12-4). なお，家族・他職種からの情報提供により，高次脳機能障害を疑われる行動が示唆されることも少なくない.

スクリーニング検査において各種高次脳機能障害が選別された後には，その個々を詳細に検査する必要がある. その方法については，他章を参照されたいが，症状の項でも述べたように，脳外傷を原因とする高次脳機能障害は，記憶障害，注意障害，遂行機能障害，社会行動障害，行動と感情の障害などを呈する割合が比較的高いので，本項においても，これらの評価について簡単に述べておく.

記憶障害については，WMS-R ウェクスラー記憶検査[17]，日本版 RBMT リバーミード行動記憶検査 The Rivermead Behavioral Memory Test[18] などの鑑別診断検査を利用可能である. 逆向性健忘を呈することも多いので，その場合には，その時間的範囲の確認も必要とされる. 外傷後健忘 post-traumatic amnesia(PTA)は受傷後に経験した日常の出来事などの記憶の障害で，外傷後健忘の続く期間が予後予測に役立つとされる. この評価として，Galveston Orientation and Amnesia Test(GOAT，表 12-5)があり，覚醒後，GOAT で 75 点以下が 2 週間以上続くと長期予後が悪いとされる[19, 20]. 発症メカニズムの項で述べたよう

表 12-5 Galveston Orientation and Amnesia Test (GOAT)

Galveston 見当識・健忘検査(GOAT)

正しく答えられない時，( )内の点数を減点として右の欄に記入．
反応内容は，入院後に周囲から聞き知ったものでも，正しければ良い．

1. 氏名を言って下さい (姓名ともに言えなければ2点減点) ＿＿＿＿ □
   誕生日はいつですか (4) ＿＿＿＿
   どこにお住まいですか(市区町村名) (4) ＿＿＿＿
2. ここはどこですか：市区町村名 (5) ＿＿＿＿ □
   「病院にいる」と答える (5) ＿＿＿＿
3. いつこの病院に入院しましたか (5) ＿＿＿＿ □
   どうやってここに来ましたか (5) ＿＿＿＿
4. 事故にあってから，思い出せる最初の出来事は何ですか[1] (5) □
   ＿＿＿＿
   その出来事について，たとえば，日時やそばにいた人など詳しく述べてください (5)
   ＿＿＿＿
5. 事故にあう前で思い出せる最近の出来事について述べてください[2] (5) □
   ＿＿＿＿
   その出来事について，たとえば，日時や一緒にいた人など詳しく述べてください (5)
   ＿＿＿＿
6. 今，何時何分ですか (30分ずれる毎に1点減点，5点まで減点) □
7. 今日は何曜日ですか (1日ずれる毎に1点減点，3点まで減点) □
8. 今日は何日ですか (1日ずれる毎に1点減点，5点まで減点) □
9. 今，何月ですか (1か月ずれる毎に5点減点，15点まで減点) □
10. 今年は何年ですか (1年ずれる毎に10点減点，30点まで減点) □

合計減点数 □

GOAT 総得点(100－合計減点数) □

GOAT 総得点≦75のとき外傷後健忘が続いていると判断する．
[1]気がついたら病室にいたなど．[2]直前に車を運転していたなど．

〔石合純夫：高次脳機能障害学第2版．医歯薬出版，2012，p265，Galveston Orientation and Amnesia Test (GOAT)〕

に，脳外傷では前頭葉，側頭葉の先端部や底面部に損傷を受けやすいことを考えると，エピソード記憶のみならず，展望記憶や意味記憶に関する評価を取り入れることも検討すべきである．展望記憶は未来に起こす行動(つまり予定)に関する記憶であり，前頭葉が関与していることが知られている[21]．

展望記憶は遂行機能における計画の実行とのかかわりも強く，また，実生活への影響も強いため，この障害がある場合には，その後に行う訓練・指導で十分に対応する必要がある．展望記憶については，日本版 RBMT リバーミード行動記憶検査に検査項目が含まれているが，その他，適宜，工夫して評価する必要がある．意味記憶は意味性認知症研究から側頭葉前部とのかかわりが知られている．意味記憶の検査としては，Pyramids and Palm Trees Test[22] (➡ 309 頁)が有名であるが，わが国においては標準化されていない．語義の説明や，絵カードのカテゴリー分類課題などを工夫して評価する必要がある．

注意障害については，標準注意検査法 Clinical Assessment for Attention (CAT)[23,24]や Trail Making Test (TMT)[25]を利用可能である．評価に際しては，ワーキングメモリの障害という観点からも検討する必要がある．注意機能障害と併発しやすい前頭葉機能障害として，抑制の障害やセット(概念)の変換障害がある．抑制機能については，Stroop 検査[26]，新ストループ検査Ⅱ[27]を用いて評価する．セット（概念）の変換障害については，KWCST 慶應版ウィスコンシンカード分類検査[28]を用いて評価する．また，前頭葉機能全般のスクリーニング検査として，FAB（A frontal assessment battery at bedside）[29]を活用することも可能である．

遂行機能障害の評価については，遂行機能障害症候群 Behavioral Assessment of the Dysexecutive Syndrome（BADS）の行動評価日本版[30]を用いることが可能である．また，問題解決の観点から，ロンドンの塔（この亜型としてハノイの塔➡図8-7，164頁）を遂行機能障害の評価として用いることもある[31]．しかしながら，遂行機能障害が患者の行動にどのように反映しているかについては，患者の行動を観察して判断する必要がある．

社会行動障害・行動と感情の障害については，依存性・退行，意欲・発動性の低下，固執性，感情コントロール低下，興奮状態，意欲の障害，情動の障害と，多岐にわたる症候を，その内訳としてあげている．これらの症状は，定量的な評価を行うことが困難なものも多い．そのため，こうした症状が生起しうることを念頭におきながら患者と接し，記述的な評価を実施することが求められる．意欲については，標準意欲評価法 Clinical Assessment for Spontaneity（CAS）[23, 24]を用いて定量的な評価が可能である．固執性も，高次の保続との関連と考えると，セット（概念）の変換障害として，KWCST 慶應版ウィスコンシンカード分類検査[28]を用いることが参考となるであろう．また，前頭葉眼窩部損傷による社会行動障害を説明する理論として，ソマティック・マーカー somatic marker 仮説がある．これは，端的にいえば，情動的価値判断に基づく行動選択において前頭眼窩部が関与するという考え方であり，逆にいえば，前頭眼窩部損傷により，情動的価値判断に基づく適切な行動が困難となるということである．この評価として，ギャンブリング課題 Iowa gambling task がある[32]．

なお，知的機能の評価は実施すべきで，ウェクスラー成人知能検査（WAIS-Ⅲ成人知能検査）[33]を実施することが望ましい．

ここまで機能障害の検査について述べたが，活動面の評価として，Barthel Index[35]や FIM（functional independence measure）[36]による ADL の評価はもちろんであるが，FIM を基盤に，さらに認知，行動，コミュニケーション，社会的活動にわたる項目を追加した Functional Assessment Measure（FAM）[37, 38]の使用も有効である．FAM は FIM と同様に自立度を7段階評価し，項目として，嚥下，自動車移乗，輸送機関利用，読解，文章作成，会話明瞭性，感情，障害適応，雇用・家事・学業，見当識，注意，安全確認が設けられており，FIM では評価できない認知機能障害が ADL に影響を与えている症例に対する有効性が示唆されている．また，脳外傷を対象とした覚醒，ADL，心理社会的適応の総合尺度として Disability Rating Scale（DRS）が[39, 40]，脳外傷者の社会参加の状況を評価する尺度として Community Integration Questionnaire（CIQ）がある[40, 41]．

3　評価

得られた情報や検査結果を統合して評価を行うが，ここで参考になるのは国際生活機能分類 ICF[34]である．機能障害のみならず，活動，参加，そして背景因子について，情報を整理することが肝要である．前述したように，近年は，高齢者の転倒・転落による受傷が比率的に増加傾向にあるとはいえ，やはり，若年者の受傷者も一定程度みられる．若年者においては，より，復職や復学に代表される社会参加にかかわる問題が大きくなる．また，40歳未満の場合には介護保険サービスを受けることができないため，利用可能な社会福祉サービスといった制度面についても情報収集が必要である．

なお家事や金銭管理といった手段的日常生活活動 IADL，生活関連動作 APDL は，入院患者の場合，実際場面に基づく評価に制限があることも多い．機能状態，環境因子に基づき，活動や参加がどの程度可能かについては，臨床家が予測的に判断を行わざるをえない場合もあることに注意が必要である．入院中のADLについて高次脳機能障害の支障は少なくとも，退院後の社会参加に際して，高次脳機能障害が原因による不適応や問題が顕在化することがある．そうした事態を避けるために，軽度であっても，検査によって高次脳機能障害が認められた場合には，退院後や社会復帰後に求められる役割や，それを全うするための技能について情報収集し，本人の機能状態と照らし合わせて支援を計画する必要がある．

4 評価における留意点

注意すべきは，まず，急性期・亜急性期においては，JCS 1桁レベルの軽度の意識障害や，せん妄状態といった一過性の症状である場合と，永続的に残存する高次脳機能障害を有しているかについて，判別しにくい場合があることである．こうした場合には，継続的な関与を行うか，定期的なフォローアップを行い，症状が消失するかどうかを見極めることが大切である．

また，症状の項で述べたような，脳外傷に伴いやすい高次脳機能障害は，一見しただけでは明らかでないことも多いことにも注意が必要である．急性期・亜急性期におけるベッドサイド評価で，意識障害は消失し，会話も可能で，高次脳機能についてはスクリーニング検査で問題ないか，わずかに低下している程度の患者がいたとする．発症初期は，治療上の必要から行動範囲は制限され，また，ADLについても介助や監視から開始されることが多いが，そうした場面では，関わる者も，それほどの違和感をもたず，言語聴覚療法も検査のみで終了となることがありうる．しかし，その後，介助量が軽減し，また，病棟内の生活においても自立度が高まってくると，リハビリテーションの時間や約束事を守れない，行動が緩慢/注意散漫だったり，退院後の生活について現実的でなかったりといった行動上の問題が顕在化し，高次脳機能障害が明らかとなってくる場合がある．ここで，改めて，高次脳機能障害であることが疑われ，言語聴覚士を含むリハビリテーションの関与が再開されればよいが，場合によっては，リハビリテーションが関与する機会を得られないまま，そのまま退院となってしまい，社会復帰後，大きな問題を抱えるような場合もある．こうしたことを防ぐには，医師，看護師をはじめとする関連スタッフに対して，高次脳機能障害の啓発を行い，高次脳機能障害を疑わせる行動が認められた場合には，言語聴覚士に情報が提供される体制を構築する必要がある．

評価においては検査・診断のみでなく，訓練・指導・支援の目標・計画を立案することになるが，その際，機能的な予後予測とともに，活動・参加の状態についても見通しを立てる必要がある．ここで，患者および家族と，医療従事者との間で乖離が生じやすいことに留意すべきである．患者および家族は，元通りになることを望んでいるが，それが困難との見通しを医療従事者側がもたざるをえない場面がある．その際，将来の見通しや，リハビリテーションの目標設定について，どのように患者・家族と共有するかについては，患者側の障害受容の程度を勘案し，慎重に対応すべきである．

5 軽度外傷性脳損傷

前述したように，CT・MRIなどの脳画像において異常所見が認められないが，高次脳機能障害を有する場合がある．こうした，画像診断と高次脳機能障害の診断にかかわる話題の1つとして，軽度外傷性脳損傷 mild traumatic brain injury (MTBI)の診断がある．小林ら[42]は，脳MRI上に明らかな異常を認められないがゆえに高次脳機能障害を有すると認識されず，リハビリテーションなどの適切な支援を受けるまでに困難を有した症例を報告している[42]．また，自動車事故を契機として軽度高次脳機能障害が生じたものの，脳画像上，異常所見が認められないことから，その認定を巡って自賠責保険の等級認定を巡り，裁判として争われていることが報告されている[3, 43]．言語聴覚士は医学的診断を行う立場にないが，医師に対して高次脳機能障害の所見を述べる立場にあり，言語聴覚士による高次脳機能障害の症状把握が，診断にも大きな影響を及ぼすため，慎重に評価を行う必要がある．

E 訓練・指導・援助

1 原則的な考え方

個々の高次脳機能障害については，他章で述べられているような機能的訓練を実施する．また，「活動」レベルへのアプローチとして，ADL・IADL・APDLの向上に向けた訓練・指導を実施する必要がある．「活動」レベルのアプローチとしては，残存機能を有効活用することが大切である．記憶障害を有するが失語症は有さない患者に対し，メモをとることにより，日常生活における記憶障害の代償的方略の獲得を促す必要がある．記憶障害を有する高次脳機能障害者に対して，いきなりメモ帳を渡し，「メモをして忘れないように」と指示しても，まず，実用的に使用するには至らない．導入として言語聴覚療法の場で指示に従いメモをとることから開始し，声かけでメモをとることが可能となったら，今度は，関与するスタッフが共同して，メモをとることを日常のさまざまな場面で促すことが必要とされる．そして，ただ，メモをとるだけではなく，メモを確認して，自身の行動を制御するように促し，行動の帰結が得られるように展開することが大切である．したがって，リハビリテーションにおいては，できることを，少しずつ伸ばしていく根気強さと，また，中長期的視点に立って，少しずつの行動形成shapingをすることが求められる．また，行動の帰結を得ることで，患者の動機づけを高めるように働きかける必要もある．橋本は脳外傷による高次脳機能障害について，各症状別の対応例を表12-6のように述べている[44]．こうした対応を，リハビリテーションチームで統一することが重要であり，そのために，職種間連携が必要とされる．

「参加」へのアプローチも大切であるが，これは，言語聴覚士単独で実施することは困難であり，家族をはじめとする関わり手，参加の場となる側の協力者(復学であれば担当教諭，復職であれば上司や人事担当者)と積極的に連携をはかる必要がある．その際，患者本人の背景因子を十分に考慮する必要がある．

2 社会資源の活用

患者が40歳以上であれば，介護保険によるサービス受給対象となるが，要介護ないし要支援認定を受けていることが，その前提である．脳外傷は，これまでにも述べてきたように，前頭葉の前方部(前頭前野や前頭極)・底面部(眼窩部)や側頭葉前部・底部の損傷を被りやすいが，この部位の損傷であれば運動麻痺を呈さないことも少なくなく，したがって，要介護認定を取得できないこともある．患者が40歳未満であれば，そもそも，介護保険の対象ですらない．記憶障害や，注意障害・遂行機能障害を有する者が適切な支援を受けることができないという問題から，厚生労働省による高次脳機能障害支援モデル事業の調査結果を基盤として，いわゆる行政的定義として高次脳機能障害診断基準(➡ Note 1)[45]，ならびに支援プログラム[46]が策定された(注：この診断基準は，学術的な高次脳機能障害の定義からは乖離していることには注意が必要である)．現在，高次脳機能障害は，精神障害者保健福祉手帳の対象となり，各種の福祉サービスを受けることが可能となった．なお，精神障害者保健福祉手帳申請診断書

表 12-6 各症状別の対応法の例

記憶障害	
試行錯誤ではなく，誤りのない学習での習得をはかる	本人の状況により，代償手段の獲得，環境の構造化をはかる
日常生活は手続き記憶を利用し習慣化する	努力して記憶することと，余力をもって生活しミスを防ぐことを使い分ける
注意障害	
指示は複雑にならないよう，適切な声かけを行う	本人にわかりやすいよう，手添え，声かけ，模倣を活用する
手順を言語化する	注意が向くように，視覚的刺激や声かけ，メモを活用する
注意が逸れないように，他の刺激が入りにくい環境を設定する	覚醒に問題がある場合，覚醒レベルが上がるような環境，アクティビティを設定する
興味のある課題から提示し，持続時間を徐々に増やす	
遂行機能障害への対応	
安全の確保のため危険物を片づける，突発的な危険行為を予防するなど適切な行動の発言を促すように，環境刺激を周囲でコントロールする	行動を起こすことが困難な場合は，行動の手がかりを用意する．「次はどうするのですか？」などの声かけや視覚的・聴覚的な手がかりなど，本人の状況に合わせて判断のステップを設ける．
日々の生活では，無為になることを防ぐため，日課の流れをつくる	問題を書き出す，行動の結果を考えず行動してしまう場合，まず自身の行動を意識化し適切か否かを判断するよう手がかりやフィードバックを用意する
脱抑制・易怒性，固執性への対応	
一般的な対応として，「禁止・制止」「注意」「叱る」「説得」「受容・容認」「別の行動に気を逸らす」「放任」「無視」などが挙げられる．これらの対応を記録し，効果的な対応を模索する	統一した対応を徹底する．ただし，支援者によって効果的な対応は異なる可能性を考慮する
本人の希望を最大限尊重しながら，明確なルールをつくる	なるべく本人に選択させ，決定させる
意欲・発動性低下への対応	
うつによる自発性低下には，まず，うつに対処する	全般的な意欲低下の場合には，本人の好きな行動を行うことや体を使うことで全体的な賦活をはかる
行動の開始が困難な場合は，日課を相互に関連のある一連のスケジュールとして組み込み，スケジュール帳にして持つなど，活動を切り替えながら連続性を持たせる	
抑うつへの対応	
抑うつや不安を生じさせないよう予防する	嫌がることをしない．適応な行動に目を向ける
定期的な日課，課題設定（コーヒー，おやつ，ドリルなど）をする	本人の意思を尊重し，自主決定にそうようにする
短時間，あるいは軽度の混乱ですむように働きかける	気分転換をする
本人の訴えをよく聴く	問題を整理し，具体的対策を一緒に考える
日頃から環境整備をし，安全に努める（はさみ，ひもなどに注意）	

〔橋本圭司（著），石田暉（編）：ケアスタッフと患者・家族のための頭部外傷―疾病理解と障害克服のための指針．pp95-96，医歯薬出版，2005 を一部改変して引用〕

Note 1. 高次脳機能障害診断基準

本書の他章で扱われている，失行，失認，半側空間無視などの諸症状は，本書のタイトルにもなっているように，学術用語として「高次脳機能障害」と称されている．しかし，厚生労働省の調査により，記憶障害，注意障害，遂行機能障害，社会的行動障害などの認知障害を主たる要因として，日常生活および社会生活への適応に困難を有する一群が存在し，これらの者への支援対策を推進する観点から，行政的に，この一群が示す認知障害を「高次脳機能障害」と呼び，この障害を有する者を「高次脳機能障害者」と呼ぶことが定められた．本章で述べてきた脳外傷による高次脳機能障害を有する者は，行政的に「高次脳機能障害者」と呼ばれて，さまざまな援助を受けることが多いため，ここで厚生労働省の定める「高次脳機能障害診断基準」を紹介する．しかし，この高次脳機能障害診断基準は，本来の学術的観点からの診断基準とは質が異なることを理解されたい．

Ⅰ．主要症状等
1. 脳の器質的病変の原因となる事故による受傷や疾病の発症の事実が確認されている．
2. 現在，日常生活または社会生活に制約があり，その主たる原因が記憶障害，注意障害，遂行機能障害，社会的行動障害などの認知障害である．

Ⅱ．検査所見
MRI，CT，脳波などにより認知障害の原因と考えられる脳の器質的病変の存在が確認されているか，あるいは診断書により脳の器質的病変が存在したと確認できる．

Ⅲ．除外項目
1. 脳の器質的病変に基づく認知障害のうち，身体障害として認定可能である症状を有するが上記主要症状（I-2）を欠く者は除外する．
2. 診断にあたり，受傷または発症以前から有する症状と検査所見は除外する．
3. 先天性疾患，周産期における脳損傷，発達障害，進行性疾患を原因とする者は除外する．

Ⅳ．診断
1. Ⅰ～Ⅲをすべて満たした場合に高次脳機能障害と診断する．
2. 高次脳機能障害の診断は脳の器質的病変の原因となった外傷や疾病の急性期症状を脱した後において行う．
3. 神経心理学的検査の所見を参考にすることができる．

なお，診断基準のⅠとⅢを満たす一方で，Ⅱの検査所見で脳の器質的病変の存在を明らかにできない症例については，慎重な評価により高次脳機能障害者として診断されることがあり得る．

（厚生労働省社会・援護局障害保健福祉部，国立障害者リハビリテーションセンター：高次脳機能障害診断基準．2004より引用）

は，精神科医でなくても，リハビリテーション科，脳神経外科など，主治医であれば作成可能である．また，各都道府県には支援拠点が設置され，都道府県レベルで，高次脳機能障害者に対する支援体制が整いつつある．こうした支援体制の1つとして，地域障害者職業センターによる職場適応援助者（ジョブコーチ）支援事業があり，高次脳機能障害者の復職・就労にあたり，患者・会社・医療従事者の橋渡し的役割を担っている．

3 事例

35歳男性，右利き．31歳時，仕事で自動車運転中に事故に遭い，救急車でA病院に搬送される．脳CTにて前頭葉の脳挫傷が認められた．搬送時，昏睡状態であり，気管切開を施行される．意識状態の回復後，高次脳機能障害と診断され，リハビリテーション目的にて，回復期リハビリテーション病棟を有するB病院に転院．ADLはすべて自立．B病院を退院する時点で高次脳機能障害は残存しており，B病院からはリハビリテーションの継続を勧められるが，本人・家族の強い意向により，営業職に復職．しかし，職場にて「敬語が使えない」との指摘があり，リハビリテーションを行うよう指示を受け，受傷後8か月時，筆者の勤務するC病院受診となった．

初回評価における検査結果（表12-7）では，知的機能の低下が顕著であるが，記憶障害は

表 12-7 症例：初回評価における検査結果

意識・覚醒	清明で，見当識にも問題なし
全般的精神機能	MMSE：27 点
知的機能	レーヴン色彩マトリックス検査：30/36 点 WAIS-Ⅲ：VIQ=73，PIQ=65，FIQ=67 言語理解 =82，知覚統合 =75，作動記憶 =65，処理速度 =57
記憶	WMS-R：言語性記憶 =72，視覚性記憶 =82，一般性記憶 =70 RBMT：標準プロフィール点 =21
遂行機能	BADS：年齢補正化した標準化得点 =102
注意	CAT：視覚性検出課題；“3”正答率＝ 89.4% 所要時間＝ 139 秒，“か”正答率＝ 97.3% 所要時間＝ 125 秒，SDMT ＝ 26.4%，記憶更新検査(3 桁)＝ 37.5%，PASAT(2 秒) ＝ 38.3%，上中下検査；正答率＝ 93.9%，所要時間＝ 117 秒 Trail Making Test：セット A=195 秒，セット B=219 秒
自発性	CAS 面接評価 =15/60 点(カットオフ値 =1)
言語・コミュニケーション	失語症は認めないが，声量に乏しく，応答は Yes/No，単語・短文のみ 教研式 Reading-test：読書学年 = 小学校 5 年 2〜3 学期

WMS-R ウェクスラー記憶検査では低下を認めるが，日本版 RBMT リバーミード行動記憶検査ではカットオフ値以上であった．日常生活においても記憶面の問題は生じていなかった．遂行機能は，BADS 遂行機能障害症候群の行動評価日本版ではカットオフ値以上であったものの，復職への意欲は強い一方で，復職を妨げる問題点を認識できておらず，自己洞察に欠け，適切な問題解決が困難な状態であった．注意機能評価として標準注意検査法を実施したところ，全体的に，見落としは少ないが所要時間が長く，認知処理速度の低下が認められた．また，記憶更新検査 memory updating や Paced Auditory Serial Addition Test(PASAT)で成績が低下しており，ワーキングメモリの低下も認められた．言語・コミュニケーション面では，失語症は認められず，日常会話に問題を認めなかったが，問いかけに対して，最低限の応答のみとなることが多かった．職場で指摘を受けた敬語の使用については，挨拶などは適切に可能で「使えない」という状態ではなかったが，たとえば，社会情勢について問うと，幼稚な受け答えとなり，営業職として求められる知的な会話は困難な状態であった．なお，同時期に実施した教研式 Reading-Test では読書学年は小学校 5 年 2〜3 学期レベルであった．また，同時期に生じた自然災害の新聞記事を読み，感想を記述するように求めたところ，「○○がかわいそう」の一言だけであった．自宅では，テレビを見るか，ゲームをするのみといった過ごし方であり，発動性評価も標準意欲評価法の面接による評価で，カットオフ値を大きく上回っており，発動性低下が認められた．ICF に基づいた，本症例の初期評価のまとめ，および訓練・指導プログラムを図 12-2 に示す．なお，精神障害者保健福祉手帳の取得を提案したが，本人および家族の意向により，これを申請するには至っていない．この後，家族・職場と連携して，配置換え復帰を果たすことができた．また，知的機能・注意機能に改善が認められ，知的機能は WAIS-Ⅲにて VIQ = 95，PIQ = 90，FIQ = 92 となり，注意機能は一部検査が 30 歳代範囲平均 ± 1 S.D. 範囲内，ほかの検査でも 50 歳代 ± 1 S.D. 範囲内となった．

ICF に基づく障害構造分析

	機能	活動	参加	環境・個人因子
プラス面	・運動障害がない ・失語症を認めない ・記憶障害は軽度 ・注意持続は良好	・基本的 ADL は自立 ・会話が可能 ・決められた行動は実行可能		・労災認定により生活の経済的裏づけあり ・家族がおり，日常生活の支えがある ・会社側は配置換え復帰を考慮可能
マイナス面	・注意障害（処理速度低下） ・知的機能低下（推論機能低下） ・自発性低下 ・病識欠如	・復職へ向けた問題解決が困難 ・行動が緩慢 ・目標志向的行動が少ない ・談話の理解，産出の障害 ・自動車運転困難	・現職復帰困難	・交通が不便 ・福祉制度を利用していない

【長期目標】
復職を果たし，家庭内外での役割を再確立する

【短期目標】
機能：処理速度向上，推論機能改善
活動：活動範囲の拡大，日中の過ごし方改善，敬語使用を含めた談話理解・表出の改善
参加：配置換え復職

【訓練・指導プログラム】
#1.　処理速度向上
　計算課題（1 桁同士の加減算）を 100 問施行し，時間を計測 ⇒ 宿題とする
#2.　文章理解および文章表出の向上
　短文読解を行い，内容および帰結について説明を課す．さらに，その後の展開を論理的に予測させる．
　これらについて，言語聴覚士と内容を確認をした後，書字で表現する．
#3.　活動範囲の拡大，日中の過ごし方改善
　自転車を購入し，日中の活動を増加する．また，家事への一部参加
#4.　敬語使用を含めた談話表出の改善
　会話および 2. において，敬語と，接続詞を用いた複文の使用を促す．
#5.　配置換え復職
　医師とともに家族および会社側担当者に対し，症状説明
　軽作業を提供可能で，かつ，電車通勤可能な職場へ異動
　最寄り駅までは家族が送迎

図 12-2　症例：初回評価のまとめ

引用文献

1）東京都高次脳機能障害者実態調査検討委員会：高次脳機能障害者実態調査報告書．2008
2）前島伸一郎：頭部外傷の重症度を知る．石田暉（編著）：ケアスタッフと患者・家族のための頭部外傷─疾病理解と障害克服の指針．pp42-49，医歯薬出版，2005
3）大橋正洋：脳外傷．江藤文夫，他（編）：臨床リハ別冊 高次脳機能障害のリハビリテーション Ver2．pp103-109，医歯薬出版，2004
4）Holbourn AHS：Mechanics of head injuries. Lancet 242：438-441，1943
5）吉本智信：高次脳機能障害と損害賠償─札幌高裁判決の解説と軽度外傷性脳損傷（MTBI）について．海文堂出版，2011

6）道免和久：頭部外傷では何が生じているのか．石田暉（編著）：ケアスタッフと患者・家族のための頭部外傷—疾病理解と障害克服の指針．pp23-32，医歯薬出版，2005
7）小川武希，小野純：頭部外傷データバンク【プロジェクト 2009】の概略．神経外傷 36：1-9，2013
8）亀山元信，刈部博，川瀬誠，他：重症頭部外傷の年齢構成はどのように変化してきたのか？：頭部外傷データバンク【プロジェクト 1998，2004，2009】の推移．神経外傷 36：10-16，2013
9）国立身体障害者リハビリテーションセンター：高次脳機能障害支援モデル事業報告書—平成 13 年～15 年のまとめ．国立身体障害者リハビリテーションセンター，2004
10）原寛美：外傷性脳損傷後の高次脳機能障害．臨床リハ 21：1052-1059，2012
11）加藤元一郎：感情と人格の変化．江藤文夫，他（編）：臨床リハ別冊高次脳機能障害のリハビリテーション Ver2．p102，医歯薬出版，2004
12）Ben-Yishay Y，大橋正洋（監修），立神粧子（著）：前頭葉機能不全—その先の戦略— Rusk 通院プログラムと神経心理ピラミッド．医学書院，2010
13）Tong KA, Ashwal S, Obenaus A, et al：Susceptibility-Weighted MR Imaging：A review of clinical applications in children. Am J Neuroradiol 29：9-17，2007
14）Arfanakis K, Haughton VM, Caren JD, et al：Diffusion tensor MR imaging in diffuse axonal injury. Am J Neuroradiol 23：794-802，2002
15）Folstein MF, Folstein SE, McHugh PR："Mini-mental state" A practical method for grading the cognitive state of patients for the clinician". J Psychiatr Research 12：189-198，1975
16）大塚俊男，本間昭（監修）：高齢者のための知的機能検査の手引き．ワールドプランニング，1991
17）Wechsler D（著），杉下守弘（日本版著）：WMS-R ウェクスラー記憶検査．日本文化科学社，2001
18）Wilson BA，Cockburn J，Baddeley A（著），綿森淑子，原寛美，宮森隆史，他（日本版著）：日本版 RBMT リバーミード行動記憶検査．千葉テストセンター，2002
19）Levin HS，O'Donnell VM，Grossman RG：The Galveston orientation and amnesia test：A practical scale to cognition after head injury. J Nerv Ment Dis 11：675-684，1979
20）石合純夫：高次脳機能障害学．医歯薬出版，2003
21）梅田聡，小谷津孝明：展望的記憶研究の理論的考察．心理学研究 69：317-333，1998
22）Howard D，Patterson K：The Pyramids and Palm Trees Test：A test for semantic access from words and pictures. Pearson, 1992
23）日本高次脳機能障害学会 Brain Function Test 委員会（著），日本高次脳機能障害学会（編）：標準注意検査法・標準意欲評価法．新興医学出版社，2006
24）加藤元一郎，注意・意欲評価法作製小委員会：標準注意検査法（CAT）と標準意欲評価法（CAS）の開発とその経過．高次脳機能研究 26：310-319，2006
25）Bowie CR，Harvey PD：Administration and interpretation of the Trail Making Test. Nature Protocols 1：2277-2281，2006
26）加藤元一郎：前頭葉損傷における概念の形成と変換について．慶應医学 65：861-885，1988
27）鹿島晴雄，渡辺めぐみ：新ストループ検査Ⅱ．トーヨーフィジカル，2005
28）Grant DA，Berg EA（原案），鹿島晴雄，加藤元一郎（編著）：KWCST 慶應版ウィスコンシンカード分類検査．千葉テストセンター，2013
29）Dubois B, Slachevsky A, Litvan I, et al：The FAB：A frontal assessment battery at bedside. Neurology 55：1621-1626，2000
30）Wilson BA，Alderman N，Burgess PW，et al（著），鹿島晴雄（監訳），三村將，田渕肇，森山泰，他（訳）：日本版 BADS 遂行機能障害症候群の行動評価．新興医学出版社，2003
31）Shallice T：Specific impairments of planning. Philos Trans R Soc Lond B Biol Sci 298：199-209，1982
32）Bechara A，Damasio AR，Damasio H，et al：Insensitivity to future consequences following damage to human prefrontal cortex. Cognition 50：7-15，1994
33）Wechsler D（原著），日本版 WAIS-Ⅲ刊行委員会，藤田和弘，前川久男，大六一志，他（日本版著）：WAIS-Ⅲ 成人知能検査．日本文化科学社，2006
34）厚生労働省社会・援護局障害保健福祉部企画課：「国際生活機能分類—国際障害分類改訂版—」（日本語版）の厚生労働省ホームページ掲載について．2002〔http://www.mhlw.go.jp/houdou/2002/08/h0805-1.html（2020. 11. 13 アクセス）〕
35）Mahoney F，Barthel D：Functional evaluation：the Barthel Index. Md State Med J 14：61-65，1965
36）千野直一，椿原彰夫，園田茂，他（編著）：脳卒中の機能評価— SIAS と FIM［基礎編］．金原出版，2012
37）藤原俊之，園田茂，三田しず子，他：FAM（Functional Assessment Measure）による外傷性脳損傷患者の ADL の検討— Short Behavior Scale, Mini-Mental State Examination, Disability Rating Scale との関係および脳血管障害患者との ADL 構造の比較．リハ医 38：253-258，2001
38）三田しず子，藤原俊之，園田茂，他：Functional Assessment Measure（FAM）の使用経験— ADL および IADL 評価法としての有用性．総合リハ 29：361-364，2001
39）Rappaport M, Hall KM, Hopkins K, et al：Disability rating scale for severe head trauma：coma to community. Arch Phys Med Rehabil 63：118-123，1982
40）岩永勝，蜂須賀研二：EBM にもとづく急性期における機能評価と予後予測．石田暉（編著）：ケアスタッフと患者・家族のための頭部外傷—疾病理解と障害克服の指針．pp87-93，医歯薬出版，2005
41）Willer B, Ottenbacher KJ：Coad ML：The community integration questionnaire：A comparative

examination. Am J Phys Med Rehabil 73：103-111, 1994
42) 小林康孝，筒井広美，木田裕子，他：軽度外傷性脳損傷により高次脳機能障害を来した3症例．高次脳機能研究 32：581-589，2012
43) 茂野卓：外傷性脳損傷と高次脳機能障害認定．日職災医誌 61：161-165，2013
44) 橋本圭司：頭部外傷者へのリハビリテーションチームアプローチ―生活技術(ADL，APDL)の獲得からQOLの向上をめざしたプロセス．石田暉(編著)：ケアスタッフと患者・家族のための頭部外傷―疾病理解と障害克服の指針．pp94-103，医歯薬出版，2005
45) 厚生労働省社会・援護局障害保健福祉部，国立障害者リハビリテーションセンター：高次脳機能障害診断基準．2008
〔http://www.rehab.go.jp/brain_fukyu/data/(2020.11.13 アクセス)〕
46) 厚生労働省社会・援護局障害保健福祉部，国立障害者リハビリテーションセンター，高次脳機能障害者支援の手引き(改訂第2版)．2008
〔http://www.rehab.go.jp/brain_fukyu/data/(2020.11.13 アクセス)〕

第13章

認知コミュニケーション障害

学修の到達目標

- 脳外傷や認知症などによる認知コミュニケーションが，左大脳半球の局所損傷による失語症などのコミュニケーションと違うことを説明できる．
- 脳外傷による談話の評価，指導について説明し，実施できる．
- 認知症による談話の評価，指導について説明し，実施できる．
- 筋萎縮性側索硬化症，パーキンソン病が高次脳機能障害を呈する可能性があることを理解し，説明できる．

エピソードと臨床的推論の視点

Aさん(30歳代，男性，左片麻痺)は部屋に入ると，うつむいたまま挨拶し，会話中に促しても視線を合わせられなかった．表情の表出に乏しく，話し言葉は抑揚を欠いていた．

言語聴覚士の質問に「はい–いいえ」で応答することもあれば，興味のある内容はとめどなく詳細に伝えた．情報量が少なすぎたり多すぎたりして，要点が伝わりにくく，時折内容を確認しながら会話を進める必要があった．はっきりと表現されないと理解できず，相手の気持ちや間接的な表現から推測するのが苦手で，自身の考えに固執した．返答に困ると「わかりません」と一方的に会話を終了させた．

以上からAさんは会話技法，プロソディ，談話および語用論的機能の障害であり，右半球損傷後のコミュニケーション障害と推測した．

1 脳外傷に伴う認知コミュニケーション障害

A 基本概念と症状

1 脳外傷の病態と障害

脳外傷は，脳血管疾患とは異なる病態が認められ，蝶形損傷 sphenoidal injury とびまん性軸索損傷 diffuse axonal injury を特徴とする．蝶形損傷は頭蓋骨と脳実質の位置関係から前頭葉底面と側頭葉の前方～外側底面が損傷を受けることをいう．脳外傷では直撃損傷を受けた脳領域に加え，外力と対側にある脳領域も反衝損傷を受ける．一方，びまん性軸索損傷では，大脳白質の神経線維にびまん性の断裂が生じる．

脳外傷の病態には，一次性脳損傷と二次性脳損傷が存在する．一次性脳損傷は受傷時に外力によって受けた脳損傷(脳挫傷やびまん性軸索損傷など)であり，二次性脳損傷はその後の脳虚血，急性頭蓋内圧亢進や低酸素脳症などによって生じたものである．

このような病態が脳外傷の症状を複雑にしており，運動障害や感覚障害のほかに高次脳機能障害や**非失語性のコミュニケーション障害**が生じる．特に脳外傷では前頭葉や大脳辺縁系が損傷しやすいため注意障害，記憶障害，遂行機能障害，社会的行動障害，情動障害，人格変化などが生じ，これらが関与するコミュニケーション障害が発現することが多い．

脳外傷によって生じる言語・コミュニケーション障害には非失語性のコミュニケーション障害，失語症，運動障害性構音障害などがあるが，失語症が生じることは少なく，最も問題となるのは非失語性のコミュニケーション障害である．

2 非失語性コミュニケーション障害

脳外傷のコミュニケーション障害は非失語性であり，その発現には前頭葉症状を主体とする高次脳機能障害が関与している．このような障害は，“目に見えない障害”であり，社会復帰を阻む大きな要因となる．

脳外傷のコミュニケーション障害では表出言語は十分に保たれており，音韻や文法に問題はない．また言語理解も日常のやりとりにほとんど支障はない程度に保たれている．問題は文脈や場面に適した言語表出ができない，相手の話の意図をくみ取れないといった**語用論的障害**である．語用論的障害は，言語を文脈や場面に応じて柔軟に使用する能力の低下であり，談話レベルで症状は顕著となる．

談話 discourse はまとまった意味を伝える文の集まりであり，相互的なものとして会話，非相互的なものとしてナラティブ（語り）や手続きの説明などが含まれる．談話の意味を適切に理解するには，字義どおりの意味の理解のほかに発話意図の推論や，すでにもっている知識との照合などが必要である．談話を発話する際には，伝達する意味を言語で表現するとともに，意味が相手に適切に伝わっているかをモニターすることが必要である．このような談話の理解・発話には注意，記憶，遂行機能，推論，ワーキングメモリ，感情，心の理論などの認知機能が関与する．脳外傷のコミュニケーション障害にはこのような認知機能の障害が関与しており，非失語性コミュニケーション障害は**認知コミュニケーション障害** cognitive-communicative disorders とも呼ばれる．

a　会話の特徴

脳外傷患者のコミュニケーション障害は，親しい人との日常的なやりとりや短時間の会話ではあまり目立たない．しかし仕事の説明や込み入った会話になると問題が表面化してくる．

会話を適切に進めるには次の点を考慮することが重要である．①場面にふさわしい話題を選択しそれを維持する，②話し手と聞き手の役割を適切に交替する，③相手の発話意図や言外の意味を推論する，④誤りが生じたときはそれを修正する，⑤場面に応じた表現法（言葉づかい）を使用する．またGrice[1]は**会話の公理**（➡ Note 1）として，適切な量，質，関係，様式について定めている．

コミュニケーション障害を呈する脳外傷患者の会話の特徴として，下記の点があげられる．

Note 1. Griceの会話の公理

Grice[1]は，会話において誰もが守っている原理として，協調の原則と4つの公理をあげた．協調の原則は，話し手と聞き手はその場に適した会話がうまく成り立つようお互いに協調するということである．

1. 量の公理
   - 必要な情報は過不足なく与えること
   - 必要以上の情報を与えないこと
2. 質の公理
   - 真実と信じていることを話すこと
   - 偽りと思うことや十分に根拠がないことを言わないこと
3. 関係の公理
   - 話題に関係あることを話し，関係がないことは話さないこと
4. 様態の公理
   - 不明瞭な表現や多義の表現は避け，簡潔に，順序立てて話すこと

- 話にまとまりがなく，内容を要領よく組み立てて話すことができない
- 話題を適切に切り替えることができない
- 話し手と聞き手の役割交替を適切にすることができない
- 相手の表情から発話意図を読み取ることができない
- ことばのプロソディ（韻律）を適切に使用することや，プロソディから言外の意図を読み取ることができない
- 比喩やユーモアの理解ができない
- 場面をわきまえた言語表現が困難であり，不適切な冗談や表現がみられる
- 皮肉や冗談が通じにくい
- 自分の発話の不適切さに気づいていない

このほか，発話量が過剰または過少，過度に馴れ馴れしい話し方，ステレオタイプな表現の多用などが認められる．これらのうち，最も深刻なのは自己意識 self-awareness の低下であり，自分の発話の不適切さに気づいていないことである．

b　ナラティブ発話の特徴

ナラティブ narrative は「語り」を意味し，臨床

場面では，体験を語る，情景画や連続絵を説明する，よく知られた物語を語るなどが用いられる．ナラティブ発話では発話意図に基づいて命題を形成し，それらを関係づけることが必要であり，これには注意，抑制，感情，遂行機能，推論，記憶，心の理論などの認知機能が関与する．このようにナラティブの発話には認知機能が発話内容に影響するため，脳外傷患者の談話機能の評価に適している[2]．

脳外傷患者のナラティブ発話を命題(➡ Note 2)，意味のつながり，推論から分析すると下記の特徴を認める[3,4]．

- 命題の量は低下しないが，適切性に欠け，周辺情報を話すことが多い
- 代名詞や接続語などの結束辞 cohesion の発話量の低下は目立たないが，発話全体の意味的一貫性 coherence に欠ける
- 因果関係などを推論した文の発話が少ない

C 談話の理解障害

脳外傷患者は，談話の理解において字義どおりの意味は理解できるが，推論によって補われる意味や比喩，皮肉，冗談のような間接的表現を理解することが困難である．したがって話し手の意図の理解が障害される．

ここで後述する事例のエピソードを紹介する．患者は主治医に禁煙を求められたがそれを守れず，喫煙を家族にとがめられると「先生は吸ってもよいと言った」と反論を繰り返した．家族はこれを記憶障害によるものと思っていたが，実は患者は医師のことばを憶えていた．本人は医師がつけ加えた「つらいのはわかるから絶対とは言いにくいけど，煙草はやめよう」ということばの"絶対とは言いにくい"を"吸ってもいい"と誤解していたのである．このように脳外傷患者は婉曲的に表現すると話の真意を理解できないことがあり，重要な話をするときは曖昧な表現を避ける必要がある．

> **Note 2. 命題 proposition**
> 文で表現される意味表象であり，1個の述語 predicate と複数の項 argument から構成される．

3 発症メカニズム

脳外傷のコミュニケーション障害の特徴は場面や文脈に即して意味を処理する機能(語用論的機能)の低下にある．それは言外の意味の理解や表現の困難などに現れる．言外の意味は，言語で表現された字義どおりの意味とは異なる意味を指す(例：「時計を持っていますか」の言外の意味は"時間を教えてほしい")．

言外の意味の処理力には，意味のつながりを推論する能力，発話意図に沿って命題を形成し構造化する能力，既有の知識と照合するワーキングメモリ，メタ認知機能などが必要である．このような談話の処理には推論，遂行機能，注意，記憶，発動性，抑制，感情，心の理論などが関与しており，いずれも前頭葉が関係すると考えられている．前頭前野の背外側部は遂行機能，心的セットの転換，ワーキングメモリに関係し，眼窩部は社会的行動，情動統制，意思決定に，内側部は意欲や心の理論に関係する．前頭葉には脳の各領域と線維連絡があり，前頭葉と各連合野をつなぐ神経線維が損傷された場合にも前頭葉症状が生じる．脳外傷患者にコミュニケーション障害が多発する背景にはこのような前頭葉の機能低下が関与する．

B 評価

多くの脳外傷患者は，急性期から段階的に回復する．その回復過程の全体を評価するものとして**ランチョ・ロス・アミゴス認知機能レベル尺度**[5] The Rancho Los Amigos Levels of Cognitive and

Functioning Scale(LCFS, 表 13-1)が存在する. コミュニケーションと認知機能の相互関係については, ニューヨーク大学医療センター Rusk 研究所が作成した**神経心理ピラミッド**[6] (図 13-1)が参考になる. これは, 前頭葉損傷によって生じる障害を階層化したものであり, 高次の活動ができるには低次の機能が正常に働くことが必要と考えている.

評価では, 医学面(合併症, てんかんの有無, 服薬なども含む), 認知面, コミュニケーション面, 社会行動面, 生活面の問題を把握する. 評価結果から障害の全体像を把握するうえではICFの概念的枠組みが利用できる. 後述する事例の評価のまとめを表 13-2 に示した. 本人の状態を心身機能・身体構造, 活動, 参加レベルで整理し, 個人・環境因子を考慮して個々に応じた訓練・支援計画を立案する.

表 13-1 ランチョ・ロス・アミゴス認知機能レベル尺度(LCFS)

レベル	内容
レベルⅠ	反応なし
レベルⅡ	一般的反応
レベルⅢ	限定された反応
レベルⅣ	混乱し興奮した反応
レベルⅤ	混乱し不適切であるが, 興奮しない反応
レベルⅥ	混乱しているが, 適切な反応
レベルⅦ	自動的であるが, 適切な反応
レベルⅧ	合目的的で適切な反応

1 認知機能

急性期は重度の意識障害を呈するが, LCFS のレベルⅢになると面接や行動観察を行うことがで

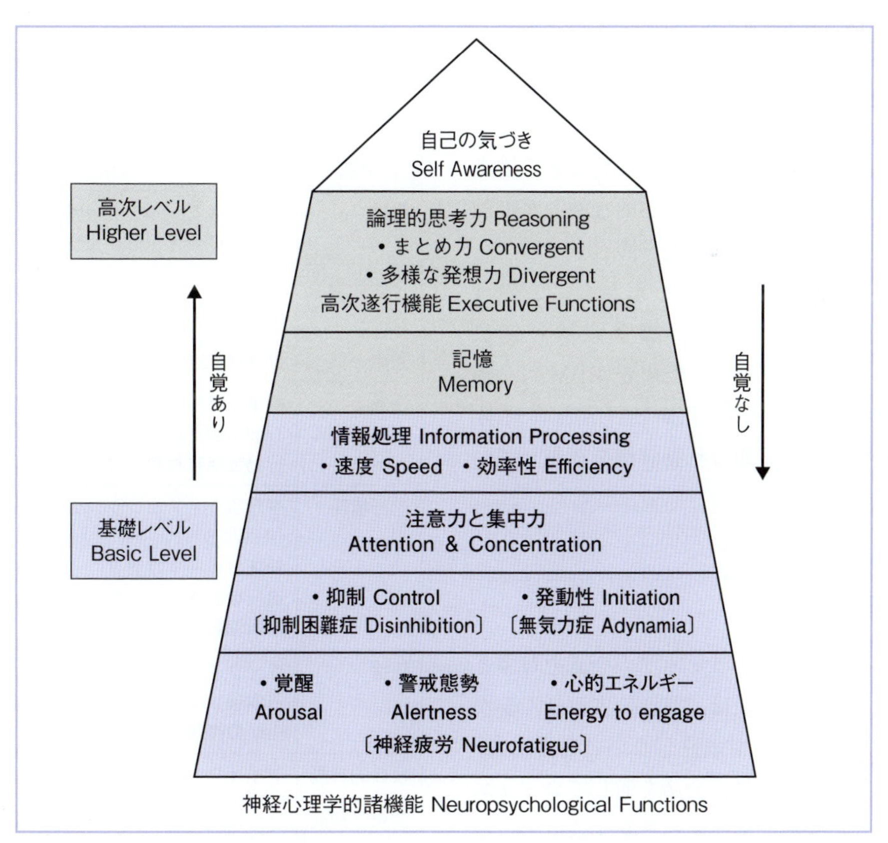

図 13-1 神経心理ピラミッド

〔立神粧子：ニューヨーク大学医療センター・ラスク研究所における脳損傷者通院プログラム「脳損傷者通院プログラム」における前頭葉障害の補填戦略(前編). 総合リハ 34：1000-1005, 2006〕

表 13-2　ICF に基づく重度脳外傷症例の評価のまとめ

構成要素	マイナス面	プラス面
身体構造 心身機能	• 両側前頭葉底部，右前頭葉円蓋部・頭頂葉～側頭葉外側に広範な脳挫傷 • 非失語性コミュニケーション障害（発話意図の理解困難，冗長でまとまりのない発話，一方的に話し続けるなど） • 注意障害，記憶障害，遂行機能障害，社会的行動障害，脱抑制，病識欠如	• 既往歴がない • 運動機能障害が改善してきた • 失語症，構音障害，摂食嚥下障害を認めない
活動	• コミュニケーションにおいて誤解が多く，家族との意思疎通が困難である • 診療上の指示を正しく理解できない • 約束をすぐに忘れる • 時間管理が困難で 1 人で通院できない • 行動が緩慢でミスが多い	• ADL が自立している
参加	• 家族の受け入れ態勢が不十分で，同居が困難である • 家庭における役割を喪失している	• 会社が就業受け入れに積極的である（内装業） • 地域に友人が多い
個人因子	• リハビリテーションへの意欲が低い	• 性格がポジティブであり，就労や父親としての役割を担うことへの意欲が高い • 内装業の技術がある
環境因子	• 家族の障害理解が低い • 労災等ではないため経済的保証がない	• 近隣に支援してくれる親族がいる

きる．レベルⅣでは短時間の注意集中が可能となり，一部の認知機能脳外傷患者に実施できる検査を実施できる．レベルⅥは，集中的な精査が可能であり，検査結果と行動観察とを照合させる．

表 13-3 に認知機能の評価を示した．このうち，行動性無視検査（BIT），標準意欲評価法（CAS），リバーミード行動記憶検査（RBMT），遂行機能障害症候群の行動評価（BADS），アイオワ・ギャンブリング課題は行動評価を重視している．

2　談話能力

談話能力の評価は，ナラティブや会話を対象とすることが多い．急性期は，意識障害やせん妄などにより短いやりとりも成立しないことがある．この時期は，面接や簡単な会話を通してコミュニケーションと認知機能の問題を推測することになる．

表 13-3　認知機能の評価

機能	検査
意識	Glasgow Coma Scale（GCS） Japan Coma Scale（JCS）
見当識・健忘	ガルベストン見当識・健忘検査（GOAT） Mini-Mental State Examination（MMSE）
意欲	標準意欲評価法（CAS）
注意	標準注意検査法（CAT） Trail Making Test（TMT-J） 行動性無視検査（BIT）
遂行機能	慶應版ウィスコンシンカード分類検査（K-WCST） 新ストループ検査Ⅱ 遂行機能障害症候群の行動評価（BADS）日本語版
記憶	ウェクスラー記憶検査改訂版（WMS-R） 日本版リバーミード行動記憶検査（RBMT） Rey の複雑図形検査（ROCFT）
社会的行動	アイオワ・ギャンブリング課題（IGT）
全般性知能	ウェクスラー成人知能検査第 4 版（WAIS-Ⅳ）

	発話の例：20歳代，男性，右利き（びまん性脳損傷，受傷1か月後）	評価
起	女の子が泣いてるから， お母さんの目を盗んで 何かを探しに行く．	不適切文 不適切文 不適切文
承	で，気づかれたから 走り出す．	不適切文 不適切文
転	で，通りに出たから お母さんは心配してるけど， 子どもは気にせず 走り続けて，	不適切文 不適切文 不適切文 不適切文
結	近くにある犬小屋について お母さんに怒られる． ズボンの縫い目がほどけてるから， それで怒られてる．	関連文 不適切文 事象文 不適切文

〔根本進：クリちゃん．さ・え・ら書房，1970より〕　〔筋の表現：不適切 / オチの表現：不適切〕

図 13-2　脳外傷談話機能検査の図版と発話の例

このまんがは，話の背景となる“かくれんぼ”を把握し，お母さんも一緒に犬小屋の陰に“かくれながら”ズボンを縫っていることを推論することでユーモアを表現できる．
図版の横に発話の例を示し，命題ごとに事象文，推測文，関連文，不適切文に分類した．ほとんどが不適切文であり，適切な推測文の発話はない．文の形式や接続詞の使用など形式的な言語は保たれている．しかし，必要な情報を結びつけて解釈できず，登場人物の動機や事象間の意味のつながりを誤って認識している．このように脳外傷では，事象や事象間の関係を正しく認識できず，人物の心理状態を誤って解釈する場合がある．

a ナラティブ

脳外傷患者を対象とした談話機能検査は少ないが，情景画や連続絵の説明，物語の説明などを用いることができる．評価は命題など意味単位の量，意味の正確性・適切性・明瞭性，意味のつながり，構造化，誤りの修正などについて調べる．脳外傷の談話特徴を検出するには，標準失語症検査(SLTA)の「まんがの説明」のように焦点が明白で出来事を時系列で説明できる題材より，登場人物の心理や因果関係などの推論が必要な材料が適している．

「脳外傷談話機能検査」では図 13-2 のようなユーモアのある4コマまんが5話を用い，ナラティブの概念形成と言語表出を評価する．ユーモアは，予想と結果との逆転や異なった意味や価値による対立であり，オチとして表現される．ナラティブの概念形成と言語表出のモデルを図 13-3 に示した．

ナラティブの概念形成の段階では，各コマに描

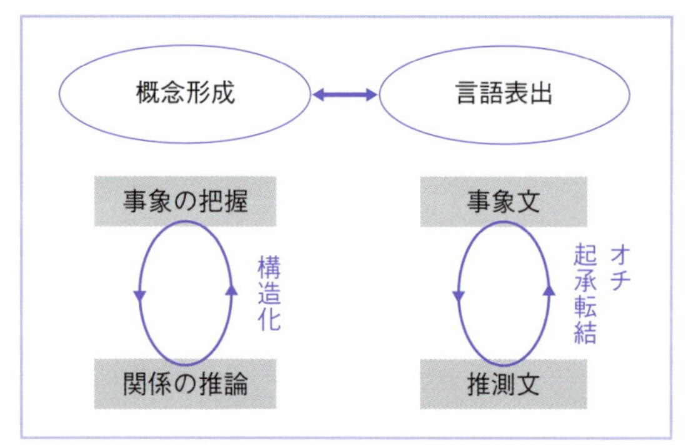

図13-3　ナラティブの概念形成と言語表出のモデル
概念形成では事象の把握と事象間の関係を構造化し，言語表出において事象文と推測文でそれらを表現する．

かれている出来事(事象)を把握し，その因果関係や登場人物の心理状態を推論(推測)する．推論の連続により前後の事象の意味がつながり，1つのまとまった話として構造化される．これらの概念が言語化されると，事象の把握は事象文，関係の推論は推測文，意味のつながりの構造化は起承転結やオチとなって表現される．患者の発話を書き取り，事象文，推測文の発話量とその内容の正確性や適切性，起承転結の構成，オチの表現を評価する．

b 会話

会話能力は，あるテーマに関する会話を15分程度実施して評価する．話題の管理，話者交替，修正行動，情報の正確性・適切性・明瞭性，修辞法(言葉づかい)，感情表現，プロソディ，視線，表情などについて行う．Griceの会話の公理や**Prutting ら[7]の語用論的プロトコル**(➡ Note 3)を参考にすることができる．会話能力の評価では，会話のパートナーが本人の会話についてどのように感じているかについても面接や質問紙などによって把握する．

3 コミュニケーション環境

環境因子(職業，社会背景，交流関係など)と個人因子(年齢，性別，性格，教育レベルなど)について情報を入手する．具体的には家族構成，友人との交流，家庭，学校や職場などにおいて本人に期待される役割，主なコミュニケーションの内容と手段，会話の機会，周囲の人の理解とサポート，さらに騒音などの物理的環境について情報を得る．また，病前の性格，話し方の特徴，ライフスタイルに関する情報も入手する．

Note 3. 語用論的プロトコル

Prutting ら[7]は会話評価のツールとして30のパラメータを提示した．その内容は言語構造だけでなく，発話の管理や非言語面まで多岐にわたる．

言語的側面
- 発話行為
- 話題(選択，導入，保持，変更)
- 役割交替(開始，反応，修正，間，中断・重複，フィードバック，隣接，偶発性，量・簡潔性)
- 語彙の使用(結束性，特定性・正確性)
- 文体のバリエーション

パラ言語的側面
- 明瞭度とプロソディ
(明瞭度，声の強さ，声の質，プロソディ，流暢性)

非言語的側面
- キネシクス(身体的近接，接触，姿勢，手足の動き，ジェスチャー，表情，視線)

4 評価のまとめ

神経画像所見と各検査の成績を分析して総合し，コミュニケーション障害の特徴と発現機序を理解する．脳外傷では，認知機能検査の得点が正常範囲にあるにもかかわらず社会復帰がうまくいかず，認知コミュニケーション障害が明らかになる場合が多い．

脳外傷者の多くは自己認識が低く，症状や問題点を指摘されても否認する傾向にある．周囲の評価に比べ自己を高く評価し，リハビリテーションの必要性を認識できない場合も少なくない．ICFの枠組みに従って機能障害だけでなく，活動制限，参加制約のレベルで状態を説明すると理解されやすい．本人と問題認識を共有し，個別的なアプローチを行うことが重要である[8].

C リハビリテーション

リハビリテーションではコミュニケーションと認知機能への働きかけを一体化させ，回復段階に応じた対応を行う．

LCFS レベルⅢでは，覚醒を促し，刺激への反応を引き出すことが主体となる．レベルⅣでは見当識，注意の持続，身近な質問への応答の一貫性の向上に焦点を当てる．レベルⅥでは集中的なリハビリテーションが可能となる．この段階では，散漫で脱線の多い会話の減少，発話の正確性，適切性の向上，言語理解の改善を目指した働きかけをする．

レベルⅦ～Ⅷの段階では，混乱は少なくなり，表面的には環境に適応できているようにみえるが，判断，問題解決，場面への洞察力に欠けることが多い．日常的なやりとりに問題はないが，場面・文脈に適した言語の使用が困難であり，話題の管理，話者交替，情報の適切性・明瞭性，推論，感情表現などに低下を認める．この段階にある患者は社会的コミュニケーションに問題があり，職場復帰をしてもうまくいかないことが多い．このような問題に対しては，環境を整備し，それぞれの場面において適切なコミュニケーションのとり方を具体的に理解してもらう．

1 コミュニケーションに視点をおいた認知機能訓練

コミュニケーション障害に視点をおいた認知機能訓練の原則は，容易に取り組める課題の繰り返しから開始する，エラーレス・ラーニングを進める，自己認識の向上と生活場面への般化を促進することである．一般の認知機能訓練との違いは，注意，記憶，遂行機能などの課題を実施する際に，その遂行状況を患者自身がモニターして言語化し自己評価をすることにある．

具体的には，言語聴覚士が課題の目標と手順を説明し，それを本人に発話または書字してもらう．課題の遂行過程において進行状況と達成度を本人が言語化し自己評価をする．言語聴覚士は課題中の本人の視線や動き，方略などに注目し，フィードバックを行い本人の**自己認識** self-awareness を促す．

2 コミュニケーションの訓練

コミュニケーションの訓練には，談話訓練，会話訓練，ソーシャルスキル・トレーニング（SST）などがあり，いずれも個別訓練とグループ訓練で実施できる．

a 談話訓練

ナラティブや手続きの説明（調理の手順など）を用いて，目的に沿った話の構成，意味のつながりなどを理解と産生について行う．本人の発話に過不足や推論の誤りがあれば，話の要点やテーマ，因果関係やつながりについて質問をして話の焦点などの修正を促す．

自己認識の向上を意図して，本人の発話を録音し本人に聞いてもらう，言語聴覚士が本人の発話を書き取り読み上げる，などして自己評価をしてもらうこともある．

談話訓練は，注意や遂行機能など認知機能訓練と関連づけて実施することが重要であり，これにより自己認識を高めることができる．

b 会話訓練

会話は談話より問題点を客観視しにくいため，自己認識が生じにくい．かみ合わない会話があれば，そのやりとりを書き留めてその場で再現すると振り返ることができる．会話場面を収録したビデオなどを視聴してもらい，自分の話し方の問題点と改善すべき点について話し合うことも効果的である．その際，話し相手からのフィードバック(表情や声の調子など)に注意を向けるよう促す．

話題の管理，話者交替，修正行動，情報の適切性・明瞭性，推論，言葉づかい，感情表現などについては，具体的に問題への対処のしかたを示すことが必要である．またこのような訓練では，本人が留意点や対処法をメモに書き留め，繰り返し確認できるようにすることが重要である．

C ソーシャルスキル・トレーニング

ソーシャルスキル・トレーニング(SST)では，実生活のさまざまな場面，たとえば就職面接，目上の人への説明，集団での自己紹介など具体的場面を想定し，その場面にふさわしい言葉づかい，話の進め方，感情表現，表情，視線，プロソディ，声の大きさなどについて本人と話し合い，モデルを提示する．またロールプレイなどで実践できるようにする．

3 社会参加への支援

脳外傷のコミュニケーション障害は，実生活に復帰してから問題が顕在化してくることが多い．そのため，家庭，職業，学業の復帰に向けて個別化されたきめ細かい支援が必要である．

家族も受傷時から心理面，生活面，経済面などに大きな負荷を抱えており，心理職や社会福祉士などの介入を必要とすることが少なくない．関連専門職と連携し，周囲の理解者を増やして協力体制を整えることや，ピアグループへの参加をすすめることも効果的である．

職業復帰に際しては，障害者職業センターや障害者総合支援法に基づく就労支援など社会資源の活用をすすめるとよい．このような場合，専門職間連携が重要であり，コミュニケーションや行動の特徴について情報を提供する．

D 事例

30歳代，男性，トラック運転手(前職は内装業)．

■診断名

重症頭部外傷

■既往歴

特記事項なし

■家族構成

妻，子ども2人(小学生)との4人暮らし，近隣に両親が在住．

■主訴

仕事をしたい．

■現病歴

X年Y月Z日，スケートボード中に転倒し，A病院に救急搬送された．意識レベルはGCS 7(E4V1M2)，頭部CTで右側頭葉脳挫傷，外傷性くも膜下出血，急性硬膜下血腫と診断され，緊急穿頭血腫除去術，脳室ドレナージ術，Z+7日減圧開頭血腫除去術を受けた．Z+25日摂食嚥下訓練を開始しZ+63日3食経口摂取可能となった．Z+70日頭蓋形成術を受け，Z+80日より高次脳機能精査を開始した．Z+99日，左不全麻痺と高次脳機能障害に対するリハビリテーションを目的にB病院へ転院したが，本人の強い希望で1か月後に自宅退院した．しかし家族と口論が絶えず，数日で家を出て近隣に住む両親と同居した．Y+5か月後A病院の外来を受診した．

■神経画像所見

両側前頭葉底部，右前頭葉円蓋部，頭頂葉，側頭葉外側に広範な脳挫傷．

■認知コミュニケーション評価

A病院入院中の初回評価(Z+80〜90日)

•認知機能

注意，記憶，遂行機能，知的機能など全般的低下を認めた(表13-4)．

表 13-4 認知機能検査結果と経過

検査	初回（受傷 3 か月後）	1 年後	10 年後
CAT 視覚性			
「3」抹消正答率	90%	99%	100%
（秒）	127"	143"	134"
「か」抹消正答率	58%	90%	100%
（秒）	121"	156"	152"
TMT			
A（秒）	73"	59"	57"
B（秒）	145"	83"	101"
三宅式記銘力検査			
有関係	6-9-9	10	8-9-10
無関係	2-2-3	3-7-9	3-4-7
Rey の複雑図形			
模写	33	36	36
即時再生	12	21.5	12
遅延再生	12.5	21.5	14
K-WCST			
CA	3	1	4
WAIS-Ⅲ			
VIQ	59	68	78
PIQ	51	68	82
FIQ	52	65	78
言語理解	59	76	86
知覚統合	54	72	87
作動記憶	56	58	74
処理速度	54	66	75
ランチョ・ロス・アミゴス認知機能レベル	Ⅴ	Ⅵ	Ⅶ

• **談話機能**

脳外傷談話機能検査の発話と評価を表 13-5 に示した．図 13-2 のまんがの背景はかくれんぼであり，重要な人物はクリちゃんとお母さんである．はじめはこの 2 人に焦点を当て説明しているが，最後はお姉ちゃんと犬に視点が逸れ，話が逸脱した．ズボンの破れに注意が向かず，前後の命題とのつながりがない．情報の統合や修正，動機や因果関係の推測が困難であり，起承転結の構成，オチの表現とも不適切であった．全発話のうち不適切文が 38.5％を占め談話障害が顕著であった．

• **会話特徴**

会話では，話者の交替ができず多弁で一方的に話し続けた．文脈と関係ない唐突な話題や，毎日同じ話を繰り返すなど思考の固執を認めた．

• **行動特徴**

リハビリテーションの予約時間を守れず 1 時間前に来室し「早くやって！」といらだつなど社会的行動障害を認めた．

■ **評価のまとめ（Y ＋ 5 か月）**

A 病院の外来受診時には身体機能は改善していたが，認知コミュニケーション面に大きな変化はみられなかった．この時期の評価のまとめを表 13-4 に示した．患者は LCFS のレベル V の混乱し不適切な反応の状態で，コミュニケーション障害，注意，記憶，遂行機能障害などを認めた．受傷前に担っていた簡単な家事の手伝いが難しくなり，家族との会話もかみ合わず，患者と家族が互いにイライラするようになった．退院による環境変化で認知コミュニケーション障害がより顕在化し，家族との同居が困難であった．

■ **治療方針**

外来で週 2 回言語聴覚療法，作業療法を行う．

■ **目標**

【長期目標】

家庭や社会での生活を再構築する．周囲の人と適切なコミュニケーションがとれるようになる．

【短期目標】

機能：注意，情報処理速度，記憶，遂行機能の改善，コミュニケーション能力の改善．

活動：時間を管理し 1 人で通院できる，家族と適切なコミュニケーションがとれる．

参加：家庭でできる役割を担う．

■ **訓練計画**

1 注意・情報処理速度の訓練（抹消課題，計算，間違い探し，模写）
2 記憶・時間管理の訓練（枠組みに沿った日記の記入，携帯スケジュールの活用）
3 遂行機能訓練（迷路，連続絵の配列）
4 談話機能訓練（4 コマまんがの発話・記述，

表 13-5　脳外傷談話機能検査の評価結果と経過

	初回	1 年後	10 年後
起	かくれんぼして /	お母さんが縁側で縫い物をしてます / 姉妹でかくれんぼをして / *お姉さんが鬼になって* / 妹が隠れようとして /	姉妹でかくれんぼをしてて / 妹さんが逃げて /
承	で，**お母さんが気をつけなさいって /**	お母さんの前を通ったときに / ズボンが破れてて /	
転		お母さんがみつけて / 追いかけて /	**お母さんが追いかけて / 妹さんが道のほうに出て /**
結	で，犬小屋のかげにかくれてて / **で，お姉ちゃんが見つける前に / 犬と顔が合っちゃった /**	で，犬小屋の裏に隠れてるんだけど / その後にお母さんが一緒に隠れながら / その破れてるズボンを / 縫ってる /	最後はお母さんと妹さんが犬小屋の後ろに隠れてた /
評価	命題数 5　事象文 2　推測文 0　*関連文* 0　**不適切文 3**　筋の構成 不適切　オチの表現 不適切	命題数 12　事象文 10　推測文 1　*関連文* 1　**不適切文 0**　筋の構成 適切　オチの表現 適切	命題数 5　事象文 3　推測文 0　*関連文* 0　**不適切文 2**　筋の構成 不適切　オチの表現 不適切

発話の表記のうち下線は推測文を，*斜字は関連文*，**太字は不適切文**を示した．
命題の適切性は文脈のつながりで評価するため，同じ「追いかけて」の表現でも評価が異なる．1 年後の発話では追いかけた動機がズボンの破れを見つけたためと解釈でき，適切なつながりがあるため適切な命題，10 年後の発話ではお母さんが追いかけた動機が不明であり，つながりがないため不適切な命題と評価した．

談話機能検査（5 話）の結果		初回	1 年後	10 年後
命題	適切な事象文（%）	30.8	46.2	59.5
	適切な推測文（%）	26.9	32.7	29.7
	関連文（%）	3.8	19.2	8.1
	不適切文（%）	38.5	1.9	2.7
構造	適切な筋の表現	1/5	5/5	3/5
	適切なオチの表現	1/5	5/5	3/5

命題は 5 話の総発話数のうち，適切な事象文，適切な推測文，関連文，不適切文の割合を示した．構造は 5 話のうち適切な筋とオチの数を示した．
初回評価では不適切な発話文が多かった．1 年後には減少したが，関連文が多く発話が冗長であった．
10 年後は関連文数も減少したものの，筋やオチの表現は不十分であり，談話障害は残存していた．

テーマに沿った会話）
5　SST
6　自己認識を高める訓練（各課題の実施前後に目標を設定し振り返りを共有）
7　家族指導

■ **経過**

訓練は注意課題から開始した．仕事をしたいという目標を共有しながら，見落としや誤りの認識を促して改善策を話し合った．各課題の所要時間や正答率など小さな具体的目標を本人に設定してもらった．類似した課題を繰り返しながら難易度を上げ，達成感と訓練意欲を保つようにした．

4 コマまんがの説明課題は患者の発話を言語聴覚士が再現し，因果関係の説明の補足や，不適切な解釈への気づきを促した．再度本人に発話してもらい談話構造を修正できたか確認した．また本人が「子どもの前ではかっこいい父ちゃんでいたい」と話していたことから，小児用のSST絵カードを用いて父親として子どもにどうアドバイスするとよいか話し合った．伝えたい内容の要点を明確にし，簡潔に話すよう促した．

家族指導では前述した禁煙のエピソードのように具体的な問題点を確認し，本人と家族にコミュニケーションの特徴を理解してもらうよう働きかけた．Y+6か月，1人で通院可能となり，自宅での生活を再開した．妻には，本人のできないことではなく現在できていることに目を向けてもらうよう説明した．

Y+10か月，現状に理解のある親戚が経営し患者も経験のある内装業に就職した．しかし，壁の端から順に塗装するといった正しい手順での作業が困難であった．作業の遅さとミスの多さを指摘されても，「一生懸命やっているのに怒られる」と問題点を認識できず，4か月後に解雇となった．同時期に症候性てんかんを発症したことをきっかけに，当初は否定的であった精神保健福祉手帳を取得し，作業所での就労訓練に移行した．

X+10年，転職のため再評価を実施した．認知コミュニケーション障害は残存していたが，「自分ばかりしゃべりすぎてはいけない」「何を言われているかちゃんと聞かないと」と自己認識できるようになっていた．ハローワークの就労支援を通じ福祉施設に就職した．

■まとめ

重症脳外傷患者の急性期からの経過を示した．認知コミュニケーション障害により，家族関係にも支障が生じた．リハビリテーションでは，患者に自己認識を促すとともに，家族にも理解を深めてもらいコミュニケーション環境を調整した．患者の“子どものために仕事をしたい”という目標を共有した個別的リハビリテーションが重要であったと考えられる．

引用文献

1）Grice HP：Logic and conversation. Cole P, Morgan J (eds)：Syntax and Semantics, vol.3, Speech acts. Academic Press, 1975
2）Coelho CA：Management of discourse deficits following traumatic brain injury：progress, caveats and needs. Semin Speech Lang 28：122-135, 2007
3）藤田郁代：脳外傷のコミュニケーション障害の病態と談話機能検査開発に関する研究．平成15，16年度科学研究費補助金基盤研究成果報告書，2005
4）坂本佳代，藤田郁代，小林寛子，他：脳病変による談話障害へのアプローチ—脳外傷における談話の結束性の処理—認知機能との関係からの分析．言語聴覚研究 6：31-38，2009
5）神奈川リハビリテーション病院(編)：脳外傷リハビリテーションマニュアル．p139，医学書院，2001
6）立神粧子：ニューヨーク大学医療センター・ラスク研究所における脳損傷者通院プログラム「脳損傷者通院プログラム」における前頭葉障害の補填戦略(前編)．総合リハ 34：1000-1005，2006
7）Prutting CA, Kirchner DM：A clinical appraisal of the pragmatic aspects of language. J Speech Hear Disord 52：105-119，1987
8）Steel J, Togher L：Social communication assessment after traumatic brain injury：a narrative review of innovations in pragmatic and discourse assessment methods. Brain Inj 33：48-61，2019

参考文献

• Constantinidou F, Kennedy M：Traumatic Brain Injury in Adults. Papathanasiou I, Coppens P(eds)：Aphasia and Related Neurogenic Communication Disorders (2nd ed). p430, Jones and Bartlett Learning，2016
• 小泉保：入門語用論研究—理論と応用．研究社，2001
• Sohlberg MM, Mateer CA(著)，尾関誠，上田幸彦(監訳)：高次脳機能障害のための認知リハビリテーション—統合的な神経心理学的アプローチ．協同医書出版社，2012
• 泉子・K・メイナード：談話分析の可能性—理論・方法・日本語の表現性．くろしお出版，1997

2 右半球損傷に伴う認知コミュニケーション障害

A 基本概念と症状

右半球損傷 right hemisphere damage(RHD)で生じる症状には左半側空間無視，注意障害，構成障害，病態失認，感情と情動の障害，着衣障害，相貌失認，地誌的障害，運動維持困難などがある[1, 2]．

失語症が音韻，意味，統語など形式的言語機能の障害であるのに対して，RHDでは失語症とは異なるコミュニケーション機能の問題から談話レベルの問題が生じることが知られている[3]．

1 コミュニケーションの要素と右半球機能

コミュニケーションとは社会生活を営む人間の間で行われる知覚・感情・思考の伝達である．言語・文字，その他の視覚・聴覚に訴える各種のものを媒介とし，コミュニケーション手段には音声言語，文字，手話などの言語情報と，顔の表情，視線，身振りなどの非言語情報がある．さらに音声言語の情報はパラ言語といわれる**プロソディ**(イントネーション，アクセント，リズムなど)が言語情報を修飾する．

コミュニケーションで伝達されるものは，知識，考え，気持ちなど自分と他者との間で交わされるすべての情報であり，それによって意思の疎通，共感，相互理解などを行う．情報の解釈には字義どおりの意味だけでなく，メッセージに含まれる**言外の意味(含意)**の推測が必要となる．命題は発話における意味の最小のまとまりで，真偽性を含む．藤田[2]は以下の例をあげて，字義どおりの意味の解釈だけでなく，言外の意味の推測が必要であると述べている．部屋の温度が不快なほど高くなってきた場合，窓際の人に向かって「暑いですね」と言えば「窓を開けましょうか」と返す．このようにコミュニケーションでは，**文脈**で用いられる意味の適切性が，命題の真偽性よりも重要なことがある．

ある文脈で適切に文を使用する能力を**語用論的能力**という．コミュニケーションには形式的言語機能，語用論的機能，認知機能が関連する[2]．大脳の機能局在において左大脳半球は言語の理解・産生のような分析的処理に優れ，右大脳半球は視空間情報の操作のような同時的，全体的処理を行う．形式的言語機能は左大脳半球に側性化され，右大脳半球が担う役割は小さい．一方，右大脳半球は非言語情報およびパラ言語情報の処理への関与が大きいとされる．RHDによるコミュニケーションにおける言語運用の障害にはプロソディの処理，語用論的機能などの言語機能の障害とRHD特有の認知機能障害が影響している．

2 RHDによるコミュニケーションの特徴

RHDによるコミュニケーションは，暗示的な意味に対する感受性が乏しく話者のニュアンスや意図が伝わりにくい，発話が冗長で主題から逸脱してわかりにくい，会話技法の拙劣さから一方的で疲れる，などの特徴がある．語用論的機能の障害から談話レベルの問題が生じ，コミュニケーションが障害される．RHDのコミュニケーション障害には，この語用論的機能の障害にプロソディの障害，感情の理解と表出の障害が複雑に関連している．

a プロソディの障害

プロソディにはイントネーション，アクセント，リズムの要素がある．基本周波数(ピッチの上昇と下降)，強度，テンポ(休止，引き延ばし)のパラメータがあり，それぞれ高さ，大きさ，タイミングとして知覚される．プロソディを使用すると，発話の言語学的情報と感情的情報を理解・表出しやすくなる．RHD では単調で抑揚を欠いた，全体的に無機質な発話となり，話し言葉のプロソディを理解できないことがある．

2種類のプロソディがあり，**言語学的プロソディ**は語や文章の曖昧さを解消する機能がある．アクセントやイントネーションを用いて，質問文，平叙文，感嘆文などの文の性質の特定や語彙(例:「雨」「飴」)や品詞の違い(名詞と名詞句，例:「はしか」「橋か」，名詞と動詞，例:「春」「貼る」)，および文の異同を区別する．**情動的プロソディ**は話し手の態度を同定する機能がある．喜び，悲しみ，怒り，皮肉などの情報を追加する．RHD ではこれらのプロソディに困難を示すことがある．

1）プロソディ産生

RHD では言語学的プロソディ，情動的プロソディともに産生が障害される．基本周波数の変化が減弱し，分節間・語間の休止時間の調節が困難となる．

プロソディ産生の障害から，RHD の発話は単調な印象を与え，喜怒哀楽や感情的な意味合いを伝えられなくなる．RHD のなかには「私は怒っているんだ」と会話に語彙情報を挿入して感情を伝えることがある[4]．

2）プロソディの理解

プロソディの理解障害は，イントネーションの聴覚弁別の障害が関係する[1]．情動的プロソディの理解がより顕著に障害される．怒り，喜び，悲しみを表すプロソディの同定と判別が困難となる．この障害には感情を表現するジェスチャーや表情などの非言語的情報への感受性低下も影響する．皮肉や風刺など言外の意味に推論が必要な情報ではとりわけ困難が生じる．

3）プロソディ障害の責任病巣

RDH のプロソディ障害に関与する領域には皮質(側頭葉，前頭葉，頭頂葉)，皮質下(大脳基底核，尾状核，内包，島)のさまざまな領域の損傷が報告されている[1]．障害の発生機序には感情障害と注意障害との関連が注目されている[2]．プロソディ理解では無視症状が感情の理解に影響し，側頭頭頂部が重要である．情動的プロソディにおける周波数情報の知覚には音韻や意味の情報に注目せず，プロソディ情報に注意を向ける機能，プロソディを産生する際には運動制御に大脳基底核の重要性が指摘されている．

b 語用論的機能の障害

語用論は発話とその使用者の関係を扱う研究分野である[2,5]．話者の意図する意味と，文脈や社会文化的な考慮に沿った文の使用を研究対象とする．文脈とは発話に関する状況のことで，環境の知覚，記憶，一般的知識，信念などが含まれる．この文脈情報から発話の意味が推論され，解釈される．RHD では文脈中の意味や含意の解釈が障害され，語用論的機能の障害から談話や会話で混乱をきたす．プロソディや感情の理解低下も語用論的機能の低下に影響する．

1）談話

談話とは，まとまった意味を伝えるための文よりも長い発話である[6]．談話のジャンルには記述，物語，手続きの説明，説得，会話がある．会話や物語，説明などの話し言葉と，新聞記事や電子メール，論文などの書かれたものがある．物語，手続きの説明と会話を評価として分析することが多い．

談話を表出する前に，談話の主題，すなわちテーマを理解している必要がある．次に表出ではテーマに即して個々の情報を論理的に展開するが，関係のない細かい情報を最小限にとどめる必要がある．注意，記憶，遂行機能などの認知機能障害は思考の組織化と構造化に影響し，これらの障害と関連するコミュニケーションの問題は**認知コミュニケーション障害**と呼ばれる[7]．

談話では起承転結の談話構造の形式化が障害される．物語の説明に関する談話分析では，**結束性**，一貫性および内的妥当性が低下する[8]．内的妥当性の低下は談話のテーマの理解障害であり，語用論的機能の問題を反映して，談話の表現内容に誤りが生じる．4コマまんがなどの図版課題を用いた場合には視覚認知および視空間認知の低下もテーマの理解障害に影響する．

談話構造の形式化の障害とは，結束性と一貫性の低下である．結束性とは文と文とをつなげる際の意味的なつながり，指示代名詞による指示関係，接続詞を用いた接続関係である[6]．一貫性とは談話表現が全体としてまとまりがあるかどうかである．主題に即した論理展開が一貫して行われているかどうかは，注意持続，監視機能が関連する．さらに複数の情報から重要でない情報を抑制し，重要な情報を取捨選択するための抑制機能やワーキングメモリなどが関連する．これらが障害されると，単独の文は適切に表現できても，談話ではまとまりを欠いた表現となる．そのため，冗長で，重要でない細部を説明し，話題の一貫性がなく横道に逸れ，話が前後し繰り返しが多く，情報の関連づけが乏しいため，主題が伝わりにくくなる．表出する語彙や命題が少なく，聞き手の推測や追加の質問が必要な場合もある．これらの談話の特徴は，冗長で要点が簡潔に伝わりにくいというRHD特有の**言語表現の効率の低下**を示している．

2）含意の理解

RHDでは，間接的に表現された意味を類推する能力が低下する．その結果，含意（字義的でない意味），比喩・皮肉，慣用句，およびユーモアや話のオチの解釈，嘘と冗談の判断などが障害される．意味の微妙なニュアンスや，会話中に間接的に表現される話し手の意図への推論，他者の内的動機に対する感受性などが低下する．

3）会話の障害

会話は社会生活に参加するための基本的な能力であるとともに，相手とのやりとりによって展開する動的で複雑な活動である．会話のターン（話し手の交替），話題の開始と維持，話題の修正など話し手・聞き手の態度といった会話技法が，会話の成否や質に影響する[7]．RHDの会話は語彙選択よりもむしろ**コミュニケーション技法**が問題となり，これが**対人技法の拙劣**さにつながる．以下に竹内[3]によるコミュニケーション技法低下の要因を示す．

①**会話における前提の適切性の障害**：前提とは会話のなかで話し手と聞き手が共有する知識をいう．話し手が前提を省略しすぎると聞き手は話が理解できなくなり，逆に前提が冗長すぎると話がくどくなる．RHDはこの前提知識の評価能力に問題がある．

②**話題の開始と維持の障害**：会話中の話題を保持せず，自ら話題を展開しようとしないばかりか，返答のみで反応したり，会話を切り上げてしまったりする．共感に乏しく，柔軟性に欠け，自分の考えを一方的に押しつけたり，突然に無関係な話を開始したりする．聞き手にぶしつけな印象を与えてしまう．

③**会話の修復の障害**：話し手は会話を進展させるために，聞き手を考慮して情報の量や内容を調整する．また聞き手は，情報を明確にするために話し手に質問したり，繰り返しを求めたり，促したりして会話を修復する努力が必要である．RHDではこの努力が欠けている．

④**聞き手になった場合の発話行為の障害**：聞き手は話し手の発話内容にコメントや要求，承認な

表 13-6　右半球損傷後の認知機能の障害とコミュニケーションの問題との関係

認知機能	内容	低下するコミュニケーション機能
推論	文脈の理解と意味の解釈	語用論的機能，談話理解 / 産生，プロソディ理解 / 産生
注意障害	ヴィジランス	含意の処理
	ワーキングメモリ	情報の関連づけ
視空間認知	無視	左空間からの視覚性・聴覚性情報への反応
視覚認知	顔の表情認知	コミュニケーション技法
	視覚認知	非言語性情報の理解
病態認知	病態の欠如	作話，会話のモニタリング(監視)
社会的認知	心の理論	他者の意図理解，共感
感情と情動 意欲	感情の平板化，無関心	プロソディの理解・産生，共感的態度 会話：開始・維持，アイコンタクト

どで反応するが，RHD では低下する．

⑤**役割交替技術の障害**：会話時の聞き手と話し手の役割交替には，言葉の流れにおける抑揚の変化，休止の挿入，顔の表情の変化，ジェスチャーを用いる．聞き手の場合には，話の切れ目や途中で発話を挿入したり，非言語性の反応を用いたりする，RHD ではこうした技術を適切に使用できない．

⑥**外言語面の障害**：コミュニケーションを支える非言語面の態度をいう．アイコンタクト，相手の顔の表情の理解や自身の表情の障害，うなずきや相槌，身体的接近(例：握手など)の身体表現が RHD では減少する．

3　発症メカニズム

RHD によるコミュニケーション障害には，右半球特有の認知機能低下が関連するとされ[2, 3]，**推論**の障害，注意障害，外界の知覚・認知の問題，病態失認，感情と情動の認知の障害および自己認知と**社会的認知**の障害など多様である．RHD の認知機能の障害とコミュニケーションの問題との関係を示す(表 13-6)．

a　推論の障害

推論とは，ある情報の重要な特徴に関心を向けて一貫性のある情報に統合する論理的思考能力である．推論は情報を過去の経験や常識に関連づける能力に依存する．語用論的機能には文脈や状況など外界の情報と言語情報との統合が重要となる．談話機能には論理的能力や遂行機能が必要である．右半球は特に同時的・全体的処理を担い，推論の障害は語用論的機能，談話機能，プロソディなどコミュニケーション全体に影響する．含意や比喩・皮肉など言外の意味の処理にもかかわる．推論は遂行機能と同様の実行系認知の 1 つであり，前頭前野背外側・腹外側部・前部帯状回が関係する[9]．

b　注意障害

注意機能において注意の操作と覚醒システムは，右半球に局在している．その結果，RHD では空間性注意の定位，選択性注意，ヴィジランスなどの能動的な注意機能の操作が障害される．これらの注意障害により，環境に対する気づきが抑制され，注意の焦点化の制限や空間に対する注意操作が低下する．コミュニケーションにかかわる認知機能にも影響し，発症前は迅速で自動的であった情報処理が困難となる．言外の情報に対する気づき，認知的努力が要求される状況下での注意の維持，重要な情報の選択と柔軟で適切な判断の障害は語用論的機能を障害する．注意の容量低下は別の意味を処理する能力を障害し，推論を修正できない．

c 視空間認知

左半側空間無視では，認知的スキルにおいて，左空間からの入力の不完全な内的表象，および左側の入力刺激に対して注意を向けたり維持したりする能力が障害される．このことからコミュニケーションにおいて左側からの視覚性，聴覚性刺激への反応が低下する．必要な情報の欠落から作話症状も出現する．左側からの話しかけや，左側に置かれた電話の音声に気がつかず，何もなかったと説明する．

d 視覚認知

コミュニケーションの際，顔の**表情認知の低下**は自己の発話に対する相手の反応を知るための重要な手がかりの喪失となり，会話を進めるうえで支障をきたす．

e 病態失認

自己の病態への認識が欠如し，作話が出現する．左片麻痺に対して「左半身は動く，自分の腕ではないから動かせない」と言う．

f 社会的認知

他者の意図理解や共感の低下から語用論的機能が低下する．社会的認知は注意，記憶，遂行機能とは異なる機能である．前頭前野眼窩部，内側前頭前野，上側頭回，扁桃体が関与する[9]．眼窩部の損傷では，情報処理で懲罰・報酬に関連して行動を適切に選択できなくなり，会話の能動性，衝動性で低下が認められる．

内側前頭前野の障害ではモニタリング機能が障害され，談話の結束性や一貫性の低下に影響する．また他者の信念や意図に関する認知の低下は推論や共感的理解に影響し，語用論的機能を低下させる．

会話だけでなく映画や物語などで言語情報として伝えられる情動を感じとることも困難となる．

g 感情と情動

感情が平板化し，**無関心**，プロソディ使用の減少，他者の喜怒哀楽に対する感受性の低下などが生じる．特に顔の表情やジェスチャーなど感情を表す非言語的情報の理解と表出が低下する．情動体験の表出も乏しい．意欲・発動性の低下は積極的な情報処理の低下と関連する．推論および会話の開始・維持およびアイコンタクトの低下など，コミュニケーション行動の低下につながる．

B 評価

1 評価のポイント

RHD患者との面接，言語面の評価，コミュニケーション場面の観察，家族からの情報収集，非言語面の神経心理学的検査を実施する．言語面・非言語面の成績低下の有無だけでなく，課題間の成績の乖離を検討し，反応様式(検査への協力，自己修正，方略，内省など)も観察する．

2 評価の内容

言語・コミュニケーション機能，言語以外の認知機能，自己の病態に関する気づきと社会的認知の評価を実施する．

a 言語の評価

1) 言語機能・コミュニケーション能力の評価

まず，インテーク場面で談話機能，コミュニケーション能力を観察する．右半球言語能力検査 Right Hemisphere Language Battery 2nd edition (RHLB)[10] (➡ Note 4)の談話評価尺度(表 13-7)などで評価項目を決めておく．

RHDの言語機能評価に標準化された評価法はなく，既存の言語評価を用いる．語用論的機能の評価では標準失語症検査補助検査(SLTA-ST)のまんがの説明課題，WAB失語症検査の情景画課題などを用いて主題や場面の理解およびこれらに関する推論と談話を構成する能力を評価する．語用論的機能の障害が疑われる場合は，慣用句や**比喩・皮肉**，ことわざの理解について確認する．

実用コミュニケーション能力検査(CADL)は日常コミュニケーションの問題や，コミュニケーション行動と代償手段の使用レベルが判定できる．プロソディの理解と産生に関する評価も行う(表 13-7)．

表 13-7 談話評定スケールによる会話評価のポイント

礼節	挨拶や感謝の表明など，礼儀にかなった態度が適切にとれているか
ユーモア	ユーモア表現が質的・量的に適切に用いられているか
質問	質問を質的・量的に適切に発するか
自己主張	自己主張(釈明・批判・要求)が適切になされているか
発話の長さ	発話の長さは適切か
多様性	話題や内容は適度に多様性があるか
距離感	聞き手との関係性が堅苦し過ぎたり，馴れ馴れし過ぎたりしないか
話者交替	相互のやりとりが適切になされているか
タイミング	発話のタイミングはかみ合っているか，相手を遮ったり，応答が遅れたりすることはないか
要点	話の要点や流れを理解しているか
	話の要点を伝えることができるか
プロソディ	声の高さ，大きさ，抑揚は適切か
態度	服装，視線，表情，反応で気になることはないか

採点方法：「4：正常」～「0：非常に問題あり，相手に不安やとまどいを与える」の5段階で評価
〔本多留実：右半球損傷者のコミュニケーション障害の診かた．廣實真弓(編著)：気になるコミュニケーション障害の診かた．pp84-88，医歯薬出版，2015およびBryan KL：The Right Hemisphere Language Battery(2nd ed)．Whurr Publishers，1995を改変〕

2) 質問紙

RHD患者の家族や介護者からのコミュニケーション行動に関する情報は，今後の支援を考えるうえで有用である．在宅では家族が大きなストレスを抱えている可能性があり，チェックリストや質問紙を実施し，家族が障害を認識し，表明するきっかけを提供する．質問紙のポイントは，発話習慣(自ら会話を始めるか，他者からの会話に反応するかなど)，コミュニケーションを要求するかどうか，社会的場面(学校や会社など)でのコミュニケーションである．

> **Note 4. 右半球言語能力検査(RHLB)**
> RHLBはRHDによるコミュニケーション障害の評価法である．「隠喩文の聴覚的理解，隠喩文の読解，隠喩の文章の読解，ユーモアの判断，語彙-意味検査，文中の強勢の産生検査，談話分析」の下位検査と談話評価尺度が含まれる．

b 非言語面の評価

1) RHDに特有の認知機能障害について，以下の評価を行う．

①**視空間認知機能**：BIT行動性無視検査，標準高次視知覚検査(VPTA)を行う．

②**意識・全般性注意**：意識はJapan Coma Scale (JCS)やGlasgow Coma Scale(GCS)，全般性注意は標準注意検査法(CAT)を用いる．

③**自己の病態に関する気づき**：主訴，検査に関する内省および応答を観察する．感情や意欲に関しては標準意欲評価法(CAS)，自己評価式抑うつ性尺度(SDS)などの質問紙を用いる．

④**社会的認知**：心の理論[11] (➡ Note 5)課題を用いる．見かけと現実を区別する誤信課題には「サ

Note 5. 心の理論 theory of mind

心の理論とは他者の感情，知識，意図，信念を推測し，他者の行動を推測する機能である．相手の気持ちを推測し，言動を調節して良好な人間関係を築く機能であり，コミュニケーションにおいて重要な機能である．誤信念課題では他人が知っていることと，自分が知っていることを分けて考えられるか，という機能をみる．

リーとアン」課題や「スマーティー」課題のほか，嘘，方便，冗談，比喩や皮肉などの課題がある．

⑤**意思決定，情動の統制**：アイオワギャンブリング課題（IGT）

⑥**抑制**：Stroop テスト

⑦**推論**：因果関係，類似，時系列について説明を求める課題を行う．標準化された評価はないが，レーヴン色彩マトリックス検査の選択基準やウェクスラー知能検査の「絵画配列」課題の説明から，推論の過程を把握できる．

2）その他の認知機能検査

①**知的機能**：ウェクスラー成人知能検査（WAIS-Ⅳ）などがある．

②**記憶**：短期記憶，ワーキングメモリ，エピソード記憶はウェクスラー記憶検査改訂版（WMS-R），日本版リバーミード行動記憶検査（RBMT）を用い，意味記憶は WAIS-Ⅳの言語性課題などを用いる．

③**遂行機能**：遂行機能障害症候群の行動評価（BADS），Trail Making Test（TMT），ウィスコンシンカード分類テスト（WCST）などがある．

言語性機能と視覚性機能について，成績の乖離の有無も確認する．誤反応や**内省**（検査の振り返りによって自己の病態を認識しているかどうか）を観察し，障害メカニズムの検証に役立てる．

C 時期に応じた評価

入院中にはコミュニケーション行動の問題が目立たないが，可能性を見落とさないように観察と検査による評価を丁寧に行う．退院時に何らかの問題が明らかになった場合に相談先が確保されるよう情報提供を行い，準備態勢を整える．

家庭生活や社会生活で問題が生じている場合にはどのような状況下で不適応を起こし，家族や支援者がどのように困っているかを明らかにする．そして適切な評価を行い，その障害と問題の関連を検討し，家族になぜそのような問題が生じているかを説明し理解を促す．

C 訓練

介入はコミュニケーション行動の問題点を整理し，患者や家族の生活の質を高めるための支援という視点で行う[8]．

1 家族に対する支援

RHD によるコミュニケーション障害の理解と患者の状況を理解できるよう支援を行い，家族の心理的負担を軽減する．家族会などのピアサポートは対処方法の共有や心理面への支援に有用である．脳損傷の再発予防を含むフォローアップ，不穏や攻撃性などの精神症状の治療など医療機関との連携が必要である．

一貫した対応により患者のコミュニケーションの問題に対する支援を進める．

2 患者への直接介入

状態に合わせて機能訓練と日常生活への適用的訓練を実施する．

急性期には全般性注意機能の賦活を中心に，個々の高次脳機能障害に対する機能訓練を実施する．コミュニケーション訓練への準備段階として，コミュニケーションの問題に個別にアプローチを行う．語用論的機能の問題に対して文脈の理解，比喩・皮肉・ことわざの理解，プロソディの理解を進める．その後，実用的コミュニケーション訓練に移行し，談話課題，会話を用いた対人技法の獲得に**ソーシャルスキル・トレーニング（SST）**[12]を実施する．さらに集団訓練を追加し，社会性や語用論的機能の向上を目指す．

a 談話課題

1）物語を用いた訓練

物語には場面，始まりの出来事，登場人物の反応，計画，試み，直接的な結果，主題などの談話の基本的要素が含まれる．4コマまんがを用いた談話課題では，これらの項目の障害を特定し，理解から談話の構成にアプローチする．

2）手続き談話

説明課題を用いて，計画的に特定の順序で言語表出する能力にアプローチする．特に職業復帰を目指す場合には，本質的情報と付加的情報を分け，情報を明確に提供する能力の獲得が重要となる．

3）会話訓練

個別訓練と集団訓練がある．会話の進め方について話者の意図理解，話題管理と情報の適切性，プロソディ使用による会話の効果，話者の交替や情報の内容がわからないときの修正など会話規則に関するコミュニケーションモデルを提示して，練習する．

集団訓練では就職の面接，職場や学校など社会的場面における実生活の場面を想定してSSTを行い，対人技法の改善をはかる．態度・話し方，表現の適切性について要点を整理し，ロールプレイを行う．仲間からの承認や社会的認知の機会は社会性や自信の回復につながる．

訓練においては会話場面を撮影したビデオの観察から，客観的に自身のコミュニケーション能力の認識が可能となり，適切な会話行動へつなげることができる．

衝動性や脱抑制，協調性の低下など対人技法の低下に対して，言語聴覚士は協力的な姿勢を示し，要求的な質問を避け，適切に会話のターンが行えるよう支援する．

D 事例

30歳代，男性．

■**主訴**

左手が動かない，精神機能は入院前と変わらない．

■**基礎データと言語病理学的検査結果**

前頭葉皮質下を含む広範な右被殻出血で，発症6か月時（入院中）の知的機能はWAIS-Ⅲで言語性IQ 122，動作性IQ 80，記憶はWMS-R言語性記憶113，視覚性記憶103，遂行機能はBADS平均レベルで，視空間認知機能の低下はなかった．一方，ワーキングメモリを含む注意機能と処理速度が低下した．さらにSLTA-STの4コマまんが課題では主題理解が低下し，談話産生において文構成が完結しない，文章のつながりを欠くなど結束性が低下した．心の理論では「皮肉」「比喩」課題を字義どおりに解釈した．訓練時，伝達する情報が少なすぎる，もしくは冗長で要点が伝わらなかった．会話中，言語聴覚士と視線を合わせられず，一方的な会話の打ち切りや唐突に話題を変更した．顔の表情の表出が乏しく，プロソディは平板化していた．日常生活では移動や整容に介助が必要であった．興味の対象が限定され，復職の展望はなく，ゲームに没頭した．行動への内省は乏しかった．

■**検査結果のまとめ（解釈）と治療方針の立案**

本事例は注意機能，社会的認知，プロソディ，談話機能，語用論的機能および会話技法などの障害が認められ，右半球損傷による認知コミュニケーション障害と推察された．

認知コミュニケーション障害に対する機能訓練および復職を想定した行動変容を行うこととした．

■ **目標・訓練計画**

注意機能，談話，会話技法の改善を目標に，個別訓練(週6日)を実施した．注意課題には選択性やワーキングメモリ，処理速度に関する認知リハビリテーション課題を実施した．手続き談話課題では主題の理解から要点を整理し，談話の構成と産生訓練を行った．発症7か月時に自宅退院し，認知リハビリテーション課題やPCを用いた調べものとその説明を自習課題とした．会話訓練ではプロソディ表出とSSTを行った．日課表を作成し，1日のスケジュール作成と行動の振り返りを通して，行動変容をはかった．

■ **まとめ**

発症12か月時には注意障害が軽減し，談話課題では主題や他者の気持ちの推測が一部可能となり，要点をとらえて説明できるようになった．一方，視線や態度などの会話技法，プロソディの調節，会話や行動の動機づけ，柔軟な思考などが障害され，コミュニケーション障害が残存した．

引用文献

1）Myers PS(著)，宮森孝史(監訳)：右半球損傷—認知とコミュニケーションの障害．協同医書出版社，2007
2）藤田郁代：右半球病変・脳外傷によるコミュニケーション障害．鹿島晴雄，大東祥孝，種村純(編)：よくわかる失語症セラピーと認知リハビリテーション．pp295-296，永井書店，2008
3）竹内愛子：右脳損傷によるコミュニケーション障害．伊藤元信，笹沼澄子(編)：新編言語治療マニュアル．pp343-365，医歯薬出版，2002
4）Ross ED, Mesulam MM：Dominant language functions of the right hemisphere? Prosody and emotional gesturing. Arch Neurol 36：144-148，1979
5）松本裕治，今井邦彦，田窪行則，他：岩波講座言語の科学—言語の科学入門．岩波書店，1997
6）田窪行則，西山志風，三藤博，他：岩波講座言語の科学—談話と文脈．岩波書店，1999
7）種村純：外傷性脳損傷のリハビリテーション実践マニュアル—コミュニケーション障害への対応．MB Med Reha 25：53-59，2003
8）本多留実：右半球損傷者のコミュニケーション障害の診かた．廣實真弓(編著)：気になるコミュニケーション障害の診かた．pp84-88，医歯薬出版，2015
9）Premack DG, Woodruff G：Does the chimpanzee have a theory of mind? Behav Brain Sci 1：515-526, 1978
10）Bryan KL：The Right Hemisphere Language Battery (2nd ed). Whurr Publishers, 1995
11）フランシス・ハッペ(著)，石坂好樹，神尾陽子，田中浩一郎，他(訳)：自閉症の心の世界．星和書店，1997
12）岡村陽子，大塚恵美子：社会的行動障害の改善を目的としたSSTグループ訓練．高次脳機能研究 30：67-76，2010

3 認知症によるコミュニケーション障害

A 基本概念と症状

認知症の主要な原因疾患は，**アルツハイマー病** Alzheimer's disease(AD)，**脳血管障害**，**前頭側頭変性症**，**レビー小体病**などであり，各疾患には特徴的な言語症状がみられる(➡第11章2節，221頁参照)．本節では，罹患率が高く，談話の調査・研究も蓄積されているアルツハイマー型認知症を中心に症状を概説し，評価と介入の具体的方法を紹介する．加えて，コミュニケーションにおける情報の流れの基本的な模式図である「**speech chain**(ことばの鎖)」[1]に基づき，**疾患横断的**なとらえ方で談話を評価し，介入する方法について述べる．いずれにしても重要なのは，「低下した能力」と「保たれている能力(残存機能)」の両方に着目する視点である．

表 13-8 アルツハイマー型認知症の談話の例

自由会話	情景画説明
ST：お米を作ってたそうですね．そのお話を聞かせてください． A：そうそう．たくさん作って蔵に入れて．蔵に入れると「米の虫」がついて，やっかい．唐辛子を入れるといいの．虫のついた米は味が落ちるから，具を混ぜて炊くの．息子の好物．息子は剣道をしてたのよ．剣道の試合で怪我をして入院して，隣の旦那も長く病気だったねえ．そこの嫁は看病をしなかった．洗濯物も持って行かないで．病気は怖いねえ．隣の旦那も長く病気をしていたのよ．嫁が看病をしないのよ……．	ST：この絵を説明していただけますか． A：これは旦那さん，あらあらメガネの人ね．まあ，窓が開いている．蛾が入ってくるのに，閉めないと，ねえ．光を見せるからよねえ．あら，猫ちゃん，おねんねしてる．私は犬が好き．先生は犬は好き？ この絵は，私にくださるの？

1 アルツハイマー型認知症における談話の症状と原因

アルツハイマー型認知症における談話の症状に関する調査・研究を概観すると，理解・表出ともに，比較的早期から軽微な症状が現れることが示されている[2]．代表的な症状は，**同じ話の繰り返し**，質問に対する**唐突で的外れな答え**，「あれ，これ，それ」のような**代名詞の多用**などである．

これらの症状が現れる原因として，語彙の減少(理解語彙・表出語彙ともに)，ワーキングメモリを含む記憶機能の低下，推論能力の低下があげられる[3]．理解面では，理解できない単語があり，一度に把持できる情報量が減ることで，伝えられた情報を正しく理解できない．また，周囲の状況に照らして推論することにも制限があるため，理解不足を補うことができない．これらのことが，質問に対する唐突で的外れな答えにつながる．

表出面では，適切な語彙が想起できず，まわりくどい言い方や，「あれ，これ，それ」のような代名詞が頻出する．また，ワーキングメモリの低下により自分が話している内容を把持できないため話題の維持が困難となり，当初のテーマから話がどんどん逸れていく．エピソード記憶の低下のため，自分が直前に言ったことを忘れてしまい，同じ話を繰り返して語る．推論能力の低下のため，話題を掘り下げて展開させることが難しく，会話が破綻した場合でも，修復することができない[4]．

表 13-8 は，中等度のアルツハイマー型認知症患者と言語聴覚士との自由会話と，情景画説明の例である．自由会話では，テーマである「米作り」が維持されないこと，特に直前の語句に影響を受けて話が逸れていくこと，自分では修復困難なこと，しばらくすると同じ話が繰り返されることが窺える．情景画説明(室内でくつろぐ家族)では，個々の人物や事物の説明はあるが，人物どうしの関係性や全体としてのテーマをとらえることができないこと，話題が情景画を離れて自身の経験談に移っていくこと，その経験談がさらに別のテーマにつながっていくこと，情景画の説明を求められているという状況設定の把握が難しくなっていくことが窺える．

a 保たれている能力

低下する能力がある一方で，アルツハイマー型認知症には保たれている談話能力もある．たとえば，**談話の形式的側面**や，他者と**コミュニケーションをとろうとする態度**である．

形式的側面については，アルツハイマー型認知症は最重度を除けば発話量自体は多いこと，話者交替も行われ，うなずきや相槌，表情変化などもみられる[5]．また，朝夕の挨拶，「ありがとう」「どういたしまして」などの自然な受け答えも，認知症者の日常生活でよくみられる光景である．認知症の重症度や意欲の程度にもよるが，話しかけられたら応じようとする態度や，自ら他者に話しかける行為も，保たれている談話能力の1つとし

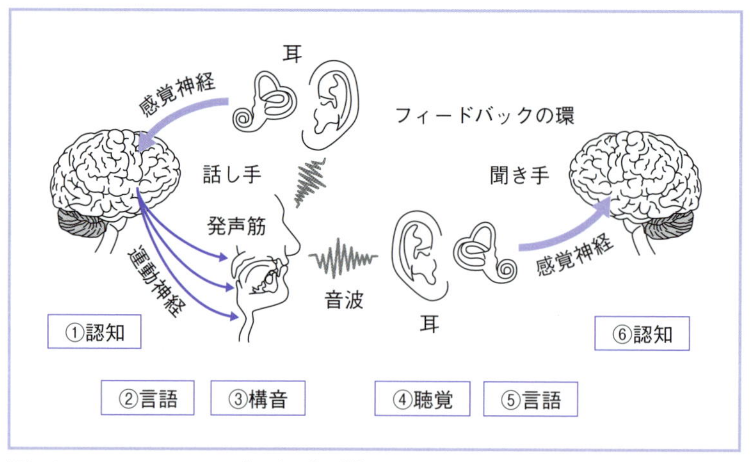

図 13-4　speech chain（ことばの鎖）
〔Denes PB, et al：The Speech Chain—The Physics and Biology of Spoken Language. Freeman and Company, 2007 を一部改変〕

てとらえることができる．認知症が発症する以前の生活のなかで，個々人が培ってきた礼儀，道徳，社会性などが，その基盤にあると推察され，これも重要なコミュニケーションの**残存能力**といえる．なお，挨拶は相手の発話に対する復唱行為ととらえることができ，重度のアルツハイマー型認知症でも保たれていることが多い．これはアルツハイマー型認知症の神経細胞損傷が音韻操作を司る部位を免れていることが理由である[6]．

2　speech chain（ことばの鎖）からみたコミュニケーション症状

コミュニケーションとは，複数の人が，伝えたい情報や感情を交換あるいは共有することと定義づけられる．図 13-4 は，二者間のコミュニケーションの過程を表す speech chain である[2]．まず，話し手に何らかの概念が想起され（図 13-4-①認知レベル），内言語化され（図 13-4-②言語レベル），発声発語器官が運動して言葉が表出される（図 13-4-③構音レベル）．発せられた言葉は，音波として聞き手の耳に届いて聴取され（図 13-4-④聴覚レベル），聴神経を上行して理解され（図 13-4-⑤言語レベル），聞き手側に新たな概念が生まれる（図 13-4-⑥認知レベル）．この過程のどこに支障が生じてもコミュニケーション障害が起こる．

認知症における談話の障害は，純粋には，①⑥の認知レベルと，②⑤の言語レベルに起因するといえる．しかし，認知症者のほとんどが高齢者であることから，加齢の影響により，③の構音レベル（**声量の低下**，**声質の変化**，**巧緻性の低下**など），④の聴覚レベル（**加齢性難聴**など）が頻発する．認知症者のもつコミュニケーション障害への言語聴覚士としての支援を考えるとき，この過程のどこに支障が生じているかを，まず解きほぐすことが重要である

このような視点で認知症者のコミュニケーションを分析すると，重度認知症であっても，すべての機能が障害されている例は少なく，ほとんどに何らかの活用可能なコミュニケーション手段を見つけることができる[7]．認知症者に保たれているこのようなコミュニケーションの糸口を丁寧に探して，日常生活のなかで活用する，あるいは家族や周囲のスタッフなどに根拠をもって伝えることが重要である．

言語	
聴覚的理解	単語の理解
	短文の理解
視覚的理解	漢字・仮名単語の読解
	身体命令の読解
発話	呼称
	短文の復唱
書字	漢字・仮名単語の書称
	短文の書取

構音
寝る子は育つ
うそつきは泥棒の始まり
能ある鷹は爪を隠す

図 13-5 認知症コミュニケーションスクリーニング検査
〔飯干紀代子(監修)：認知症のコミュニケーションスクリーニングテスト(CSTD)．エスコアール，2014 より〕

B 評価

認知症者の談話を評価する目的は，臨床的には次の2つであろう．1つは認知症初期において鑑別診断のための資料を提供すること，もう1つは認知症のステージや重症度を問わず，**残存機能**を発見し，それを日常生活のコミュニケーションにどう活用するかの指針を得ることである．ここでは,直接評価と観察による評価をいくつか紹介する．

1 直接評価

a speech chain に基づく評価

コミュニケーションスクリーニングテスト Communication Screening Test for Dementia (CSTD)は，前項で述べた speech chain に基づいてコミュニケーションの4過程(聴覚，認知，言語，構音)を評価し，重複する認知症者のコミュニケーション障害をスクリーニングして，疾患横断的に介入・支援の方向性を示すことを目的としたテストである．信頼性と妥当性が検証されている[8] (図 13-5，6)．

①**聴覚**：可能なかぎりオージオメータや簡易オージオメータを用いて平均聴力レベルを算出する．重度認知症であっても，刺激音への挙手，うなずきなどの聴性行動反応を目安にして聴力検査は実施できることが多い．聴力検査が困難な場合は，日常生活における観察をもとに判定する．

②**認知**：世界的に最も多用されている簡易認知機能検査の1つである Mini-Mental State Examination(MMSE)を用いる．

③**言語**：聴覚的理解，視覚的理解，発話，書字の4つのモダリティを，物品や文字カードを用いて単語レベルと短文レベルで評価する．判定は通過・未通過の2段階判定で，得点範囲は0〜22点である．

④**構音**：高齢者になじみのあることわざが書かれたカードを音読してもらい，発話明瞭度を，1：発話内容が十分わかる，2：時々わからない語がある，3:聞き手が話題を知っていればどう

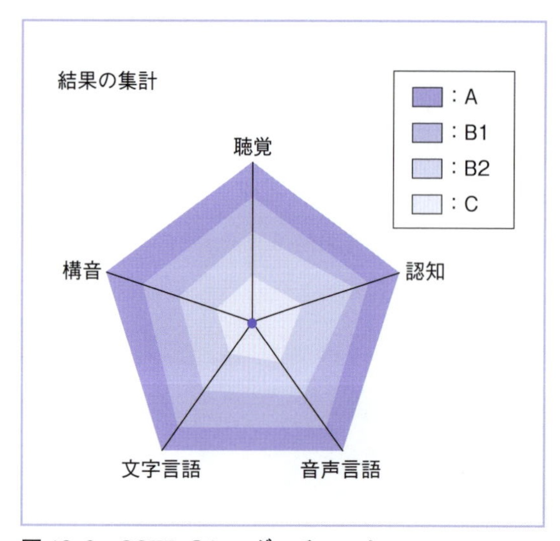

図13-6　CSTDのレーダーチャート

〔飯干紀代子(監修)：認知症のコミュニケーションスクリーニングテスト(CSTD)．エスコアール，2014より一部抜粋〕

やらわかる，4：時々わかる語がある，5：まったくわからない，の5段階で評定する．

所要時間は10分弱で，付属のCD-ROMを用いて粗点を入力し，結果をレーダーチャート(図13-6)などで一覧化して示せる．低下した機能と保たれた機能を可視化して，スタッフや家族と支援方法を共有できる．

b 失語症者向けに作られた情景画テストを認知症者に転用する方法

老研版 失語症鑑別診断検査(D.D.2000)の「室内でくつろぐ家族」，WAB失語症検査の「屋外ピクニックの風景」，失語症言語治療『失語症の言語治療(付＝鑑別診断検査・治療絵カード)』の「おばあさんと猫」，ボストン失語症鑑別診断検査(BDAE)の「クッキー泥棒」などの情景画を用いる．これらのうち「おばあさんと猫」は，高齢者になじみ深い要素から構成されており，幅広い重症度の認知症者に適用できる．一方で，「室内でくつろぐ家族」「屋外ピクニックの風景」「クッキー泥棒」は，高齢者にとって比較的低頻度な語を想起する必要があるため，軽微な談話の症状を検出しやすい．検査の目的に応じて，使用する情景画を選ぶ．

表13-9　Profile of Pragmatic Impairment in Communication(PPIC)の項目

下位項目	内容
意味内容(LC)	単語を本来の意味で用い，理解可能で論理性がある
参加態度(GP)	会話に加わり，話題に合わせようという努力がみられる
発話の量(QN)	聞き手への配慮がある，一方的多弁でない
内容の信頼性(QL)	客観的な事実や信念に基づいている，正直・率直である
自己内の連続性(IR)	自分の意見の変化に連続性と内容的な関連性がある
相手との関連性(ER)	自分の意見を，相手の意見の変化に合わせられる
意見の明確性(CE)	意見を明確に述べられる
社会性(SS)	文脈や状況に適した態度である
会話のテーマ(SM)	会話のテーマが，倫理的，社会的，文化的に適切である
審美性(AE)	意味を補足する，共感するなど会話を彩る行為がみられる

得られた発話について，単語や構文の適切性，「もの」「何か」といった具体性の乏しい語の有無，代名詞の多用，迂回表現，テーマからの逸脱，全体をとらえる力などに着目して，談話能力を評価する．

c 認知症者に特化した定型的な談話の評価

Profile of Pragmatic Impairment in Communication(PPIC)：実用的なコミュニケーション評価は，認知症者の実用的なコミュニケーションを評価するために開発されたテストであり，信頼性と妥当性が検証されている[9]．認知症者に，①過去の思い出を自由に話す，②「クッキー泥棒」の絵を見て説明してもらう，③お茶セットの写真を見て，どのようにお茶を入れるか話してもらう，という3種類の手続きで発話を引き出す．得られた発話を，表13-9に示す10項目について「まったくみられない」「たまにみられる」「しばしばみ

表 13-10 CANDy の各項目が反映する神経認知領域

項目	神経認知能力	該当	
		N	%
会話中に同じことを繰り返し質問してくる	記憶障害	22	95.7
話している相手に対する理解が曖昧である	人物誤認	19	82.6
どのような話をしても関心を示さない	興味・関心の喪失	21	91.3
会話の内容に広がりがない	思考の生産性や柔軟性の障害	22	100
質問をしても答えられず，ごまかしたり，はぐらかしたりする	取り繕い	21	91.3
話が続かない	会話に対する注意持続力の障害	22	95.7
話を早く終わらせたいような印象を受ける	会話に対する意欲の低下	18	78.3
会話の内容が漠然としていて具体性がない	喚語困難	18	78.3
平易な言葉に言い換えて話さないと伝わらないことがある	単語の理解の障害	21	91.3
話がまわりくどい	論理的思考の障害	18	78.3
最近の時事ニュースの話題を理解していない	社会的出来事の記憶の障害	18	78.3
	興味・関心の喪失	20	87.0
今の時間(時刻)や日付，季節などがわかっていない	見当識障害	23	100
先の予定がわからない	展望記憶／予定記憶の障害	23	100
会話量に比べて情報量が少ない	語彙力の低下	18	78.3
話がどんどん逸れて，違う話になってしまう	論理的思考の障害	19	82.6

〔飯干紀代子，他：聴覚障害を伴う Alzheimer 型認知症者の補聴器適用の要因分析．鹿児島高次脳機能研究会会誌 23：36-40, 2012 および Oba H, et al:Conversational assessment of cognitive dysfunction among residents living in long-term care facilities. International Psychogeriatrics 30：87-94, 2018 を改変〕

表 13-11 CANDy の評価基準

点数	判定	30 分程度の会話でみられる具体的内容
0 点	まったくみられない	項目が示すような特徴が一度もみられない
1 点	みられることがある	1〜2 回みられる．もしくは，注意深く聴くと気づくことがある
2 点	よくみられる	3 回以上みられる．もしくは会話するたびにみられる．この特徴のために，会話の流れが頻繁に途切れる

られる」「常にみられる」の 4 段階で評定する．

2 観察による評価

日常会話式認知機能評価 Conversational Assessment of Neurocognitive Dysfunction (CANDy)を用いた質問形式のテストを受けることによって認知症者が「自分の能力を試されている」ように感じ，抵抗を示す場合も少なくない．CANDy は認知症者の日常会話を観察によって評価するものであり，信頼性と妥当性が検証されている[10]．主目的は認知症のスクリーニングであるが，日常生活における談話能力の評価としても転用できる．認知症者の日常会話を評価する過程で，検者と認知症者のコミュニケーションが促進される，生活状況を把握できるなど，単なる認知機能の評価に終わらない支援・介入の糸口としての活用が期待できる．

15 項目から構成され，30 分以上の会話をもとに評定を行う(複数回の会話時間の合計が 30 分以上でもよい)．項目ごとに「まったくみられない」，「みられることがある」，「よくみられる」の 3 段階で評定し，合計得点を算出する(表 13-10, 11)．

C リハビリテーション

1 本人への介入

a コミュニケーションの構成要素に着目した介入・支援

本項では，speech chain に基づくコミュニケーションの4つの構成要素のうち，聴覚と構音について介入・支援の具体的方法を紹介する．認知機能と言語機能については，第13章1節(➡271頁)を参照．

1）聴覚への介入・支援

コミュニケーションの出発点である聴覚を保障することは，認知症者の談話を底支えする役目をもつ．聴覚障害への介入・支援の第一選択は**補聴器装用**であるが，認知症者の補聴器装用率はきわめて低率である．しかし，平均聴力レベル55 dBHL以上で，ワーキングメモリと単語の復唱能力が保たれていれば補聴器装用が4か月間可能であり[11]，補聴器を装用することで認知機能の向上や情動の安定につながることが示されている[12]．また，補聴器装用が困難な場合でも**発話者の口形に着目**させながら会話することで，認知症の重症度にかかわらず聴覚的理解を促進することも報告されている[13]．なお，聴覚障害のある認知症者では，健聴の認知症者に比べて文字言語能力が保持されることも興味深い現象である[14]．会話時の筆談はもとより，補聴器装用を促進するためのマニュアルなどにもイラストや写真に加えて文字を添えることで，認知症者の理解が促される．

2）構音障害への介入・支援

ADなどの変性疾患による認知症で構音障害が起こることは稀であり，もし認められた場合は**廃用による発声発語器官の機能低下**や，**義歯の不適合**を疑う．まずは義歯の調整を依頼する．また，当然ながら嚥下機能の低下も推測されるため，嚥下障害の基礎訓練を兼ねた発声発語器官の運動を行う．

脳血管性認知症の場合，損傷部位によっては運動障害性構音障害がみられ，認知症が軽度であれば訓練効果も見込めるので，運動障害性(麻痺性)構音障害の検査法—短縮版[8]や標準失語症検査補助テストなどの精査を行い，一般的な構音障害の訓練を行う．

b さまざまなアクティビティを通じた介入

認知症治療のうち，薬物療法以外は非薬物療法として一括される．非薬物療法には，表13-12に示すように，**認知機能訓練**，**認知刺激**，**認知リハビリテーション**，**運動療法**，**音楽療法**，**回想法**，**認知行動療法**などがある[15]．エビデンスレベルはさまざまであるが，これらはすべて，治療者と認知症者がかかわりをもち，何らかのコミュニケーションを介して行われることから，その妥当性と重要性は医学的エビデンスという尺度だけでは測れない．日常生活のコミュニケーションを豊かにしたり，QOLを高めたり，といった臨床的意義も大きい．

多様な感覚刺激を用いた介入により，情景画の説明，手順の説明，テーマに沿った会話などにおいて語彙の種類が増加したという報告，見当識訓練と回想法の要素を取り入れたグループ活動により，観察による評価において他者に対する関心や発話行為が増加したという報告がある[16]．さまざまな病院・施設で行われている認知症者へのアクティビティについて，談話という切り口で介入し，その効果を分析・確認していく作業も，言語聴覚士の重要な役割であると思われる．

c メモリーブック

メモリーブックは，オハイオ大学のSpeech Pathologistである Bourgeoisが1990年代に考案した，認知症者や記憶障害患者を対象にした**コミュ**

表 13-12 認知症者への非薬物療法

認知機能訓練	記憶，注意，問題解決など，認知機能の特定の領域に焦点をあて，個々の機能レベルに合わせた課題を，紙面やコンピュータを用いて行う.
認知刺激	認知機能や社会機能の全般的な強化を目的とした活動．正しい見当識などの情報を繰り返し教示する集団リアリティ・オリエンテーションも，この分類に入る.
認知リハビリテーション	個別のゴール設定を行い，その目標に向けて，戦略的に行われる個人療法．日常生活機能の改善に主眼が置かれ，障害された機能を補う方法を確立する.
運動療法	多種多様なプログラムが存在する．有酸素運動，筋力強化訓練，平衡感覚訓練などがあり，これらの複数の運動を組み合わせてプログラムを構成することが多い.
音楽療法	多種多様なプログラムが存在する．音楽を聴く，歌う，打楽器などの演奏，リズム運動などの方法があり，これらを組み合わせてプログラムを構成することが多い.
回想法	高齢者の過去の人生の歴史に焦点をあて，ライフヒストリーを聞き手が受容的，共感的，支持的に傾聴することを通じて，心を支える.
認知行動療法	ここで言う「認知」とは，物事の受け取り方や考え方を指す．精神状態が不安定なときに歪みがちな認知を修正することで，ストレス軽減をはかる精神療法の技法.

〔日本神経学会(監修)，認知症疾患治療ガイドライン作成合同委員会(編)：認知症疾患診療ガイドライン 2017．pp67-73，医学書院，2017 を一部改変〕

ニケーション支援ツールである[17]．本人から発話や書字で引き出した生活史や人生の思い出，現在の出来事，今後への希望などを文章にして，写真や地図などとともに，1 冊のノートにまとめたアルバムである．軽度認知症者のメモリーブックの例を図 13-7 に示す.

メモリーブックは，過去を振り返るという点では回想法の一種といえる．しかし，回想法との相違点として，過去だけでなく現在や未来のことにも触れること，アルバムという成果物にまとめて繰り返し活用すること，発話や書字といった**言語機能を積極的に賦活**することがあげられる．個別介入，集団介入どちらでも行うことができ，これまでに，談話，自伝的記憶，コミュニケーション態度に効果が認められている[18, 19].

言語聴覚療法としてのメモリーブックの活用は，①人生の思い出や，現在の出来事，今後への希望などを，発話や書字で引き出す．②得られた文章を写真やイラストとともにアルバムにまとめる．③完成したアルバムを音読やフリートークに活用する，の 3 点に集約される.

メモリーブックを作成する際のポイントは，次の 3 点である．発話や書字を引き出す際は，①生い立ちから，幼少期，学童・生徒期，成人期，結婚・家族，仕事，退職後と人生の時系列に沿って聞く，②客観的な事実としての過去の出来事というより，本人が憶えている思い出を記す，③なるべくポジティブな感情を生起する出来事を聞く.

写真やイラストを集める際のポイントは，①写真の意味を患者自身がわかっている，②家族や第

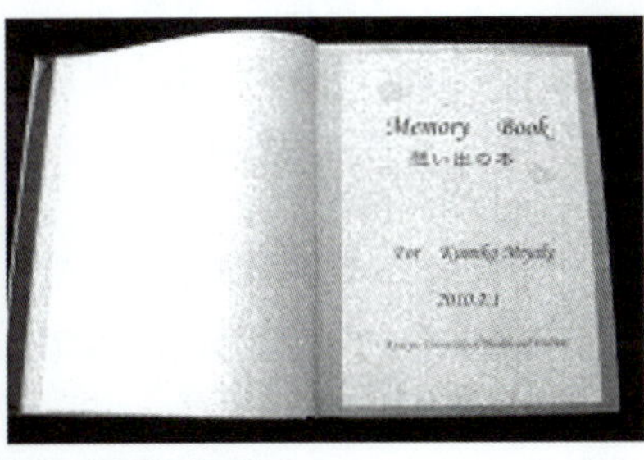

図 13-7 メモリーブックの例(軽度認知症者)

三者の視点ではなく，本人にとっての重要な意味をもつかどうかで選択する，③重要な人や建物が中心にはっきり写っている，④本人が見える解像度とサイズである，の 4 点である．なお，場合によっては，写真がないか極端に少ない，家族が遠方にいるため持って来ることができないなどの理由で写真が手に入らないこともある．その際は，著作権に留意しながら，本，雑誌，インターネットなどから写真やイラストを手に入れて代用する．

2　環境調整

談話を円滑にするために，環境を調整することは重要である．環境には，**聴覚的環境**，**視覚的環境**，**空間的環境**がある．いずれも，認知症の人との談話を促進するために欠かせない基本的要件である．

a　聴覚的環境

静かに話せる状況をつくる．認知症者は，軽度難聴を含めると，80 歳以上の 9 割に加齢性難聴がある[20]．認知症による注意機能低下も加わり，**周囲に雑音**があると，談話を大きく損ねてしまう．誰も見ていないのにテレビがつけっぱなしになっている，バックグラウンドミュージックが流れていてレクリエーション司会者の声が聞き取りにくい，患者どうしが話している隣で職員が掃除機をかけているなどは，高齢者の施設でよく見かける光景である．このような状況に気づき，解消していくことも言語聴覚士の重要な任務であろう．

b　視覚的環境

部屋の明るさに留意する．認知症者とコミュニケーションをとる際，身振りや表情などの非言語的コミュニケーションが重要であることはいうまでもない．多くの患者は何らかの視覚機能が低下しており，部屋が暗いと，相手の身振りや表情でのメッセージが届きにくい．一方で，明るすぎても，白内障患者の目には負担となる．高齢者にとって相手の顔をよく認識できる明るさとは，窓のレースのカーテン越しに入る日差しが目安といわれている．

c　空間的環境

落ち着きのある空間を目指したい．散らかった場所，人の出入りの激しい場所などでは，落ち着いたコミュニケーションは実践できない．認知症者は，なじんだものや懐かしい品物に囲まれると情動が落ち着く．臨床の場でそのような理想的な環境をつくるのは難しいが，使い慣れたものが 1 つでもあると，本人にとっては落ち着くきっかけとなる．

D　事例

介護老人保健施設入所の 80 歳代男性への補聴器装用ならびにメモリーブックを用いた談話への介入．

- **原疾患**

アルツハイマー型認知症

- **言語聴覚障害**

認知症による意思疎通の低さ，加齢性難聴，コミュニケーション意欲低下

- **現病歴**

X－10 年，聞こえの悪さを自覚し補聴器装用を開始．X－5 年，健忘症状のため補聴器装用中断．X－4 年，近医でアルツハイマー型認知症の診断を受け，X－3 年に介護老人保健施設入所．

- **教育歴，職歴**

高校卒，水道配管工

■ **初期評価**

- **聴覚**

右耳中等度難聴(気導 45 dBHL・骨導 36.7 dBHL)，左耳高度難聴(気導 77.5 dBHL・骨導 75.0 dBHL)

- **認知**

MMSE は 11/30 点

• コミュニケーション

CSTD は 20/22 点(短文レベルの聴覚的理解・視覚的理解・発話・書字可能)

• 意欲

日中は傾眠傾向強いが，個別に話しかけると応答は良好．人への親和性は高い．

■ 検査結果のまとめ(解釈)と治療方針の立案

- 中等度以上の加齢性難聴(左＜右)
- 認知機能の全般的な低下の一方で，言語の基本機能は保たれている．
- コミュニケーション意欲，潜在的には保持．

■ 目標

- 補聴器装用による聴覚補償．
- メモリーブック作成による回想を用いたコミュニケーションの活性化．

■ 訓練計画

• 補聴器装用

本人が以前使っていた箱型補聴器を良聴耳に装用．1 日 3 時間から開始し，徐々に延長．補聴器着脱の 7 過程(イヤホンをつける，スイッチを入れるなど)を，保たれている言語機能を活用して文字で示しながら説明し，介助した(表 13-13)．

• メモリーブック

週 1 回，20 分程度，計 6 回，思い出を聴取．

■ まとめ(経過)

ベースラインでは 7 過程のうち，紐を首にかける・外すしかできなかったが，1 週後より達成項目が増え，6 項目が自力可能となった．当初は自分の補聴器を見て「これは何ですか？」と尋ね，まったく既知感がなかったが，4 週目には「これがないとだめです」と言いながら，自らの意思で補聴器を装用した．再評価では，MMSE は 11 点から 13 点となり，場所の見当識が向上した．質問に対して自ら考えようとする姿勢が顕著に向上した．

表 13-13　補聴器装用手続き

装着	マイク部の装着 イヤホンの装着 入力スイッチを入れる 音量メモリを調節する
取り外し	マイク部を外す イヤホンを外す 入力スイッチを切る

図 13-8　メモリーブックの抜粋

ゆっくりとしたペースで生い立ちからの出来事を思い出し，ぽつりぽつりと話した．水道配管工をしていた30歳代のことになると，配管の種類や値段，接続のしかたなど多彩な用語を使って，はっきりした声で熱っぽく語った．最後に「仕事は段取りが大切です．人生も同じです」と締めくくった（図13-8）．家族から得た写真とともにアルバムを完成させると，何度も読み返していた．スタッフと家族にもメモリーブックに目を通してもらった．その後も，言語聴覚士とのフリートーク，スタッフや実習生と交流する際の話題提供，家族との思い出話のきっかけなどに活用した．

■ 考察

認知症発症前に補聴器装用経験があり，言語機能がある程度保たれていれば，**手続き記憶**を活かして**再装用**につながることが示された．MMSEの**見当識の得点向上**は，補聴器装用による感覚入力の適正化，スタッフとの交流の増加などの複数要因によるものと推察される．見当識は日常生活の改善を最も予測する因子といわれ[21]，この変化がもつ意味は大きい．

メモリーブックの作成を通して，本人に保たれていた**言語機能が賦活**され，完成品を言語聴覚士，ほかのスタッフ，家族と共有することで，賦活された言語機能を活かしたコミュニケーションが展開された．本人の人生史をアルバムという成果物に残すことで，単に談話の機会が広がったにとどまらず，**周囲の本人への理解・共感が深まる**ことに大きな意味があると思われた．

引用文献

1）Denes PB, Pinson EN：The Speech Chain—The Physics and Biology of Spoken Language. Freeman and Company, 2007
2）Walland RJ, Lubinski R, Higginbatham DJ：Discourse comprehension test performance of elders with dementia of the Alzheimer type. J Speech Lang Hear Res 45：1175-1187, 2002
3）Almor A, Kempler D, MacDonald MC, et al：Why do Alzheimer patients have difficulty pronounce？ Working memory, semantics, and reference in comprehension and production in Alzheimer's disease. Brain Lang 67：202-227, 1999
4）Orange JB：Perspective of family members communication changes. Lubinski R（ed）：Dementia and Communication. pp168-186, Singular, 1995
5）Ripich DN, Carpenter BD, Ziol EW：Conversational cohesion patterns in men and women with Alzheimer's disease：a longitudinal study. Int J Lang Commun Disord 35：49-64, 2000
6）Giraud AL, Price CJ：The constraints functional neuroimaging places on classical models of auditory word processing. J Cogn Neurosci 13：754-765, 2001
7）飯干紀代子：認知神経科学の夜 アルツハイマー型認知症患者のコミュニケーション障害の神経心理学的分析—低下した機能・活用できる機能．認知神経科学 17：18-25，2014
8）飯干紀代子（監修）：認知症のコミュニケーションスクリーニングテスト（CSTD）．エスコアール，2014
9）Hays SJ, Niven B, Godfrey H, et al：Clinical assessment of pragmatic language impairment：a generalisability study of older people with Alzheimer's disease. Aphasiology 18：693-714, 2004
10）大庭輝，佐藤眞一，數井裕光，他：日常会話式認知機能評価（Conversational Assessment of Neurocognitive Dysfunction；CANDy）の開発と信頼性・妥当性の検討．老年精医誌 28：379-388，2017
11）飯干紀代子，藏岡紀子，吉森美紗希，他：聴覚障害を伴うAlzheimer型認知症者の補聴器適用の要因分析．鹿児島高次脳機能研究会会誌 23：36-40，2012
12）Allen NH, Burns A, Newton V, et al：The Effect of improving hearing in dementia. Age and Ageing 32：189-193, 2002
13）飯干紀代子，大森史隆，三村將，他：アルツハイマー病患者のコミュニケーション障害への対応—聴覚障害に対する口形提示の効果．老年精医誌 10：1166-1173, 2011
14）飯干紀代子：エビデンスのある認知症のリハビリテーション—コミュニケーション支援におけるエビデンスの可能性．高次脳機能研究 32：468-476，2012
15）日本神経学会（監修），認知症疾患治療ガイドライン作成合同委員会（編）：認知症疾患診療ガイドライン 2017．pp67-73，医学書院，2017
16）Arkin S, Mahendra N：Discourse analysis of Alzheimer's patients before and after intervention：methodology and outcome. Aphasiology 15：533-569, 2001
17）Bourgeois MS：Enhancing conversation skills in patients with Alzheimer's disease using a prosthetic memory aid. J Applied Behavior Analysis 23：29-42, 1990
18）飯干紀代子：メモリーブックを用いた支援．三村將，飯干紀代子（編著）：認知症のコミュニケーション障害．pp154-165，医歯薬出版．2013
19）後藤麻耶，齋藤まなこ，飯干紀代子，他：中等度アルツハイマー型認知症例に対するメモリーブックを活用した認知コミュニケーション．訓練言語聴覚研究 11：21-28，2014
20）Roth TN, Hanebuth D, Probst R：Prevalence of

age-related hearing loss in Europe ; a review. Eur Arch Otorhinolaryngol 268 : 1101-1107, 2011
21) Razani J, Wong JT, Dafaeeboini N, et al : Predicting everyday functional abilities of dementia patients with the Mini-Mental State Examination. J Geriatr Psychiatry Neurol 22 : 62-70, 2009

4 筋萎縮性側索硬化症に伴う認知コミュニケーションケーション障害

A 基本概念

運動ニューロン病 motor neuron disease(MND)は，上位または下位運動ニューロンの変性疾患である．上位運動ニューロン upper motor neuron とは，大脳一次運動野皮質(ブロードマンの脳地図の 4)に存在する運動ニューロンのことであり，下位運動ニューロン lower motor neuron とは，下部脳幹運動神経核または脊髄前角に存在する運動ニューロンのことである．運動指令は上位運動ニューロンから皮質球路 corticobulbar tract または皮質脊髄路 corticospinal tract として下行し，下位運動ニューロンを介して筋肉に伝わり随意運動がなされる．運動ニューロン病には上位運動ニューロンと下位運動ニューロンの両者が変性脱落する**筋萎縮性側索硬化症 amyotrophic lateral sclerosis(ALS)**，上位運動ニューロンが選択的に脱落する原発性側索硬化症 primary lateral sclerosis(PLS)，下位運動ニューロンが選択的に脱落する脊髄性筋萎縮症 spinal muscular atrophy(SMA)がある．このうち，ALS は最も頻度が高く MND の代表的疾患である(図 13-9)．

ALS の多くは 40 歳代の中年期以後に発病し 70 歳代が発症のピークである．男女比は 1.3〜1.5 : 1 で男性に多いが，70 歳以上では男女差はなくなる．家族性 ALS は全 ALS の 5〜10% 程度で，90〜95% は孤発例である．罹病率は 10 万人に対し 2〜4 人であり，現在日本には約 9,000 人の患者が存在すると推定されている．

臨床的に，**上位運動ニューロン障害**は，痙縮，深部腱反射の亢進，バビンスキー Babinski 反射やチャドック Chaddock 反射などの病的反射陽性をきたす．上位運動ニューロン障害では粗大筋力は比較的保たれるが，素早い動きが障害される．皮質球路の障害では，痙性構音障害と嚥下に関与

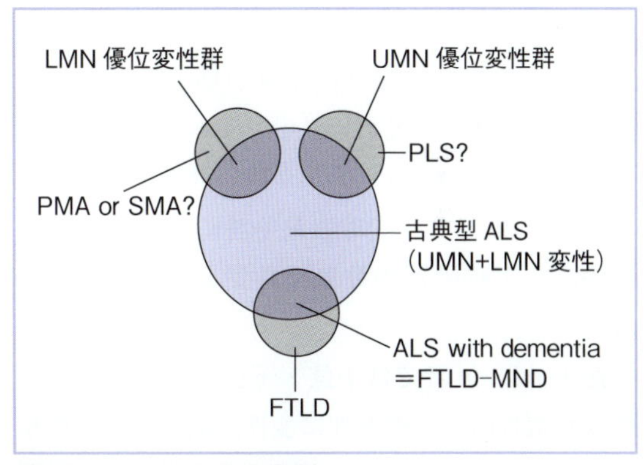

図 13-9　ALS とその亜型

FTLD-MND : frontotemporal lobar degeneration with motor neuron disease，LMN : lower motor neuron，UMN : upper motor neuron.
中央の大きな円が UMN と LMN が侵されている古典的 ALS を示している．LMN 優位変性群の円は LMN 症候のみがみられるグループを示し，多くは ALS に属するが，大きな円からはみ出ているのは進行性筋萎縮症(PMA)または脊髄性筋萎縮症(SMA)typeⅣの可能性を示す．UMN 優位変性群の円は UMN 症候のみを示すグループを示し，多くは ALS に属するが，大きな円からはみ出しているのは原発性側索硬化症(PLS)の可能性を示す．
認知症を呈する群のうち大きな円との重なり部分は認知症を伴う ALS(ALS with dementia)を示し，大きな円からはみ出ているのは前頭側頭葉変性症(FTLD)の可能性を示す．

する筋群の協調運動障害による嚥下障害をきたす．皮質脊髄路の障害により上肢では巧緻運動障害が目立ち，下肢は痙性歩行となる．**下位運動ニューロン障害**は，筋力低下と筋萎縮をきたす．脱神経が起こっている筋では関節運動を伴わない筋肉の細かい自発性収縮(線維束性収縮 fasciculation)がみられ，患者は筋肉がピクピクすると訴える．下部脳幹運動神経核(舌咽神経 Ⅸ，迷走神経Ⅹ運動核)の細胞脱落により咽頭運動障害が出現し，開鼻声となり食べ物が鼻腔に逆流するようになる．また，嚥下運動が起こりにくくなり誤嚥を生じる．舌下神経(Ⅻ)核の細胞脱落は舌萎縮と麻痺性構音障害をきたし，舌筋の線維束攣縮がみられる．動眼神経 Ⅲ，滑車神経 Ⅳ，外転神経 Ⅵによって支配される眼球運動は比較的末期まで保たれることが多い．四肢では筋の萎縮，筋力低下がみられる．ALSでは上位運動ニューロン障害と下位運動ニューロン障害が時間・空間的に混在する．ALSの初発症状は一側上肢の筋力低下で始まることが多いが，球麻痺，呼吸筋麻痺や下肢の筋力低下で発症するタイプもある．個人差はあるが多くの場合，徐々に全身の筋力低下が進行し，それに伴って発話以外のコミュニケーション手段や経腸栄養，日常生活全般に介助が必要となり，発症後3～5年で呼吸筋麻痺のために死亡するか，人工呼吸器の装着を必要とする難病である．

従来ALS患者では上位・下位運動ニューロンのみが選択的かつ進行性に変性，消失する変性疾患であり，陰性徴候として感覚障害，膀胱直腸障害とともに認知症があげられ，運動障害が進行しても高次脳機能は保たれると考えられてきた．しかし最近，ALSは臨床的にも病理学的にも運動ニューロンのみでなく広く神経細胞を侵す疾患であることがわかってきた．ALS患者のなかには周徊，常同行動，性格変化，言語理解障害などの著しい高次脳機能の低下を示す症例が存在し，湯浅・三山型ALSとして知られている．この湯浅・三山型ALSは**認知症を伴うALS(ALS with dementia；ALS-D)**または前頭側頭型認知症 frontotemporal dementia(FTD)（表13-14）を呈する疾患のMNDタイプ(FTD-MND)として位置づけられている．ALS-D/FTD-MNDでは脱抑制的行動，反社会的行動，周徊，立ち去り行動，常同行動，時刻表的生活といった行動障害が前景に立つため，日常生活の中で高次脳機能障害に気づかれやすい．また，古典的ALS患者のなかに遂行機能障害，失書や文の理解障害などを呈する症例が存在することも判明し，**認知機能障害を伴うALS(ALS with cognitive impairment；ALSci)**として報告されている．これらの認知機能障害は検査を行うことで明らかになることが多いが，球麻痺や四肢の運動障害がある場合は検査そのものが容易ではなく障害があっても気づかれにくい．一方，ALSを発症して長期間が経過し運動障害が重度に進行しても，高次脳機能が保たれていると思われる症例も存在する．現在のところALS患者における認知機能障害の全容は明らかでないが，臨床においては，上位・下位運動ニューロンの変性によって全身の運動障害を呈するALS症例のなかに，さまざまな高次脳機能障害を呈する症例が含まれているととらえると理解しやすい（図13-10）．

ALS患者にリハビリテーションを提供するうえで，これらの高次脳機能障害が起こりうること

表13-14　前頭側頭葉変性症(FTLD)と前頭側頭型認知症(FTD)

病変部位診断	症候診断	症候亜型
前頭側頭葉変性症(FTLD)	前頭側頭型認知症(FTD)	bvFTD PNFA SD

FTLD：frontotemporal lobar degeneration, FTD：frontotemporal dementia, bvFTD：behavioral variant frontotemporal dementia, PNFA：progressive non-fluent aphasia. SD：semantic dementia.
FTLDは変性部位に基づく疾患概念である．診断を満たすためには前頭葉と側頭葉の変性があれば十分であり，ほかの部位の病変の存否や蓄積物質の種類は問う必要がない．これに対しFTDは臨床(症候)診断である．論文によってはFTDをFTLDと同義に用いることがあり注意が必要である．

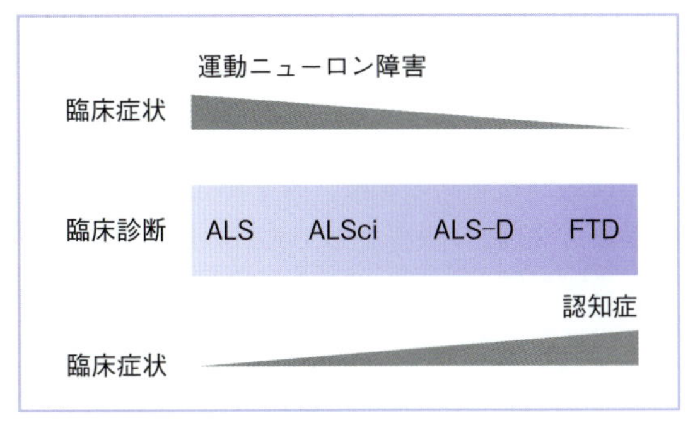

図 13-10　ALS と FTD 間の臨床像スペクトラム
一方の極に運動ニューロン障害が主症状で認知機能に異常を認めない古典的 ALS の臨床像があり，もう一方の極に前頭葉の非運動ニューロン障害による認知症を主症状とする前頭側頭型認知症(FTD)の臨床像がある．これらの間に連続的な臨床スペクトラムとして認知機能障害を伴う ALS(ALSci)，認知症を伴う ALS(ALS-D)がある．

を念頭におき，評価・支援を行う必要がある．ALS 患者は運動障害によってこれまで容易に行えていた日常生活が制限される．そのような状況において，患者が安楽かつ安全に周囲から孤立することなく人間関係が保たれた生活が送れるよう支援するためには，当該患者の運動機能だけでなく高次脳機能を含め包括的に評価し，正確な障害像を把握することが重要である．

B　原因と発症メカニズム

前述のように，ALS は「その神経変性過程は運動ニューロンに限局し，一般的には認知症や高次脳機能障害を伴わない」とする認識がかつて一般的であった．この認識が大きく変化したきっかけは組織化学的な発見であった．前頭側頭葉を中心とする領域に神経変性の主座をもつ認知症は**前頭側頭型認知症(FTD)**と呼ばれるが，この FTD の約半数にユビキチン陽性封入体が認められることが日本の Okamoto らにより 1991～92 年に報告された．また，この封入体は ALS 患者の脳にも共通してみられることがわかり，さらに 2006 年に日本と米国の研究者によりユビキチン陽性封入体の構成蛋白が TAR DNA-binding protein of 43 kDa(TDP-43)であることが明らかにされた．このような事実から，**TDP-43 陽性の FTD と ALS は TDP-43 蛋白蓄積症(TDP-43 proteinopathy)**という統一概念でとらえることが可能となった．すなわち，これらの疾患は TDP-43 蛋白蓄積症という共通の神経変性基盤をもち，認知症を主症状とする FTD を一方の極とし，もう一方の極に運動ニューロンの選択的脱落による ALS があり，これらの間に連続的な臨床スペクトラムが存在すると考えられるようになったのである(図 13-10)．

その後，TDP-43 蛋白蓄積症を示す ALS は ALS 患者の多くを占めるものの，TDP-43 陰性の症例も存在することが明らかにされ，さらに ALS の病因に関与する遺伝子異常も多種であることが判明した．これらの事実から，「ALS は単一の疾患とするよりも上位運動ニューロン・下位運動ニューロン傷害を示す変性疾患として定義され，そこには病因的に多様な疾患が包含される」という考え方が現在の主流となっている．今後，ALS の病因が遺伝子異常または蓄積蛋白により細分化され，それら病因別に運動ニューロン以外の神経細胞への病変の広がりとその進展形式が明らかにされてくることが期待される．神経心理学的検査や観察により明らかにされる臨床症状は病変部位を推測するうえで有用であり，それら臨床症状の時間的変化は病変進展形式を明らかにする．前述のように ALS 患者にみられる高次脳機能障害を詳細に検討することは，目の前の患者とその関係者に接するうえで大切であることは論をまたないが，病因と症状の関係性を検討するうえでも重要な情報を提示する．

C　ALS に伴う高次脳機能障害の症状

孤発 ALS 患者の認知機能障害が，最近注目されるようになってきている．何らかの認知機能障害は，ALS患者の約半数にみられ臨床的に認知症を指摘できるものが15〜20%程度みられるとされる[1,2]．病型の違いによらず，病期の進行とともに認知機能障害を呈する割合が増加し，重症化することが明らかになってきている．

認知症には至らないが認知機能障害を呈するものを認知機能障害を伴うALS(ALSci)と呼び，認知症を伴うものを認知症を伴うALS(ALS-D)と呼ぶが，病状の進行とともにALSciからALS-Dへ移行する例があることに注意すべきである[3]．

1　認知機能障害を伴うALS(ALSci)

ALSでは運動障害を代償し残存機能を活用した生活を送ることが必要になるため，併発する高次脳機能障害が，コミュニケーション機器の使用などQOLを拡大する手段の習得に影響を及ぼす場合がある．

a　遂行機能障害

ALSciにみられる認知機能障害では，遂行機能障害が多いとされている[4〜6]．

遂行機能は「自ら目標を立て，計画し，外界情報を取捨選択し，注意を配分し，それら情報を必要なモダリティに変換し，古い情報を更新し，既存の計画を変更し，目標を遂行する」までのすべての過程を含む．したがって遂行機能は，さまざまな脳機能が総動員されてなされる問題解決能力といえる．遂行機能障害は，注意集中困難，判断・抽象的思考の障害，流暢性の低下，計画性のなさ，柔軟性の欠如，被影響性の亢進などをきたし，行動は短絡的，反射的，画一的，無反省となる．遂行機能の高度障害は認知症としてとらえられる．病変主座としては前頭葉背外側部があげられる[7,8]．

b　言語機能障害

ALSに伴う言語機能障害として注目されているのは動詞と名詞の乖離，書字障害(漢字と仮名の乖離)，統語の障害などである．以下にそれぞれの病態を示す．

まず動詞の想起障害ではブローカ領域病変との関連が示唆される．名詞の理解障害は固有名詞や具象語に顕著で，想起障害のみを呈する者と，想起と再認の両方の障害を呈する者が存在する[12]．語の辞書的意味の障害を中核とした語義失語の病像を呈する症例では，側頭葉前部病変との関連が示唆されている．

ALSにみられる書字障害には，仮名の障害が優位な例と漢字の障害が優位な例がある．認知症を伴わず仮名に限局した失書症状は，孤立性仮名失書として知られている[9]．誤りのパターンとしては，仮名では文字の脱落が多く，漢字では類音的錯書が特徴である(たとえば「都市」を「年」と書く)．仮名文字の失書は左中前頭回後部のExnerの書字中枢病変(➡188頁)との関連が，漢字失書は側頭葉前部病変との関連が示唆されている[10,11]．

統語障害は文法的理解が困難で「花子が太郎を押す」と「花子を太郎が押す」の2文の意味の違いを理解できない．これは，格助詞が理解できないことを示す．統語障害はブローカ周辺領域病変との関連が示唆されている[13]．

2　認知症を伴うALS(ALS-D)

複数の領域にまたがる高次脳機能障害により日常生活に著しい障害が生じ，認知症を呈する症例を指す．ALSに伴う認知症の特徴はアルツハイマー病(AD)と異なり前頭側頭型認知症(FTD)に類似する．

前頭側頭型認知症は3つの臨床亜型，すなわち行動障害型前頭側頭型認知症 behavioral variant frontotemporal dementia(bvFTD)，意味性認知症 semantic dementia(SD)，進行性非流暢性失語症 progressive nonfluent aphasia(PNFA)に分類される(表 13-14).

a 行動障害型前頭側頭型認知症

行動障害型前頭側頭型認知症は病識欠如，感情・情動変化(多幸症を呈することが多いが，時に抑うつ)，被影響性の亢進または環境依存症候，脱抑制，わが道を行く行動がみられる．また同じ場所を同じルートで歩く周徊(AD にみられる不定の場所を歩き回る徘徊とは異なる)や，少ない品目の決まった食べ物に固執する常同的食行動異常などがみられる．常同行動が時間軸上に展開した場合，同じ時刻に同じ行動を行う時刻表的生活がみられる．この時刻表的生活は強迫性を帯びることが多く，それを中断・阻止しようとすると激しく抵抗する．また訓練中に部屋を出て行ってしまう立ち去り行動がみられることがある．進行すると，手を叩くなどの行為を繰り返す反復行動がみられる．常同行動が言語面に表れると，同語反復や反復書字となる．そのほか自発性の低下，転導性の亢進，運動維持困難などがみられる．病変主座は前頭前野である．

b 意味性認知症

意味性認知症の症状は，名詞の想起障害と意味理解障害が主症状で，進行すると物品そのものの意味理解も障害される．病変主座は左または右の側頭葉前部であるが，右病変が強い場合は進行性の相貌失認や社会行動障害が前景に立つことがある．

c 進行性非流暢性失語

非流暢な発話，失文法，電文体発話で特徴づけられる症候群で，発語失行を併発することが多い．

意味性認知症や進行性非流暢性失語ではその初期には ALSci の範囲にとどまり，行動障害型前頭側頭型認知症でみられるような全体的行動の変容は目立たないことが多い．経過中に行動障害型前頭側頭型認知症の症状を併発してくれば ALS-D と診断される．前頭側頭型認知症は運動症状に前駆することもあれば，運動症状が前駆することもある．

D 評価・診断

行動評価と神経心理学的評価を合わせて判断する．球麻痺により発話による評価が難しい場合や上肢筋力の低下により書字による評価が困難な場合があるので，運動障害が重篤化する前にどのような高次脳機能障害が出現しているのかを把握するようにする．病初期にみられた障害が病期の進行に伴って変化する可能性があることを念頭におく必要がある．また，日常生活，コミュニケーション場面で対象患者の行動を注意深く観察すること，発症前後の行動の変化を調べることが重要であり，家族や周囲の者からの情報は有益である．コミュニケーション機器によって文を作成しているとき，助詞が脱落することがあるが，それは機器を用いた表出は労力を要することが多く，できるだけ簡素化して伝えようとしたために生じたものであり，必ずしも失語や失文法によるものでないことは注意すべきである．神経心理学的検査は患者の全身状態と運動障害を考慮して，検査可能なものを組み合わせて用いる．

E リハビリテーション

運動機能と高次脳機能を包括的に評価し，残存機能を活かした生活指導，コミュニケーション方法の導入や家族指導を行う．運動機能低下予防のための訓練や介護方法の検討などについては成書に譲り，ここでは高次脳機能障害，コミュニケーションと生活指導の関係に焦点を当てる．

コミュニケーションの支援はALS患者への支援の中でも重要な位置を占める．その時点で最も効率的かつ正確に意思伝達が可能な方法を見つけると同時に，病状の進行を予測したコミュニケーション方法を準備する．文の理解障害を呈する患者については，どのような文であれば容易に理解できるのかを明らかにし話し手が工夫できるよう情報を共有する．球麻痺型ALS患者では多くの場合，発話困難になっても書字によるコミュニケーションが可能な時期がある．失書や失文法の影響を受けることがあるが，この時期は文脈から聞き手(読み手)が内容を推測し，必要に応じてそれを確認することが求められる．その際，書字障害や統語障害の特徴を把握していると推測しやすい．

発話や書字以外のコミュニケーション手段としてよく用いられるのは文字盤，コミュニケーションボード・ノート，携帯用会話装置(ペチャラ，トーキングエイド)，意思伝達装置(視線入力装置を用いたマイトビーI-15，ルーシーや，スキャニングスイッチを接続しても使用できるトーキングエイドfor iPad，ペチャラ，伝の心)などである．文字盤は仮名文字の操作能力，ワーキングメモリが必要である．携帯用会話装置は入力した文字が表示されるので文字盤よりも容易であるが，仮名文字の操作能力を要する．意思伝達装置の1つである「伝の心」は，簡単なパソコンの操作と列ごとにカーソルをスキャニングし，目的の列を選択してから音を選択する操作が必要であり，遂行機能や仮名文字の操作能力などを要する．言語訓練によってもこれらのコミュニケーション機器を使用するのに十分な運動機能があるにもかかわらず，機器がうまく使いこなせない場合には，遂行機能や仮名文字操作能力の低下を疑う．

生活指導はALS患者の言語治療において重要な位置を占める．ALSでは自らの運動機能の状態を理解し，代償方法を獲得できるよう指導する．指導にあたっては，対象患者の高次脳機能障害の有無と種類をふまえて，適切に行う．たとえば，摂食・嚥下機能障害に対して代償的な嚥下方法を習得すること，適切な食形態を判断することや，自らの歩行機能や呼吸機能を自覚し安全な範囲で外出することなどについて，患者本人がこれらの判断をすることが可能かを評価し，環境調整や家族指導を行う．

F　事例

a　事例1：認知機能障害(失書)を伴うALS例

72歳，男性，球麻痺型ALS.

■主訴

しゃべれない．

■既往歴

特記すべき事項なし

■家族歴

特記すべき事項なし

■現病歴

X年に構音障害で発症した．X+5か月時に精査を目的に入院した．

■入院時所見

身長160.9 cm, 体重66.2 kg, 血圧110/68 mmHg, 脈拍72/分．その他一般理学的所見に異常はなかった．診察や検査には協力的であった．やや多幸的な印象があった．ADLは自立しALSFRS-R(➡ Note 6)では34点であった．

■神経学的所見

運動障害性構音障害のため会話明瞭度(➡ Note 7)は3/5であった．舌運動は，わずかに挺舌が可能であった．軟口蓋挙上もほとんど不能であり開鼻声が著しかった．舌は萎縮し線維束性収縮を認めた．上下肢ともに右優位に筋力低下を認め，MMTでは上肢は右が3，左が4，下肢は右が4，左が5であった．独歩は可能であった．深部腱反射は左右の上下肢で亢進していた．下顎反射の亢進を認めた．

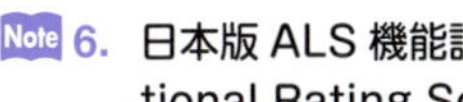

6. 日本版ALS機能評価スケール(ALS Functional Rating Scale Japanese version；ALSFRS-R Japanese version)[14, 15]

ALSFRS-Rは米国で作成されたALS患者の生活機能障害の進行度を評価するスケールである．大橋ら[14]によって日本語版ALSFRS-Rの信頼性検討が行われている．評価項目は四肢の運動機能障害，球機能障害，呼吸機能障害からなり全部で12項目である．各項目はすべて5段階(0：機能全廃～4：正常)で評価し48点満点である．「摂食動作」の項目は胃瘻の有無によって評価項目を選択する．

言語
- 4：会話は正常
- 3：会話障害が認められる
- 2：繰り返し聞くと意味がわかる
- 1：声以外の伝達手段と会話を併用
- 0：実用的会話の喪失

唾液分泌
- 4：正常
- 3：口内の唾液はわずかだが，明らかに過剰(夜間はよだれが垂れることがある)
- 2：中等度に過剰な唾液(わずかによだれが垂れることがある)
- 1：顕著に過剰な唾液(よだれが垂れる)
- 0：著しいよだれ(絶えずティッシュやハンカチを必要とする)

嚥下
- 4：正常な食事習慣
- 3：初期の摂食障害(時に食物を喉につまらせる)
- 2：食物の内容が変化(継続して食べられない)
- 1：補助的なチューブ栄養を必要とする
- 0：全面的に非経口性または腸管性栄養

書字
- 4：正常
- 3：遅い，または書きなぐる(すべての単語が判読可能)
- 2：一部の単語が判読不可能
- 1：ペンは握れるが，字を書けない
- 0：ペンが握れない

摂食動作〔胃瘻設置の有無により(1)，(2)のいずれか一方で評価する〕

(1)食事用具の使い方(胃瘻設置なし)
- 4：正常
- 3：幾分遅く，ぎこちないが，他人の助けを必要としない
- 2：フォークは使えるが，箸は使えない
- 1：食物は誰かに切ってもらわなくてはならないが，何とかフォークまたはスプーンで食べることができる
- 0：誰かに食べさせてもらわなくてはいけない

(2)指先の動作(胃瘻設置患者)
- 4：正常
- 3：ぎこちないがすべての手先の作業ができる
- 2：ボタンやファスナーを留めるのにある程度手助けが必要
- 1：看護者にわずかに面倒をかける
- 0：まったく何もできない

着衣，身の回りの動作
- 4：正常に機能できる
- 3：努力して(あるいは効率が悪いが)独りで完全にできる
- 2：時折手助けまたは代わりの方法が必要
- 1：身の回りの動作に手助けが必要
- 0：全面的に他人に依存

寝床での動作
- 4：正常
- 3：幾分遅く，ぎこちないが助けを必要としない
- 2：独りで寝返りをうったり，寝具を整えられるが非常に苦労する
- 1：寝返りを始めることはできるが，独りで寝返りをうったり，寝具を整えることができない
- 0：自分ではどうすることもできない

歩行
- 4：正常
- 3：やや歩行が困難
- 2：補助歩行
- 1：歩行は不可能
- 0：脚を動かすことができない

階段登り
- 4：正常
- 3：遅い
- 2：軽度の不安定または疲労
- 1：介助が必要
- 0：登れない

呼吸(呼吸困難・起座呼吸・呼吸不全の3項目を評価)

(1)呼吸困難
- 4：なし
- 3：歩行中に起こる
- 2：日常動作(食事，入浴，着替え)のいずれかで起こる
- 1：座位または臥位いずれかで起こる
- 0：極めて困難で呼吸補助装置を考慮する

(2)起座呼吸
- 4：なし
- 3：息切れのため夜間の睡眠がやや困難
- 2：眠るのに支えとする枕が必要
- 1：座位でないと眠れない
- 0：まったく眠ることができない

(3)呼吸不全
- 4：なし
- 3：間欠的に呼吸補助装置(BiPAP)が必要
- 2：夜間に継続的に呼吸補助装置(BiPAP)が必要
- 1：1日中呼吸補助装置(BiPAP)が必要
- 0：挿管または気管切開による人工呼吸が必要

Note 7. 会話明瞭度[16)]

発話の聴覚的評価であり以下の5段階で評価される.

1. よくわかる
2. ときどきわからないことばがある
3. 話の内容を知っていればわかる
4. ときどきわかることばがある
5. まったく了解不能

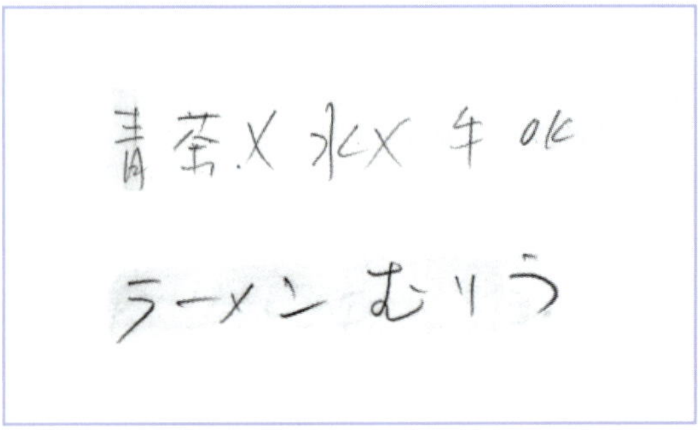

図 13-11　事例1の日常コミュニケーション場面における錯書の例

上段の文意は「緑茶と水はむせるが牛乳は大丈夫」, 下段の文意は「ラーメン屋に知り合いがいるのでラーメンが無料で食べられる」ということを示している. 日常の書字を用いたコミュニケーションでも, 緑茶→「青茶」, むりょう(無料)→「むりう」のような誤りを認めた.

■ 行動所見

コミュニケーションは書字が可能な間はメモ帳と工夫した筆記具をセットにして持ち運び, 文字を書いて見せた. 図 13-11 に示すように, 中には錯書があったが文脈からその内容を十分に推測することができた.

■ 神経心理学的所見

MMSE は 29/30 点, 非言語性認知機能検査である RCPM は 25/36 点であった. SALA で漢字の書き取りは 24/48 であり, 類音的錯書を認めた(図 13-12). 漢字の類義語判断検査は 30/40 であった(➡ Note 8). また, 仮名1文字の書き取りは 93/104, 仮名単語の書き取りは 44/48 であり, 仮名文字の脱落が目立った(図 13-12). 日常の書字を用いたコミュニケーション場面でも仮名, 漢字の錯書を認めた.

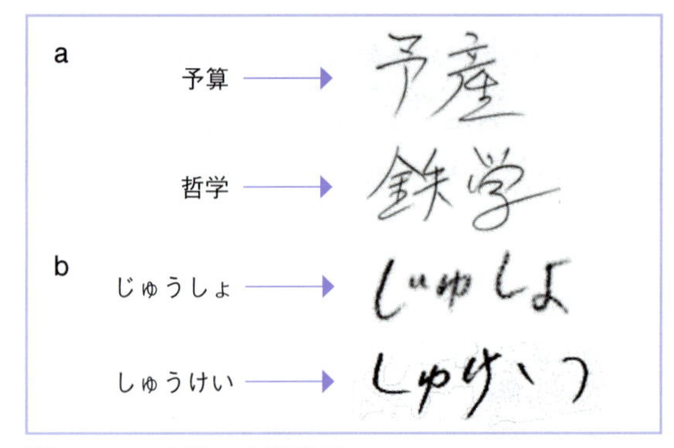

図 13-12　事例1の錯書例

a：漢字失書の例：類音的錯書
音は同じであるが意味の異なる他の文字へ誤っている.

b：仮名失書の例：文字の脱落
いずれも「う」(ウ長音)が脱落している.

Note 8. 類義語判断検査と類音的錯書

類義語判断検査は失語症語彙検査 TLPA(A Test of Lexical Processing in Aphasia)に含まれる検査項目の1つである. これは, 2つの語を視覚もしくは聴覚提示し, それらの類似性を問うことで語の意味が理解できるかを評価する検査である. たとえば, 「本屋–書店」は同じカテゴリーに属し意味的に類似する. 一方, 「天気–会社」はカテゴリーが異なり意味も明らかに異なる. 類音的錯書の背景には語の意味理解障害があると推測されている. ALS 患者では類義語判断検査と類音的錯書の間には高い相関があることが報告されている[11)].

■ 画像所見

MRI では軽度の側頭葉萎縮を認め, 脳血流 SPECT では左前頭葉後部, 左優位の側頭極, 頭頂葉の血流低下を認めた(図 13-13).

■ 経過

自宅退院後, 外来通院と外来でのリハビリテーションを継続した. 上肢の筋力低下が進行しても, できる ADL は工夫しながらできるだけ自分で行った. 書字動作が困難になってもトーキングエイドに文字を打って伝えることが可能であった. 嚥下障害の進行度に合わせた食形態や食べ方の工夫などの指導を受け入れ, 実行した.

■ 支援

コミュニケーションがとりやすい環境を整備し

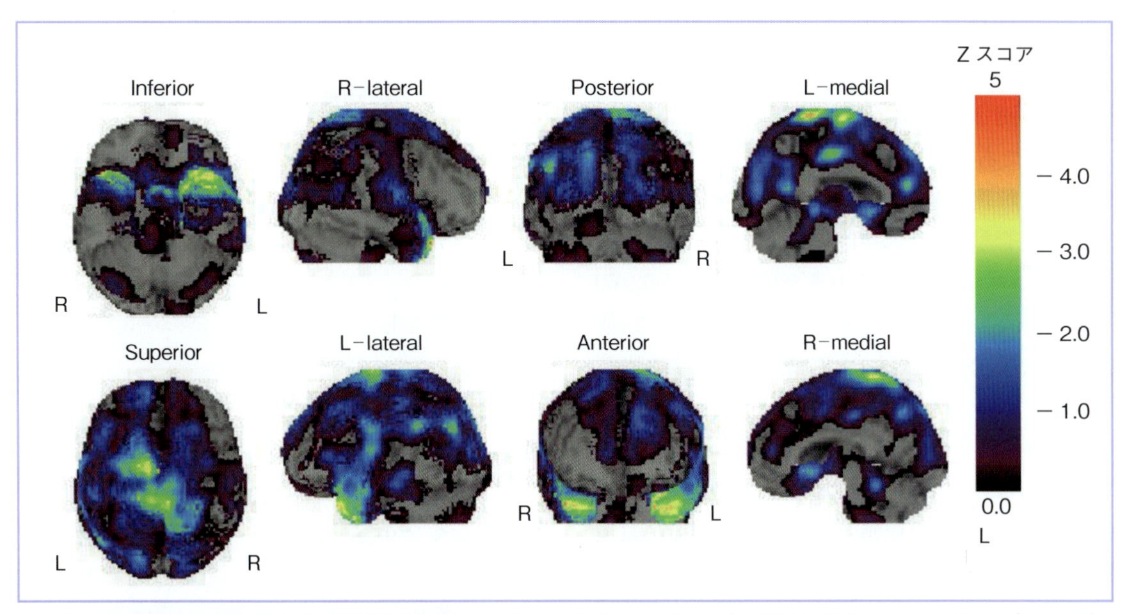

図 13-13　事例 1：認知機能障害（失書）を伴う ALS 例の脳血流 SPECT（画像統計解析 Z スコアマップ；eZIS）

左前頭葉後部，左優位の側頭極，頭頂葉の血流低下を認めた．

た．場面に応じて持ち運びができるようにした筆記具セットとトーキングエイドを準備した．

その後，徐々に呼吸不全が進行し X+4 年後，死亡した．

b　事例 2：認知機能障害（意味処理障害）を伴う ALS 例

69 歳，男性．

■ **主訴**

手が動かない．

■ **既往歴**

高血圧症，高尿酸血症，白内障，緑内障

■ **家族歴**

実妹が前頭側頭型認知症

■ **現病歴**

Y 年より両手に力が入らないことに気づき精査を目的に入院した．

■ **入院時所見**

身長 162 cm，体重 53.2 kg，血圧 142/78 mmHg，脈拍 67 回 / 分であった．意識は清明で診察や検査にも協力的であった．独歩が可能で ADL は，ボタンを留めることや箸の使用が困難であり，入浴時には介助が必要であったがそれら以外は自立していた．ALSFRS-R は 36 点であった．

■ **神経学的所見**

発話によるコミュニケーションが可能で会話明瞭度 1/5（よくわかる）であった．両上肢全体に筋萎縮を認め MMT では左右ともに近位筋 4，遠位筋 3 であり，線維束性収縮を認めた．下肢の筋力低下，筋萎縮は認めず独歩が可能であった．針筋電図では上肢筋は神経原性変化を認めた．下顎反射，膝蓋腱反射，アキレス腱反射の病的亢進を認めた．

■ **行動所見**

日記を長年書いていたが，「書こうと思っても字が思い浮かばなくなった」や，「花の名前が思い出せない」という自覚があった．

■ **神経心理学的所見**

MMSE では 22/30 点，RCPM では 28/36 点であった．ROCFT は模写で 34/36 であったが，即時再生は 5/36，遅延再生は 5/36 と前向性健忘が疑われた．言語機能は TLPA 名詞表出検査では

27/40と喚語能力の低下を認め，語頭音ヒントが無効で語の既知感が喪失している語もあった．SALAの漢字書き取り検査では正答数は19/42と低成績であった．誤りとしては類音的錯書が目立った．類義語判断検査(TLPA)は29/40，意味的線画連合検査は33/40(➡ Note 9)といずれも低下していた．仮名単語の書き取り検査は52/60と軽度の低下を示し，誤りは「きゅきゅうばこ(救急箱)」，「にゅどうぐも(入道雲)」など文字の脱落を認めた．

■ **画像所見**

MRIでは軽度の前頭–側頭葉萎縮を認めた．脳血流SPECTでは両側側頭極，前頭葉後部，頭頂葉で血流低下を認めた(図13–14)．

■ **経過**

徐々に筋力低下が進行し訪問リハビリテーションによる在宅環境の調整と定期的な検査・レスパイト入院を繰り返した．その間に胃瘻が造設された．X+15か月時ごろには「腕が上がらない」「薬を飲めば治る」という内容を繰り返し語るようになり家族が疲弊していた．また，正答を示しても既知感がない語が増えてきた．嗄声が強くなり，会話明瞭度は4/5程度まで低下した．また，呼吸不全が進行したためフルフェイスタイプの非侵襲的陽圧換気BiPAPを常時使用するようになった．

■ **支援**

「日記を書きたい」という本人の希望があったため，書字動作が可能な期間は筆記具を工夫し，字形が想起できない部分は言語聴覚士が援助し短い日記を書いた．コミュニケーションは一方的に同じ内容を話し続けたが，受容的に傾聴し共感すると情動的に落ち着いたため，家族に受容的態度で接するよう指導した．嗄声が出現したため拡大・代替コミュニケーション手段を検討したが仮名文字の探索は困難であり，コミュニケーションボードなども実用的な使用には至らなかった．「ゆっくり話してください」などの指示に従うことも困難で，フルフェイスマスクを装着したまま一方的に話し続け，聞き取ることが非常に困難であった．Y+2年後，肺炎のため死亡した．

C　事例3：認知症を伴うALS例

66歳，女性．

■ **主訴**

しゃべりにくい，飲み込みにくい．

■ **家族歴**

同様疾患なし

■ **現病歴**

Z年両上肢手指の動きづらさを自覚し，Z+1年から上肢の挙上が困難となり，Z+2年で話しにくさが出現した．Z+2.5年の時点でむせて食事がとれなくなり当院へ紹介され，精査目的にて入院した．自営業の夫，息子と三人暮らしであった．

■ **入院時所見**

身長142 cm，体重36 kg，血圧112/62 mmHg，脈拍76/分であり，意識は清明で訓練中にも落ち着きなく立ち去り行動が目立った．ニコニコと笑顔で深くお辞儀をし多幸的であった．ADLは上肢の筋力低下のため入浴，食事，更衣，下衣操作に介助が必要であった．ALSFRS-Rでは33点であった．

■ **神経学的所見**

構音障害が重度であり会話明瞭度は4/5であった．舌の運動はほとんど不能で萎縮と線維束性収縮を認めた．下顎反射の亢進を認めた．両上肢，肩甲帯で筋萎縮を認めMMTでは近位筋で3遠位筋で1，左はいずれも5であった．下肢の筋力低下，筋萎縮は軽度でMMTは4～5であり独歩は可能であった．四肢筋に線維束性収縮を認めた．深部腱反射は，左右の上腕二頭筋と膝蓋腱反射で亢進，バビンスキー反射が左で陽性だった．針筋電図では舌，胸鎖乳突筋，上下肢筋のすべてにおいて神経原性変化を認めた．

■ **行動所見**

自室のある病棟と同じ階の隣の病棟をグルグルと歩き回ったり，自室とナースステーション内の椅子を行ったり来たりする周徊がみられた．また，誰に対してもニコニコと笑顔を向け，丁寧に

Note 9. 意味的線画連合検査(Pyramid and Palm Trees Test)[17]

意味システムを評価する意味的連合検査の1つでHoward[17]らによって作成された．上段の線画と意味的関連のある方を選択してもらう．この場合，上段のイヌイットは下段左の家と意味的関連があると判断できれば正答となる．この例のように本検査は文化的背景に左右される．そのため，日本人の文化的背景に即したものが必要であるが現在のところ標準化されたものはない．

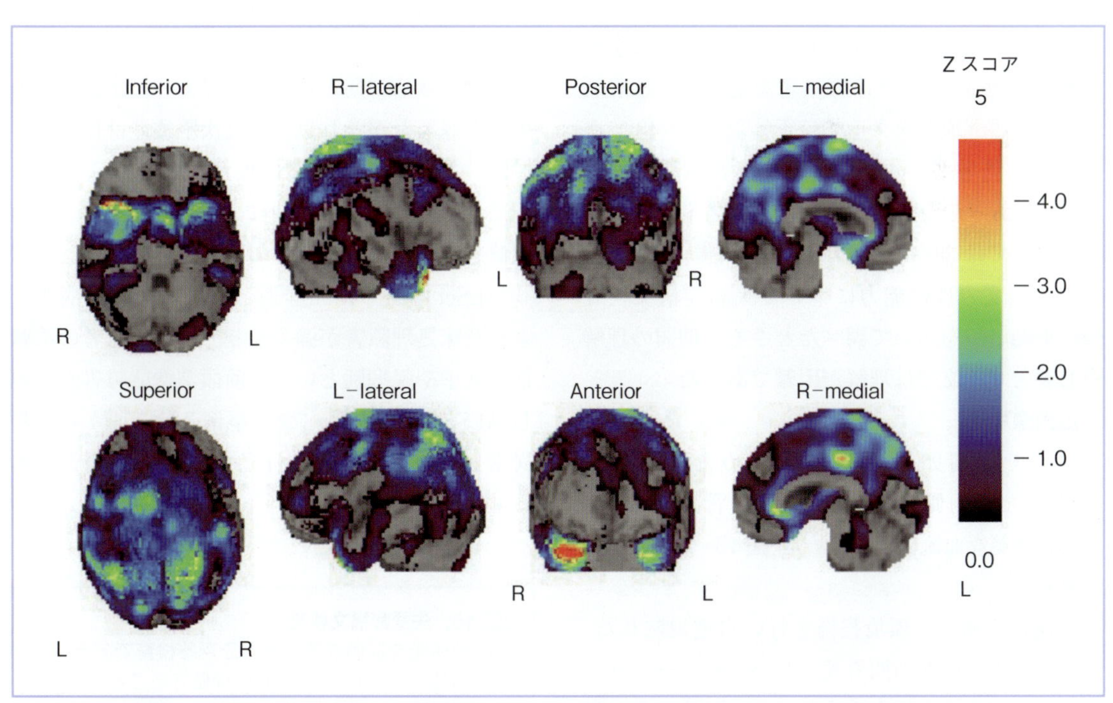

図 13-14 事例 2：認知機能障害（意味処理障害）を伴う ALS 例の脳血流 SPECT（画像統計解析 Z スコアマップ；eZIS）

右優位に両側側頭葉極，左前頭葉後部，頭頂葉の血流低下を認めた．

お辞儀をして挨拶をした．強制泣き，強制笑いが頻回に出現した．また自宅ではバナナを好んで食べ，何度も喉に詰まらせるというエピソードがあった．摂食・嚥下障害が高度で胃瘻を造設したが，チューブを自己抜去することがたびたびあった．

構音障害のため補助的に書字を用いながらコミュニケーションをとった．筆談用の筆記具やボードの必要性を自らは認めず家人が持ち歩いた．促されれば書字で簡単なコミュニケーションがとれた．代替的コミュニケーション手段として50音表，トーキングエイドの導入を試みたが使用方法の習得は困難であった．

■ **神経心理学的所見**

上記の行動障害があってもMMSEは17/30点であり，3単語の即時再生，遅延再生ともに完答した．RCPMでは21/36点であった．digit spanは順唱で7桁，逆唱で4桁まで，tapping spanでも同順序は6桁，逆順序は3桁まで可能であった．言語機能については，書字によるコミュニケーションでは仮名を主として用い，漢字は字形の想起困難および類音的錯書を認めた．SALAの漢字の書き取りテストでは正答数が32/48であり類音的錯書が多かった．類義語判断検査では31/40であった．独自に作成した仮名単語の書き取り検査では38/40であり仮名書字能力は保たれていた．文の理解能力について失語症構文検査(➡ Note 10)を用いて調べたところ，助詞の理解を必要とする文では理解が困難であった．

■ **脳画像所見**

MRIでは前頭葉の萎縮を認めた．脳血流SPECTでは両側前頭葉の眼窩面，背外側部，内側部に広範な血流低下を認めた(図13-15)．

■ **経過**

胃瘻造設術後，環境整備を行い自宅退院した．レスパイト入院と訪問看護，リハビリテーションによる在宅療養支援を受けた．自宅では周徊が強くなり，毎回同じコースを歩き迷うことなく自宅にたどりついた．また冷蔵庫を勝手に開けて食べ物を探し食べる食行動異常がみられた．

■ **支援**

毎回，発話と指さしで伝達しようとするがほとんど伝わらなかった．患者に書字によるコミュニケーションを促すようにすると簡単なコミュニケーションが成立した．内容はご家族に関することが多く〔例：おとうさん(はどこに行った？)〕，コミュニケーションが成立すると落ち着いて椅子に座り穏やかに過ごした．また，家族には複雑な文の理解が困難であったので単純な短い文を中心に話すようにすることや，周徊や食べ物を探して食べてしまう行動は高次脳機能障害の1つであり本人に説明したり怒ったりしても，やめられるものではないことを説明し理解してもらった．そのうえで在宅スタッフと連携し，手の届く冷蔵庫や戸棚にはロックを，玄関にはセンサーを設置した．また，連絡先などが書かれたネームカードを日中は携行してもらった．

その後，徐々に全身の筋力低下，呼吸機能低下が進行しX＋4年で呼吸不全が進行し死亡した．

■ **まとめ**

事例1は病初期から多幸的であり漢字と仮名の失書を認めたがそれ以外の高次脳機能は保たれていた．終末期まで人格は保たれておりALSciの例である．事例2は初期には意味処理障害，前向性健忘を認めたが，ほかの認知機能は保たれておりALSciであった．経過とともに側頭葉病変による意味処理障害が強くなり，併せて思考の柔軟性の低下や脱抑制といった前頭葉機能障害が出現しALS-Dへと移行した．事例3は初期から行動異常と意味処理障害が目立ち，ALS-Dの例である．

Note 10. 失語症構文検査[18]

統語機能を評価することができる検査である．文の理解能力について段階的に評価することができ，課題文は語の意味を手がかりに理解できる文，語順を手がかりに理解できる文，助詞の解読が必要な文，関係節の理解が必要な文から構成される．

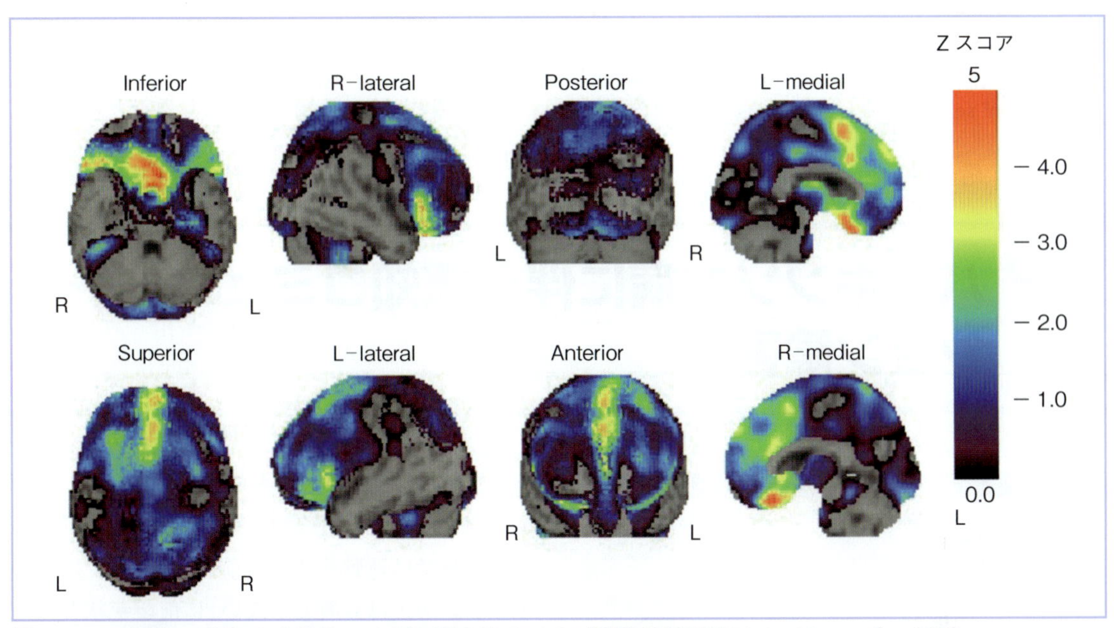

図 13-15 事例 3：認知症を伴う ALS 例の脳血流 SPECT(画像統計解析 Z スコアマップ；eZIS)
両側前頭葉の眼窩面，背外側部，内側部に血流低下を認めた．

引用文献

1) Ringholz GM, Appel SH, Bradshaw M, et al：Prevalence and patterns of cognitive impairment in sporadic ALS. Neurology 65：586-590, 2005
2) Lomen-Hoerth C, Murphy J, Langmore S, et al：Are amyotrophic lateral sclerosis patients cognitively normal? Neurology 60：1094-1097, 2003
3) Michael JS, Gloria MG, Freedman M, et al：Consensus criteria for the diagnosis of frontotemporal cognitive and behavioral syndromes in amyotrophic lateral sclerosis. Amyotrophic Lateral Sclerosis 10：131-146, 2009
4) Ludolph AC, Langen KJ, Regard M, et al：Frontal lobe function in amyotrophic lateral sclerosis：a neuropsychologic and positron emission tomography study. Acta Neurol Scand 85：81-89, 1992
5) Massman PJ, Sims J, Cooke N, et al：Prevalence and correlates of neuropsychological deficits in amyotrophic lateral sclerosis. J Neurol Neurosurg Psychiatry 61：450-455, 1996
6) Witgert M, Salamone AR, Strutt AM, et al：Frontal-lobe mediated behavioral dysfunction in amyotrophic lateral sclerosis. Eur J Neurol 17：103-110, 2010
7) Abe K, Fujimura H, Toyooka K, et al：Single-photon emission computed tomographic investigation of patients with motor neuron disease. Neurology 43：1569-1573, 1993
8) Kew JJM, Goldstein LH, Leigh PN, et al：The relationship between abnormalities of cognitive function and cerebral activation in amyotrophic lateral sclerosis：a neuropsychological and positron emission tomography study. Brain 116：1399-1423, 1993
9) Ichikawa H, Takahashi N, Hieda S, et al：Agraphia in bulbar-onset amyotrophic lateral sclerosis：not merely a consequence of dementia or aphasia. Behav Neurol 20：91-99, 2008
10) Ichikawa H, Kawamura M：Language impairment in amyotrophic lateral sclerosis. Brain Nerve 62：435-440, 2010
11) 小森規代，藤田郁代，橋本律夫：筋萎縮性側索硬化症における言語機能障害—書字機能の検討．神経心理学 28：215-222，2012
12) Bak TH, O'Donovan DG, Xuereb JH, et al：Selective impairment of verb processing associated with pathological changes in Brodmann areas 44 and 45 in the motor neurone disease-dementia-aphasia syndrome. Brain 124：103-120, 2001
13) Rakowicz WP, Hodges JR：Dementia and aphasia in motor neuron disease：an underrecognised association? J Neurol Neurosurg Psychiatry 65：881-889, 1998
14) 大橋靖雄，田代邦雄，糸山泰人，他：筋萎縮性側索硬化症(ALS)患者の日常生活における機能評価尺度日本版改訂 ALS Functional Rating Scale の検討．脳と神経 53：346-355，2001
15) Cadarbaum JM, Stambler N, Malta E, et al：The ALSFRS-R：a revised ALS functional rating scale that incorporates assessments of respiratory function. J Neurol Sci 169：13-21, 1999

16) 伊藤元信：単語明瞭度検査の感度．音声言語医学 34：237-243，1993
17) Howard D, Patterson K：Pyramids and Palm Trees：A test of semantic access from pictures and words. Thames Valley Test Company, 1992
18) 藤田郁代，三宅孝子：失語症構文検査(試案ⅡA)．コミュニケーション研究会，1986

5 パーキンソン病に伴う認知コミュニケーション障害

A 基本概念

パーキンソン病はADに次いで2番目に多い神経変性疾患である．その罹患率は概ね14〜19人/10万人・年，有病率は100〜300人/10万人と推定されている．年齢とともに患者数は増え，65歳以上に限定すると罹患率は160人/10万人・年，有病率も950人/10万人と増加する[1]．

パーキンソン病は臨床症状により診断される．パーキンソン病の診断基準のうち代表的な**International Parkinson and Movement Disorder Society(MDS)による診断基準**[2]を表13-15に示す．この診断基準では，できるだけ他疾患の可能性を除外したうえで，パーキンソニズムとしての運動緩慢がみられることが必須であり，加えて筋強剛，4〜6 Hzの静止時振戦うちの少なくとも1つがみられること，そしてドパミン製剤によい反応性がみられることなどの支持的要素を認めることがあげられている．パーキンソン病の運動症状評価は**Hoehn-Yahrの重症度分類**によりStage Ⅰ〜Ⅴの5段階に分けられる(表13-16)．

パーキンソン病は変性疾患であり緩徐進行性の経過をとる．パーキンソン病治療薬によりADLの改善が望める病気である一方，薬の影響による神経・精神症状が問題となることもある．よってパーキンソン病の診療では，罹病時間と使用薬剤を考慮することが重要である．パーキンソン病治療で用いられる薬を表13-17に示した．パーキンソン病では運動症状出現前(この時点ではパーキンソン病とは診断できない)に前駆症状として便秘，**REM睡眠行動異常症 REM associated behavioral disorder(RBD)**，日中過眠，うつ，嗅覚異常などを伴うことが知られている．また，運動症状出現後，5年程度はドパミン製剤に対する反応性がよい時期があり，ハネムーン期と呼ばれる．発症5〜10年には運動合併症が明らかとなる．すなわち，ドパミン製剤の効きが悪くなり(wearing off, delayed on, no-on)，薬剤誘発性の異常運動(ジスキネジア dyskinesia)が出現し，薬の効果が突然出たり切れたりし(on-off)，すくみが目立ってくる．発症10年以上を経過すると精神症状，認知症を合併しやすくなる(図13-16)[3]．

パーキンソン病の進行に伴い，ドパミン製剤(L-ドパ)の効果が不安定になる機序としては，以下のように考えられている．発症早期には，ドパミン製剤から変換されたドパミンが残存するドパミン神経細胞内に蓄えられ神経細胞活動に伴って放出されるため，生理的なドパミン放出に近い形となっている．進行期にはドパミン神経細胞の変性脱落が顕著となり，ドパミンを神経細胞内に蓄える機能，放出されたドパミンを再取り込み・再利用する機能が低下してくる．すると，シナプス間隙のドパミン濃度は供給されるドパミン製剤

表 13-15　International Parkinson and Movement Disorder Society（MDS）診断基準（2015）

臨床的に確実なパーキンソン病（clinically established Parkinson's disease）

パーキンソニズム（動作緩慢に加えて，安静時振戦か筋強剛のどちらか 1 つまたは両方がみられる）が存在しさらに，
1）絶対的除外基準に抵触しない
2）少なくとも 2 つの支持的基準に合致する
3）相対的除外基準に抵触しない

臨床的にほぼ確実なパーキンソン病（clinically probable Parkinson's disease）

パーキンソニズムが存在しさらに，
1）絶対的除外基準に抵触しない
2）相対的除外基準と同数以上の支持的基準がみられる．ただし 2 つを超える相対的除外基準がみられてはならない．

支持的基準（supportive criteria）

1. 明白で劇的なドパミン補充療法に対する反応性がみられる．初期治療の段階では正常かそれに近いレベルまでの改善がみられる必要がある．もし初期治療に対する反応性が評価できない場合は以下のいずれかで判断する．
   - ・容量の増減により顕著な症状の変動（UPDRS part Ⅲ でのスコアが 30％を超える）がみられる．あるいは患者または介護者より治療により顕著な改善がみられたことが確認できる．
   - ・明らかに顕著なオン / オフ現象がみられる．
2. L-ドパ誘発性のジスキネジアがみられる．
3. 四肢の静止時振戦が診察上確認できる．
4. 他のパーキンソニズムを示す疾患との鑑別診断上，80％を超える特異度を示す検査法が陽性である．現在この基準を満たす検査としては以下の 2 つが挙げられる．
   - ・嗅覚喪失または年齢・性を考慮したうえで明らかな嗅覚低下の存在
   - ・MIBG 心筋シンチグラフィによる心筋交感神経系の脱神経所見

絶対的除外基準（absolute exclusion criteria）

1. 小脳症状がみられる．
2. 下方への核上性眼球運動障害がみられる．
3. 発症 5 年以内に前頭側頭葉型認知症や原発性進行性失語症の診断基準を満たす症状がみられる．
4. 下肢に限局したパーキンソニズムが 3 年を超えてみられる．
5. 薬剤性パーキンソニズムとして矛盾のないドパミン遮断薬の使用歴がある．
6. 中等度以上の重症度にもかかわらず，高用量（> 600 m g）の L-ドパによる症状の改善がみられない．
7. 明らかな皮質性感覚障害，肢節観念運動失行や進行性失語がみられる．
8. シナプス前性のドパミン系が機能画像検査により正常と評価される．
9. パーキンソニズムをきたす可能性のある他疾患の可能性が高いと考えられる．

相対的除外診断（red flags）

1. 5 年以内に車椅子利用となるような急速な歩行障害の進展がみられる．
2. 5 年以上の経過で運動症状の増悪がみられない．
3. 発症 5 年以内に重度の構音障害や嚥下障害などの球症状がみられる．
4. 日中または夜間の吸気性喘鳴や頻回に生じる深い吸気など，吸気性の呼吸障害がみられる．
5. 発症から 5 年以内に以下のような重度の自律神経障害がみられる．
   - ・起立性低血圧：立位 3 分以内に少なくとも収縮期で 30 mmHg または拡張期で 15 mmHg の血圧低下がみられる．
   - ・発症から 5 年以内に重度の尿失禁や尿閉がみられる．
6. 年間 1 回を超える頻度で繰り返す発症 3 年以内の転倒
7. 発症から 10 年以内に，顕著な首下がり（anterocollis）や手足の関節拘縮がみられる．
8. 5 年の罹病の期間中で以下のようなよくみられる非運動症状を認めない．
   - ・睡眠障害：睡眠の維持障害による不眠，日中の過剰な傾眠，レム睡眠
     行動障害の症状
   - ・自律神経障害：便秘，日中の頻尿，症状を伴う起立性低血圧
   - ・嗅覚障害
   - ・精神症状：うつ状態，不安，幻覚
9. 他では説明のつかない錐体路症状がみられる．
10. 経過中一貫して左右対称性のパーキンソニズムがみられる．

〔Postuma RB, et al：MDS clinical diagnostic criteria for Parkinson's disease. Mov Disord 30：1591-1601, 2015 より〕

の濃度に依存的となって急激な上昇と低下を繰り返すようになる．さらに進行期には線条体のドパミン受容体感受性亢進がみられる．これらが相まって，シナプス間隙の非生理的ドパミン濃度の変化に伴ってパーキンソン症状の変動が明らかとなる（図 13-17）．また，ドパミン製剤は上部十二指腸で吸収されるが，進行期パーキンソン病では自律神経障害により胃から十二指腸への蠕動運動が障害され，その結果ドパミン製剤内服後の吸収が不安定となり，ドパミン製剤効果の不安定性・変動に関与する．

表 13-16 Hoehn-Yahr の重症度分類

Stage I	症状は一側性で機能的障害はないか，あっても軽微.
Stage II	両側性の障害があるが姿勢保持の障害はない．日常生活，職業は多少の障害はあるが行いうる.
Stage III	立ち直り反射に障害がみられ，活動は制限されるが，自力での生活が可能.
Stage IV	重篤な機能障害を有し，自力の生活は困難となるが，支えられずに歩くことはどうにか可能.
Stage V	立つことが不可能になり，介護なしにはベッド，車椅子の生活を余儀なくされる.

B 原因と発症メカニズム

パーキンソン病の病理では，顕微鏡的に黒質の神経細胞脱落を認めることと，神経細胞内の**レビー小体**の出現が特徴的である．黒質神経細胞脱落により線条体のドパミン喪失が起こる．レビー小体は α シヌクレイン蛋白質凝集体からなるが，異常立体構造をもった**αシヌクレイン蛋白**が凝集蓄積する過程で神経毒性をもつようになり，神経変性をもたらすと考えられている．異常 α シヌクレインの蓄積がなぜ起こるかについては不明な点が多いが，遺伝的要因と環境要因の両者が関与していると考えられている[4].

表 13-17 パーキンソン病治療薬

分類	特徴	主な商品名
レボドパ含有製剤	レボドパはドパミン前駆物質で，血液脳関門を通過し，脳内でドパミンに変換される	メネシット イーシー・ドパール
MAO-B 阻害薬	脳内ドパミン代謝を抑制し，ドパミン濃度を高める	エフピー アジレクト エクフィナ
COMT 阻害薬	レボドパの末梢での分解を抑制し，脳への移行効率を高める．単剤では抗パーキンソン効果なし	コムタン
ドパミン受容体刺激薬（ドパミンアゴニスト）	線条体のドパミン受容体と結合してドパミン作用を発現する．経口剤と貼付剤がある	パーロデル ペルマックス カバサール ビ・シフロール レキップ ドミン ニュープロパッチ* ハルロピテープ* （*貼付剤）
アデノシン A_{2A} 受容体拮抗薬	アデノシン A_{2A} 受容体に拮抗作用があり，間接経路を抑制して抗パーキンソン効果を表す	ノウリアスト
抗コリン薬	ムスカリン作動性コリン受容体を遮断することにより，線条体内のコリン / ドパミン不均衡を是正する	アーテン アキネトン
ドパミン放出促進薬	ドパミン作動性神経終末からのドパミン遊離を促進する．ジスキネジアの治療に用いられることがある	シンメトレル
ノルアドレナリン前駆物質	脳内ノルアドレナリン枯渇を是正する	ドプス
レボドパ賦活薬	作用機序は多岐にわたる．レボドパ作用を増強・延長する	トレリーフ

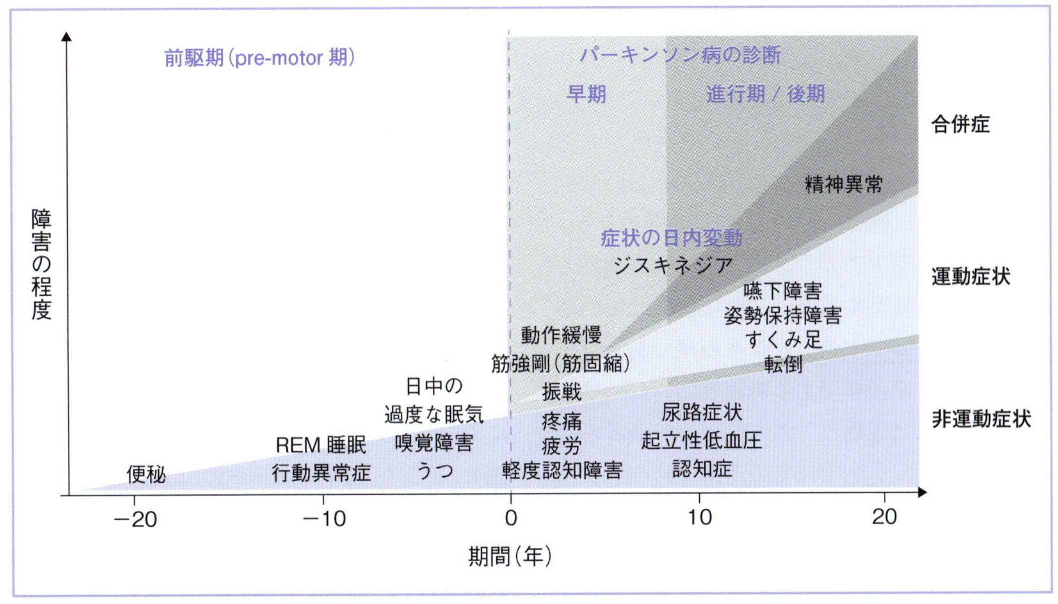

図 13-16 パーキンソン病の発症と進行過程

パーキンソン病は前駆期(運動症状出現前), 早期, 進行期 / 後期に分けられる.
〔Kalia LV, et al：Parkinson's disease. Lancet 386：896-912, 2015 より〕

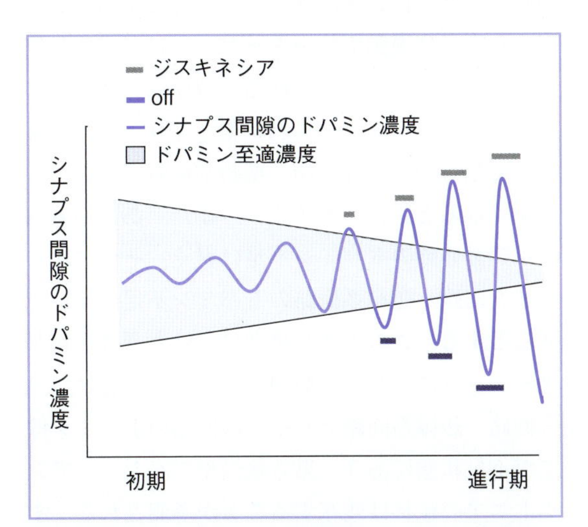

図 13-17 パーキンソン病の進行とシナプス間隙ドパミン濃度, ドパミン至適濃度

初期にはシナプス間隙のドパミン濃度変動が少なく, ドパミン至適濃度の幅も大きいために, パーキンソン病のコントロールは安定している. 進行するにしたがってシナプス間隙のドパミン濃度変動は大きくなり, 至適ドパミン濃度の幅は小さくなる. その結果, 症状の変動が著しくなる.

最近注目されている神経変性疾患の進展の病態として, **異常蛋白症 proteinopathy** の概念がある. 異常な立体構造をもった蛋白がプリオン様の伝播機構によって脳内に広がるとの説である. 正常な構造の蛋白と異常構造の蛋白の接触・相互作用により正常蛋白の立体構造が異常蛋白のそれに変換され, 異常蛋白の蓄積・増幅が起こり, それにより神経変性が進行する. パーキンソン病では α シヌクレイン蛋白が蓄積するので α シヌクレイノパチーと呼ばれる[5,6].

パーキンソン病の進行に伴う病理学的な変化について, Braak らは黒質に病理変化が出現する前のごく早期の段階において延髄の迷走神経背側核と嗅球に最初にレビー小体が現れることを明らかにした[7]. その後 Braak らは, パーキンソン病の進展経路として, パーキンソン病の外因説(環境要因説)と結びつけて, 環境と接している消化管の自律神経から延髄, さらに脳幹を上行する経路と, 嗅上皮細胞から始まり, 嗅球から嗅覚伝導路を介して大脳皮質に拡大してゆく2つの経路 **dual hit hypothesis** を想定した[8]. 前者の経路は，パーキンソン病の運動症状出現前に前駆症状として自律神経症状としての便秘が高頻度でみられることや，心筋に分布する交感神経節後線維の脱落がMIBG心筋シンチグラフィで検出される事実をよく説明する．また運動症状がない時期に，REM睡眠行動異常症や日中の過度の眠気，気分障害などみられるが，これらは黒質に病理が及ぶ前に，睡眠覚醒や感情・行動に関係していると考えられるノルアドレナリン系の核である青斑核やセロトニン系の核である縫線核にレビー病理が及ぶと考えれば矛盾なく説明できる．後者の経路は，パーキンソン病ではその運動症状出現前に嗅覚障害を高率に認める事実をよく説明する．

C パーキンソン病に伴う非運動症状と3つの基底核大脳皮質回路

パーキンソン病は運動障害が中核症状であるが，ほとんどの患者で非運動症状を併発している．非運動症状は，発症前駆期/発症時にみられるもの，進行期の運動症状の変動にともなって変動を呈するもの non-motor fluctuations と，ドパミン製剤治療抵抗性のものに分けられる．幻覚・妄想や衝動制御障害などは，抗パーキンソン病薬投与に関連して惹起，増悪する点にも十分な注意が必要である．**非運動症状**は，運動症状の重症度と独立してQOL障害をきたす[9]．非運動症状を一覧にして示す(表13-18)．

パーキンソン病の病態を理解するうえで，3つの**ドパミン基底核-大脳皮質回路**について知ることは重要である(図13-18)[10]．**運動回路 motor loop** は黒質-線条体(尾状核・被殻)-淡蒼球内節-視床腹側外側核-一次運動野の機能解剖学的な結合からなる．このループは正常な運動出力に関係し，ドパミン不足によるその機能障害はパーキンソン病の中核的運動症状(無動，筋強剛)をもたらす．一方，この系のドパミン過剰は不随意運動としてジスキネジアをもたらす．**連合回路 associative loop** は黒質-線条体(尾状核・被殻)-淡蒼球内節-視床腹側前核-背外側前頭前野からなる．この回路は遂行機能や注意機能と関連している．そのドパミン不足は思考緩慢や注意障害として現れ，ドパミン過剰では短絡的で統一性の欠如した思考がみられる．**辺縁系回路 limbic loop** は，腹側被蓋野-眼窩・内側前頭前野-側坐核-腹側淡蒼球-視床背内側核-眼窩・内側前頭前野からなる．この回路は意欲，快感のコントロールや価値判断に基づいた行動制御に関与する．この回路のドパミン不足は**アパシー apathy**(意欲低下，無感情)，**アンヘドニア anhedonia**(快感の消失，喜びが得られるような事柄への興味の減退)として現れる．ドパミン過剰では**衝動制御障害 Impulse Control Disorder(ICD)**がみられる(表13-19)．

ここに，患者Aを想定してみる．この患者は運動回路のドパミン不足が最も強く，連合回路，辺縁系回路では比較的保たれているとする．このような患者に運動症状をターゲットにドパミン製剤を処方した場合，連合回路，辺縁系回路それぞれの回路のドパミンは過剰状態となり，その結果として思考の統一性欠如，衝動制御障害をきたしやすくなると推測される[11, 12]．また，ある患者Bでは運動回路のドパミン不足は軽く，それに比して連合回路，辺縁系回路のドパミン不足が深刻であるとする．このような患者にやはり運動症状をターゲットにドパミン製剤を処方した場合は，連合回路，辺縁系回路それぞれの回路のドパミンはまだ不足状態にあり，思考緩慢やアパシー，アンヘドニアの症状は残存することが予測される．すなわち，運動症状については患者AとBで同程度のコントロールであったとしても，それぞれの連合回路，辺縁系回路のドパミン過不足が異なることにより，思考や感情・行動制御の面においてAとBの患者では異なる状態にあることが生じうる(図13-19)．さらに，進行期パーキンソン病では，シナプス間隙でのドパミン濃度変動が大きくなり，運動症状の変動 motor fluctuation に相当する思考や感情・行動制御面の変動など non-

表 13-18 パーキンソン病の非運動症状

		時期*	病態**
睡眠障害			
覚醒障害			
日中過眠		進	A+B
突発的睡眠		進	A+B
夜間の睡眠障害			
夜間不眠		早	A
レム睡眠行動障害		早	A
下肢静止不能症候群(むずむず脚症候群)		早	A
周期性四肢運動障害		早	A
睡眠時無呼吸症候群		早	A
自律神経障害			
心血管系障害	起立性低血圧，食後性低血圧	早+進	A+B
排尿障害	頻尿，尿意切迫，切迫性尿失禁	早+進	A+B
消化器症状	消化管運動障害(便秘)，流涎，嚥下障害	早+進	A
性機能障害	勃起障害	早+進	A
その他	発汗発作(発汗過多)，発汗低下，脂漏	早+進	A
精神・認知・行動障害			
気分障害	うつ，不安，アパシー，アンヘドニア	早	A
幻覚・妄想	幻覚(幻視・幻聴・体感幻覚)，妄想，せん妄	進	A+B
行動障害	衝動性障害(病的ギャンブル，性欲亢進，買いあさり，むちゃ食い，常同反復動作)	進	A+B
認知機能障害	遂行機能障害，注意障害，視空間認知障害，記憶障害	進	A+B
感覚障害			
嗅覚障害		早	A
痛み	筋骨格性疼痛，末梢神経-根性疼痛，ジストニア関連痛，中枢性疼痛，アカシジアに関連した不快感	早+進	A+B
視覚異常		早+進	A+B
その他			
体重変化	体重減少，体重増加	進	A+B
疲労		早+進	A

*早：早期，進：進行期．**A：パーキンソン病理が直接関与する症状，B：薬剤誘発性の症状
〔日本神経学会(監修)，「パーキンソン病診療ガイドライン」作成委員会(編)：パーキンソン病診療ガイドライン 2018. pp14-17，医学書院，2018 を一部改変〕

motor fluctuation が目立つようになり，病態がさらに複雑化する．

D パーキンソン病にみられる情動・認知・行動障害

1 気分障害

パーキンソン病患者でのうつの頻度は，約 4 割程度とされる．運動症状の発症前・早期からもみられ，最も頻度の高い非運動症状の 1 つである[9]．うつは QOL や運動機能，ADL の低下を招く要因として知られている．アパシーやアンヘドニアや不安も含めて，幅の広い病態が**「気分障害」**と総称される．「気分障害」はオフ時に増悪することが知られ，また不十分なパーキンソン病治療はうつ症状を増悪させる．これらのことから，「気分障害」の一部は前述の辺縁系回路のドパミン欠乏で説明可能である．また神経伝達物質のノルア

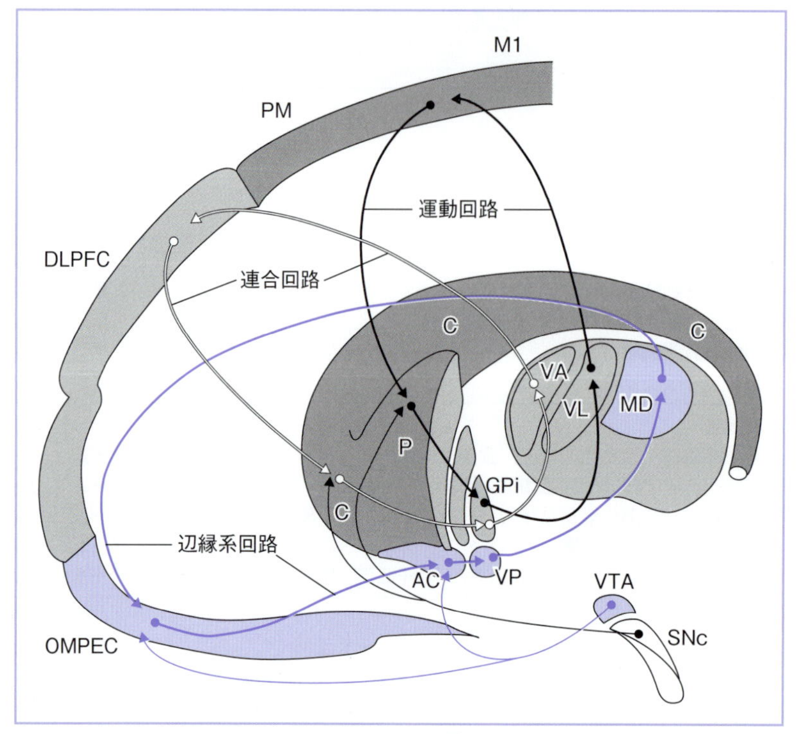

図 13-18　3つの基底核-大脳皮質ドパミン回路

M1：primary motor area（一次運動野），PM：premotor area（運動前野），DLPFC：dorsolateral prefrontal cortex（背外側前頭前野），OMPFC：orbital and medial prefrontal cortex（眼窩・内側前頭前野），SNc：substantia nigra pars compacta（黒質緻密層），VTA：ventral tegmental area　（腹側被蓋野），AC：accumbens nucleus（側坐核），VP：ventral pallidum（腹側淡蒼球），C：caudate nucleus（尾状核），P：putamen（被殻），Gpi：internal segments of globus pallidus（淡蒼球内節），VA：ventral anterior thalamic nucleus，VL：ventral lateral thalamic nucleus（腹側外側視床核），MD：medial dorsal thalamic nucleus（背内側視床核）．

表 13-19　ドパミンの過不足で説明できる症状

	ドパミン欠乏	ドパミン過剰
運動ループ	寡動・無動	不随意運動（ジスキネジア）
連合ループ	精神緩慢	統一性欠如 短絡的思考（jump to conclusion） punding（無目的反復動作）
辺縁系ループ	生感情欠如 無欲（アパシー） 喜び欠如（アンヘドニア）	衝動制御障害 性的逸脱行為・性欲亢進 病的ギャンブル 買いあさり むちゃ食い

ドレナリンやセロトニンは気分調整に関係し，パーキンソン病の脳幹病理に伴うノルアドレナリン系神経細胞核である青斑核，セロトニン系神経細胞核である縫線核の神経細胞脱落・変性も関与している．パーキンソン病に伴う「気分障害」は大うつ病と質的に異なり，罪業感，自責感，自殺企

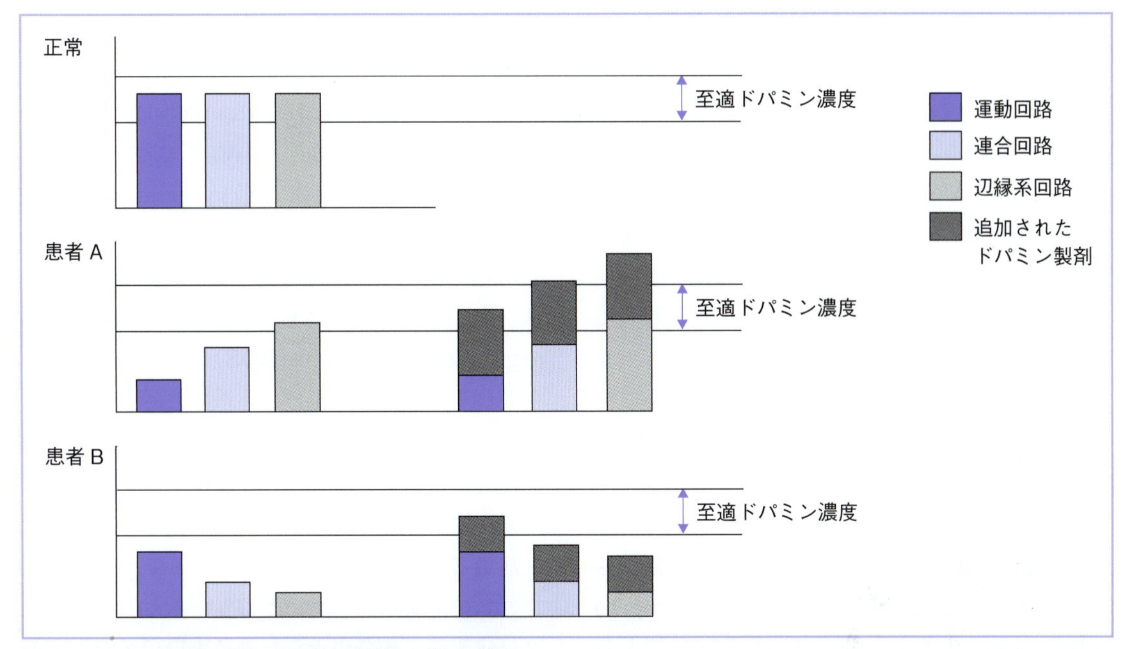

図 13-19　3 つのドパミン回路と至適ドパミン濃度

患者 A では運動回路＞連合回路＞辺縁系回路でドパミン不足である．このような例で運動症状をターゲットに治療すると連合回路，辺縁系回路はドパミンの過剰刺激を受けることになる．
患者 B では運動回路＜連合回路＜辺縁系回路でドパミン不足である．このような例で運動症状をターゲットに治療しても連合回路，辺縁系回路は依然としてドパミン不足である．
パーキンソン病では運動回路の神経細胞変性が，連合回路，辺縁系回路のそれよりも早期に進行することが多いので，患者 A のパターンが多いと考えられる．

図が少ないという特徴がある[13]．

治療としては，まずはパーキンソン病のドパミン補充療法を十分に行う．それでもなお気分障害がみられる場合は抗うつ薬の使用を検討する．アパシーの治療には抗アセチルコリンエステラーゼ阻害薬が有効である[14]．

2　錯視，幻視，妄想

パーキンソン病に伴う視覚認知障害と妄想の頻度は 3〜6 割程度である．錯視から幻視，さらに妄想へと徐々に進行する．

パーキンソン病に伴う**錯視 visual illusion** は，実際に存在するものが異なって視知覚される症状である．静止しているものが運動しているように見える運動視 kinetopsia（例：壁が膨らんで見える，ごみが動いて見える），あるものが違ったものに見える視覚錯誤 misidentification illusion（例：枕が犬に見える，壁のシミが蜘蛛に見える）が多い．これらの錯視出現と後頭・側頭領域の代謝低下には相関がみられる[15,16]．

幻視 visual hallucination は，実際には存在しないものが見える症状で，具体的で鮮烈な像が見え（例：タンスからタコが出てくる，風呂場に忍者がいる），患者は幻視を経験しているときにはその存在を確信していることが多い．幻視は腹側側頭葉領域の代謝低下と相関がみられるが，この代謝低下は同部の神経細胞脱落・レビー病理を反映している[17〜20]．また，抗パーキンソン病薬，特にドパミンアゴニスト，MAO-B 阻害薬，アマンタジン内服は幻視を誘発する外因である．促進因子としては発熱，脱水，入院，転居など身体・心理・環境変化があげられる．注意障害や認知機能低下の併発も重要である[21]．

妄想 delusion とは，現実にそぐわないにもかかわらず現実検討能力が障害されているためにそれと認識できず，現実に即するように改変することもできない信念のことである．妄想という概念の理解にあたって重要な点は，信念の内容を問題とするものであると同時に，そのような信念をもつに至った認識，思考，判断過程の特徴をも問題とすることである[22]．信念の内容の特徴としては，現実にそぐわないこと，世間の常識から外れていること，しばしば強い感情や情動に彩られていること，などである．認識，思考，判断過程の特徴としては，自分の言動や認識をモニターして現実と比較照合する機能，およびその結果として自分の認識を現実に即して改変する機能が障害されており，いきなり結論へジャンプ **jump to conclusion**[23] するような判断過程が特徴である（例：私の体に電気を流す者がいて私は動けない，家族が私に薬と称して毒を飲ませている，この人は夫に似ているが本物ではない—カプグラ Capgras 症候群）．

治療としては，まず視覚認知障害の基盤に加齢に伴う視覚器の問題や光感度の障害が関係している場合があるので，眼科的問題の有無，照明の最適化などを考慮する．これらに配慮したうえで，錯視のレベルで日常生活に支障がなければ経過観察をする．幻視に至った場合は，外因としての薬剤関与について検討する．薬が新たに加えられたり，量を変更されたりしたことを契機に幻視が出現した場合はその薬を中止，減量する．また，幻視に抗認知症薬が有効な場合がある[24]．

3　衝動制御障害，ドパミン調節障害

衝動 impulse は「反省や抑制なしに人を行動に赴かせる心の動き」とされる．強迫性障害患者は，ある行為を行うことによって不安を解消するためにその行為に駆り立てられる．一方，衝動性障害患者は，行為の遂行中または遂行後に満足感や快感が得られるという点で異なる．

パーキンソン病患者では，ドパミン補充療法や前頭葉，扁桃体などの機能障害と関連して，衝動制御障害 Impulse Control Disorders（ICD）を生じることがある．すなわち，病的ギャンブル pathological gambling，性欲亢進 hypersexuality，買いあさり excessive shopping，むちゃ食い binge eating，常同反復行動（耽溺）punding などがみられる．**ドパミン調節障害 Dopamine Dysregulation Syndrome（DDS）**は，必要量を超えたドパミン製剤への渇望を主徴とし，ドパミン作動薬の過量内服，それによって生じる薬剤誘発性の運動，行動上の副作用，およびドパミン作動薬離脱症状からなる．これら行動障害のパーキンソン病患者全体での出現頻度は6.1％で，ドパミンアゴニスト服用患者では13.7％である．パーキンソン病運動症状発現から行動障害出現までの平均期間は約5〜9年である．病的ギャンブル，性欲亢進，ドパミン製剤渇望など快楽への欲求が抑えらない行動障害の背景には，先述の3つのドパミン基底核-大脳皮質回路のうちで脳内報酬系を形成する辺縁系回路の過剰活動が重視される．常同反復行動ではドパミン基底核-大脳皮質回路のうち，連合回路の感受性亢進が関与する[25]．

治療として，辺縁系回路の過剰活動が病態として疑われる場合は，抗パーキンソン病薬，特にドパミンアゴニストの減量，変更，中止を検討する．病的ギャンブルなど経済的破綻を招くおそれのある場合は，他者に金銭管理を依頼する．医療側の注意も必要で，患者から「薬を紛失したから再度処方してほしい」「安心のために少し多めに処方してほしい」などが頻回にある場合，ドパミン調節障害の可能性を疑い，患者のみならず家族に服薬状況の確認をする．

4　認知症

パーキンソン病では初期から，遂行機能障害，注意障害，視空間認知障害などを呈する．これらの程度が軽いかあるいは単一のドメインにとど

まっていて，日常生活に支障のないレベルでは，パーキンソン病に伴う軽度認知障害と診断される．記憶障害が併発し，日常生活に支障をきたすようになると**認知症を伴うパーキンソン病 Parkinson's disease with dementia(PDD)** と診断される．パーキンソン病の診断後12年で60%に認知症を認め，20年後では80%に達する[26]．**レビー小体型認知症 Dementia with Lewy bodies(DLB)** とPDDの区別については，認知症で発症しその後パーキンソン症状が出現するか，認知症とパーキンソン症状がほぼ同時に出現する場合，またはパーキンソン症状発症から1年以内に認知症を発症した場合に，操作的にDLBと臨床診断する(1年ルール)[27]．

脳病理学的にはPDDとDLBはほぼ同じとされる．また，PDD/DLB患者の脳ではレビー病理に加えてアルツハイマー病理を伴うことが多く，認知機能低下に促進的な影響を与えている[28]．

PDDへ進展する危険因子は，高齢，運動障害が重篤である，振戦のない無動・強剛型の運動障害，嗅覚障害などがあげられる．注目すべきは嗅覚障害である．嗅覚障害は運動症状が出現する前からみられ，パーキンソン病の全経過中90%以上にみられる．dual hit hypothesis(➡315頁)によれば，嗅覚路はパーキンソン病理の中枢神経入口部の1つである．嗅覚路には前頭基底部に隣接する梨状葉に終止する経路があり，嗅覚障害を呈するパーキンソン病では早期から前脳基底部病理を伴いやすい．前脳基底部にはマイネルト基底核を含むアセチルコリン作動性の神経細胞核が存在し，大脳新皮質，扁桃体・海馬などへ広範に投射している．これらの神経細胞核は大脳新皮質や海馬機能を支持し，注意，学習，記憶に関与する．実際，重度の嗅覚障害を合併したパーキンソン病は，数年以内に認知症を発症する可能性が高く，加えて運動障害の進行が速い予後不良の群である[29]．

治療としては，まずPDD/DLBでは薬剤過敏性がみられることが多いので，外因となる薬剤(例：感冒薬，尿失禁治療薬，三環系抗うつ薬，H_2ブロッカー，トラマドール塩酸塩など)を内服していないかどうかを確認する．それらを排除したうえで，記憶障害，注意障害，認知機能の変動改善を目標としてコリンエステラーゼ阻害薬を用いる．

5 社会性認知・意思決定能力の障害

パーキンソン病の社会性認知能力について最近注目されているのは，他者心理の読み取り機能(他者の情動理解)との関連である．ここでいう**「情動」**とは感情の動的側面，すなわち行動化(表出・表現)された感情と定義する[30]．パーキンソン病患者では，表情と比較して声による情動認知がより困難であることが示され，また情動の種類によっても認知の難易度が異なり，ポジティブな情動よりも怒りや嫌悪，恐怖といったネガティブな情動のほうがより健常者との差が大きい．**心の理論**は他者の心的状態(思考や感情)を推測する能力である．従来，自閉症スペクトラムにおいて心の理論課題の障害が注目されたが，パーキンソン病患者においてもその障害がみられる．他者の心理を推測する場合，相手の思考を認知的に分析する側面と，感情を共感的に理解する側面がある．前者は「認知的 cognitive 心の理論」，後者は「感情的 affective 心の理論」と呼ばれるが，これら両者がパーキンソン病患者では障害される[31,32]．

意思決定 decision making とは，過去の経験や現在の状態に基づいて未来を予測する行動選択の基盤となる認知過程と定義される．遂行機能ともその概念において重なる部分が多い．パーキンソン病患者では基底核-皮質回路において，認知面にかかわる連合回路，情動面にかかわる辺縁系回路が障害されており，意思決定能力の問題に関与している．意思決定能力を調べる代表的な課題はギャンブリング課題が有名であるが，パーキンソン病患者では最終的に損をする行動を選択する傾向がある[31,32]．

パーキンソン病患者との会話では，違和感やずれを覚えたり，伝えたつもりが伝わっていなかったりする場面がある．これらは，前述の認知機能障害が複雑に絡み合って生じている可能性がある．家族や周囲の者が本人とのコミュニケーションについてどのように感じているかについて情報を得ておき，人間関係に問題が生じている場合には，病態を説明し本人の性格や心がけによるものではないことを助言する．

E 評価・診断

まずは，患者の罹病期間，使用されている薬剤を確認する．パーキンソン病理の進展の影響と，薬剤の影響の両者を想定しながら病状評価を行う．進行期パーキンソン病では on の時間帯と off の時間帯では運動症状のみならず高次脳機能も変動するので，評価したときは必ず on の状態であったのか off の状態であったのかを記載する．

パーキンソン病患者では多くの高次脳機能ドメインで障害を生じる．遂行機能障害，注意，ワーキングメモリ[22]，言語，記憶障害，手続き記憶障害などの評価方法は別章を参照されたい．社会的行動障害の診断は主として家族からの病歴聴取による．ここでは，パーキンソン病患者の初期評価に有用と思われる，嗅覚検査と視知覚検査について説明する．

嗅覚検査は**スティック型嗅覚同定検査 odor stick identification test（OSIT-J）**が簡便で有用である[33]．嗅素を封入したマイクロカプセルを加工したスティックを薬包紙に円形に塗り，薬包紙をすり合わせるとマイクロカプセルが弾けて嗅素が放出される．日本人になじみのある12種類の嗅素を順に呈示し，被検者に同定してもらう．OSIT-J は，におい汚染がないため一般外来でも使用できる．パーキンソン病患者ではその初期から有意に嗅覚低下を示す例がある．

視知覚検査では以下のものがあげられる．錯綜図検査は，重なり合った線画から，それぞれが何であるかを同定してもらう検査である．パーキンソン病患者では実際には錯綜図上に描かれていない物品を誤って報告する割合が高い．**ノイズパレイドリアテスト**は錯視を誘発する検査である（図13-20）．白黒の2階調で描かれた図形40枚のうち，8枚に顔写真の2階調画像を加えた課題を被検者に提示し，顔があるかないかを答えてもらう．パレイドリア反応は顔画像のない場所に顔があると指し示す反応で，パーキンソン病患者では有意にパレイドリア反応が多い[34]．

F リハビリテーション

パーキンソン病のリハビリテーションは医師・看護師のほかに理学療法士，作業療法士，言語聴覚士，臨床心理士，義肢装具士，ソーシャルワーカーなど多職種のチーム医療が求められる．このチーム医療により，まずリハビリテーションの前提となる現状評価を詳細に行うことにより，ともすれば見逃されやすい非運動症状や患者のおかれた社会状況についての情報を共有することができる．また，リハビリテーションは患者本人が参加するという特徴があり，本人の意欲やモチベーションを引き出すことにより QOL 向上につながる可能性がある．しかしながら，パーキンソン病に伴う認知・コミュニケーション障害に対するシステマティックなリハビリテーション方法はいまだ確立されていない．

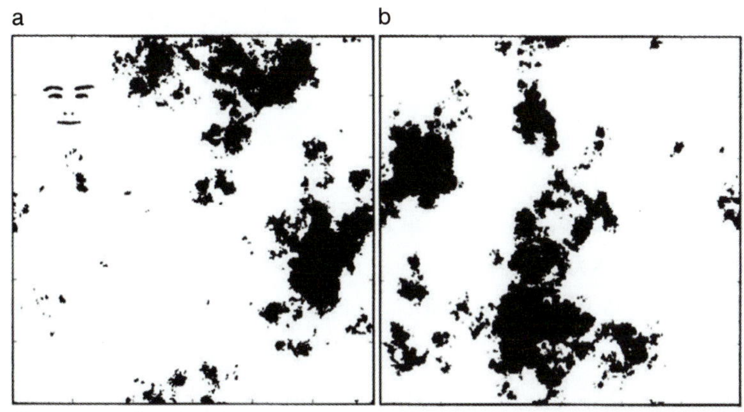

図 13-20　パレイドリアテスト

a：顔が埋め込まれた画像
b：ノイズのみで構成された画像
ノイズ画像に「顔がある」と確信的な反応がある場合をパレイドリアとする．

G 事例

a 事例 1：嗅覚低下で発症したレビー小体型認知症

65 歳（X 年），レビー小体型認知症．

■ **主訴**

嗅覚障害

■ **現病歴**

コーヒーのにおいがわからなくなった．また自分のおならもにおわないと言う．そのころから夜間大声を出すようになった．X + 1 年からもの忘れ症状があり当院初診．

■ **初診時所見**

パーキンソニズムを認めなかった．神経心理所見では HDS-R で 27/30（失点：再生 − 3），MMSE 30/30，RAVLT 4/7/5/6/6/TB3/6/delay，ROCFT 模写 36/36，即時再生 12/36，遅延再生 14.5/36，WMS-R 論理記憶：即時再生 7（正常 22.0 ± 7.1），遅延再生 3（正常 16.8 ± 7.0），と一般知的能力はほぼ正常範囲ながら，言語性・視覚性の前向性健忘を認めた．

X + 2 年には味覚障害が出現．この時点で OSIT-J は 0 点であった．誘発手技にて右上肢に軽度の固縮を認めた．

■ **画像所見**

頭部 MRI では海馬萎縮なし．脳血流 SPECT では頭頂葉外側・内側・一次視覚野の血流低下を認めた．MIBG 心筋シンチグラフィでは心筋の MIBG 集積が低下していた（図 13-21）．

■ **まとめ**

本例は嗅覚低下で発症し，神経心理学的には健忘型軽度認知障害と診断された．REM 睡眠行動異常症を疑う夜間大声があり，初診から 1 年後にはごく軽度の筋固縮が出現し，さらに MIBG 心筋シンチグラフィで心筋への MIBG 集積低下がみられ，軽度認知障害の原因疾患としてはレビー小体型認知症が考えられた．

b 事例 2：認知症を伴うパーキンソン病例

43 歳（X 年），パーキンソン病．

■ **主訴**

両側上肢の振戦出現．

■ **現病歴**

X + 5 年，振戦治療目的で左視床腹中間核破壊術を受けている．X + 19 年，著明な運動合併症 wearing off, on/off があり，当院を紹介された．

■ **初診時所見**

Hoehn-Yahr 重症度分類 Ⅳ(on 時Ⅲ，off 時Ⅴ)．大量発汗，起立性低血圧，日中過眠，突発性睡眠など非運動症状が目立った．さらに「電波で，事件が起こっていると知らせてきた」「女神がいる」「妻の子宮に何かが入っている」「自分を取り囲んでいる誰かから毒を盛られている．ひょっとしたら私は殺されるかもしれない」と訴え，幻視，妄想がみられた．また，夜間パソコンを意味もなく打ち続ける常同反復行動がみられた．前医で処方されていたトリヘキシフェニジル塩酸塩を中止したところ，幻視は軽減した．また，ドパミンアゴニストのペルゴリドメシル酸塩を漸減・中止したところ，常同反復行動が軽快した．ドネペジル塩酸塩とメマンチン塩酸塩を追加することにより，幻視はさらに軽快し，妄想も改善した．この時期，患者は妻の患者に対する否定的発言に対して無関心な態度をとり，あたかも他人の話を聞いているようで，深刻な妻の訴えに笑いさえみられた．

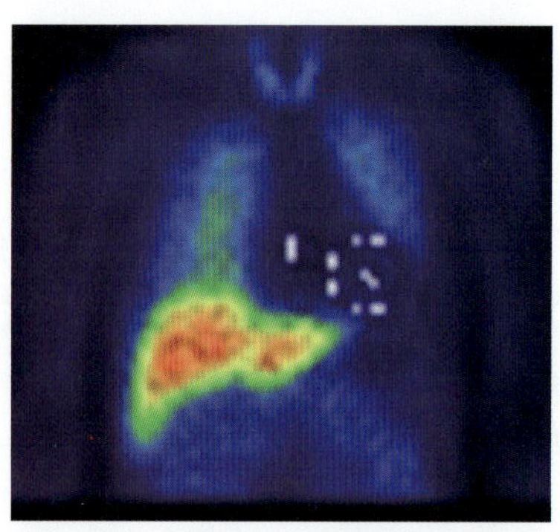

図 13-21　事例 1 の MIBG 心筋シンチグラフィ(後期像)

H/M 比(心臓 / 縦隔比)1.2(正常 > 2.2)と，MIBG 心筋取り込み低下が明らかである．

■ **画像所見**

頭部 MRI では海馬萎縮なし．脳血流 SPECT では一次視覚野を含む後頭葉，頭頂葉連合野での著明な血流低下を認めた(図 13-22)．この時点で on 時の HDS-R は 16/30(減点；見当識，減算，逆唱，語の流暢性)であった．

■ **まとめ**

本例は，発症後 19 年を経過し，進行期 / 後期の例である．運動症状の変動に加えて著明な非運動症状変動がみられ，認知症を伴うパーキンソン病と診断された．薬剤調整により，認知・精神症状の改善を認めたが，幻視・妄想，他者の情動理

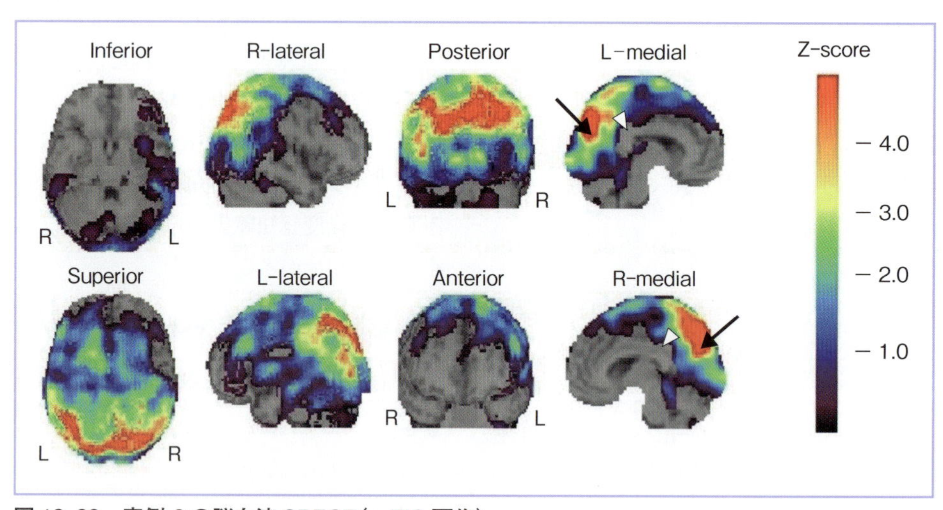

図 13-22　事例 2 の脳血流 SPECT(e-ZIS 画像)

一次視覚野を含む後頭葉内側・後頭葉外側，頭頂葉に血流低下が明らかである．認知症を伴うパーキンソン病やレビー小体型認知症では AD と比較して一次視覚野の血流低下を認めること(矢印→)，後部帯状回 / 脳梁膨大後域の血流が比較的保たれること(矢頭△)が特徴的であるとされる．本例ではこれらの特徴を認める．

解障害，覚醒レベルの変動を含む非運動症状は消失せず残存した．

引用文献

1) 日本神経学会(監修)，「パーキンソン病診療ガイドライン」作成委員会(編)：パーキンソン病診療ガイドライン 2018. pp4-5, 医学書院, 2018
2) Postuma RB, Berg D, Stern M, et al：MDS clinical diagnostic criteria for Parkinson's disease. Mov Disord 30：1591-1601, 2015
3) Kalia LV, Lang AE：Parkinson's disease. Lancet 386：896-912, 2015
4) 日本神経学会(監修)，「パーキンソン病診療ガイドライン」作成委員会(編)：パーキンソン病診療ガイドライン 2018. pp9-13, 医学書院, 2018
5) 鈴掛(増田)雅美，長谷川成人：タウとシヌクレインの線維化と伝播のメカニズム．Dementia Japan 28：293-298, 2014
6) Visanji NP, Lang AE, Kovacs GG：Beyond the synucleinopathies：alfa synuclein as a driving force in neurodegenerative comorbidities. Transl Neurodegener 8：28, 2019
7) Braak H, Del Tredici K, Rub U, et al：Staging of brain pathology related to sporadic Parkinson's disease. Neurobiol Aging 24：197-211, 2003
8) Hawkes CH, Del Tredici K, Braak H：Parkinson's disease：The dual hit theory revisited. Ann N Y Acad Sci 1170：615-622, 2009
9) 日本神経学会(監修)，「パーキンソン病診療ガイドライン」作成委員会(編)：パーキンソン病診療ガイドライン 2018. pp14-17, 医学書院, 2018
10) Nieuwenhuys R, Voogd J, van Huijzen C：The Human Central Nervous System(4th ed). p470, Springer, 2007
11) Verharen JPH, de Jong JW, Roelofs TJM, et al：A neural mechanism underlying decision-making deficits during hyperdopaminergic states. Nat Commun 9：731, 2018
12) MacDonald AA, Minchi O, Seergobin KN, et al：Parkinson's disease duration determines effect of dopaminergic therapy on ventral striatum function. Mov Disord 28：153-160, 2013
13) 田中洋康，武田篤：脳内の神経伝達物質と関連徴候―パーキンソン病に於けるドパミン系・アセチルコリン系の低下とそれに伴う神経徴候．神経心理学 31：99-107, 2015
14) 日本神経学会(監修)，「パーキンソン病診療ガイドライン」作成委員会(編)：パーキンソン病診療ガイドライン 2018. pp230-239, 医学書院, 2018
15) Boecker H, Ceballos-Baumann AO, Volk D, et al：Metabolic alterations in patients with Parkinson disease and visual hallucinations. Arch Neurol 64：984-988, 2007
16) Nishio Y, Yokoi K, Hirayama K, et al：defining visual illusions in Parkinson's disease：Kinetopsia and object misidentification illusions. Parkinsonism Relat Disord 55：111-116, 2018
17) Okada K, Suyama N, Oguro H, et al：Medication-induced-hallucination and cerebral blood flow in Parkinson's disease. J Neurol 246：365-368, 1999
18) Oishi N, Odaka F, Kameyama M, et al：Regional cerebral blood flow in Parkinson disease with nonpsychotic visual hallucinations. Neurology 65：1708-1715, 2005
19) Williams DR, Lees AJ：Visual hallucinations in the diagnosis of idiopathic Parkinson's disease：a retrospective autopsy study. Lancet Neurol 4：605-610, 2005
20) Goldman JG, Stebbins GT, Dinh V, et al：Visuoperceptive region atrophy independent of cognitive status in patients with Parkinson's disease with hallucinations. Brain 137：849-859, 2014
21) Marinus J, Zhu K, Marras C, et al：Risk factors for non-motor symptoms in Parkinson's disease. Lancet Neurol 17：559-568, 2018
22) 中島義明，安藤清志，子安増生，他(編)：心理学辞典．p836, 有斐閣, 1999
23) Warman DM, Lysaker PH, Martin JM, et al：jumping to conclusions and the continuum of delusional beliefs. Behav Res Ther 45：1255-1269, 2007
24) 日本神経学会(監修)，「パーキンソン病診療ガイドライン」作成委員会(編)：パーキンソン病診療ガイドライン 2018. pp245-249, 医学書院, 2018
25) 日本神経学会(監修)，「パーキンソン病診療ガイドライン」作成委員会(編)：パーキンソン病診療ガイドライン 2018. pp250-253, 医学書院, 2018
26) 日本神経学会(監修)，「パーキンソン病診療ガイドライン」作成委員会(編)：パーキンソン病診療ガイドライン 2018. pp254-256, 医学書院, 2018
27) McKeith IG, Dickson DW, Lowe J, et al：Diagnosis and management of dementia with Lewy bodies. Third report of the DLB consortium. Neurology 65：1863-1872, 2005
28) 吉田真理：レビー小体型認知症の臨床所見の病理学的背景．Dementia Japan 31：288-297, 2017
29) Baba T, Kikuchi A, Nishio Y, et al：Severe olfactory dysfunction is a prodromal symptom of dementia associated with Parkinson's disease：A 3-year longitudinal study. Brain 135：161-169, 2012
30) 中島義明，安藤清志，子安増生，他(編)：心理学辞典．pp 414-415, 有斐閣, 1999
31) 鶴谷奈津子：パーキンソン病の認知機能障害．高次脳機能研究 31：261-268, 2011
32) 小早川睦貴，鶴谷奈津子，河村満：パーキンソン病とコミュニケーション機能．基礎心理学研究 33：64-69, 2014
33) 小林正佳，今西義宣，石川雅子，他：スティック型嗅覚検査法―4件法と分類段階法の年齢と検知能力評価に関する検討．日鼻誌 43：167-174, 2004
34) Mamiya Y, Nishio Y, Watanabe H, et al：The pareidolia Test：Neuropsychological test measuring visual hallucination-like illusions. PLoS ONE 11：e0154713

参考図書

第1章　総論

- 石合純夫：高次脳機能障害学第2版．医歯薬出版，2012
- 山鳥重：神経心理学入門．医学書院，1985

第2章　視覚認知の障害

- Kölmel HW(著)，井上有史，馬屋原健(訳)：視覚の神経学—中枢性視覚障害の臨床と病態生理．シュプリンガー・フェアラーク東京，1990
- Zihl J(著)，平山和美(監訳)：脳損傷による視覚障害のリハビリテーション．医学書院，2004

第3章　視空間障害

- 石合純夫：高次神経機能障害．新興医学出版社，1997
- 山鳥重，彦坂興秀，河村満，他(シリーズ編集)，石合純夫(著)：神経心理学コレクション—失われた空間．医学書院，2009

第4章　聴覚認知の障害

- 秋元波留夫，大橋博司，杉下守弘，他(編)：神経心理学の源流—失語編上巻．創造出版，1982
- 加我君孝(編)：中枢性聴覚障害の基礎と臨床．金原出版，2000

第5章　触覚認知の障害

- 山鳥重，彦坂興秀，河村満，他(シリーズ編集)，岩村吉晃(著)：神経心理学コレクション—タッチ．医学書院，2001

第6章　身体意識・病態認知の障害

- 福井圀彦(原著)，前田眞治(著)：老人のリハビリテーション第8版．医学書院，2016

第7章　行為・動作の障害

- 日本高次脳機能障害学会教育・研修委員会(編)：行為と動作の障害．新興医学出版社，2019

第8章　記憶障害

- Baddeley A, Eysenck MW, Anderson MC：Memory(A Psychology Press book) (3rd ed). Routledge, 2020
- Squire LR(著)，河内十郎(訳)：記憶と脳—心理学と神経科学の統合．医学書院，1989

第９章　前頭葉と高次脳機能障害

- 鹿島晴雄，種村純：よくわかる失語症と高次脳機能障害．永井書店，2003
- 田川皓一，池田学：高次脳機能障害の評価―神経心理学への誘い．西村書店，2020

第 10 章　脳梁離断症状

- 大槻美佳，相馬芳明：脳梁．平山惠造，田川皓一（編）：脳卒中と神経心理学．pp42–52，医学書院，1995

第 11 章　認知症

- 大沢愛子（監修）：ナース・PT・OT・ST 必携！高次脳機能障害ビジュアル大辞典．メディカ出版，2020
- 田平隆行，田中寛之（編）：Evidence Based で考える認知症リハビリテーション．医学書院，2019
- 日本神経学会（監修），「認知症疾患診療ガイドライン」作成委員会（編）：認知症疾患診療ガイドライン 2017．医学書院，2017
- 廣實真弓（編著）：気になるコミュニケーション障害の診かた．医歯薬出版，2015
- 三村將，飯干紀代子（編著）：認知症のコミュニケーション障害―その評価と支援．医歯薬出版，2013

第 12 章　脳外傷による高次脳機能障害

- 岩倉博光，岩谷力，土肥信之（編）：臨床リハビリテーション―頭部外傷症候群 後遺症のマネージメント．医歯薬出版，1991

第 13 章　認知コミュニケーション障害

- Meyers PS（著），宮森孝史（監訳）：右半球損傷―認知とコミュニケーションの障害．協同医書出版社，2007
- Sohlberg MM, Mateer CA（著），尾関誠，上田幸彦（監訳）：高次脳機能障害のための認知リハビリテーション―統合的な神経心理学的アプローチ．協同医書出版社，2012
- 今村徹，能登真一（編）：QOL を高める認知症リハビリテーションハンドブック．医学書院，2020
- 小泉保（編）：入門語用論研究―理論と応用．研究社，2001
- 日本神経学会（監修），「パーキンソン病診療ガイドライン」作成委員会（編）：パーキンソン病診療ガイドライン 2018．医学書院，2018

索 引

欧文

R

S

T

U

V

W・Y

和文

あ

い

る・れ

わ